SEPULTADO CON SUS HUESOS

Jennifer Lee Carrell

Sepultado con sus huesos

Traducción de María Antonia Menini Pagés

Argentina • Chile • Colombia • España
Estados Unidos • México • Uruguay • Venezuela

Título original: *Interred with their Bones*
Editor original: Dutton, New York
Traducción: María Antonia Menini Pagés

Aribau, 142, pral. – 08036 Barcelona
www.umbrieleditores.com

ISBN: 978-84-89367-42-5 (Tela)
ISBN: 978-84-89367-43-2 (Rústica)
Depósito legal: M - 9.057 - 2008

Fotocomposición: Ediciones Urano, S.A.
Impreso por Mateu Cromo Artes Gráficas, S.A.
Ctra. de Fuenlabrada, s/n – 28320 Madrid

Impreso en España - *Printed in Spain*

Para
Johnny,
Kristen,
Mamá y Papá.

Todos los títulos del compañerismo os corresponden.

El mal que hacen los hombres les sobrevive.
El bien queda frecuentemente sepultado con sus huesos...

William Shakespeare

PRÓLOGO

PRÓLOGO

29 de junio de 1613

Visto desde el río, parecía como si dos soles se estuvieran poniendo sobre Londres.

Uno de ellos se hundía por el oeste lanzando esplendorosas cintas de tonos rosados, melón y oro. Sin embargo, el que había hecho que una inquieta flotilla de botes y barcazas, esquifes y chalanas se congregara en las oscuras aguas del Támesis era el segundo sol: por sobre el chapitel de la catedral de San Pablo herido de muerte por un rayo, una siniestra esfera de color anaranjado parecía haber engullido el horizonte tras haber embestido violentamente la orilla sureña del río. Mientras se hundía entre las tabernas y los burdeles de Southwark, clavaba unas perversas y afiladas hojas de fuego en la noche.

Pero no era otro sol, naturalmente, por más que algunos hombres que se tenían por poetas hubieran transmitido esta idea fantasiosa flotando de embarcación en embarcación. Era —o había sido— un edificio. El más famoso de los célebres teatros de Londres: la O de madera, hueca como un corral de comedias, la redonda sede de los sueños de la ciudad, nada menos que el gran Globo, estaba siendo pasto de las llamas. Y todo Londres se había acercado al río para ver el incendio.

Incluido el conde de Suffolk.

—«Entonces el Señor hizo llover del cielo sobre Sodoma y Gomorra azufre y fuego» —rezongó el conde mirando al sur desde el palacio flotante de su barcaza privada. En su calidad de lord chambelán de Inglaterra, Suffolk estaba al frente de la corte del rey. El hecho de que semejante desastre se hubiera abatido sobre los llamados Hombres del Rey, la amada compañía de actores de Su Majestad que, además de actuar en el Globo cuando no actuaba en la corte, era propietaria del edificio, habría tenido que molestarle. O, como mínimo, hacer un pequeño rasguño en la capa de barniz de su placer. Pero los dos hombres sentados con él bajo el pabellón de seda no daban muestras de la menor sorpresa mientras bebían vino, contemplando la catástrofe.

Su silencio no era del agrado de Suffolk.

—Espléndido, ¿verdad? —los aguijoneó.

—Llamativo —replicó su tío de blanco cabello, el conde de Northampton, todavía gallardo y elegante a sus setenta y tantos años.

El más joven de los tres, el hijo y heredero de Suffolk, Theophilus, lord Howard de Walden, se inclinó hacia adelante con la vehemencia de un joven león estudiando a su presa:

—Nuestra venganza arderá todavía con más fulgor mañana por la mañana cuando el señor Shakespeare y su compañía se enteren de la verdad.

Northampton clavó sus ojos de caídos párpados en su sobrino nieto.

—El señor Shakespeare y su compañía, tal como tú dices, no se enterarán de nada.

Por un instante, Theo permaneció inmóvil bajo la mirada de su tío abuelo. Después se levantó y arrojó su copa hacia el fondo de la barcaza, salpicando las libreas color azafrán de los criados con unas oscuras manchas de vino semejantes a las de un leopardo.

—Se han burlado de mi hermana en el escenario —protestó—. Ninguna conspiración de ancianos me privará del honor de la satisfacción.

—Mi señor sobrino —dijo Northampton, volviéndose a mirar a Suffolk—. Con demasiada persistencia, vuestro retoño está dando muestras de una desafortunada precipitación. No sé de dónde le viene. No es un rasgo propio de los Howard.

Su atención volvió a centrarse en Theo cuya mano derecha se abría y cerraba espasmódicamente sobre la empuñadura de su espada.

—Contemplar con perverso regocijo a los enemigos es la venganza de un bobalicón —dijo el anciano conde—. Cualquier campesino la tiene a su alcance. —Obedeciendo a una inclinación de su cabeza, un sirviente le ofreció otra copa a Theo, quien la aceptó con gesto malhumorado—. Infinitamemte más cautivador —prosiguió Northampton— es apiadarte de tu enemigo y obligarlo a darte las gracias... aunque sospeche de ti pero no sepa decir por qué.

Mientras hablaba, un pequeño esquife se acercó al costado de la barcaza. Un hombre saltó por encima de la barandilla y se acercó a Northampton, huyendo de la luz como una sombra descarriada que regresara de forma furtiva a su cuerpo.

—Cualquier cosa que merezca mínimamente la pena hacerse, tal como aquí Seyton os dirá —añadió Northampton—, merece la pena hacerse de la manera más exquisita. Poco importa quién la haga. No importa en absoluto quién sepa quién la hizo. —Seyton hincó la rodilla delante del anciano conde, el cual apoyó una mano en su hombro—. Milord de Suffolk y mi malhumorado sobrino nieto sienten tanta curiosidad como yo por oír tu informe.

El hombre carraspeó con suavidad. Su voz, como su atuendo e incluso sus ojos, tenía una tonalidad indeterminada entre el gris y el negro.

—Todo empezó, milord, cuando esta mañana el artillero de los comediantes se puso repentinamente enfermo. Parece ser que su sustituto cargó el cañón con tacos sueltos. Cabría incluso sospechar que éstos se empaparon con pez.

Torció la boca en un remedo de taimada sonrisa.

—Sigue —dijo Northampton con un gesto de la mano.

—La obra que representaban esta tarde era relativamente nueva. Se llamaba *Todo es verdad,* y versaba sobre la vida del rey Enrique Octavo.

—El gran Harry —murmuró Suffolk, bajando la mano y arrastrándola por el agua—. El padre de la anciana reina. Territorio peligroso.

—Por más de un motivo, milord —contestó Seyton—. La obra exige una mascarada y un desfile, incluyendo una salva. El cañón se disparó debidamente, pero el público estaba tan ocupado contemplando la farsa del escenario que nadie prestó atención a las chispas que fueron a parar al techo. Para cuando alguien aspiró el olor a humo, la techumbre de paja estaba rodeada de fuego y no se pudo hacer otra cosa que no fuera huir.

—¿Bajas?

—Dos heridos. —Sus ojos parpadearon, mirando a Theo—. Un hombre llamado Shelton.

Theo experimentó un sobresalto.

—¿Cómo? —balbució—. ¿Está herido?

—Quemado. Pero no de manera grave. Aunque sí espectacular. Desde mi lugar de observación (extremadamente privilegiado, si se me permite decirlo), lo vi asumir el control de la situación, organizando el desalojo del edificio. Justo cuando ya parecía que todo el mundo había salido, apareció una muchacha en una ventana de arriba. Una cosita preciosa de desgreñado cabello oscuro y mirada enloquecida. La criatura más hechicera que jamás había visto en mi vida.

»Antes de que nadie se lo pudiera impedir, el señor Shelton volvió a entrar corriendo. Transcurrieron unos cuantos minutos y, cuando la gente ya estaba empezando a llorar, él saltó a través de una cortina de fuego con la niña en brazos y el trasero en llamas. Uno de los sodomitas de Southwark le arrojó encima un barril de cerveza y él volvió a desaparecer, esta vez envuelto en una nube de vapor. Resultó que el fuego había prendido en sus posaderas, pero, milagrosamente, sólo estaba un poco chamuscado.

—¿Dónde está? —preguntó Theo, levantando la voz—. ¿Por qué no lo has traído contigo?

—Apenas conozco a ese hombre, milord —objetó Seyton—. Y, además, es el héroe del momento. No habría podido arrancarlo de la muchedumbre sin llamar la atención.

Dirigiéndole un mirada de hastío a su sobrino nieto, Northampton se inclinó hacia adelante.

—¿Y la niña?

—Perdió el conocimiento —contestó Seyton.

—Lástima —dijo el anciano conde—. Pero los niños pueden ser sorprendentemente fuertes. —Una especie de entendimiento se produjo entre el anciano conde y su criado sin intercambiar palabras—. Quizá sobreviva.

—Quizá —aventuró Seyton.

Northampton se reclinó contra el respaldo de su asiento.

—¿Y el artillero?

Una vez más, Seyton curvó la boca en un remedo de sonrisa.

—No se le encuentra por ninguna parte.

Aparentemente Northampton permaneció imperturbable; sin embargo, en su rostro se reflejaba una oscura satisfacción.

—Lo que importa es el Globo —dijo Suffolk, preocupado.

Seyton lanzó un suspiro.

—Un siniestro total, milord. El edificio es pasto de las llamas y también los camerinos de la parte trasera, con el vestuario y las capas de la compañía, las joyas de oropel, las espadas y los escudos de madera.... Todo se ha perdido. John Heminges estaba en la calle, llorando a lágrima viva por su dulce teatro, que era para él un palacio, sus cuentas y, por encima de todo, sus cuadernos de sugerencias e indicaciones para la puesta en escena e interpretación de las obras. Los Hombres del Rey, milores, se han quedado sin casa.

En la distancia, se escuchó un impresionante retumbo. Lo que quedaba del edificio se derrumbó convertido en un montón de cenizas y trémulas ascuas. Una repentina y ardiente ráfaga se arremolinó en el río en medio de una negra nevada de hollín.

Theo soltó un aullido triunfal. A su lado, su padre se pasó melindrosamente la mano por el cabello y la barba.

—El señor Shakespeare ya no volverá jamás tan siquiera a mofarse del apellido Howard.

—Ni en mi vida ni en la vuestra —dijo Northampton. Perfilado por el resplandor de las llamas, con los pesados párpados caídos sobre sus inescrutables ojos y la nariz afilada por la edad. Era el vivo retrato de un dios diabólico esculpido en oscuro mármol—. Pero jamás es un período de tiempo infinitamente largo.

ACTO I

1

29 de junio de 2004

Todos somos presa de nuestros fantasmas. No se trata de manifestaciones inexplicables o auras espectrales, ni de jinetes decapitados y reinas que lloran... Fantasmas reales pasean por las almenas de la memoria, murmurando sin cesar: *Recuérdame.* Empecé a descubrirlo a solas a la hora del crepúsculo en una colina que domina Londres. A mis pies, Hampstead Heath se derramaba sobre el mar gris plateado de la ciudad. Sobre mis rodillas brillaba un pequeño estuche envuelto en papel dorado y atado con una cinta. Iluminado por los últimos rayos del sol poniente, un motivo de zarcillos y hojas, o puede que de lunas y estrellas, se traslucía bajo la superficie del papel. Sostuve el estuche con ambas manos y lo levanté en alto.

—¿Esto qué es? —había preguntado unas horas antes, mi voz abriéndose paso por entre la penumbra de la galería inferior del Globo, el teatro donde estaba dirigiendo un ensayo de *Hamlet*—. ¿Es para disculparte? ¿O para sobornarme?

Rosalind Howard, extravagante y excéntrica profesora especialista en Shakespeare de la Universidad de Harvard —a partes iguales amazona, madre tierra y reina gitana—, se había mostrado vehemente.

—Es una aventura. Y resulta que también un secreto.

Me disponía a desatar la cinta para abrir el paquete, pero Roz alargó la mano y me lo impidió al tiempo que me miraba intensamente con sus verdes ojos. Tenía unos cincuenta años y llevaba el cabello oscuro tan corto que parecía un chico; unos brillantes pendientes le colgaban de las orejas. Sostenía en una mano un sombrero blanco de ala ancha adornado con unas peonías de suntuosa seda carmesí, un llamativo tocado que parecía arrancado de la fascinante época de Audrey Hepburn y Grace Kelly.

—Si lo abres, tendrás que seguir adelante hasta donde te lleve.

En otros tiempos había sido mi mentora y mi ídolo y más tarde casi mi segunda madre. Mientras ella interpretaba el papel de matriarca, yo interpretaba el de la fiel discípula, hasta que decidí abandonar el mundo académico y optar por el teatro tres años atrás. Nuestra relación ya se había agriado y estropeado antes de que yo me fuera, pero mi partida la cortó definitivamente. Roz me hizo saber con toda claridad que consideraba mi huida de la torre de marfil como una traición. Yo la veía más bien como una evasión; me habían dicho que el término que ella prefería era «fuga». Sin embargo, todo eso eran simples rumores. En todo este tiempo, no había oído ni una sola palabra de arrepentimiento o reconciliación por su parte hasta que aquella tarde se había presentado en el teatro sin previo aviso, pidiendo hablar conmigo. A regañadientes, ordené una pausa de quince minutos en el ensayo. Quince minutos más, me dije, de lo que aquella mujer tenía derecho a esperar.

—Has leído demasiados cuentos de hadas —contesté en voz alta, empujando de nuevo el estuche hacia ella sobre la mesa—. A no ser que tenga alguna relación con lo que estamos ensayando, no puedo aceptarlo.

—Mercurio Kate —dijo con una triste sonrisa en los labios—. ¿No puedes o no quieres?

Guardé un obstinado silencio.

Roz lanzó un suspiro.

—Tanto si lo abres como si no, quiero que te lo quedes.

—No.

Ladeó la cabeza, estudiándome.

—He descubierto una cosa, cariño. Una cosa muy importante.

—Yo también.

Su mirada recorrió el teatro, sus sencillas galerías de madera de roble de tres pisos de altura que se corvaban alrededor de aquel escenario saliente tan extravagantemente decorado con dorados y mármol que se levantaba en el patio sin techo.

—Desde luego, menudo tanto te has apuntado, dirigir *Hamlet* en el Globo. Sobre todo, tratándose de alguien que no es inglés, que, por si fuera poco, es una joven mujer norteamericana. La gente de teatro británica es la más esnob del planeta. No se me ocurre a nadie capaz de sacudir su pequeño mundo insular. —Sus ojos se desplazaron de nuevo hacia mí contemplando con un leve parpadeo el estuche que se interponía entre nosotras—. Pero esto es más importante.

La miré con incredulidad. ¿De veras me estaba pidiendo que me sacudiera el polvo del Globo de las suelas de los zapatos y que la siguiera sólo por hacerme unas cuantas insinuaciones jocosas y por darme un pequeño y misterioso estuche envuelto en papel dorado?

—¿Qué es? —pregunté.

Meneó la cabeza.

—*En mi memoria está guardado, y tú misma conservarás la llave.*

Ophelia, mascullé para mis adentros. De ella habría esperado más una frase de Hamlet, el papel principal, constantemente en el centro del escenario.

—¿Podrías dejar de hablar con acertijos, aunque sólo sea durante dos minutos seguidos?

Me señaló la puerta con un leve gesto de la cabeza.

—Ven conmigo.

—Estoy en pleno ensayo.

—Confía en mí —insistió—. Lamentarías mucho no participar en lo que te propongo.

Se me encendió la sangre; me levanté tan precipitadamente que arrojé al suelo varios libros que había sobre la mesa.

La expresión burlona huyó de sus ojos.

—Necesito ayuda, Kate.

—Pídesela a otra persona.

—Tu ayuda.

¿La mía? Fruncí el entrecejo. Roz tenía montones de amigos en el mundo del teatro; no necesitaba recurrir a mí para resolver cues-

tiones acerca de la dramaturgia shakespeariana. El único otro tema que le interesaba y que yo conocía mejor que ella se interponía entre nosotras como un campo minado: mi tesis. La cual giraba en torno al Shakespeare oculto. Pero en el significado antiguo de «oculto» en inglés, siempre me apresuraba a añadir. Es decir, no tanto oscuro o esotérico cuanto escondido o secreto. En particular, yo había estudiado las numerosas y extrañas investigaciones, llevadas a cabo sobre todo en el siglo XIX, centradas en la búsqueda de la ciencia secreta que encerraban las obras del Bardo. A Roz el tema le había parecido tan curioso y fascinante como a mí... o eso decía en público por lo menos. En privado, me habían dicho, lo había torpedeado y despreciado por considerarlo una cuestión indigna de la investigación universitaria. ¿Y ahora me pedía ayuda?

—¿Por qué? —pregunté—. ¿Qué has descubierto?

Meneó la cabeza.

—Aquí no —dijo, bajando la voz hasta que fue un apremiante susurro—. ¿A qué hora terminas?

—Sobre las ocho.

Se acercó un poco más a mí.

—Pues entonces reúnete conmigo alrededor de las nueve en el mirador de Parliament Hill.

Para entonces ya estaría oscuro en uno de los lugares más solitarios de Londres. No era la hora más segura para estar en Hampstead Heath, pero sí una de las más hermosas. Al notar que vacilaba, algo que tal vez fuera miedo cruzó el rostro de Roz.

—Por favor.

Como yo guardaba silencio, alargó la mano y, por un instante, pensé que me iba a arrebatar el estuche, pero, en su lugar, la levantó para acariciarme el cabello con un dedo.

—El mismo cabello pelirrojo y los mismos ojos negros que Ana Bolena —murmuró—. ¿Sabes que estás muy regia cuando te enfadas?

Era una antigua broma... la de que, en determinados estados de ánimo, yo parecía la reina. No la Isabel actual, sino la primera. La reina de Shakespeare. No sólo por el cabello cobrizo y los ojos oscuros sino también por mi nariz ligeramente ganchuda y la piel clara que se cubría de pecas bajo el sol. Una o dos veces yo misma lo había observado en el espejo, pero nunca me había gustado aquella comparación ni las insinuaciones que llevaba aparejadas. Mis padres habían muerto cuando yo tenía quince años, y por ese motivo me había ido a vivir con una tía abuela. Desde entonces había pasado una considerable parte de mi vida en compañía de autocráticas mujeres mayores, y siempre me había jurado no acabar como ellas. Por eso me gustaba pensar que tenía muy poco en común con aquella despiadada reina Tudor, excepto tal vez la inteligencia y la afición a Shakespeare.

—Muy bien —me oí decir—. A las nueve en Parliament Hill.

Con cierta torpeza, Roz bajó la mano. Creo que no podía acabar de creerse que yo hubiera cedido tan fácilmente. Yo tampoco. Pero mi cólera se estaba disipando.

Se oyó el crujido del interfono.

—Señoras y señores —tronó la voz de mi director de escena—, todos a sus puestos dentro de cinco minutos.

Los actores empezaron a congregarse bajo la intensa iluminación del patio. Roz esbozó una sonrisa y se levantó.

—Tú tienes que volver al trabajo y yo simplemente me tengo que ir.

En un arrebato de nostalgia, vislumbré un vestigio del chispeante ingenio de antaño entre nosotras.

—Guárdalo en lugar seguro, Katie —añadió, señalando el pequeño estuche con un gesto de la cabeza.

Y después se retiró.

Así fue como me encontré sentada en un banco del mirador de Parliament Hill al término de la jornada, haciendo aquello que una vez me había jurado no volver a hacer jamás: esperar a Roz.

Me desperecé y estudié el mundo que se extendía en la distancia. A pesar de las dos torres doblemente dentadas de Canary Wharf al este y de otra que se levantaba un poco apartada del centro de la ciudad, desde aquella altura Londres parecía un lugar amable, cuyo centro era la cúpula de la catedral de San Pablo semejante a un inmenso y suave nido que albergara un luminoso huevo. En la última hora transcurrida, un incesante goteo de personas había pasado por el camino de abajo. Pero ninguna de ellas había levantado la vista hacia mí, ni había subido al mirador con el arrogante paso de Roz.

¿Dónde estaría?

¿Y qué esperaba? Nadie en su sano juicio podía imaginar que yo renunciara a dirigir *Hamlet* en el Globo. Sin haber cumplido todavía los treinta años, norteamericana y y por encima de todo investigadora universitaria, me creía más bien el ponzoñoso negativo de aquello que los dioses del teatro británico pudieran considerar la arcilla ideal para crear un director teatral. El ofrecimiento de la dirección de *Hamlet* —la joya más preciada de la corona teatral británica— me había parecido un regalo caído del cielo. Hasta el extremo de haber guardado el mensaje de voz del director artístico del Globo en el que éste me hacía el ofrecimiento. Cada mañana escuchaba su entusiasta y sincopada voz, simplemente para asegurarme. En semejante estado de ánimo, no me importaba demasiado que el estuche que descansaba en mi regazo contuviera un mapa de la Atlántida o la llave del Arca de la Alianza. No me cabía la menor duda de que hasta Roz, por muy entusiasmada que estuviera, no abrigaría la esperanza de que yo cambiara mi cargo de Directora de la Obra por cualquiera que fuera el misterio, grande o pequeño, que ella me quería confiar.

La obra se estrenaría en cuestión de tres semanas. Diez días después vendría la peor parte de la vida teatral. Como directora, tendría que dejar de revolotear, despedirme de la camaradería que se había establecido con los actores del reparto y con los miembros del equipo de ayudantes, y retirarme, dejando el espectáculo en manos de los actores. A no ser que tuviera previsto hacer otra cosa.

El estuche centelleaba sobre mis rodillas.

Sí, pero todavía no, le podía decir a Roz. *Abriré tu infermal regalo cuando termine con* Hamlet. Eso siempre y cuando ella se tomara la molestia de aparecer para escuchar mi respuesta.

Al pie de la colina se iban encendiendo las luces a medida que la noche avanzaba reptando a través de la ciudad como si fuera una oscura marea. La tarde había sido calurosa, pero el aire nocturno se estaba enfriando y yo me alegraba de haberme llevado la chaqueta. Oí quebrarse una rama detrás de mí, en algún lugar de la cuesta de Parliament Hill, al tiempo que sentí la punzada de unos ojos que me observaban a mis espaldas. Me levanté y giré en redondo, pero la densa oscuridad ya había penetrado en la arboleda que rodeaba la cumbre del mirador. Nada se movía como no fuera tal vez el viento entre los árboles. Me adelanté un paso.

—¿Roz?

No hubo respuesta.

Me volví para escudriñar el camino de abajo. No había nadie, pero, poco a poco, fui consciente de algo que antes me había pasado inadvertido. Abajo, a lo lejos, detrás de San Pablo, una pálida columna de humo se elevaba en espiral hacia el cielo. El aliento se me quedó atrapado en la garganta. Detrás de San Pablo, en la orilla sur del Támesis, se levantaba el recién reconstruido Globo con sus blancos muros de argamasa reforzados con vigas de roble y su techumbre de paja inflamable. Tan inflamable, de hecho, que había sido la primera techumbre de paja autorizada en Londres desde el Gran Incendio de 1666, que había convertido la ciudad en una carbonizada y humeante ruina.

Seguro que la distancia me engañaba. Quizás el humo se elevara al cielo a nueve kilómetros al sur del Globo o a un kilómetro y medio al este.

La columna se hizo más espesa y adquirió un tono primero grisáceo y después negro. Una ráfaga de viento la alcanzó y la desplegó en abanico; en su núcleo parpadeaba un siniestro destello rojizo. Me guardé el regalo de Roz en el bolsillo de la chaqueta y descendí la colina. Cuando llegué al sendero, estaba corriendo.

2

Mientras apuraba el paso hacia la boca del metro, telefoneé a todas las personas que tal vez pudieran saber algo. No hubo suerte. En todos los números a los que llamé me salió el contestador. Después bajé a toda prisa las escaleras del metro donde los móviles no servían para nada.

En mis prisas por reunirme con Roz después del ensayo, había salido pitando del teatro. ¿Había olvidado apagar la lámpara de la mesa que utilizaba como escritorio? ¿La habría derribado? ¿Habría prendido fuego mi revoltijo de notas cuando ya no quedaba nadie? El teatro ya se había incendiado una vez por culpa de un descuido hacia el final de la vida de Shakespeare. En aquella ocasión, si no recordaba mal, todo el mundo se había salvado menos una criatura.

Dios mío. ¿Habría conseguido salir todo el mundo?

Que no sea el Globo, que no sea el Globo, canturreé en silencio al ritmo del traqueteo del vagón. Para cuando subí corriendo de dos en dos los peldaños de la escalera de la estación de Saint Paul, la noche ya había caído. Corrí por una callejuela hasta salir a una ancha travesía. La catedral se erguía como una inmensa esfinge, impidiéndome el paso hacia el río. Girando a la derecha, eché a correr junto a la valla de hierro que delimitaba el recinto del templo y los árboles cuyas ramas arañaban sus paredes. Giré a la izquierda delante del pórtico principal, sostenido por columnas, y en cuyo antepatio se encuentra la estatua de la reina Ana mirando con semblante feroz al oeste, hacia Ludgate Hill. Giré otra vez a la izquierda, rodeando la fachada sur en un amplio arco en dirección a la pasarela recién abierta a través del laberinto del Londres medieval, que dejaba al descubierto un amplio panorama directamente desde San Pablo hasta el río. Doblé la esquina y me detuve.

El camino descendía cuesta abajo. Al pie de la colina, el puente peatonal del Milenio se arqueaba sobre el Támesis en dirección a la fortaleza de ladrillo de la galería Tate Modern que se levantaba en la orilla sur. Aún no podía ver el Globo a la izquierda del museo; sólo podía distinguir la parte central de la Tate, que seguía pareciendo la central eléctrica que antaño fue, más que el templo del arte moderno en que se había convertido. Su vieja chimenea traspasaba la noche como si fuera una lanza; su nueva planta superior, una ancha corona de cristal verde y acero, resplandecía como un acuario. Todo ello iluminado por un pálido cielo de color anaranjado.

Después del crepúsculo, aquella zona de Londres —la City propiamente dicha— habría tenido que estar prácticamente desierta, pero, en cambio, la gente pasaba por mi lado, apurando el paso cuesta abajo. Me mezclé con ella, serpeando entre la muchedumbre cada vez más apretada. Dejé atrás parterres de flores y bancos. Un *pub* de aire dickensiano a la derecha; unos modernos edificios de oficinas a la izquierda. Victoria Street, que cruzaba la calle, era un aparcamiento. Abriéndome paso entre los taxis negros y los autobuses de dos pisos, proseguí mi carrera.

Unos cuantos metros más allá, la calle se estrechaba. Una sólida y compacta masa de palpitante humanidad se dirigía al puente del Milenio para contemplar el incendio. Se me cayó el alma a los pies; jamás conseguiría abrirme paso hasta el otro lado. Miré a mis espaldas. La muchedumbre ya se había cerrado a mi alrededor; sin unas alas con que poder volar, no tendría ninguna posibilidad de ir a ninguna parte.

Un profundo y trémulo rugido resonó en el río mientras el humo surcaba el cielo desde la izquierda, perseguido por una lluvia de chispas. Como una inmensa ola, la multitud gemía y empujaba en dirección al puente, arrastrándome con ella. Se abrió un hueco a la derecha y vislumbré unos estrechos peldaños que descendían. Me abrí violentamente camino y al final me vi libre, medio tropezando y medio resbalando por los peldaños.

Fui a parar a una estrecha plataforma situada tres metros por debajo del puente, desde donde se divisaba la otra orilla. El Globo estaba ardiendo. El humo se derramaba como sangre negruzca por sus costados y ascendía como un vómito contra el cielo. En medio de todo ello, serpentinas de fuego —rojas, anaranjadas y amarillas— se proyectaban como chorros en la noche.

El móvil tintineó en mi bolsillo. Era sir Henry Lee, uno de los grandes de la escena británica que actuaba en la obra que dirigía interpretando el papel del fantasma del padre de Hamlet.

—¡Kate! —gritó—. ¡Gracias a Dios!

En segundo plano, oí el cada vez más cercano silbido de las sirenas. Sir Henry estaba al pie del cañón.

Mi inquietud se hizo patente.

—¿Lograron salir todos?

—¿Cómo...?

—¿Que si lograron salir todos?

—Sí —contestó en tono irritado—. Todos han salido. Usted era la única que faltaba. ¿Dónde demonios está?

Me di cuenta con rabia de que unas lágrimas de alivio y horror me rodaban profusamente por las mejillas. Me las sequé con el dorso de la mano.

—En el lado equivocado del río.

—Maldita sea. Espere un momento.

Cubrió el aparato con la mano y los ruidos de fondo se difuminaron.

Recién cumplidos los sesenta, sir Henry era famoso en el teatro y el cine desde hacía más de tres décadas. En la flor de la edad, había interpretado a Aquiles, Alejandro y Arturo. A Buda y a Jesucristo; a Edipo, Julio César y Hamlet. Como un esteta de la vieja escuela, era aficionado a Savile Row, al Veuve Clicquot («en cuestión de champán, querida, tantos zares no pueden haberse equivocado») y a los Bentleys conducidos por chóferes. Sin embargo, sus raíces eran más populares y a veces las exhibía con deleite. Era un vástago de los barqueros del Támesis; los poderosos brazos de sus antepasados se habían pasado siglos remando, trasladando mercancías y personas arriba y abajo y de una a otra orilla del río. Si le practicaran un corte en el cuerpo, solía decir, recuperando el marcado acento de los muelles de su juventud, sangraría verde cieno del Támesis. Con unas copas de más, sir Henry aún podía gritar como un hincha del fútbol.

Nos habíamos conocido seis meses atrás cuando yo había aceptado con entusiasmo la propuesta de dirigir un espectáculo en un dudoso rincón del West End; en el último momento, él había accedido a regañadientes a asumir el papel de protagonista principal durante dos semanas para pagar una deuda no especificada con el dramaturgo. En pocos días, le había dado por referirse a mí como «esta brillante muchacha norteamericana», una frase que —utilizada a modo de presentación— solía hacerme tartamudear o que me derramara algo, por lo general café o vino tinto, por la pechera. La obra era un desastre y había durado en cartel exactamente dos semanas; pero tres días después recibí la llamada del Globo. Me olí algo, pero sir Henry jamás había reconocido haber echado mano de su influencia.

Volvió a hablar por el teléfono con un rugido.

—Bobadas. Ya te dije que ella estaría allí... Lo siento —añadió, dirigiéndose a mí mientras su voz pasaba de la dureza del acero a la suavidad de la seda—. Me acaban de decir que no hay manera de utilizar los puentes. ¿Puede acercarse al paseo del río?

—Si estos peldaños que hay debajo del puente del Milenio conducen allí, no tengo otra opción.

—¿Debajo del...? ¡Pero qué maravilla! Cuando esté al pie de los peldaños, querida, gire al este. Llegará a un viejo embarcadero. *Cleopatra* la recogerá allí dentro de cinco minutos.

—¿Cleopatra?

—Es mi nuevo barco.

El paseo del río estaba pavorosamente desierto. La luna arrojaba unas alargadas sombras delante de mí; detrás, el griterío y el clamor de la muchedumbre parecían lejanos e insignificantes. Eché a correr en dirección este rozando con el hombro derecho el imponente muro que bordeaba el Támesis mientras a mi izquierda unas cuantas chalanas surcaban las aguas. La luz se derramaba con suavidad desde los faroles fijados al muro. A corta distancia, una pared de piedra me cortó el paso. Unos peldaños subían por la pared hasta un jardín en miniatura. En el muro del otro lado del jardín, una brecha se abría a la nada. Tratando de sacudirme de encima un repentino temor, avancé hacia el borde.

Se respiraba un aire cargado de humedad y salitroso. Me estremecí y reculé. Sin embargo, si aquél era el lugar correcto, sir Henry estaba al llegar. Me obligué a mí misma a acercarme de nuevo al borde. Unos empinados peldaños de madera, resbaladizos y ennegrecidos a causa de las algas que los cubrían, descendían a la oscuridad de abajo. No había barandilla. Apoyando fuertemente una mano contra la pared, posé un pie en el primer escalón. La madera crujió, pero aguantó mi peso. Miré hacia abajo. La escalera parecía estar fijada a la pared con unos clavos procedentes de desechos de las crucifixiones romanas. No se veía ningún embarcadero; unos cuatro metros y medio más abajo los escalones parecían hundirse en el agua.

Agucé la vista para mirar a la orilla sur del río. Justo en la dirección del Globo una embarcación se deslizaba por la oscura superficie acuática. ¿El *Cleopatra*? No cabía duda de que era un barco. Sí... se estaba dirigiendo hacia mí. Tenía que ser eso.

Descendí uno a uno los resbaladizos escalones, muy poquito a poco hasta estar a menos de un metro del agua cuya superficie era tan suave como un oscuro cristal. De vez en cuando, una desconocida y maloliente forma se desplazaba de izquierda a derecha, lo cual significaba que la marea estaba subiendo. Luchando contra el vértigo, permanecí inmóvil y dirigí la mirada hacia la otra orilla del río. En el centro, el agua captaba y dispersaba las luces tanto de la ciudad como del incendio. Después vislumbré otro movimiento. El barco de sir Henry cruzando el río. Pero justo cuando estaba empezando a lanzar un suspiro de alivio, la embarcación efectuó una amplia virada, dejando al descubierto en el costado de su casco los cuadros blanquinegros de la policía. Al final, resultó que no era el *Cleopatra.* La embarcación se alejó a toda velocidad y desapareció bajo el puente del Milenio.

Cuando su estela alcanzó el escalón más bajo y se agitó perezosamente hacia adelante y hacia atrás, oí un leve rumor. Un ruido que quizá fueran pisadas en lo alto de la escalera. Una vez más sentí una punzante mirada depredadora a mis espaldas. Quizá, sir Henry había amarrado su barco en un embarcadero en mejores condiciones y ahora había venido a buscarme por tierra. Me volví.

En lo alto de la escalera sólo se veía la trémula luz de la luna.

—¿Hola? —llamé, pero nadie me contestó.

Después oí un ruido que conocía por haberlo escuchado en escena: el frío silbido de una espada que se extrae de su vaina.

Bajé un nuevo escalón. Y después otro. El siguiente se hundía en el agua.

Miré hacia la margen opuesta del río. Ninguna otra embarcación surcaba el Támesis. ¿Dónde demonios estaba sir Henry? ¿Y por qué había acudido sola a aquel solitario lugar? En Nueva York o en Boston jamás se me hubiera ocurrido. ¿En qué estaría pensando?

Agucé la vista en la oscuridad, pero quienquiera que estuvo allí arriba se había ido en silencio... Eso si es que había habido alguien. A lo mejor, los nervios me estaban jugando una mala pasada. A lo mejor.

Con el rabillo del ojo capté un movimiento cerca del agua. A ambos lados de la escalera, unas cadenas golpeaban suavemente el muro. En el lado oriental estaba amarrada una pequeña embarcación de remos, mecida por la corriente. Si consiguiera alcanzarla, podría salvarme remando.

Pero después vi que la barca no estaba amarrada. Con las amarras sueltas, se estaba apartando del muro y se desplazaba hacia donde yo me encontraba.

Giré en redondo para echar un vistazo a la otra orilla. Había caído en una trampa; mi único medio de escapar era el río. Contemplando el agua que se rizaba justo a mis pies, me pregunté cómo sería la corriente. ¿Me permitiría cruzar el río a nado? ¿O quizá sería mejor que me deslizara en silencio en el agua y nadara pegada al muro hasta llegar a otras escaleras?

Me volví a mirar una vez más el muro del río. Apenas podía distinguir el perfil del bote de remos, pero era suficiente. La embarcación se había acercado un poco más. Miré alrededor de los escalones a mis pies y me palpé los bolsillos, pero no encontré nada que remotamente me pudiera servir como arma. Ni un palo ni una piedra; lo único que tenía en los bolsillos eran unas pocas monedas y el estuche dorado de Roz. Su secreto.

«Guárdalo en lugar seguro», me había dicho. ¿Significaba que no estaba bien guardado? ¿O que yo, mientras lo tuviera en mi poder, no estaría a salvo?

Que se fuera a la mierda el maldito estuche.

Oí un rugido... y la suave y blanca flecha de una embarcación de recreo privada cruzó disparada por debajo del puente del Milenio. ¡El *Cleopatra*! Procurando no perder mi precario equilibrio, levanté un brazo que fue un rígido movimiento más que un saludo. Entonces sir Henry se puso de pie en el centro de la embarcación y me devolvió el saludo.

A la izquierda me pareció ver más que oír que el bote de remos se detenía; el agua acariciaba su casco de una manera distinta. El *Cleopatra* se acercó un poco más, ahogando con su rugido cualquier otro rumor que pudiera haber hasta que el piloto de sir Henry redujo la potencia del motor. En aquel momento, oí el crujido de un peso en el escalón superior. Me volví a mirar y vi un destello de acero.

Salté al *Cleopatra* y caí derrumbada en la cubierta a los pies de sir Henry.

—¿Está bien? —me gritó él.

Levantándome como pude, deseché sus palabras con un movimiento de la mano.

—Vamos.

Obedeciendo a una inclinación de la cabeza de sir Henry, el piloto dio marcha atrás.

—¿Dónde estaba? —pregunté con un jadeo mientras virábamos—. Pensé que estaba en el teatro.

—¿Qué la indujo a pensarlo? —me preguntó él, obligándome a sentarme en el asiento que había a su lado.

—Oí unas sirenas. Cuando hablamos por teléfono.

Meneó la cabeza.

—Todas las sirenas de Londres llevan una hora silbando, Kate. No, estaba río arriba participando en una velada mortalmente aburrida. Aunque, al final, me fue muy útil —dijo, contemplando la muchedumbre del puente—. La mayoría de la gente lo ha olvidado, pero el río sigue siendo el mejor camino para moverse por la ciudad.

Cuando el tráfico fluvial empezó a menguar después de la Segunda Guerra Mundial, el padre de sir Henry se dio a la bebida, dominado por la cólera y la pesadumbre, hasta que una noche el río puso término a su tristeza tragándoselo entero. El joven Harry —tal como entonces era conocido sir Henry— se dio a otra cosa: a utilizar la belleza de su voz y de su cuerpo para complacer a los demás. Empezó con los marineros y se abrió camino en los antros de diversión de los barrios bajos, pasó una temporada en la Royal Navy —le gustaba insinuar que se había ganado su puesto en ella por medio del chantaje— y había terminado por convertirse en miembro de la realeza teatral. Nadie mejor que él conocía toda la variada gama de los personajes de Shakespeare, desde la ramera al rey, o el claroscuro de la ética —desde el trémulo esplendor de la gloria a la mugre, y viceversa—, lo cual puede que fuera la razón de que los hubiera interpretado con más habilidad y compasión que nadie que yo hubiera visto en mi vida.

Se había pasado una década más o menos retirado de la escena. Para curarse del alcoholismo, decían algunos. Para emborracharse como una cuba, decían otros. Cualquiera que fuera la causa, se había hartado de ella y ahora había regresado. Había rechazado los papeles más importantes de Claudio —el villano— y de Polonio —el necio— en favor del papel menor del padre de Hamlet, amado y perdido. No tardaría en pasar a interpretar a Próspero y Lear bajo la dirección de directores tan prestigiosos como él. Pero primero había optado por actuar en mi obra interpretando al fantasma para poner a prueba sus aptitudes en el papel de un anciano estadista. Una opción que me seguía sorprendiendo.

El *Cleopatra* enderezó su rumbo. Me volví a mirar la escalera.

No había nadie y la embarcación de remos seguía pegada al muro. ¿Habría soñado que se movía?

En el hueco del muro en lo alto de la escalera apareció la silueta de un hombre. Noté un nudo en el estómago. Alguien había estado allí. Pero ¿quién? ¿Y por qué?

A mi espalda, un sordo gruñido rasgó la noche y, cuando giré en redondo, vi desaparecer el Globo en medio de una nube de vapor en la orilla más alejada del río. Cuando me volví a mirar la ribera que rápidamente estábamos dejando a nuestra espalda, el hombre de las sombras se había vuelto a fundir con la noche.

3

Casi como por voluntad propia, mi mano derecha se había desplazado hacia mi bolsillo. Me estremecí a pesar de que las ráfagas de viento eran cada vez más cálidas a medida que nos íbamos acercando a la orilla sur. El humo y el vapor bajaban en tromba al río como una espesa niebla. En mi imaginación, el Globo resplandecía con el mismo fulgor de siempre, una pequeña casita blanca enroscada sobre sí misma como un cisne dormido en la orilla. El edificio era lo bastante grande como para albergar una multitud de mil seiscientas personas. A algunos, sin embargo, su falsa antigüedad les resultaba *kitsch* más que pintoresca. *El Viejo Salón de Té Shakespeare*, lo llamaba Roz, quien hasta aquella tarde siempre había desdeñado poner los pies en aquel lugar.

En lo tocante a Shakespeare, Roz se equivocaba en muy pocas cosas, pero en ésta en particular no tenía razón. Quiérase o no, el Globo poseía una extraña magia; allí las palabras cobraban vida con una fuerza muy especial.

Nos estábamos acercando entre resoplidos del motor al embarcadero. La turbia niebla se arremolinó, dejando al descubierto la figura de Cyril Manningham, el director artístico del teatro, paseando por el muelle como un patilargo pájaro malhumorado.

—Perdido —graznó cuando saltamos al muelle—. Todo perdido.

Sir Henry, que caminaba delante de mí, no dijo nada y yo sentí que la esperanza se astillaba y resquebrajaba en mi pecho. La niebla volvió a arremolinarse y vi al jefe de los bomberos con su casco rojo y su chaqueta azul con franjas reflectantes.

—No ha sido tan grave —masculló—. Aunque tampoco voy a decir que la noticia sea buena. Vengan a ver.

Lo seguimos, apurando el paso por la orilla. En la oscuridad, mis pensamientos se desviaron hacia el edificio de arriba. Los arquitectos del nuevo Globo habían respetado el máximo posible el diseño del recinto original, sede de la compañía de Shakespeare. Construyeron el teatro alrededor del escenario, que estaba situado en el extremo de un patio octogonal al aire libre. Circundando el patio, estaban las galerías abiertas de cara al escenario como una estrecha casa de muñecas de tres pisos; en cada piso había varias filas de bancos de reluciente madera de roble.

Todo ello se había realizado con una sencillez que podía complacer a los miembros de la severa secta religiosa norteamericana de los Shakers, excepto el escenario. Allí cada centímetro de madera y yeso que estaban a la vista se habían pintado imitando el mármol, el jaspe y el pórfido y labrado en forma de cariátides y de héroes recubiertos de resplandecientes dorados. Coronaba este esplendor de pavo real un techo estilo emparrado pintado con estrellas que protegía a los actores del sol y la lluvia. Una leyenda nórdica decía que el cielo estaba sostenido por un fresno; por alguna razón, a mí siempre me había gustado que los cielos de Shakespeare descansaran sobre los troncos de dos gigantescos robles ingleses. Y no es que los del escenario se parecieran ni de lejos a árboles. Bautizados con el nombre de las Columnas de Hércules, labrados y pintados a imitación del mármol rojo, más parecían las columnas de Persépolis antes de que Alejandro Magno la incendiara.

¿Qué aspecto ofrecería ahora el teatro?

Al final de un laberinto de barreras policiales y de tiendas de mando, llegamos a unas puertas de doble hoja. Fruncí el entrecejo. Parecían la entrada principal del teatro.

—Hemos tenido que sacrificar todo lo demás —dijo el jefe de los bomberos, pasando una mano por la madera casi como un constructor que acariciara uno de sus edificios—. El edificio de la administración, el vestíbulo de la venta de entradas, el restaurante... todo. —Se volvió a mirarnos mientras una fatigada expresión de orgullo se extendía por su rubicundo rostro—. Pero creo que hemos salvado el Globo.

¿Salvado?

Abriendo las puertas justo un resquicio suficiente para que pudiéramos pasar de uno en uno, el jefe de los bomberos asintió con la cabeza.

—Ánimo —me dijo sir Henry, palmeándome el hombro.

Me deslicé al interior, crucé la entrada del patio y me detuve como si una luna de cristal me impidiera el paso. Me había preparado para la destrucción; lo que descubrí era de una belleza sobrenatural.

Volutas de humo serpenteaban por el escenario. Las Columnas de Hércules estaban cubiertas de hollín. En el suelo del patio se extendía una fina capa de agua. Por encima de mi cabeza brillaban unas chispas que semejaban una lenta lluvia de ardientes pétalos. Lejos de ser una ruina, el teatro se había convertido en un espléndido templo de oscura magnificencia. Un lugar apropiado para los druidas, para el derramamiento de sangre y para los espectros.

Un trozo de papel ardiendo voló por el aire y lo atrapé... una página medio quemada de mi guión de trabajo. No era una buena señal. Me dirigí a la galeria inferior y me acerqué a mi mesa. Estaba volcada y mis libros y cuadernos de apuntes se amontonaban a su alrededor; tenía que haber caído una chispa de arriba y se habría cebado en ellos, pues las páginas estaban medio devoradas por el fuego. El cuaderno de apuntes que contenía mi guión de trabajo descansaba en el suelo con sus anillas de metal abiertas. Las páginas se escaparon volando por el aire y fueron a parar al agua. Me arrodillé y recogí lo que pude. Otros papeles cayeron detrás de la mesa. La rodeé para recuperarlos y me detuve, aspirando bruscamente una bocanada de aire.

En el suelo había un sombrero blanco de ala ancha adornado con unas peonías de seda carmesí que parecían salpicaduras de sangre. A pocos pasos, vi a alguien acurrucado debajo de un banco. Hubiera podido estar dormida, salvo que mantenía los ojos abiertos. Unos ojos de estatua, vacíos y al mismo tiempo ardientes, sólo que no eran de mármol blanco. Eran verdes bajo un flequillo de muchacho de cabello oscuro.

—Roz —dije con la voz entrecortada.

Sir Henry me tomó del codo; a su espalda estaba Cyril. Rozándome al pasar por mi lado, sir Henry le palpó el cuello a Roz con dos dedos; al cabo de un momento se incorporó y meneó la cabeza, sin decir nada por una vez.

Estaba muerta.

4

Brotó de mí un hálito que era medio sollozo y medio carcajada. Aquella tarde descubrí con asombro que era más alta que Roz. Durante años se había elevado como una giganta en mi imaginación. Ahora en la muerte, parecía pequeña, casi como una niña. ¿Cómo era posible que estuviera muerta?

Me apartaron con una suavidad no exenta de firmeza.

—Kate —dijo sir Henry, y me di cuenta de que lo había repetido tres veces. Me encontré sentada en los peldaños que subían desde el patio al escenario, sosteniéndome la cabeza con las manos y temblando a pesar de la chaqueta. Me habían echado otra sobre los hombros.

—Bébase esto —me dijo sir Henry dándome una petaca de plata.

El whisky me ardió en la garganta y poco a poco se me despejó la vista. En una punta del patio, una sábana blanca había sido extendida sobre la muerte. La galería inferior estaba llena de auxiliares sanitarios, bomberos y policías. Dos figuras se separaron de aquel grupo y se dirigieron al lugar donde estábamos nosotros, chapoteando sobre la fina capa de agua que aún cubría el suelo. Cyril, que por su manera de andar parecía tambalearse, y otro hombre a quien yo no conocía, ágil y dinámico, de piel color canela de las Antillas. Tenía la cabeza suavemente rapada y cejas puntiagudas como ondas garabateadas en tinta negra. Estaba anotando cosas en una tablilla con sujetapapeles.

—Katharine J. Stanley —dijo mientras él y Cyril se detenían al pie de la escalera.

Era una afirmación, no una pregunta.

Asentí con la cabeza

—Inspector jefe Francis Sinclair —dijo a modo de presentación.

Tenía una ligera y fría voz de barítono cuyo acento de la BBC oscilaba suavemente como desafiando con su cadencia caribeña el habla de la zona londinense de Brixton. Consultó la tablilla.

—Usted está dirigiendo *Hamlet* en este teatro y descubrió el cuerpo hace veinte minutos mientras examinaba sus papeles.

—Sí, encontré a Roz.

Sinclair pasó varias páginas de sus anotaciones.

—La difunta vino a verla esta tarde.

—Así es —dije sin la menor inflexión en la voz—. Hablamos. Pensé que había venido a ver a sir Henry. No sabía que se había quedado.

Levantó la vista y se sorprendió momentáneamente al reconocer a sir Henry a mi lado. Después volvió a dirigirse a mí.

—¿Usted la conocía bien?

—Sí. No. No sé. —Tragué saliva—. Quiero decir que antes la conocía. Pero llevaba tres años sin verla hasta esta tarde. ¿Qué le ha ocurrido?

—El incendio no ha sido la causa de su muerte. De eso estamos seguros. Probablemente un infarto o puede que un ictus cerebral. Da la impresión de haber muerto en el acto, con toda certeza mucho antes de que se declarara el incendio. Es una curiosa coincidencia y la investigaremos, no le quepa duda. Pero la cosa parece bastante clara.

Continuó escribiendo en la tablilla.

Mis dedos apretaron la petaca.

—No ha sido una coincidencia.

Sir Henry y Cyril interrumpieron la discusión en la que se habían enzarzado y me miraron. La pluma de Sinclair se detuvo sobre el papel, pero él no levantó la vista.

—¿Por qué lo dice?

—Vino a decirme que había descubierto una cosa —añadí—. Y para pedirme ayuda.

Sinclair me miró.

—¿Descubierto qué?

En mi bolsillo, el estuche pareció despertar. «Una aventura», había dicho Roz. «Y también un secreto».

No se lo puedo entregar, pensé con súbita vehemencia.

El inspector se inclinó hacia mí.

—¿Qué descubrió, señora Stanley?

—No lo sé.

La mentira se me escapó sin más; confié en no dar la impresión de estar tan sobresaltada como me sentía. Lo único que quería, me dije, era tener la oportunidad de desenvolver el regalo de Roz en privado, de disfrutar de un momento más a solas con ella. Respetar su secreto. Si fuera importante, lo entregaría. Por supuesto que lo haría. Pero todavía no.

Arrebujándome un poco más en mi chaqueta y en la de sir Henry, disimulé la mentira en un fino envoltorio de verdad.

—Me prometió decírmelo esta noche. Me dijo que me reuniera con ella en Parliament Hill, pero no apareció... Vi el humo desde allí arriba y vine corriendo.

La mirada de Sinclair se ensombreció.

—O sea que la profesora Howard le dijo que había descubierto algo. Usted no tiene idea de qué se trata, pero cree que podría tener algo que ver con su muerte.

—Eso es absurdo —estalló Cyril.

—Cállate —le gruñó sir Henry.

Mantuve los ojos clavados en Sinclair.

—Podría ser.

Examinó sus notas.

—Era profesora de literatura, ¿no? No de biotecnología o de física nuclear.

—Exactamente.

Meneó la cabeza.

—Lo lamento, pero cualquier cosa que hubiera descubierto no es probable que haya sido la causa de un asesinato.

—Cada día hay personas que mueren asesinadas por calderilla o por unos tapacubos de automóvil —protesté con una punta de irritación.

—En Estados Unidos, señora Stanley. No en Southwark.

—Y no en el Globo —dijo Cyril con desdén.

—El Globo ya ardió una vez —observé.

—Eso fue hace mucho tiempo —sentenció el inspector.

—Fue en 1613. Pero era también el ventinueve de junio.

Sinclair levantó la vista de la tablilla.

—Martes, veintinueve de junio —puntualicé.

Por un momento reinó el silencio.

—Hoy estamos a jueves, veintinueve de junio —constató sir Henry con un hilillo de voz.

Los ojos del inspector brillaron por un efímero momento.

—La fecha, si es correcta, tendrá mucho interés en la investigación del incendio provocado.

—No sólo del incendio provocado —insistí—. En el anterior incendio, todos se salvaron menos una persona.

Sinclair colocó la tablilla contra su cadera y me miró con una mezcla de compasión y consternación.

—Ha sufrido usted un gran sobresalto esta noche, señora Stanley. Tiene que irse a casa y dormir un poco.

Saludó a sir Henry con una inclinación de la cabeza y después regresó a la siniestra tienda blanca mientras Cyril lo seguía, apurando el paso.

Me levanté y evité el amable abrazo de sir Henry. No quería entregar el regalo de Roz, pero no podía permitir que los policías desecharan su muerte como si fuera una narración mundana de socorridos papeles en la que el «cuándo» y el «dónde» suscitaran una leve curiosidad, pero no así el «por qué».

—Tiene un cadáver —le espeté irritada al inspector.

A medio cruzar el patio, Sinclair se detuvo. Las imágenes reflejadas se ondularon en el agua a sus pies.

—Eso no significa que se trate de un asesinato. Si hay que encontrar algo, tenga por seguro que lo encontraremos.

Sir Henry me acompañó mientras bajaba la escalera del escenario. Sinclair nos había dejado, pero ahora muchas otras personas estaban exigiendo a gritos su turno. Desde todos lados se cernieron sobre nosotros como cuervos, revoloteando ruidosamente. El jefe de los bomberos fue el primero en llegar, deseoso de explicarnos las cosas con más detalle. El fuego se había iniciado en el edificio de la administración, dijo; sus hombres habían salvado el Globo propiamente dicho sólo gracias a que habían echado abajo el techo del edificio y a que habían empapado de agua la techumbre de paja del escenario del teatro.

Dejé de escuchar. Roz estaba muerta, yo le había mentido a la policía y lo único que deseaba era irme de allí, estar a solas y abrir el maldito estuche. Mi creciente histeria se me debía de notar en la cara, pues sir Henry me arrancó súbitamente de la muchedumbre que me rodeaba. Nos estábamos acercando a la salida cuando amainó el griterío y oí resonar mi nombre en el silencio. Sin prestarle atención, apuré el paso cuando dos hombres enfundados en los chalecos amarillo neón de la Policía Metropolitana se situaron delante de la puerta de doble hoja y me obligaron a dar media vuelta.

En el otro extremo del pasillo se encontraba el inspector jefe Sinclair.

—Si no les importa —dijo—, tengo unas cuantas preguntas más antes de que se vayan.

El suave y agradable tono de voz no era una petición. Era una orden.

Sir Henry y yo lo seguimos a regañadientes al interior del teatro y nos dirigimos a la galería inferior, cerca del escenario. Un camarero joven nos ofreció té en vasos de plástico. Hice un esfuerzo por beber unos templados sorbos del lechoso líquido que sabía más a tiza que a té.

—Quizá nos podría contar algo más acerca de su encuentro de esta tarde con la profesora Howard —sugirió Sinclair.

Con sus pantalones negros, a juego con una holgada chaqueta sobre una camisa de cuello de cisne azul zafiro, el inspector habría destacado en Boston desde un kilómetro y medio de distancia como un sujeto increíblemente *cool*; en Londres, era justo lo bastante sofisticado como para pasar inadvertido entre la gente. Por todo ello, daba la impresión de ser una fulgurante luz cuidadosamente protegida por una pantalla. No sería fácil engañarlo, sospechaba yo, y probablemente sería peligroso intentarlo.

Yo era la idiota que había insistido en hacer más preguntas. Aun así, le planté cara con aprensión.

—¿Por dónde tengo que empezar?

—Sería conveniente que lo hiciera por el principio.

5

A primera hora de aquella tarde, mi risa había resonado en la penumbra de la galería inferior.

—Piensen en Stephen King, muchachos —regañé a los actores—. No en Steve McQueen. Es una historia de fantasmas, por el amor de Dios.

En el escenario todo el mundo se quedó paralizado. Jason Pierce, la estrella australiana del cine de acción, que estaba tratando de conseguir su legitimación dramática con el papel de Hamlet, se enjugó el sudor de la frente.

—¿Con este maldito sol?

Tenía razón. Bajo la cegadora luz meridiana de un día que parecía más africano que inglés, el escenario brillaba con reflejos dorados y carmesís tan descarados como un burdel victoriano.

—¿Qué sol? —pregunté. Las cabezas se volvieron hacia el lugar donde yo permanecía sentada sumida en la penumbra de la galería—. Estamos en las almenas azotadas por el viento del castillo de Elsinore, señor Pierce. Hasta donde alcanza la vista sólo vemos campos cubiertos de nieve y una estrecha franja de gélido mar en dirección de la Suecia enemiga. Es medianoche. —Abandoné mi mesa y pisé ruidosamente los tres breves peldaños que bajaban al patio—. La hora en que una aparición ha dejado muertos de miedo durante tres noches seguidas a unos hombres endurecidos por la batalla. Y sea lo que sea que hayan visto, espíritu o demonio, tu mejor amigo te acaba de decir que se parece a tu padre muerto. —Me detuve al pie de los escalones con las manos en jarras y miré a Jason—. Ahora usted haga que yo me lo crea.

Hacia la derecha del escenario, sir Henry se removió en el trono donde había estado dormitando.

—Ah —murmuró—. Un desafío.

Jason miró brevemente a sir Henry y luego me miró a mí mientras una taimada sonrisa se dibujaba en su rostro.

—Inténtelo usted —dijo mientras clavaba con ambas manos la punta de su espada en el suelo del escenario.

—Un contradesafío —graznó sir Henry con mal disimulado regocijo.

Que un director pasara por el trance de interpretar el papel de un actor era uno de los pecados mortales del teatro. Hacía tiempo que se me habían caído los dientes de leche como para saber que no tenía que hacerle caso a Jason, pero también era lo bastante joven como para pensar: *Será divertido.*

Conocía perfectamente la escena. Podía representarla incluso dormida mientras un espectro armado como el padre de Hamlet aparta con engaño al príncipe de su amigo Horacio en una alocada carrera por las heladas murallas hasta llegar al borde mismo del infierno. Yo había coreografiado una impresionante persecución por todo el teatro: el escenario, el balcón del mismo, el patio y las tres galerías superpuestas una encima de la otra.

Por lo menos, cabía la posibilidad de que resultara impresionante, siempre y cuando Jason se molestara en tomarse en serio su papel. Lo había incluido en el reparto no sólo porque la simple mención de su nombre haría que se agotaran las entradas en menos de cuatro minutos, sino también porque tenía una insólita habilidad para mezclar la cólera explosiva con un melancólico encanto. Por desgracia, durante las últimas semanas había pasado de puntillas por sus parlamentos, burlándose de su papel, de la obra y de Shakespeare en general. Si no lograba que Jason pusiera un poco de auténtica emoción en su papel, la obra adquiriría ribetes de parodia.

Crucé el patio y subí los escalones que conducían al escenario, recogiéndome por el camino el cabello en una cola de caballo.

La espada, clavada en el centro del escenario, seguía oscilando; cuando la sujeté por la empuñadura, vibró en mis manos como un diapasón.

—Shakespeare quiere transmitir la sensación de peligro —dije en tono apacible, arrancando suavemente la hoja del suelo.

—Pégueme un susto —replicó Jason con una presuntuosa sonrisa en los labios.

—Interprete a Horacio.

A nuestro alrededor, los demás actores del reparto silbaron y lanzaron gritos de aliento. Jason se ruborizó, pero, cuando alguien le arrojó una espada, la atrapó y asintió con la cabeza. Yo había aceptado su desafío; difícilmente él hubiera podido esquivar el mío.

Miré a mi director de escena.

—Cuando guste, sir Henry —exhortó éste al insigne actor.

Sir Henry se levantó y desapareció entre bastidores. Por encima de nuestras cabezas, una campana empezó a sonar. Con una pequeña ráfaga de aire, se abrieron las grandes puertas del fondo del escenario. Lentamente me volví. En la puerta se encontraba sir Henry en el papel del espectro del rey, envuelto en una capa y encapuchado a medianoche.

—*Ángeles y ministros de la gracia, defendednos* —murmuré. Santiguándome, pegué un salto hacia la aparición; Jason me siguió.

Cuando llegamos a la puerta, el espectro había desaparecido y la pesada puerta se había vuelto a cerrar. Giré en redondo, mirando angustiada a mi alrededor. Para la parte más importante de aquella escena, yo había previsto presentar el espectro como algo incorpóreo, sustituyéndolo por un resplandor de brillante luz semejante al destello del sol en un espejo. Podía aparecer en cualquier lugar.

Allí estaba ahora, danzando entre los bancos de la galería inferior. Di un paso al frente, pero Jason me lo impidió.

—*No debéis acercaros, mi señor.*

La manera en que me sujetaba demostraba que se estaba tomando en serio su papel de Horacio.

Me impediría acercarme al fantasma si pudiera.

Por lo menos, se estaba tomando en serio una cosa. Por algo se empezaba. Con un rápido movimiento me escabullí de él, bajé corriendo los escalones del escenario, crucé el patio y subí los tres peldaños de la galería inferior. No había ningún fantasma. *Infierno y condenación.* Un grito procedente del patio me indujo a volverme. Siguiendo el arco de brazos que apuntaban hacia la galería de en medio, lo vi: un destello de luz parpadeando entre la penumbra de un piso más arriba.

Jason corría hacia donde yo estaba. Fintando a la derecha, lo esquivé y me dirigí a la escalera y subí los peldaños de tres en tres. La luz parpadeaba al fondo a la derecha entre los palcos que Cyril insistía en que todo el mundo llamara las Estancias de los Caballeros. Eché a correr por el pasillo y entré en un palco.

Estaba vacío. Y también el segundo.

En las galerías de enfrente, se encendió una luz. Y despues otra, y otra, hasta que todo el teatro se llenó de miles de lucecitas que parpadeaban como luciérnagas, como si todo el local hubiera sido víctima de una posesión. De repente, las luces se apagaron, y el gemido de un alma en pena se elevó en espiral desde el escenario.

Nos estábamos acercando al final de la escena. Me volví para retirarme y me encontré con Jason, bloqueándome la puerta con la espalda desenvainada. *Maldita sea.* Por un instante, había estado tan enfrascada en la búsqueda del espectro por parte de Hamlet que me había olvidado de él.

—*Tened prudencia* —dijo con ronca voz—. *No vayáis.*

Dando un paso al frente, su espada rozó la mía. El acero chirrió contra el acero y, con un rápido movimiento de la muñeca, me arrebató la espada de la mano. Ésta giró brillando bajo el sol. Abajo, los actores se dispersaron como una asustada bandada de pájaros cuando la hoja cayó ruidosamente al suelo en el centro del patio.

—Sugiero que pida clemencia —dijo Jason mientras sus vocales australianas desgarraban la delicadeza de Horacio—. De rodillas sería bonito.

Reculando, sentí la balaustrada contra mis rodillas y me senté bruscamente, tratando de resistir una momentánea sensación de vértigo. Me encontraba en la galería intermedia, pero de repente me pareció que estaba a considerable distancia del suelo.

—¿Conoce aquella frase de *El mercader de Venecia* acerca de la clemencia? —le pregunté a Jason.

—*La calidad de la clemencia no requiere fuerza* —replicó—. Pero yo me siento forzado.

—Me gusta la siguiente frase. —Con toda la agilidad que pude, pasé ambas piernas por encima de la balaustrada—. *Cae como la suave lluvia desde el cielo.*

Él se inclinó hacia adelante y yo me descolgué.

Tres metros más abajo toqué el suelo y me acerqué tambaleándome a mi espada, que estaba tirada en el centro del patio. Jason saltó, siguiendo mi ejemplo. Yo agarré la empuñadura y giré en redondo.

Él se detuvo en seco, jadeando con la espada a quince centímetros de su vientre.

—¿Tiene preparado a todo un maldito ejército de canguros sueltos en el *paddock* de arriba?

—¿Y eso qué quiere decir?

Me notaba la camisa pegada a las paletillas a causa del sudor. Mis pantalones tenían un desgarrón en una rodilla y probablemente tenía la cara sucia.

—Es la expresión australiana para decir que alguien está completamente chalado —rugió—. Más loco que todo un maldito rebaño de cabras. Puede que a usted le guste saltar de un edificio a otro, Kate Stanley, pero ¿cómo demonios quiere que yo suelte el «Ser o no ser» después de una proeza de cómic como ésta?

Levanté mi espada.

—Ahora usted es Hamlet —le dije sonriendo.

Abrió y cerró las manos. Por una décima de segundo pensé que me iba a pegar. Después miró por encima de mi hombro y su rostro cambió.

Me volví para ver qué estaba mirando. En una esquina del balcón del escenario, sir Henry, con una espada desenvainada en un puño y la otra mano abierta, nos estaba haciendo señas de que nos acercáramos. Lanzando un grito de furia, Jason recuperó su papel, cruzó corriendo el patio y subió unos peldaños ocultos en la pared situada al lado del escenario. Mientras lo seguía, Jason cruzó el escenario y sir Henry desapareció. Me sacudí el polvo de encima y seguí adelante. Pero, a medio camino, algo —¿un sonido? ¿un perfume?, más tarde nunca supe por qué— me obligó a aminorar el paso y a detenerme.

A mi espalda, una negra figura emergió de entre bastidores. Me volví, frunciendo el entrecejo.

—Recuérdame —susurró una voz tan seca como unas hojas caídas que resbalaran sobre una piedra.

Aun perseguido por Jason, ¿cómo había podido sir Henry pasar tan rápidamente de uno a otro lado entre el laberinto de las bambalinas?

Una pálida mano se levantó y la capucha resbaló hacia atrás. No era sir Henry.

Era Roz.

—¿Qué sensación quiere transmitir Shakespeare? —murmuró—. ¿Peligro?

En una esquina del balcón del escenario, sir Henry y Jason entraron de nuevo en escena.

—Entra en escena Rosalind Howard, profesora de Harvard, especialista en Shakespeare —dijo sir Henry, para información de los miembros de la compañía congregados en el patio—. Generalmente reconocida como la Reina del Bardo.

—La Reina de los Condenados —repliqué yo.

Roz estalló en una profunda y gutural carcajada, dejando que la capa resbalara al suelo mientras me envolvía en un oceánico abrazo.

—Llámame el Fantasma de las Pasadas Navidades, cariño. Soy portadora de regalos.

—También lo eran los griegos —dije, sin poder librarme de su abrazo—. Y mira cómo les fue a los troyanos.

Como una ola que se retirara de un acantilado, me soltó.

—Menudo despacho tienes —dijo mirando con admiración a su alrededor.

—Pues menuda entrada la tuya —repliqué yo—. Te has superado.

—Tenía que ser así —dijo encogiéndose de hombros—. Pensé

que debería tener un carácter público, de lo contrario, cabía la posibilidad de que te negaras a aceptar mi regalo.

—Todavía es posible que me niegue.

¿Un regalo?

Parpadeé.

—Eso es lo que dijo —contesté un poco a la defensiva, maldiciéndome a mí misma.

—Pero sin duda, señora Stanley, tanto si la profesora Howard le dijo categóricamente lo que había descubierto como si no, usted debía de tener alguna idea de lo que era.

Por un instante, experimenté la tentación de sacar el estuche del bolsillo, entregarlo y acabar de una vez con él asunto y con Roz.

—Lo siento, pero no la tengo.

Desde un cierto punto de vista, hasta se habría podido decir que era verdad; no tenía ni idea de lo que contenía efectivamente el estuche. Pero la tendría, rezongué en silencio mirando a Sinclair, si usted me dejara a solas el tiempo suficiente para abrirlo.

El inspector lanzó un suspiro.

—Le pido que sea sincera conmigo, señora Stanley; quizá sería útil que yo fuera sincero con usted. —Se alisó una arruga de los pantalones—. Hemos encontrado el pinchazo de una aguja en el cuello de Roz.

¿El pinchazo de una aguja?

—Bobadas —se encrespó sir Henry—. Roz no era drogadicta.

La mirada de Sinclair se desplazó hacia él.

—Un solo pinchazo no sugiere que lo fuera.

—¿Pues qué sugiere? —replicó sir Henry.

—Digamos simplemente que me estoy tomando muy en serio la sospecha de juego sucio por parte de la señora Stanley. —Volviéndose de nuevo hacia mí, añadió—: Y que agradecería su sincera colaboración.

Juntó las puntas de los dedos de ambas manos mientras me estudiaba.

El temor me traspasó. Aquella tarde me había quitado de encima a Roz. Ahora habría dado cualquier cosa por hablar con ella, gritarle, escucharla, dejar que me abrazara todo lo que quisiera... pero se había ido. Se había ido absoluta e irremediablemente, sin ninguna explicación ni disculpa. Sin tan siquiera un adiós y tanto menos un consejo.

Nada más que una orden. «Guárdalo en lugar seguro», me había dicho.

Si su regalo necesitaba que lo guardaran en lugar seguro, pensé dominada por una punta de irritación, ¿quién mejor que la policía para guardarlo? Sobre todo puesto que ésta —o por lo menos el inspector jefe que tenía delante— tanto insistía en que les diera algo.

Pero Roz no había acudido a la policía. Había acudido a mí. Y Sinclair lo era todo menos de fiar. Una vez más, lo miré directamente a los ojos y mentí.

—No sé nada más.

Descargó el puño con tal fuerza en el banco en el cual estábamos sentados sir Henry y yo que pegué un brinco.

—En este país, señora Stanley, es un delito ocultar información en una investigación de homicidio. Un delito que nos tomamos muy en serio. —Se inclinó tanto hacia mí que aspiré el aroma de menta de su aliento—. ¿He hablado claro?

Con el corazón en un puño, asentí de nuevo con la cabeza.

—Por última vez tengo que insistir en que me diga todo lo que sepa.

A mi lado, sir Henry se levantó.

—Es más que suficiente.

Sinclair se reclinó bruscamente en su asiento, con un gesto de contrariedad en el rostro. Después nos despidió a sir Henry y a mí con un ademán enérgico.

—No hablen con la prensa y no salgan de Londres. Tendré que volver a hablar con ustedes. Pero, por ahora, buenas noches.

Sir Henry me tomó por el codo y me acompañó fuera. Ya casi habíamos alcanzado la puerta cuando Sinclair me llamó a mi espalda.

—Sea lo que sea lo que haya que encontrar, señora Stanley —dijo suavemente—, le aseguro que lo encontraremos.

La primera vez que lo había dicho, me había sonado a una promesa. Esta vez, era una amenaza.

6

Abandoné a toda prisa el teatro y salí a una callejuela atestada de vehículos de bomberos y furgones de la policía, y sir Henry paró un taxi. Mientras el vehículo se acercaba, le di un beso en la mejilla y subí.

—Highgate —le dije al taxista antes incluso de sentarme, y entonces me di cuenta de que sir Henry estaba subiendo detrás de mí.

Empecé a protestar, pero él levantó una mano.

—De ninguna manera puede usted regresar a casa sola, querida. Y menos esta noche.

Cerró firmemente la puerta y el taxi se apartó del bordillo. Acaricié con impaciencia el regalo de Roz en mi bolsillo. ¿Cuánto tiempo tardaría en estar a solas para poder abrirlo?

Se había levantado un viento que empujaba las nubes; el fuerte y acre olor del incendio ya apagado se cernía sobre la ciudad. Desde el puente de Waterloo, contemplé el puente del Milenio a la derecha, lleno todavía de mirones. A la izquierda, la rueda azul del Ojo de Londres, llamada también la Rueda del Milenio, giraba lentamente sin parpadear; a lo lejos los edificios del Parlamento y el Big Ben resplandecían como un encaje dorado. Dejamos el puente y nos adentramos en las apreturas de la ciudad. Me incliné hacia delante en mi asiento como si con aquel gesto pudiera conseguir que el taxi serpeara más rápido por las estrechas calles. Subimos en dirección del alto cerro que bordea Londres por el norte.

Sir Henry me miraba con los párpados entornados.

—Un secreto es una especie de promesa —dijo en tono pausado—. Pero también puede ser una prisión.

Me volví a mirarlo. ¿Cómo lo había adivinado? ¿En qué medida podía yo confiar en él? Roz había depositado su confianza en él... No le había confiado el secreto que había ocultado en el estuche, sino que tal vez me había confiado a él.

—Estaré encantado de ofrecer mi ayuda —dijo—, pero tengo un precio.

—¿Me lo puedo permitir?

—Eso depende de si puede permitirse decir la verdad.

Antes de que pudiera cambiar de idea, introduje la mano en el bolsillo y saqué el estuche.

—Me entregó esto esta tarde en el teatro. Me dijo que lo guardara en lugar seguro.

Estudió el estuche que brillaba bajo la luz de las farolas de la calle y, por un instante, pensé que me lo iba a arrebatar de la mano, pero lo único que hizo fue enarcar una ceja y contemplar con expresión divertida la envoltura todavía cuidadosamente en su sitio.

—Qué admirable prudencia. ¿O acaso cree que pretendía mantenerlo a salvo incluso de usted?

—También me dijo que, si lo abría, tendría que seguir adelante hasta donde me llevara.

Sir Henry lanzó un suspiro.

—La muerte, querida, tiene la costumbre de alterarlo todo.

—¿Incluso una promesa?

—Incluso una maldición.

Reaccioné tardíamente. Me había burlado del regalo de Roz calificándolo de caballo de Troya, pero era cierto, en los mitos y las historias antiguas semejantes regalos eran a menudo maldiciones disfrazadas: unas zapatillas rojas que nunca dejarían de bailar, un toque que lo convertía todo, incluso a los vivos, en oro muerto.

Eso es absurdo, pensé de inmediato. De un solo tirón, arranqué el papel que envolvía el estuche. El papel dorado se elevó y permaneció en suspenso en el aire entre nosotros antes de bajar flotando al suelo. En mis manos había un estuche de raso negro. Levanté cuidadosamente la tapa.

Dentro descansaba un óvalo de azabache con flores pintadas, engarzado en una montura de filigrana de oro.

—¿Qué es esto? —pregunté en voz alta.

—Un broche, diría yo —contestó sir Henry.

La misma pregunta que le había formulado a Roz.

Lo toqué con un dedo. Era una joya preciosa, pero anticuada. No me imaginaba a nadie más joven que mi abuela luciéndolo. No a Roz. Ni a mí tampoco, por supuesto. ¿Y qué demonios me había querido decir con la frase «síguelo hasta donde te lleve»?

Sir Henry frunció el entrecejo.

—Seguro que reconoce las flores.

Estudié la joya.

—Trinitarias. Margaritas. —Meneé la cabeza—. Por lo demás, nada. Yo crecí en un desierto, sir Henry. Nuestras flores son distintas.

—Éstas son todas de *Hamlet*. Las flores de Ophelia. —Inclinándose hacia adelante, las señaló con el dedo meñique—. Romero y trinitarias, hinojo y campanillas. Mire, una margarita y hasta unas violetas marchitas. Y ruda. *Y ruda para vos y un poco para mí: la podemos llamar hierba de la gracia de los domingos.* —Sir Henry soltó un resoplido—. ¡Hierba de la gracia! Hierbas de muerte y de locura más bien. Las equivalencias británicas del olíbano y de la mirra. Muy habituales entre los victorianos como joyas de luto para recordar la muerte de una joven... una época malsana, en realidad, a pesar de toda su grandeza. —Sir Henry se reclinó en su asiento—. Lo que tiene usted aquí es un broche de luto victoriano. La pregunta es por qué. ¿Cree que intuyó de alguna manera que iba a morir?

Meneé la cabeza, deslizando un dedo por el borde de filigrana. Había tenido un presentimiento aquella tarde, pero algo más que eso, una inquietud. «He descubierto una cosa», había dicho. ¿Sería eso? ¿Habría algún mensaje acerca de su hallazgo entretejido con las margaritas y los pensamientos? La alhaja guardaba un obstinado silencio en su estuche.

Doblamos la esquina de mi calle, llena de edificios victorianos de ladrillo gris. Incluso en una alegre tarde estival era una de las zonas más tranquilas de Londres; a las dos de la madrugada, estaba desierta, exceptuando el viento que gemía por las esquinas y soplaba por entre las ramas de los árboles, moteando las aceras con una luz plateada.

Al fondo de la calle, unos espectrales visillos se agitaban a través de una ventana abierta y se hinchaban al viento. *Mi casa*, me di cuenta. La ventana de la sala de estar de mi apartamento del segundo piso. Una fina capa de gélido temor me llenó la boca. No había dejado abierta aquella ventana. Mientras nos acercábamos, el taxi aminoró la marcha y después se detuvo. Por la ventana alcancé a ver unas sombras que se retorcieron en medio de una ráfaga de viento y la vi por segunda vez aquella noche, una silueta envuelta en una oscuridad más profunda que la oscuridad que nos rodeaba... No era un hombre, más bien era la ausencia de un hombre, un negro agujero en forma de hombre.

—Siga adelante —dije en un susurro.

—Pero...

—Siga adelante.

7

Al llegar al final de la calle, me volví a mirar. Los visillos habían desaparecido; la luz de la luna brillaba en el cristal de la ventana. No se veía ninguna sombra dentro. ¿Lo habría soñado? Mi mano apretó el estuche del broche.

—¿O sea que, al final, no quiere volver a casa? —preguntó el taxista.

—No.

—¿Pues adónde vamos? —preguntó.

Meneé la cabeza. Si el hombre de las sombras había encontrado la dirección de mi casa, no había ningún lugar seguro. Me arrebujé con más fuerza en las dos chaquetas.

—Al Claridge —contestó sir Henry.

Mientras circulábamos por las calles más anchas de Mayfair, quise decir algo, pero sir Henry meneó la cabeza de modo casi imperceptible. Seguí el parpadeo de sus ojos y capté la mirada de curiosidad del taxista en el espejo retrovisor. En cuanto me vio captar su mirada, la apartó.

Al llegar al Claridge, sir Henry se apresuró a pagar la carrera, me ayudó a bajar y me acompañó al interior de un impresionante vestíbulo con espejos como los de Versalles y un reluciente suelo art déco de baldosas en blanco y negro cual tablero de ajedrez. El conserje se adelantó con semblante preocupado.

—Hola, Talbot —le saludó sir Henry.

—Siempre es un placer verle, señor —contestó el hombre—. ¿En qué podemos servirle esta noche?

—Un lugar discreto para esperar, si es tan amable —contestó sir Henry—. Y un automóvil con un chófer todavía más discreto. El chófer del taxi que acabamos de dejar era un poco mirón. Puede que vuelva.

—Puede volver las veces que quiera —dijo suavemente Talbot—, a no ser que usted lo desee, no encontrará el menor rastro suyo.

Nos instalaron en un saloncito lleno de mullidos sillones y sofás tapizados en calicó. Mientras sir Henry paseaba por la estancia y examinaba las piezas de cristal Lalique repartidas por doquier, yo me quedé de pie en el centro de la habitación, pensando en el broche que sostenía en la mano. En un determinado momento abrí la boca para decir algo, pero sir Henry meneó una vez más la cabeza.

A los pocos minutos, Talbot volvió a presentarse, nos acompañó por un pasillo y, a través de una entrada de servicio, nos condujo a un pequeño garaje privado donde un automóvil con los cristales de las ventanillas tintados aguardaba con el motor en marcha. Al parecer, el taxista había regresado una vez más, pretextando que nos habíamos dejado algo en su taxi. El rostro de Talbot se torció en una enigmática sonrisa.

—Ya no volverá a molestarlos esta noche. Le he permitido descubrir algunas pruebas que probablemente le darán a entender que ustedes se quedarán esta noche con nosotros en una de nuestras suites. Creo que puede haberse quedado encerrado en un armario mientras merodeaba cerca de la escalera de servicio.

—No voy a preguntarle cómo ocurrió —dijo satisfecho sir Henry mientras subíamos al vehículo.

—Buena suerte, señor —se despidió Talbot en un suave susurro, cerrando la puerta del vehículo.

Cuando nos pusimos en marcha, miré hacia atrás. El conserje, que permanecía de pie en posición de firmes, fue disminuyendo progresivamente de tamaño a medida que nos alejábamos, hasta que, al final, se desvaneció en la noche.

Esta vez sir Henry dio las instrucciones de manera gradual, y por este motivo recorrimos zigzagueando las calles de Mayfair, pasando por delante de Berkeley Square, hasta salir a Piccadilly. Rodeando el Hyde Park Corner, atravesamos Knightsbridge, solitario y oscuro a aquella hora de la noche, y giramos finalmente a las frondosas calles de Kensington. Nos estábamos dirigiendo a la residencia de sir Henry.

Las calles estaban desiertas, pero no podía sacudirme de encima la creciente sensación de amenaza que traspasaba la oscuridad. Cuanto más nos alejábamos del hotel, más se intensificaba esa sensación hasta que, al final, pareció que los propios árboles querían atrapar ávidamente el automóvil. Ya casi habíamos llegado a casa de sir Henry cuando unas luces se encendieron a nuestra espalda y otro vehículo dobló la esquina de la calle. Inmediatamente, el pánico contra el cual había estado luchando toda la noche creció como una pegajosa ola y se abatió sobre mi cabeza. Con el corazón galopando en el pecho, agarré el borde del asiento, pero casi no pude sentirlo por culpa del hormigueo de mis manos. Giramos a la izquierda y después rápidamente a la derecha, pero el otro automóvil siguió pegado al nuestro.

Al final, el coche enfiló un corto camino particular de grava; bajé del automóvil y eché a correr hacia la casa antes de que el vehículo se detuviera del todo. La gran puerta de madera labrada que teníamos delante estaba abierta de par en par, por lo que entré precipitadamente, seguida de inmediato por sir Henry. Vislumbré de forma fugaz unas rojas luces traseras que desaparecían calle abajo y después la puerta se cerró sola. Me quedé jadeando en el impresionante vestíbulo de la residencia de sir Henry, mirando a su sobresaltado mayordomo.

—Compruebe que todas las puertas y ventanas estén bien cerradas, Barnes, si me hace el favor —ordenó sir Henry tranquilamente—. Y active la alarma. Después nos tomaremos un brandy, el Hine Antique. Ah, y encienda la chimenea de la biblioteca.

La biblioteca se hallaba en el piso de arriba. Estaba decorada con colgaduras de terciopelo color borgoña y con dibujos de verdes prados de William Morris. La luz que se reflejaba en los bustos de mármol, los estantes de madera de roble y las encuadernaciones en cuero brillaba en los dorados lomos de los libros. Dos mullidos sillones se encontraban situados delante del fuego de la chimenea. Barnes había depositado el brandy y dos grandes copas de boca estrecha en una mesa situada entre ambos.

Me acerqué al fuego.

—¿Usted cree en fantasmas?

Sir Henry se acomodó en uno de los sillones.

—No era un fantasma salido del sepulcro, querida, el que pinchó a Roz con un aguja. O el que pagó al taxista para que la vigilara.

Me volví asombrada.

—¿Por eso cambiamos de taxi en el Claridge?

—La omnisciencia —dijo sir Henry, escanciando el brandy— es una excelente cualidad en Dios, pero sospechosa en todos los demás seres. Usted no le indicó a aquel taxista ni su calle ni el número de su casa. Yo tampoco. Pero él conocía ambas cosas.

Me senté en el borde del otro sillón. El taxista conocía mi calle, había aminorado la marcha y había estado a punto de detenerse delante de mi puerta. Su voz, tensa —¿a causa de qué?, ¿la decepción?, ¿la inquietud?, ¿el temor?—, resonó otra vez en mi mente. «¿O sea que no quiere volver a casa?» Pero yo estaba tan distraída que no me había dado cuenta. Me estremecí.

—Había alguien en mi apartamento.

Sir Henry me ofreció una copa.

—¿De veras? No me extrañaría. El taxista era un repartidor, querida. No un pez gordo. Y se llevó un disgusto tremendo al ver que el paquete se negaba a ser entregado según las instrucciones. Lo cual sugiere que existe un pez gordo. O, por lo menos, un tirano de tres al cuarto ante el cual él sabía que tenía que responder. —Sosteniendo la copa con ambas manos, sir Henry agitó lentamente el ambarino líquido—. Corre usted peligro, Kate. Y eso es muy real. —Aspiró profundamente por la nariz y después ingirió un sorbito: todo su cuerpo suspiró de placer—. *El clarete es el licor más apropiado para los mozos, el oporto es para los hombres: pero aquel que aspire a ser un héroe tiene que beber brandy*. Eso lo escribió el muy golfo de Samuel Johnson, que se las sabía todas... Vamos a echar otro vistazo al broche.

Lo saqué. Descansaba tímidamente en su estuche.

—No es precisamente un «camino de ladrillo amarillo» como en *El Mago de Oz*, ¿verdad? ¿Qué cree usted que puedo hacer para llegar al lugar al que conduce?

Sir Henry esbozó una sonrisa.

—Las zapatillas rojas podrían ser una analogía más apropiada. Quizá debería usted empezar por ponérselas. ¿Me permite?

Mientras sacaba el broche del estuche, una tarjetita se escapó volando vuelta del revés hacia el fuego. Sir Henry se inclinó rápidamente hacia delante, la atrapó, salvándola del peligro, y la depositó en mis manos.

Era una tarjetita rectangular de gruesa cartulina color crema con un orificio perforado en la parte inferior. Con una punzada de angustia, reconocí la letra de Roz. Mientras sir Henry me prendía el broche en la solapa, leí en voz alta:

> *Enhorabuena, Mercurio Kate, por haber apartado a un lado la estúpida piedad para dejar al descubierto unas puras y brillantes verdades largo tiempo escondidas en nuestra obra magna jacobina preferida. Confío en que el público pueda llenarse muy pronto de la misma admiración.*
>
> *Dulces ofrendas para la más dulce.*
>
> *R.*

—¿Jacobina? —preguntó bruscamente sir Henry.

—Eso es lo que dice.

Jacobino de Jacobo, es decir, Jacobus, pensé, el nombre latino de Jacobo. Como el del rey Jacobo o Jaime, soberano de Inglaterra durante la segunda mitad de la carrera de Shakespeare. Todo muy bien, sólo que la obra de la que Roz supuestamente estaba hablando era *Hamlet* y, aunque *Hamlet* tenga méritos más que suficientes para ser una obra magna, resulta que no es una obra jacobina. Es isabelina, la última y la más grande pieza teatral isabelina, escrita mientras la anciana y porfiada reina solterona se deslizaba de mala gana hacia la muerte, tras haberse negado a nombrar heredero a su joven primo Jacobo o a cualquier otra persona. No cabe duda de que, para la mayoría de la gente, la diferencia entre isabelino y jacobino es inapreciable y prácticamente invisible. Pero, para Roz, había sido un abismo, una divisoria tan fundamental como la diferencia entre el sol y la luna, el macho y la hembra. No podía confundir lo uno con lo otro de la misma manera que jamás confundiría a su hermano con su hermana o su propia cabeza con su mano.

Sir Henry se puso a enumerar las obras jacobinas shakespearianas.

—*Macbeth*, *Otelo*, *La tempestad*, *El rey Lear*... ¿Tenía Roz preferencia por alguna?

—No, que yo sepa.

—Por lo menos, al final retrocede a *Hamlet* —mumuró sir Henry en tono meditativo—. *Dulces ofrendas para la más dulce*. Gertrudis arrojando flores sobre el sepulcro de Ophelia. En todo caso, encaja perfectamente con su regalo.

—Hay más —dije levantando la tarjetita a contraluz.

Al pie, había garabateado una especie de poética posdata bajo la forma de cuatro líneas de un verso en débil tinta azul, dos pareados separados por un guión:

¿Pero por qué razón no buscas un más poderoso medio
de guerrear contra este sanguinario y tirano tiempo?

—

Oh, deja pues que mis libros sean la elocuencia
y los mudos profetas de la voz de mi pecho.

Sir Henry dio un respingo.

—Aquí tiene —dijo con la voz ronca—. Su obra magna jacobina.

Fruncí el entrecejo y traté de hacer memoria rápidamente, en busca de aquellos versos.

—Son de Shakespeare, estoy segura. Pero ¿de qué obra? No son de *Hamlet*.

Sir Henry se levantó de un salto y cruzó la estancia hasta unas altas estanterías presididas por un busto de Shakespeare.

—No, no sea ridícula, querida, no son de *Hamlet.* —Deslizando un dedo por los libros, murmuró—. Tercer estante desde abajo. El cuarto libro, me parece. Sí... aquí lo tenemos.

Sacó un delgado volumen encuadernado en cuero marrón oscuro y con el lomo labrado en letras doradas. Regresó junto al fuego y lo depositó en mi regazo con un ceremonioso gesto.

No había ningún título en la cubierta. Dejé la tarjeta en la mesita que se interponía entre nosotros y abrí el libro por la primera página, alisando el papel, que era grueso y flexible y del mismo color que un helado de café. En un dibujo de la parte superior, unos querubines cabalgaban sobre unas flores que también parecían dragones. Leí en voz alta las primeras tres palabras:

—SONETOS DE SHAKE-SPEARE.

—Yo lo hubiera titulado *Una autobiografía en acertijos* —dijo sir Henry—. Pero nadie me pidió mi opinión.

Volví a mirar la página:

Jamás impresos anteriormente.
En Londres
por *G. Eld* para *T.T.* y
serán vendidos por *William Aspley.*
1609

Levanté la vista con asombro.

—Pero esto es un original.

—Un original jacobino —dijo sir Henry, guiñando pícaramente los ojos—. Y algunos dirían que también una obra magna. Ciento cincuenta y cuatro poemas, considerados habitualmente como pequeñas joyas individuales. Roz ha citado dos de ellos, pero su verdadera magnificencia sólo se aprecia cuando se juntan todos en un solo relato. Hay una espléndida y oscura historia que parpadea entre líneas: el joven dorado, la dama oscura y el poeta. El poeta era Shakespeare, naturalmente, pero ¿quién era el joven y cómo acabó en los brazos de la morena amante de negro corazón de Shakespeare? —Toda la casa pareció inclinarse para prestarle atención—. ¿Por qué le pedía el poeta al joven que engendrara hijos, y por qué se negaba éste? —Meneó la cabeza—. Los sonetos están llenos de amor, celos y traición... de toda la profunda materia dominada por la fatalidad del mito. Y son tan emocionantes como verdaderos.

Un leño se partió en la chimenea.

—Además están llenos también de un cierto patetismo por una anciana reina del escenario —se mofó sir Henry en una repentina muestra de burla de sí mismo—. *Pero ¿por qué razón no buscas un más poderoso medio de guerrear contra este sanguinario tirano tiempo?* ¿Eso es lo que Roz quería que hiciera usted?

Estuve casi a punto de escupir mi brandy.

—¿El qué?, ¿que me casara y diera a luz a muchas Kates de cabello color zanahoria?

Sir Henry se inclinó hacia delante.

—No, que buscara un amante y se recreara a sí misma, perennemente joven. A eso se refiere la primera cita, ¿sabe? Guerrear contra el tiempo por medio de los hijos. —Volvió a tomar el libro y hojeó rápidamente las primeras páginas. —Veamos... ¿Dónde está? —Señaló con un dedo el poema de la página—. Soneto dieciséis.

Pasó unas cuantas páginas más y se detuvo.

—Eso ya es grave... pero es que la segunda cita es como para echarse a llorar, si lo piensa un poco. ¿Qué clase de hombre podía crear *Romeo y Julieta* y temer al mismo tiempo decirle «te quiero» a su amada hasta el punto de que su única defensa contra un desvergonzado rival de meliflua lengua sea suplicar: «Lee mis libros»?

Oh, deja pues que mis libros sean la elocuencia
y los mudos profetas de la voz de mi pecho.
Ellos piden amor y buscan recompensa
mejor de lo que jamás supo expresar esta lengua.

Su voz llenó la estancia con un anhelo que se intensificó hasta el extremo de resultar casi insoportable y después se fue desvaneciendo poco a poco.

Su lugar fue ocupado por la tenue insinuación de una duda. El broche era un regalo y nada más. Contemplé la tarjetita que me miraba desde la mesa que se interponía entre nosotros.

—Pero eso es una tragedia reducida a la dimensión de un soneto —dijo sir Henry—. Sólo veintitrés poemas y él ya ha extraído...

El brandy me quemaba la garganta.

—¿Qué ha dicho usted?

—Que él ya ha extraído...

—No. El número.

—Veintitrés. Mire.

Me mostró el libro.

—No son las palabras lo que importa —dije, poniéndome repentinamente nerviosa—. Por muy maravillosas que sean. Son los números. Los números de los sonetos.

—¿El dieciséis y el veintitrés?

Di la vuelta a la tarjeta de Roz para que pudiera verla al revés y le señalé la posdata.

—¿Ve lo que ella garabateó al pie?

Frunció el entrecejo y vio lo que yo había visto: el incomprensible garabato que ambos habíamos supuesto que era la ese de las iniciales de *post scriptum*, es decir, de la posdata, resultó ser una impecable «A», seguida de una «D».

—«A.D.» —leyó él en voz alta—. *Anno Domini*. En el año del Señor... Sigo sin estar muy seguro de adónde nos llevará todo esto.

—A retroceder en el tiempo —dije lacónicamente—. Lea estos números como una fecha.

—Mil seiscientos veintitrés... Pero ¿eso adónde nos lleva? ¿A unos seis, mejor dicho, siete años después de la muerte de Shakespeare? Porque seguimos hablando de Shakespeare, ¿verdad?

—De su libro de libros jacobino —contesté, asintiendo con la cabeza—. De la obra magna que contiene todos los demás libros. Fechada en 1623.

—Dios mío —dijo sir Henry—. El Primer Infolio.

8

Nos miramos fijamente el uno al otro. El Primer Infolio era la primera edición de las obras completas de Shakespeare, publicadas con carácter póstumo en 1623 por sus viejos amigos y protectores. Para ellos había sido un monumento más preciado que el mármol y habían invertido en él dinero, esfuerzo y tiempo. El libro que había salido finalmente de la imprenta era un objeto precioso, un claro intento de elevar al autor desde la mala fama del pendenciero mundo del teatro a las eternas verdades de la poesía. Para los enemigos de Shakespeare, para todos aquellos que se habían burlado de él en vida como un cuervo advenedizo, indigno de recoger las migajas que caían de sus mesas, había sido una dura venganza.

—Un motivo y un estímulo suficientes para cometer un asesinato —dijo sir Henry—. El Infolio es uno de los libros más valiosos y codiciados del mundo. ¿Sabe que hace algún tiempo un ejemplar roto y manchado de agua y con páginas arrancadas se vendió en una subasta por ciento sesenta mil libras? —Sir Henry meneó la cabeza en gesto de incredulidad—. Cuando Sotheby's subastó el año pasado un ejemplar en excepcional buen estado, éste se vendió por cinco millones de dólares. Se rumorea que sir Paul Getty se ha gastado seis. Imagínese: un libro antiguo que vale diez veces más que una casa normal de Londres. Sin ánimo de ofender, Kate, pero si Roz hubiera encontrado un Primer Infolio, ¿por qué no se puso en contacto con Sotheby's o Christie's para subastarlo y retirarse a vivir a una villa en Provenza? ¿Por qué acudió corriendo a usted?

—No lo sé —dije sumida en una maraña de pensamientos—. Aunque puede ser que no fuera un Infolio lo que encontró, un nuevo ejemplar, quiero decir, sino algo que éste contenía. Puede ser que lo que ella buscara fuera una información.

—¿Una información a la que usted tendría acceso y ella no?

Si sir Henry hubiera estado hablando de cualquier otra persona que no fuera Roz, su incredulidad habría podido parecer insultante. Roz era famosa por sus conocimientos enciclopédicos acerca de la manera en que las obras de teatro y los poemas de Shakespeare se habían entretejido, por ejemplo, con los discursos del Congreso de Estados Unidos y habían germinado en los ballets rusos y en la propaganda nazi. Gracias a Roz, el mundo sabía que Shakespeare era tan conocido en el teatro kabuki japonés como alrededor de las hogueras de los campamentos de la sabana de África Oriental. Su último libro —en cuya investigación en las fases iniciales yo había colaborado— había revelado con gozoso detalle la popularidad de Shakespeare en el Lejano Oeste norteamericano, entre los montañeses y mineros analfabetos, los vaqueros y las prostitutas e incluso entre alguna que otra tribu india. Sus profundos conocimientos y consejos eran buscados por estudiosos, museos y compañías teatrales de todo el mundo.

Pero ella había venido a pedirme consejo a mí.

«Necesito ayuda, Kate —me había dicho aquella tarde—. Tu ayuda.» Pero tanto ahora como entonces sólo se me ocurría un motivo: mi tesis. Había planteado mi trabajo sobre la base del suyo, sólo que yo había optado por tamizar el pasado en busca de cuestiones más oscuras.

—El Shakespeare oculto —respondí—. El Shakespeare secreto, no mágico —añadí, lanzándome a la habitual y conocida defensa—. Es el único tema de Shakespeare que yo conozco más a fondo que Roz... La larga y extraña historia de los intentos de recuperar la sabiduría prohibida que se creía diseminada entre sus obras. La inmensa mayoría de ella presuntamente escondida en el Primer Infolio.

Sir Henry me estudió detenidamente.

—¿La sabiduría prohibida?

—Profecía o historia. Elija usted. —Lo miré con una burlona sonrisa en los labios—. Los que creen en Shakespeare como profeta consideran el Infolio como algo semejante a las profecías de Nostradamus: como un enigmático vaticinio del futuro en el que se profetiza el ascenso de Hitler, la llegada del hombre a la luna, la fecha del Apocalipsis, lo que uno cenará el jueves que viene. En cambio, los «historiadores» se pasan casi todo su tiempo indagando en la vieja historia de amor entre la reina Isabel y el conde de Leicester...

—Eso ya no es un secreto —dijo sir Henry—. No pasa una década sin que se publique un *best-seller* sensacionalista acerca de este antiguo *affaire de coeur.* Hollywood lleva en ello los últimos cien años.

—Cierto. Pero las historias a las que yo me refiero hablan de un matrimonio entre la reina y el conde, no de una aventura, y por si fuera poco, del nacimiento de un heredero ilegítimo. Un hijo al que se ocultó al nacer, como le ocurrió al rey Arturo, y que, también como el rey Arturo, prometió regresar.

Sir Henry dijo algo que sonó sospechosamente como «Harjús». Cuando consiguió pronunciar debidamente la palabra, dio la impresión de sentirse molesto.

—¿Y cómo es posible que un plebeyo dramaturgo de Stratford tuviera acceso a semejante información?

Una ráfaga de viento gimió doblando la esquina de la casa y sacudió las cristaleras del balcón que teníamos a nuestra espalda. Tomé un sorbo de brandy.

—Porque él era el muchacho oculto.

Por un instante, el único sonido fue el chisporroteo de las llamas. Después sir Henry estalló en una carcajada.

—No es posible que se crea semejante cuento —dijo riéndose entre dientes mientras me servía más brandy en la copa.

Esbocé una sonrisa.

—No. Y Roz tampoco. Solíamos burlarnos de casi todo, aunque algunas de las historias eran trágicas. —Me levanté y me acerqué a la chimenea—. No creo que ella hubiera indagado en nada de todo eso sin una sólida y docta razón. Pero no importa, ¿verdad? Puede que la hayan matado porque alguien creyó que había descubierto algo.

—O temía que lo descubriera.

Posé mi copa en la repisa de la chimenea.

—Pero ¿qué es lo que temían que descubriera? ¿Y dónde se supone que está esa misteriosa información? Unos doscientos treinta ejemplares del Infolio sobreviven repartidos por todo el mundo. Aunque yo supiera en cuál de ellos está ese secreto, o aunque ella hubiera descubierto algo en todos ellos, son libros de muchas páginas y no sé qué he de buscar.

Sir Henry estaba examinando la tarjeta que descansaba sobre la mesa.

—Preste atención —dijo—. Tuvo que elegir unos versos de los sonetos dieciséis y veintitrés para crear una fecha. Pero tenía catorce versos entre los que elegir en cada soneto. ¿Por qué estos versos en particular?

Golpeó la tarjeta con un dedo.

Yo me acerqué para ver qué versos estaba señalando:

Oh, deja pues que mis libros sean la elocuencia
y los mudos profetas de la voz de mi pecho.

La revelación me traspasó como una oleada de calor.

—Ella se refería a sus propios libros, ¿verdad? No sólo a los de Shakespeare. Eso es muy brillante, sir Henry.

—Pero sigue siendo una aguja en un pajar, tratándose de una profesora tan docta.

—Pero por algo se empieza —dije sonriendo—. Dele la vuelta.

En el reverso, en la irregular y cacarañada escritura de las máquinas de escribir manuales, figuraba una anotación de un viejo fichero:

Chambers, E. K. (Edmund Kerchever). 1866-1954.
The Elizabethan Stage.
Oxford, The Clarendon Press, 1923.

—Un tomo maravilloso —dijo sir Henry.

—Unos tomos, querrá decir. Cuatro gruesos volúmenes.

Chambers había sido uno de los últimos miembros de una vieja raza de estudiosos que coleccionaban datos tal como lo hacían en otros tiempos los botánicos victorianos que recogían escarabajos y mariposas: de una manera indiscriminada y a fondo, exhibiéndolos con ingeniosa profusión. En el momento de su publicación, *The Elizabethan Stage* contenía todos los datos conocidos acerca del teatro en la época de Shakespeare. Algunos se habían dado a conocer desde entonces, pero no muchos. Para los estudiosos, era una especie de baúl de pirata de olvidadas bagatelas teatrales.

—Mejor que el Infolio, en cualquier caso —dijo sir Henry, levantándose de su sillón—. Porque resulta que yo tengo un ejemplar.

Cruzó la estancia.

—Espere —dije—. Esa información no está en sus libros, sino en los de ella. Esta tarjeta es de Roz.

Sir Henry se volvió.

—¿Hacía fichas para catalogar sus propios libros?

—No. En cuestión de libros, no distinguía con demasiada claridad entre sus propios libros y los de Harvard. ¿Ve esto? —Señalé un número que figuraba en la parte superior: «Thr 390.160»—. Es una referencia de un viejo sistema de clasificación utilizado en la Widener, la biblioteca principal de Harvard, antes de que Dewey inventara el sistema de clasificación decimal.

—¿Se llevó una ficha del fichero de Harvard?

—Ahora es suyo. La universidad puso el catálogo de sus fondos online hace unos cuantos años y, en un arrebato de arrogancia tecnológica, las autoridades de la biblioteca consideraron anticuado el fichero. Para ahorrar espacio, decidieron desechar las antiguas fichas, nada menos que once millones, algunas de las cuales databan del siglo dieciocho. Las han estado utilizando como papel para apuntes desde entonces. En cuanto Roz lo vio, le dio un ataque...

—Muy elocuente sin duda —concedió sir Henry con ironía.

Lo miré sonriendo.

—Escribió artículos para *The New York Times*, *The New Yorker*, *The Atlantic* y *TLS*, censurando con dureza a la biblioteca. Al final, armó tal escándalo que la universidad le propuso entregarle todas las fichas correspondientes al Renacimiento inglés y a Shakespeare, simplemente para que se callara. Lo único que tenía que hacer era separarlas del resto. Probablemente el personal de la biblioteca pensó que eso la desalentaría, pero se equivocaron. Roz contrató a tres ayudantes de investigación durante un año y medio simplemente para que clasificaran toda aquella montaña de papeles... Uno de aquellos investigadores fui yo. —Contemplé tristemente la tarjeta—. Las guarda... las guardaba en uno de los viejos armarios de su biblioteca, en su estudio. A Roz nunca se le hubiera ocurrido usar una de esas fichas como tarjeta de visita. —Deslicé el dedo por encima—. Es más, estaría dispuesta a apostar a que algo en su ejemplar de Chambers nos dirá a qué Infolio se refería y dónde debemos buscar.

—Pero ¿qué está dispuesta a apostar concretamente?

—¿Tal vez un viaje a Harvard? —pregunté.

Pero no era una verdadera pregunta.

Sir Henry depositó su copa en la mesilla.

—¿Por qué no acudir simplemente a la policía? La tenemos bastante más cerca.

—¿Y entregar la tarjeta a algún imbécil de la policía que se las dé de listo y que, lo peor de todo, no sepa descifrarla, y al final la empuje al fondo de algún estante de pruebas donde acabe pudriéndose? No. —Tragué saliva—. Además, Roz no acudió a la policía. Acudió a mí.

—Y Roz está muerta, Kate.

—Por eso tengo que ir a Harvard. —Acaricié el broche que descansaba en mi regazo—. Hice una promesa. Y puede que yo sea la única persona capaz de resolver este misterio.

Excepto tal vez el asesino. La frase quedó en suspenso entre nosotros sin que ninguno de los dos la pronunciara.

Sir Henry lanzó un suspiro.

—Eso no le va a gustar demasiado al inspector Sinclair.

—No tiene por qué enterarse. Tomaré un vuelo, echaré un vistazo al libro y regresaré enseguida.

—Sería más rápido y seguro pedirle a alguien de allí que echara el vistazo en su nombre. No hace falta que le diga por qué. Seguro que en Harvard hay algún otro estudioso de Shakespeare.

Recuperé mi copa y agité el brandy con una impaciente sacudida. Sí, había uno. De hablar melifluo, de fluida pluma y ágil ingenio, el profesor Mattthew Morris había llegado a Harvard el año anterior a mi partida, con su puesto en el bolsillo y haciendo alardes de sus méritos. Los estudiantes y los periodistas lo adoraban y la universidad lo trataba como a una estrella del rock. Pero a mí me había caído mal desde el primer momento, y a Roz también. «Mi docto colega», solía llamarlo con dulce veneno. Segun ella, representaba lo peor de la docencia moderna... Mucho ruido y pocas nueces. Habría sido la última persona con quien ella hubiera deseado que yo compartiera algún aspecto de su secreto. Bien mirado, pensé, prefería acudir a Sinclair.

En mi copa, el movimiento del brandy fue disminuyendo poco a poco hasta cesar del todo. Meneé la cabeza.

—Mis huestes de la escuela de graduados se han dispersado. Y Matthew Morris está disfrutando de un año sabático en la Biblioteca Folger de Washington D.C.

Lo cual era, en efecto, cierto, pues por una curiosa ironía él desdeñaba la investigación archivística por considerarla laboriosa y aburrida, aunque ése no hubiera sido mi principal motivo para no pedirle ayuda.

—No hay nadie más en quien pueda confiar —terminé.

Eso sí era inequívocamente cierto.

En el tema de mi viaje, sir Henry o bien había accedido, o bien había capitulado, no estaba muy segura de cuál de las dos cosas. Pero en la cuestión de regresar a casa para hacer las maletas, se había mostrado inflexible.

—Su apartamento estará vigilado —dijo—. Y, además, necesita descansar un poco. Hágame una lista y le pediré a Barnes que le compre unas cuantas cosas. Le prometo que la acompañaremos a Heathrow y saldrá usted en el primer vuelo con destino a Boston.

—Barnes no me va a comprar a mí la ropa interior.

Una expresión apenada se dibujó en su rostro.

—Lencería, querida. Y de lo más sexy.

—Llámela usted como quiera, pero Barnes no me la va a comprar.

—Le encargaremos la tarea a la señora Barnes, un alma intrépida. No es probable que se retire en presencia de todo un ejército de sujetadores. —Yo no tenía conocimiento de que hubiera una señora Barnes, pero sir Henry me miró con fingido horror—. No pensará usted que yo me encargo de las tareas domésticas de mi propia casa, ¿verdad?

Solté una carcajada.

—Vive usted en otro siglo, sir Henry.

—Lo mismo que cualquier persona que se lo puede permitir —dijo con cierta frivolidad al tiempo que apuraba su brandy.

Mientras me acomodaba en una impresionante cama rodeada de pesados cortinajes lo bastante grande como para que en ella se acostara una docena de reyes, oí que un reloj daba las tres en algún lugar de las profundas entrañas de la casa. Me acurruqué con el broche en una mano y la tarjeta de Roz en la otra, pensando en la sombra que había vislumbrado antes en la ventana de mi apartamento.

Seguramente estaba nerviosa y desde la calle azotada por el viento había visto los visillos y el mobiliario formando un extraño ángulo, como cuando alguien ve un lobo o una ballena en la forma de una nube. Permanecí despierta largo rato, prestando atención a la casa dormida.

Al final, me debió de vencer el sueño. Poco a poco mis sueños se poblaron con el rumor de un agua que fluía rápidamente. Me incorporé. La cama se encontraba junto a la orilla de un río iluminado por la plateada luz de la luna. No lejos de allí alguien yacía dormido entre unas violetas. Un canoso rey con la sien ceñida por una corona. Me acerqué reptando hacia él. Todas las violetas que había debajo de él tenían los tallos marchitos; el hombre también estaba muerto. Mientras lo miraba, su rostro se agitó y se movió como cuando contemplas la cara de alguien sumergido bajo el agua, y entonces vi que no era un hombre, sino que era Roz.

Con un verde destello, los ojos se abrieron repentinamente. Mientras yo pegaba un brinco hacia atrás, una sombra se me acercó muy despacio a mi espalda y oí el silbido de una espada que alguien desenvainaba.

Me incorporé bruscamente en la cama y me di cuenta de que me había clavado el alfiler del broche en la mano; había sangrado un poco y manchado la colcha de sir Henry. Me levanté y descorrí sigilosamente la cortina. En el jardín, unas rosas tan grandes como peonías brillaban con sus pétalos rosa y carmesís bajo un sol implacablemente alegre. Permanecí de pie junto a la ventana, dejando que la luz me resbalara por el rostro hasta que se disolvieron tanto el sueño como —más despacio— el temor que perduraba en su estela.

En el vestidor habían depositado unas nuevas prendas de vestir: unos pantalones pitillo negros, un top de cuello de cisne más ajustado de los que yo tenía por costumbre llevar y una carísima chaqueta de corte sobrio. Me sorprendió agradablemente lo bonita que era todo. A su lado había una pequeña maleta ya hecha. Encima de ella, un billete de avión. Mi vuelo era a las nueve. Me vestí a toda prisa, me prendí el broche de Roz en mi nueva chaqueta y bajé para reunirme con sir Henry.

—El hecho de que te persigan los *paparazzi* te enseña mucho más acerca de la astucia de lo que jamás te podría enseñar el teatro —dijo éste con satisfacción cuando entré en la sala del desayuno. Resultó que el Bentley estaba a punto de salir para Highgate, con el jardinero y su nieta en el asiento de atrás. Pero ni siquiera el envío de un vehículo para despistar pudo impedir que sir Henry se mostrara solícitamente preocupado por mí a lo largo del desayuno.

—¿Está segura de que no quiere compañía? —me preguntó, removiendo lo que parecía medio kilo de azúcar en su taza de té.

Meneé la cabeza.

—Gracias, pero llamaría mucho más la atención viajando en compañía de un actor mundialmente famoso que sin él.

Al final, fue un alivio subir a un Range Rover con Barnes sentado al volante.

—Tenga cuidado, Kate —fue lo único que me dijo sir Henry mientras cerraba la puerta del vehículo. Pero sus ojos estaban llenos de inquietud.

9

No guardo un recuerdo claro del vuelo. El billete que sir Henry me compró era de primera clase, por lo que pude estirar las piernas, aunque me fue imposible conciliar el sueño y mucho menos pensar. A la una de la tarde, el avión aterrizó en el aeropuerto Logan de Boston, salté al interior de un taxi y le pedí que me llevara a Harvard.

Cuando el taxi tomó la curva de Storrow Drive, contemplé el río Charles a mi derecha, azul bajo un cielo sin nubes. Poco después divisé en la otra orilla las cúpulas de color rojo oscuro, turquesa y seráficamente azules de los edificios de ladrillo rojo que albergaban a los estudiantes de la universidad. Tras una curva la carretera se adentró en el ardiente horno que era Cambridge en junio. Me registré en mi hotel, el Inn at Harvard. Dejé la maleta en mi habitación y, tras echarme al hombro mi bolsa negra con libros, crucé corriendo Massachusetts Avenue y me dirigí al Harvard Yard.

Allí se estaba más fresquito gracias a que los edificios de ladrillo estaban rodeados por un mar de hierba en lugar de asfalto y protegidos por un cuidado y fresco bosque de altos árboles. Doblé una esquina y apareció ante mis ojos la biblioteca. Construida en memoria de un joven graduado que había viajado a Europa en 1912 para entregarse a su notable afición de coleccionar libros raros y que había adquirido un pasaje para regresar a casa en el *Titanic*, la Harry Elkins Widener Memorial Library presidía la mitad oriental del Harvard Yard, tan cuadrada, gigantesca y dominante como la afligida matriarca que había corrido precisamente con los gastos de su construcción.

Subí a toda prisa los peldaños, atravesé una de las altísimas puertas de la entrada y entré en el fresco vestíbulo de mármol. Me detuve brevemente en el mostrador de atención de los ex alumnos y obtuve la tarjeta amarilla que me permitía consultar los fondos de la biblioteca. En la puerta correspondiente mostré mi permiso temporal a un aburrido estudiante que montaba guardia sentado y me dispuse a acceder a la planta donde estaba el fondo que buscaba.

Me detuve un momento para orientarme. Gracias a una serie de cláusulas que constaban implacablemente por escrito, la señora Widener se había asegurado de que el aspecto exterior de la biblioteca jamás se pudiera modificar ni siquiera con un solo ladrillo. Las entrañas, en cambio, ya eran otra cuestión; la señora Widener había concedido a regañadientes que pudieran crecer y cambiar de acuerdo con los tiempos. Desde mi partida, gracias a reformas multimillonarias, el interior del edificio había sufrido cambios que lo habían puesto a la altura del siglo XXI . Confiaba en que todavía me pudiera seguir orientando. Una lámina de un plano xerografiado fijada en una pared parecía indicar que la distribución de los distintas fondos de la bilioteca seguía siendo la misma.

Siguiendo un camino marcado en el suelo con una ancha cinta adhesiva de color rojo, bajé los cuatro tramos de escaleras que conducían a las mazmorras de la Widener. Atravesé oscuros pasillos entre estanterías de olvidados conocimientos y penetré en un sinuoso túnel de cuyas paredes colgaban enormes y ruidosas tuberías. En su otro extremo, una pesada puerta metálica se abría a un vestíbulo cuya gastada alfombra de color anaranjado conducía a un pequeño ascensor que descendía ruidosamente a la planta de abajo. Entré en un espacioso cuarto cuadrado muy bien iluminado que zumbaba como una nave espacial enterrada.

Contemplé un plano fijado con tachuelas junto a la puerta del ascensor y volví a estudiar la tarjeta de Roz. Thr 390.160 era la signatura bibliográfica que yo buscaba. La sección «Thr» —historia del teatro— estaba en el extremo más alejado de la sala. Me dirigí hacia mi meta. Allí estaban las obras catalogadas bajo la signatura 390. Me agaché y deslicé el dedo por los lomos de los libros: 190, 180, 165, 160.5.... y encontré sólo un rectángulo de espacio vacío. Comprobé la signatura que indicaba la tarjeta que sostenía en la mano y volví a contemplar la estantería. Sí, estaba en el lugar adecuado. Pero justo allí donde habrían tenido que estar los cuatro volúmenes, había una brecha. Ninguno de los cuatro libros se encontraba en su sitio.

Maldición, maldición, maldición. Jamás se me había ocurrido pensar en la posibilidad de que los volúmenes no estuvieran allí. Me dirigí corriendo a un ordenador cuya pantalla emitía un brillo siniestro en un rincón muy próximo al ascensor. A través del servicio de consultas del catálogo online podía averiguar quién había sacado los libros y pedir su devolución, pero tardaría entre una semana y diez días en tenerlos, con un poco de suerte. Si el prestatario estaba disfrutando de un año sabático, puede que tardara un mes. No disponía de una maldita semana y mucho menos de un mes. Refunfuñando, tecleé el título en la pantalla de búsquedas.

La respuesta, cuando apareció, fue todavía peor. «No está en préstamo», insistía en decirme la pantalla. Presa del desaliento, abandoné el sótano y subí a la sección de Circulación, donde la estudiante que atendía el mostrador me dijo arrastrando las palabras que podía pedir una búsqueda por estanterías.

—¿Una búsqueda por estanterías? —repetí con incredulidad—. ¿Va usted a enviar a algún enanito en busca de cuatro volúmenes que se han extraviado entre once millones?

La chica se encogió de hombros.

—En este edificio sólo hay tres millones y medio. Pero los cuatro que a usted le interesan no van a aparecer de todos modos.

Cualquier cosa que Roz hubiera descubierto en *The Elizabethan Stage*, la habría anotado al margen. Yo estaba segura de que lo habría hecho; era conocida por su costumbre de escribir en los libros. Siempre a lápiz y, por regla general, utilizando unos diminutos garabatos escritos al revés de derecha a izquierda, una especie de tic mientras leía. Lo hacía de forma tan inconsciente como respirar. Corrían rumores de que una vez había sido expulsada de la Biblioteca Británica por haber escrito en un manuscrito de mil años de antigüedad. Sin darse cuenta. Algo que los británicos o, por lo menos, sus bibliotecarios a la vieja usanza, estuvieron aparentemente dispuestos a perdonar, pues no tardaron en volver a darle la bienvenida. De vez en cuando, garabateaba notas al margen para su propio uso, y una o dos veces yo había visto auténticos desvaríos. Necesitaba los ejemplares que ella consideraba suyos. Los de la Widener.

—Gracias —alcancé a decir mientras firmaba la petición que pondría a trabajar a los enanitos.

Me detuve en el umbral de la puerta que desde la sección de Circulación conducía al vestíbulo de la entrada. *¿Y ahora qué?*

Estaba girando a la derecha en dirección a la salida cuando la gran escalinata de mármol que tenía a mi izquierda me llamó la atención. La biblioteca era un inmenso cubo hueco construido alrededor de un patio interior; en el centro del mismo, unido al cuadrado exterior por un estrecho pasillo, se elevaba el mausoleo abovedado construido a la memoria del joven Harry Widener. No era un lugar de descanso para sus huesos, sino para sus libros. Custodiada en el interior del corazón de mármol de la cúpula, se encontraba una fiel reproducción de su estudio, con sus paredes revestidas de paneles de madera y con flores frescas que cada mañana se seguían colocando en un jarrón encima de su escritorio.

Subí los peldaños que conducían a un opulento descansillo de mármol tan pálido como el pergamino. Una puerta neoclásica daba acceso a una sala semicircular, también de mármol. Al otro lado, una puerta más pequeña se abría al estudio. Contemplé los oscuros paneles de madera, los libros que había detrás de los cristales de los estantes y los claveles rojos que ya empezaban a marchitarse. Pero era aquel vestíbulo abovedado lo que a mí me interesaba. En el interior de la urna del centro rematada por cristal, había dos libros, abiertos el uno al lado del otro. Uno era el primer libro que se imprimió: la Biblia de Gutenberg. El rítmico latín estaba impreso en pesadas letras en negrita y las capitulares estaban pintadas a mano de color rojo y azul. El otro, gracias al excelente gusto y a la fortuna del joven Harry, era el ejemplar de Harvard del Primer Infolio.

La estancia estaba desierta; los estudiantes de Harvard raras veces visitaban aquel lugar. El libro estaba abierto por la portada con el grabado de un retrato de Shakespeare, el único que lo representaba con un ojo estrábico y la frente tan abombada como el huevo Humpty-Dumpty de *Alicia en el País de las Maravillas.* La cabeza descansaba de una manera tan rara sobre la gola que parecía extrañamente separada del cuello. «COMEDIAS, HISTORIAS Y TRAGEDIAS DEL SEÑOR WILLIAM SHAKESPEARE», proclamaban unas letras de gran tamaño por encima de la imagen. «Publicadas según las auténticas copias originales.» Debajo del retrato se leía: «LONDRES. Impreso por Isaac Iaggard y Ed. Blount. 1623».

Examiné la página. Ningún lector se había atrevido a profanarla. Tal vez Roz había hecho anotaciones en otro inicio de obra menos sagrado. Pero hasta ella se hubiera negado a escribir deliberadamente en un Infolio.

Chambers era la clave. Algo en uno de los cuatro volúmenes de *The Elizabethan Stage* me diría qué tenía que buscar. Siempre y cuando pudiera encontrar los ejemplares de la Widener. Experimenté un sobresalto. *¿Y si los tuviera el asesino?* Estaba segura de que tal cosa no era posible. Yo había tenido en mi mano la clave de Roz mientras se producía el asesinato y durante varias horas después.

¿Y si ella hubiera retirado los volúmenes? En tal caso, lo más probable era que se los hubiera llevado consigo a Londres. Seguramente sir Henry le podría arrancar a alguien la información. Pero ¿qué haría yo entonces? ¿Verme con Sinclair, parpadear y pedirle que me permitiera ver los libros de la profesora Howard sin ningún motivo especial? Descendí la escalinata y eché a correr entre los árboles del Yard.

Unos escalones subían al amplio atrio de la iglesia Memorial Church. Cinco años atrás, en una noche de mayo, sin más telón de fondo que los severos perfiles de la iglesia, aquel atrio me había servido de escenario para la primera obra que había dirigido: una interpretación de estudiantes de licenciatura de *Como gustéis.* Aquel día los cornejos habían adornado el escenario con sus capullos blancos y rosas y las sonoras carcajadas habían resonado bajo el dosel de los olmos.

Me seguía sintiendo orgullosa de la puesta en escena de aquella obra. Había sido tremendamente divertida, pero también siniestramente taimada, con aquella broma central del acertijo que no pretendía otra cosa que no fuera arrastrar al orgulloso y puritano Malvolio primero a la insensatez y después a la locura. Me senté en la escalinata de la iglesia. ¿Sería posible que Roz me hubiera tendido una trampa parecida?

No era un pensamiento muy caritativo. Con una punzada de dolor, la recordé tumbada bajo el banco del Globo con los ojos abiertos.

—Menudo despacho tienes —me había dicho ella un poco antes aquel día.

—Pues menuda entrada la tuya —le repliqué yo.

—Después de tantas molestias, Katie, esperaba algo un poco menos mundano. Esperaba algo más... bueno, shakespeariano.

Yo me había limitado a mirarla indignada. Había sido sir Henry quien le había dado lo que ella quería. «*Te llamaré Hamlet* —había dicho sir Henry—. *Rey, padre, regio danés.*»

—*Te llamaré Hamlet* —murmuré en voz alta y, mientras lo decía, una cerradura se abrió en algún oscuro rincón de mi mente. Por un instante, permanecí sentada sin moverme. Después busqué con torpeza mi móvil y marqué el número de sir Henry.

—El pinchazo de la aguja... —dije en tono apremiante cuando él contestó.

—Hola, mi dulce Kate.

—El pinchazo de la aguja que encontraron en Roz, ¿dónde lo tenía?

—Curiosa pregunta —dijo sir Henry, soltando un resoplido—, que tiene una insólita respuesta que casualmente conozco porque acabo de mantener otra charla con el inspector Sinclair. Un personaje espléndidamente siniestro, muy de Dostoievski.

—¿Dónde tenía el pinchazo, sir Henry?

—En la vena detrás del oído derecho.

Una líquida luz verde se derramaba a través del dosel de los árboles como si se arrojara a los bajíos de un silencioso mar. Cuando me cayó suavemente encima, no me pudo librar del desaliento que sentía y su calor ya se había disipado hacía un buen rato.

—¿Kate? ¿Está ahí?

—Es como también murió él —dije en un susurro.

—¿Quién? ¿Quién más ha muerto?

—El padre de Hamlet. Es precisamente la manera como se convirtió en fantasma.

Sir Henry emitió un prolongado y sibilante suspiro.

—*En los pórticos de mis oídos* —musitó—. Dios mío, Kate, es cierto. Su hermano le vertió veneno en el oído mientras dormía. Todo encaja, excepto una cosa.

—¿Cuál?

—El análisis toxicológico preliminar, querida —dijo sir Henry como en tono de disculpa—. Salió negativo.

—¿No hay veneno? ¿Está seguro?

—No estoy seguro de qué es lo que buscaban. Drogas, supongo. Pero no, no han encontrado nada.

—Pues, entonces, algo se les ha pasado por alto. ¿Podría usted hablar con Sinclair...?

—Me lo dijo el propio inspector Siniestro.

—Por el amor de Dios, sir Henry —repliqué—. El fantasma del padre de Hamlet es el papel con el que Roz se presentó ayer por la tarde. El Globo ardió coincidiendo con el aniversario de su primer incendio. Y los libros que ella me pidió buscar, en clave, no se encuentran. No se han prestado. Simplemente han desaparecido. ¿No le parece que son demasiadas coincidencias?

Se hizo un ominoso silencio .

—Iré a ver de nuevo a Sinclair, con una condición —dijo sir Henry tensando la voz—. Regrese a su habitación de hotel, cierre la puerta y espere mi llamada. Estoy preocupado por usted.

—Pero las obras de Chambers...

—Me acaba de decir que los libros han desaparecido.

—Pero...

—Espere mi llamada, Kate. —Se mostró inflexible—. En cuanto tengamos la respuesta de Sinclair, ya decidiremos qué hacer. Si está usted en lo cierto, y no digo que lo esté, no debería nadar sola en aguas tan profundas.

Vacilé. Interrumpir ahora la búsqueda sería prescindir de las obras de Chambers demasiado bruscamente; estaba segura. Pero no podía permitirme el lujo de perder la ayuda de sir Henry.

—Muy bien —dije a regañadientes—. Esperaré.

—Buena chica. La llamaré en cuanto sepa algo.

Colgué el teléfono. ¿En qué demonios se había metido Roz? ¿En qué me había metido a mí y, de rebote, a sir Henry?

Contemplé la biblioteca que tenía enfrente. Desde aquel lugar privilegiado de observación, sus enormes columnas le conferían el aspecto de un templo clásico que reventaba su púdico corsé de ladrillo. Un templo del saber, pensé. Hogar de los más ilustres miembros del cuerpo docente de Harvard, que allí tenían sus despachos. Matthew Morris, que desdeñaba las bibliotecas en general, tenía uno en el que raras veces ponía los pies, pero se negaba a prescindir de él. Era un sello de distinción. «Mi cuarto de los secretos», lo había llamado Roz, entregándome la llave el día en que me había convertido en su auxiliar de investigación. «Mi casa de la memoria.»

Aquel recuerdo me hizo evocar otro. «¿Qué es?», le había preguntado yo en el transcurso de un encuentro mucho más reciente. «En mi memoria está guardado —me había contestado ella— y tú misma conservarás la llave.»

En aquel momento, pensé que se refería al estuche dorado, pero ahora pensaba que también tenía literalmente una llave. Busqué mi llavero en el bolsillo lateral de mi bolsa. Tenía cinco llaves en la mano, una de ellas más larga, oscura y pesada que las otras. La llave del despacho de Roz. La tenía el día en que abandoné aquel lugar; la tenía en mi poder desde hacía tres años y me decía que se la devolvería cuando ella me lo pidiera. Jamás lo había hecho.

De repente, lo comprendí. Levanté la vista. *Su rastro pasaba directamente por aquel estudio.*

Sinclair, con su sombría eficiencia, se habría puesto en contacto con la policía de Boston, pidiendo que sellaran el despacho de Roz, pues era el escenario de un delito. Seguramente ya habían procedido a hacer lo mismo en su oficina del Departamento de Literatura Inglesa. Pero cabía la posibilidad —sólo la posibilidad— de que se les hubiera pasado por alto su estudio de la biblioteca. A fin de cuentas, aquello era la Widener, donde el tiempo se deslizaba dando curiosos saltitos laterales. Los profesores se repantigaban en sus estudios para sustraerse al constante agobio de la universidad y entregarse al placer de las búsquedas de tesoros de erudición. Lo más probable era que nadie del Departamento de Literatura Inglesa supiera ni tan siquiera dónde estaba el estudio de Roz en la Widener.

Pero cuando se diera a conocer que había sido asesinada, más tarde o más temprano las autoridades recordarían su existencia. Y, dada la presión que Sinclair ejercería sobre ellas, probablemente sería pronto. Sólo me quedaba una ventana ligeramente abierta, pero ya se estaba cerrando.

Pidiéndole en silencio disculpas a sir Henry, tomé mi bolsa, crucé corriendo el Yard y subí los empinados peldaños de la Widener.

10

Mostré mi tarjeta y me zambullí de nuevo en la zona de los fondos; no en el edificio soterrado, sino en la biblioteca propiamente dicha, con sus diez laberínticas plantas, seis de ellas por encima del nivel de la calle. El estudio de Roz estaba en la quinta. Subí sin pérdida de tiempo, salí del cubo de la escalera y me detuve.

Había olvidado la sensación de poder que irradiaba de las zonas donde estaban distribuidos los fondos que albergaba la biblioteca. No tenía nada en común con la magnificencia de los edificios y las salas de lectura públicos, y mucho menos con la intensa luz árida del sótano. Un antiguo olor a moho envolvía el aire y lo impregnaba de un agrio regusto, un vestigio de la guerra entre el papel y el oxígeno librada de forma lenta e inexorable y que algún día provocaría el desmoronamiento de aquel imperio y lo dejaría convertido en polvo.

Inspiré profundamente y dirigí mis pasos hacia el ala sur de la biblioteca, donde las hileras de estanterías de hierro y acero doblaban una esquina y se perdían en la distancia. No había mucha gente aquella cálida tarde estival. Aun así, pude ver a dos o tres aplicados estudiantes inclinados sobre su trabajo. No podía disfrutar de aquel lugar para mí sola.

Si me comportaba como si tuviera derecho a estar allí, probablemente se me concedería aquel derecho sin pensarlo demasiado. Doblé la esquina de un pasillo y enfilé el corredor interior que desembocaba justo delante de la puerta del estudio de Roz. La media ventana de la puerta, como todas las demás, era de cristal esmerilado.

Introduje la llave. Abrí la puerta y entré.

Casi todo estaba exactamente tal y como yo lo recordaba. En tres paredes, las estanterías seguían todavía atiborradas de libros del suelo hasta el techo, interrumpidos tan sólo por el alto archivador del fichero y por el escritorio de Roz. Sobre la cubierta del escritorio, un par de largos pendientes —una pieza de artesanía navajo de plata y turquesas que yo le había regalado hacía mucho tiempo— y una fotografía enmarcada de Virginia Woolf. Un busto de Shakespeare reposaba encima de una pila de papeles. En la pared había un mapa de gran tamaño de Gran Bretaña pegado con chinchetas al lado de otro que era una copia de un mapa de tiempos de Shakespeare. En el suelo, la misma alfombra oriental antigua de siempre mostraba la zona raída en la que Roz empujaba su sillón hacia adelante y hacia atrás. Un sillón orejero tapizado en un grueso y deshilachado tejido de algodón parecía acechar en el rincón más alejado de la estancia, entre las estanterías y las ventanas.

Eran las dos ventanas las que diferenciaban este estudio de los demás. Roz se había negado rotundamente a que colocaran cortinas o persianas; no quería privarse ni de un solo centímetro de su vista del cielo, decía. Eso no había cambiado. Pero la última vez que yo había estado allí, las ventanas daban al desolado patio central de la biblioteca, accesible tan sólo a los pájaros y a las hojas llevadas por el viento. Ahora daban a una sala profusamente iluminada y atestada de lectores. Recordé una de las proezas de las reformas. La universidad había cubierto orgullosamente el patio que rodeaba la cúpula central con cristal traslúcido y había transformado el espacio interior en dos suntuosas salas de lectura.

De pie en el centro del estudio, cualquier lector que levantara la vista podía verme. Soltando maldiciones por lo bajo, me acerqué al escritorio. Deposité en el suelo mi bolsa llena de libros, me dejé caer en el sillón de Roz y me puse a pensar.

A cualquiera que mirara desde abajo, le parecería absolutamente normal verme allí sentada leyendo. Probablemente también podría echar un vistazo al ordenador. A nadie le resultaría extraño que un profesor contratara a un ayudante para que trabajara en su despacho. Sobre todo Roz, que no era demasiado aficionada a los ordenadores: solía escribir a mano el primero de los dos borradores de sus libros y artículos y después se los pasaba a una secretaria. A menos que la noticia de su muerte ya se hubiera divulgado, podía utilizar tranquilamente su ordenador.

Pero tenía que examinar sus libros, y eso ya me planteaba un problema más considerable. Los guardaba de una manera tan excéntrica como siempre, amontonados en las estanterías en dos hileras, una detrás de la otra por toda la estancia. Casi todas las personas que amontonan los libros en dos hileras colocan los ejemplares más usados en la fila delantera, pero Roz hacía justo lo contrario. Jamás le había gustado la idea, decía, de que otros fisgaran en sus pensamientos nonatos. Como consecuencia de ello, la fila exterior de sus estantes era, para los visitantes curiosos, una barrera integrada por las obras de compañeros y amigos y también por la obra más reciente de los astros emergentes de los estudios shakespearianos.

Lo que allí parecía faltar era cualquier obra que pudiera sugerir el curso imprevisible de la mente de Roz. No es que faltara, pensé lanzando un suspiro, es que simplemente estaba enterrada. Para encontrar *The Elizabethan Stage*, habría tenido que sacar todos los libros de todas las estanterías de la habitación. Lo cual le habría parecido un poco raro, por no decir otra cosa peor, a cualquiera que mirara por las ventanas, y a mí me habría llevado el tiempo suficiente como para que las probabilidades de que me vieran fueran bastante elevadas.

Entre los bolígrafos y los lápices amontonados en un botecito al lado del ordenador, había una pequeña linterna Maglite. La saqué. La Widener seguía cerrando a las diez en punto. Los bibliotecarios y los conserjes se irían a las once o, como mucho, a las doce. Eso significaba que dispondría de seis o siete horas libre de miradas indiscretas, hasta que los trabajadores empezaran a regresar a las siete de la mañana siguiente para abrir la biblioteca a las ocho. Contemplé con una sonrisa los grandes y tristes ojos de la señora Woolf. Lo que no podía hacer a la clara luz del día lo tendría que hacer en la oscuridad. Bastaría con que me quedara encerrada dentro. Apoyado contra la pantalla del ordenador había un moderno facsímil del Primer Infolio. Lo tomé, me incorporé, recogí mi bolsa y salí del estudio.

Me senté en un cubículo y abrí el Infolio. Durante la larga espera, examiné hasta la última página del facsímil, pero no vi ni una sola anotación en ningún sitio.

A las nueve y media, oí finalmente al hombre del megáfono.

—El mostrador de Circulación cerrará dentro de quince minutos. Dentro de quince minutos el mostrador de Circulación se cerrará.

A las nueve cuarenta y cinco las luces parpadearon y los últimos lectores se retiraron. Esperé hasta que oí la voz del hombre del megáfono dos plantas más abajo. Al final, me levanté y me desperecé, tensa a causa del agotamiento. Eran casi las tres de la madrugada, horario de Londres, pero me quedaban todavía muchas horas antes de poder ir a dormir. Miré a ambos extremos de la larga hilera de cubículos. En aquel ala había muy poca gente. Ahora estaba desierta.

Cerré el libro y regresé al estudio de Roz. La llave vibró ligeramente en la cerradura. Abrí un resquicio lo más estrecho posible y me deslicé al interior. La sala de lectura de abajo también estaba desierta y la bibliotecaria ya no estaba detrás de su mostrador. Dejé mi bolsa en el suelo y me agaché junto a ella. Saqué el móvil y lo apagué. Después me pasé una hora escuchando cómo los ruidos cesaban en la biblioteca mientras la añoranza de Roz crecía dentro de mí.

Al final, se apagaron las luces del pasillo; sólo se veía una minúscula bombilla cada siete u ocho metros. Me sacudí para mantenerme despierta, pero una vez más mi cabeza se inclinó hacia delante y mis ojos se cerraron.

Me volví a despertar de golpe. Algo me había sobresaltado, pero ¿que? La oscuridad se había vuelto tan densa como el terciopelo. Me arrastré hasta la puerta y presté atención, pero no oí nada.

Encendí la linterna y me acerqué al escritorio. Volví a colocar el Infolio en el lugar donde lo había encontrado, saqué los papeles que había debajo del busto de Shakespeare, los reuní y los guardé en la bolsa. Después me volví de cara a las estanterías.

—Perdón —musité.

¿A quién pedía perdón? ¿A los libros? ¿Al estudio? ¿A Roz? Después me puse a trabajar.

Recorrí metódicamente los estantes de una manera que Roz hubiera aprobado, saqué la fila exterior de libros sección por sección e iluminé con la linterna el oscuro túnel que había detrás. Lo menos que se podía decir era que sus intereses eran muy variados. Llegué a una pequeña sección sobre Cervantes y *Don Quijote* y después a otra sobre Delia Bacon, una literata de Nueva Inglaterra del siglo XIX cuya obsesión por Shakespeare la había llevado primero al fulgor literario y después a la locura. Tiempo atrás Delia había sido mi territorio. ¿Qué habría despertado el interés de Roz? Reprimí un bostezo y seguí adelante. Una sección bastante larga acerca de la recepción de Shakespeare en el Oeste norteamericano parecía ser las sobras del último libro de Roz. En conjunto, daba la impresión de ser un *collage* separado al azar de las filas exteriores. Nada de lo que Roz había escondido sugería la existencia de un nuevo proyecto coherente. Y, por encima de todo, *The Elizabethan Stage* no se veía por ninguna parte.

Veinte minutos más tarde, de rodillas y al borde de la desesperación, vislumbré lo que estaba buscando, al fondo del estante inferior junto a la ventana. Cuatro libros encuadernados en desteñida tela roja. Un pálido brillo dorado en los lomos anunciaba: *Elizabethan Stage. Chambers.*

Me incliné un poco más. Cerca del final de uno de los volúmenes asomaba un papelito como si fuera una minúscula bandera. Saqué el libro, me volví para sentarme en el borde del sillón orejero y lo abrí por la página marcada: la 448. «Dramas y dramaturgos», decía el encabezamiento, el titulo de un largo capítulo que enumeraba, dramaturgo por dramaturgo, todas las ediciones impresas conocidas y las copias de manuscritos de todas las obras escritas en el Renacimiento inglés. Una tarea de erudición como para volverse loco.

La página 488 empezaba en medio de una sección dedicada a *Otelo*. Seguía con *Macbeth*, *El rey Lear*, *Antonio y Cleopatra*, etc., hasta llegar a *La tempestad* y *Enrique VIII* en la página de la derecha. Las últimas obras de Shakespeare. Sus grandes obras jacobinas. Iluminé con el pálido círculo de luz amarilla de la linterna los márgenes. ¿Cuál de las obras le habría proporcionado la pista que buscaba?

Pero, una vez más, no encontré ni una sola anotación al principio. Me recliné contra el respaldo del sillón. El rastro no podía terminar allí. Volví a sacar del bolsillo de la chaqueta la ficha de Roz y leí una vez más su nota. Le di la vuelta y jugueteé con el agujero perforado en la parte inferior. Después de todas las molestias que se había tomado para conseguir aquellas fichas, no era posible que Roz hubiera malgastado una de ellas en algo tan efímero como una tarjeta de felicitación de cumpleaños. Cualquier cosa que yo estuviera buscando, tenía que estar relacionada con aquellos libros.

No, no se trata de los libros, pensé. Estaba acostumbrada a pensar en aquellas fichas como marcadores de libros. Pero Roz pretendía que prestara atención a la ficha propiamente dicha. Me levanté y me acerqué al armario en el que ella guardaba las fichas —uno de los viejos armarios de la Widener—, dejando el libro todavía abierto encima de él. Recorrí con la luz de la linterna los pequeños cajones, cada uno de ellos cuidadosamente etiquetado con la escritura de Roz, y llegué a uno que decía «Cecil-Charles II».

Lo abrí y rebusqué entre las fichas hasta llegar a «Chambers, E.K.». El primer título era *Arthur of Britain*. Después *Early English Lyrics*, seguido de *The English Folk Play*. Demasiado lejos. Empujé una ficha hacia atrás y separé las otras. Allí, cerca del final, la luz iluminó el borde de un trozo de papel doblado por la mitad. Lo saqué con cuidado.

«Para Kate», decía en lápiz rojo.

En aquel momento, las luces del pasillo —que ya eran muy débiles— parpadearon y se apagaron. Oculté el trozo de papel entre las páginas del libro. Estrechándolo contra mi pecho, apagué la linterna y me acerqué de puntillas a la puerta. Hasta donde alcanzaba mi vista, todas las luces se habían apagado; la biblioteca entera estaba sumida en la oscuridad. Un ruido distante en el cual apenas había reparado pareció intensificarse, amortiguarse y finalmente disolverse en la nada, como si el edificio fuera una gigantesca bestia viva que estuviera exhalando su último aliento.

Estaba a punto de reanudar mi tarea cuando oí en medio del silencio un chirrido. Me quedé petrificada. Era un sonido que conocía muy bien: provenía de las puertas cortafuegos de uno de los cubos de escaleras situados a ambos extremos del pasillo al que daban los estudios. Alguien había abierto la puerta del ala este de la quinta planta y ahora la estaba cerrando. *Otra persona se encontraba en el interior del edificio.*

Volví a salir sigilosamente del estudio, pero esta vez entorné la puerta hasta casi cerrarla, aunque no lo bastante para que la cerradura hiciera *clic*, y eché a correr por el pasillo. Justo cuando me estaba deslizando entre las estanterías, una figura más oscura que la oscuridad circundante dobló la esquina junto a la escalera.

Un guardia de seguridad con toda certeza, o un agente de policía de la Universidad de Harvard que había reaccionado al apagón. Pero la idea de que era la misma oscura presencia que había vislumbrado en la ventana de mi casa, unida por algún oscuro eslabón al regalo de Roz, se negaba a apartarse de mi mente. Cubriendo el broche con la palma de la mano, avancé encogida por los pasillos.

En una de las puntas del pasillo que daba a uno de los cubos de escaleras, unas manchas de luz de luna iluminaban el corredor. La borrosa silueta de un hombre apareció ante mi vista, pero, antes de que pudiera distinguir algo más que un vago perfil, la figura se desplazó. Suspiré aliviada. Sin embargo, de repente el hombre se detuvo. Retrocedió dos pasos y después tres. Al llegar a la puerta de Roz, volvió a detenerse y distinguí el brillo metálico de una llave. Pero la puerta de Roz no estaba cerrada con llave. Apenas estaba entornada. Cuando la figura la empujó, la puerta se abrió con un ligero ruido. Por un instante, el hombre permaneció inmóvil.

Repentinamente, giró en redondo. Eché a correr con él a mis espaldas. Giré a la izquierda donde se encontraban los cubículos, atravesé a toda velocidad tres pasillos y retrocedí patinando hacia los estudios. En la cabecera del pasillo, oculta tras una estantería metálica, me detuve, alerta, con el corazón latiéndome desbocado. *Nada.* La Widener era un laberinto de corredores cortos, giros inesperados y cubículos imprevisibles y, por si fuera poco, ahora estaba sumida en la oscuridad. Si mi perseguidor no era capaz de orientarse en el laberinto tan bien como yo —y si las reformas de la biblioteca no habían introducido cambios desconocidos para mí—, contaba con una buena probabilidad de escapar.

Un susurro de pisadas en el corredor exterior me indicó dónde estaba mi perseguidor. A unos cuantos pasillos de distancia, se volvió y se dirigió de nuevo hacia los estudios. Conforme se acercaba, más me ocultaba yo en el corazón de las estanterías. A toda costa tenía que mantener el mayor número de estanterías entre él y yo. Sujetando fuertemente con una mano el volumen de Chambers, busqué a tientas con la otra a lo largo del estante que había justo por encima de mi cabeza. Un par de metros más allá, mi mano encontró un hueco. Alargué la mano. Sí, poniéndome de puntillas, alcanzaba a tocar la hilera de libros alineados en la estantería del siguiente pasillo. Haciendo un gran esfuerzo, empujé una hilera de libros y los hice caer al suelo.

Mi perseguidor encaminó sus pasos hacia el lugar de donde procedía el ruido, y entonces eché a correr en la dirección opuesta, hacia donde estaba el cubo de la escalera situado al final del corredor, a sólo unos diez metros de distancia. ¿Cuánto tiempo lo retendría el montón de libros caídos al suelo? Llegué al cubo de la escalera y tiré del pomo de la puerta que conducía a la planta de abajo... No se abrió. Miré a mi alrededor. La escalera que conducía a la planta de arriba no estaba cerrada por ninguna puerta chirriante. Me volví y subí corriendo a la planta superior.

Una vez allí, me volví a esconder entre las estanterías. Oí unas pisadas acercándose a la escalera de la planta de abajo. Las pisadas se detuvieron y después la puerta se volvió a abrir con un chirrido. Las pisadas se alejaron escaleras abajo.

Esperé. Cabía la posibilidad de que volviera a subir sigilosamente tras haber adivinado mi maniobra y esperara a que yo apareciera. O puede que se escondiera y permaneciera al acecho junto a la salida principal. *No.* Allí estaba: el leve crujido de un zapato en la escalera. Me puse tensa, preparada para echar a correr, pero no oí nada más. Hasta los libros parecían contener la respiración.

Al cabo de mucho rato, retrocedí en silencio hacia la pared interior del ala oeste. Unas altas ventanas daban a la misma sala de lectura visible desde el estudio de Roz; en sentido diagonal con respecto al lugar donde yo me encontraba, podía ver las ventanas de los estudios. Estaba a punto de volverme para irme de allí cuando un pequeño destello de luz roja brilló a través de una de ellas. Un planta más abajo y tres ventanas más allá. La ventana de Roz.

Había regresado.

Bajé sigilosamente por la escalera, avancé por el pasillo al que daban los estudios y salí al corredor exterior a través de las estanterías. Tal vez no podía impedir que él revolviera las cosas de Roz, sola en medio de la oscuridad. Pero quizá pudiera averiguar algo acerca de su identidad.

Llegué al pasillo que conducía directamente al estudio de Roz. Me asomé desde una estantería y vi un destello de luz roja reflejado en la ventana de Roz. Aún estaba allí.

Saqué la nota del libro de Chambers y me la guardé doblada en el bolsillo. Un pasillo más allá, introduje el libro en un espacio vacío de un estante inferior, memorizando su localización. En caso necesario, podría regresar por él a la mañana siguiente; las probabilidades de que otra persona lo encontrara mal colocado entre millones de volúmenes eran remotas. Entre tanto, el libro estaría seguro.

Doblé la esquina, di un paso al frente y después otro, y avancé sigilosamente por el pasillo. Cuando apareció ante mi vista la puerta de Roz, me detuve. Nada. Di otro paso y el estridente sonido de una alarma rasgó el silencio. Antes de que me pudiera echar hacia atrás, una oscura sombra se abalanzó sobre mí desde la puerta, retorciéndome un brazo a mi espalda. Apenas audible a través del estridente ruido de la alarma, un susurro me arañó el oído:

—La vulgar Kate y la gentil Kate y algunas veces Kate la maldita.

¡Mi nombre! Conocía mi nombre. Me retorcí, tratando de ver el rostro de mi agresor, pero éste me retorció el brazo con tal fuerza que se me escapó un jadeo de dolor.

Soltó una carcajada, un sonido sin la menor alegría o el más mínimo calor.

—Pero tal como dijo otro personaje de Shakespeare: *¿Y qué quiere decir un nombre?...* Roz se cambió el suyo, ¿sabe?, por el del viejo Hamlet.

Se me puso la piel de gallina. *Era cierto.* Volví a forcejear. Algo brilló y sentí la fría hoja de un cuchillo contra la garganta.

—Quizá le tendríamos que cambiar también el suyo. —Percibí la humedad de su aliento en mi cuello—. Corra, Kate —me dijo en tono burlón.

Y después, como si hubiera desaparecido en un abrir y cerrar de ojos en medio de la oscuridad de la noche, ya no estaba allí.

Presa del terror, eché a correr hacia el pasillo exterior flanqueado por cubículos. Miré a derecha e izquierda. No sabía adónde ir y sólo había un lugar donde ocultarme. Me agaché debajo de uno de los cubículos. *¿Adónde había ido? ¿Qué había pasado?* Se había protegido activando algún tipo de alarma sensible al movimiento. Lo cual significaba que esperaba que yo regresara.

Cesó el sonido de la alarma. Si él la había desactivado, no debía de estar muy lejos.

Unas sigilosas pisadas avanzaron entre las estanterías en dirección a los cubículos. *Vete* —pensé, deseándolo con todas mis fuerzas—. *Vete, por favor.*

Pero él se volvió hacia el lugar donde me encontraba, caminando con pasos lentos y deliberados, deteniéndose en cada cubículo. Probablemente, agachándose ante cada mesa de trabajo.

Se detuvo en el cubículo que había delante del mío y me preparé para pegar un salto. Para defenderme de su cuchillo, sólo tenía la mesa de trabajo. Podía empujarla contra él, tal vez le haría perder el equilibrio justo el tiempo suficiente para huir. No era mucho, pero era algo mejor que morir como una rata en una trampa.

Avanzó un paso y después otro... y después pasó junto al escritorio donde yo estaba escondida y siguió adelante hasta el final del corredor sin mirar tan siquiera hacia atrás. Se volvió hacia la salida principal y luego desapareció. Oí el lejano ruido de una puerta de escalera.

Sollocé aliviada. Salí a gatas de debajo de la mesa y me levanté. No había nada encima de la cubierta del escritorio cuando me oculté debajo de él, pero ahora una hoja de papel flotaba como una tajada de luz de luna sobre su oscura superficie. La tomé. El lado por el que había sido arrancado de un libro era áspero y rasposo; la impresión parecía antigua y el papel era grueso, pesado y de consistencia cremosa. No pertenecía a un libro moderno.

Me moví para recibir un poco de luz del exterior. Era una página del Primer Infolio. Un original, no uno de los facsímiles como el que yo había encontrado en el estudio de Roz. Además, en aquel no había ningún tipo de anotaciones y en éste sí. En el margen de la derecha, alguien había dibujado una mano que señalaba con el índice hacia la izquierda una línea determinada, y tenía el pulgar levantado, como cuando los niños hacen como que tienen un arma. Pero era una antigua figura que hacían los lectores de antaño para refrescarse la memoria, la versión medieval y renacentista de un marcador de texto. Examiné el dibujo con más detenimiento. Puede que su significado fuera antiguo, pero lo habían hecho hace poco, seguramente con un bolígrafo de trazo grueso, más que con cálamo o una pluma estilográfica. Eché un vistazo a la frase y me sentí mareada al instante. No era exactamente una frase, sino una indicación de escena. Y no pertenecía a *Hamlet*, sino a *Tito Andrónico*... al momento más cruel de la obra más cruel de Shakespeare. De una violencia tan brutal que te abría un negro agujero en el vientre. Tan brutal que ni siquiera Shakespeare había intentado ponerla en verso: *Entra Lavinia, con la lengua arrancada, las manos cortadas y ultrajada.*

«¿Y qué quiere decir un nombre? —me había susurrado mi perseguidor—. Quizá tendríamos que cambiar también el suyo.»

¿Por el de Lavinia?

—Kate —dijo una voz masculina junto a mi hombro.

Lancé un grito y una mano me cubrió la boca.

11

—Estese quieta y preste atención —dijo una voz grave con acento británico—. Roz me ha enviado.

Traté de apartarme, pero él me agarró y me obligó a volverme. Fuertemente apretada contra él, reparé en un ensortijado cabello castaño, una nariz aquilina y un cuerpo tan duro que habría podido estar labrado en mármol, sólo que se notaba caliente.

—Roz ha muerto —dije.

—No me hizo caso.

Me eché hacia atrás, pero él volvió a sujetarme. Esta vez sus ojos se clavaron en los míos.

—*Si lo abres, tendrás que seguir adelante hasta donde te lleve.*

Las palabras de Roz. Me quedé petrificada.

—¿Quién es usted?

—Ben Pearl —contestó lacónicamente—. Disculpe mis malos modales, pero estoy intentando sacarla viva de aquí. Puesto que no me gustaría cruzarme con su perseguidor, ¿qué alternativas se nos ofrecen?

Hablaba con el suave acento y la displicente arrogancia de la clase alta británica. Su rostro y sus brazos estaban descubiertos y su camiseta era de color gris. En cambio, el que antes me había hablado en voz baja en la oscuridad iba vestido de negro de pies a cabeza y tenía acento americano.

—¿Y por qué tengo que fiarme de usted?

—Ella era mi tía, Kate.

—Usted es británico.

—Las personas cruzan los océanos. Era la hermana de mi madre y me contrató para que la protegiera.

Tenía el cabello oscuro y los ojos verdes como ella.

—Suélteme —insistí.

Pero no me hizo caso.

—Quieta.

Sus ojos parpadearon y dirigió la vista hacia la ventana. Seguí la dirección de su mirada. Fuera, un globo de brumosa luz amarilla se elevaba desde lo alto de una farola de la calle. Abajo, la oscuridad se rizaba como el agua o la bruma que se arremolina en la estela de una embarcación.

—¿Es él? —pregunté en voz baja.

Me apartó de la ventana y me empujó hacia el otro lado del corredor.

—No, a menos que se haya clonado a sí mismo una docena de veces —contestó en voz baja mientras nos adentrábamos en las sombras de las estanterías—. Creo que es la policía de la universidad, que ha venido por el apagón. La salida principal está descartada. ¿Qué alternativas tenemos?

—Hay una entrada trasera cinco pisos más abajo.

—Es probable que los policías se dirijan precisamente a ese lugar.

Me mordí el labio.

—La Pusey, la biblioteca de al lado, tiene una salida.

—Muy bien.

—Pero da justo a la esquina de la entrada principal de la Widener.

Me miró exasperado.

—Estamos en Harvard, por el amor de Dios. ¿Es que no hay puertas ocultas o túneles secretos?

—Hay uno —contesté muy despacio—. O, por lo menos, antes lo había. Es un túnel que pasa por debajo del Yard y llega hasta la biblioteca Lamont.

En mis tiempos de estudiante, aquel túnel estaba abierto a todos los que frecuentaban la universidad y, durante los aburridos meses entre enero y las vacaciones de primavera, se convertía en algo así como una autopista subterránea. Pero cuando cursaba segundo, un psicópata se había dedicado a dejar por las zonas menos conocidas de la biblioteca restos de páginas destrozadas a cuchilladas. Durante algún tiempo, los hechos habían sido objeto de toda clase de chistes. Lo habían bautizado como el Minotauro, el monstruo del laberinto. Oficialmente, la única respuesta de Harvard había sido la de recomendar que los estudiantes entraran en el laberinto de las estanterías en grupos de dos o más personas. Con carácter oficioso, las investigaciones en la Widener se habían paralizado.

Cuando las flores de azafrán silvestre empezaron a asomar entre la nieve, policías de paisano se infiltraron en la biblioteca y una mañana nos despertamos con la noticia de que habían atrapado a un extraño hombrecillo con ojos de serpiente... y de que el túnel de la Lamont se había cerrado con carácter permanente. Corrían rumores entre los estudiantes de que no había sido un policía el que había atrapado al psicópata, sino un sacerdote, y que una titánica batalla había dejado todo el túnel cubierto de sangre que no había manera de limpiar. Como es natural, las autoridades de Harvard no se dignaron dar crédito a semejante superstición. La universidad eliminó implacablemente el túnel de todos los planos, prohibió cualquier referencia impresa al mismo e incluso impuso el silencio al claustro de profesores y a todo el personal. En cuestión de cuatro años, la existencia del túnel quedó prácticamente borrada de la memoria colectiva del cuerpo estudiantil.

—Estupendo —se congratuló Ben—. Eso es lo que necesitamos.

—Si es que todavía existe —comenté con inquietud.

—Tiene que existir —replicó él categóricamente—. Tiene que existir. ¿No se deja nada de lo que llevaba, profesora?

En respuesta a su pregunta, me dirigí a la estantería en la que había escondido el libro y lo saqué del estante.

—¿Alguna otra cosa?

—No creo que... —Mi voz se cortó a media frase. La bolsa. Me la había dejado en el despacho de Roz, junto con mi billetero y toda mi documentación... No era de extrañar que el asesino conociera mi nombre. Le había dejado mi tarjeta de visita. Noté que me ruborizaba—. Me he dejado la bolsa en el despacho de Roz. Y no soy una maldita profesora —añadí bruscamente—. Nunca lo he sido.

—No es usted muy partidaria de facilitar las cosas, ¿verdad?

Me acompañó por un pasillo, sin dejar de mirar arriba y abajo del corredor flanqueado por despachos.

—¿Es aquí? —preguntó, señalando la única puerta que permanecía abierta de par en par.

Me solté de él y me dirigí al estudio de Roz. Nada más entrar, me detuve.

La estancia había sido puesta patas arriba. El sillón orejero aparecía volcado en su rincón y con los cojines rasgados. Los libros estaban amontonados en el centro del estudio. La pantalla del ordenador estaba hecha añicos. En la pared, los dos mapas de Roz habían sido rasgados concienzudamente. Exceptuando la pantalla, todo lo demás que había en el escritorio estaba más o menos intacto: los pendientes de turquesas descansaban todavía junto al teclado y las obras de consulta estaban colocadas las unas al lado de las otras, en su sitio. Pero algo faltaba. Yo había vuelto a dejar el facsímil del Primer Infolio de Roz en el lugar donde lo había encontrado, y ahora había desaparecido. Él sabía lo que buscaba y lo había conseguido. El resto de los destrozos había sido un estúpido acto de vandalismo.

Mi bolsa estaba apoyada en un ángulo un tanto absurdo contra la suave pendiente del montículo de libros. El pulcro escritorio, la bolsa tan cuidadosamente colocada, todo sugería una cosa. Lejos de tratarse de un acto de vandalissmo, aquello era más bien una profanación, una cruel y deliberada destrucción del recuerdo de Roz. Y había sido hecho con la intención de que yo lo viera.

Algo intentaba abrirse paso sordamente en mi mente. Justo en aquel instante, Ben me agarró del brazo y me empujó hacia las hileras de estanterías. El libro se me escapó de las manos. Mientras trataba de recuperarlo, Ben se me echó encima. Un claro resplandor rasgó la oscuridad y todos los cristales del corredor se rompieron en medio de un gran estruendo. Un sordo retumbo reverberó por todo el edificio.

Poco a poco el ruido fue disminuyendo. Ben se incorporó. El suelo de mármol resultaba curiosamente frío contra mi mejilla. Levanté la cabeza. A unos tres metros de distancia, el volumen de Chambers yacía abierto boca abajo en el suelo. Como si fuera una maldita joya, un fragmento de cristal se había incrustado en la tapa. Me acerqué a gatas para recuperarlo y pasé rápidamente las páginas. El mensaje de Roz estaba todavía entre las páginas del final.

Ben dijo algo, pero su voz sonaba lejana, como a través de una niebla, y no logré entender sus palabras. Levanté los ojos con semblante inexpresivo. Se acercó a mí en tres zancadas. Sus manos me recorrieron la espalda; me dio la vuelta y me miró de arriba abajo.

—Está ilesa. Quédese aquí.

Cruzó el corredor y desapareció en el interior del estudio.

Desobedeciendo sus órdenes, me acerqué poquito a poco justo lo suficiente para ver el interior de la estancia. La silueta de Ben se recortaba contra la luz del incendio provocado por la explosión. Estudiaba mi bolsa, que ahora estaba sepultada bajo retorcidos restos de cascotes y acero. Todos los cristales de las ventanas del despacho de Roz se habían roto, y sus fragmentos estaban esparcidos por el lugar. Por el hueco de una ventana alcancé a ver un agujero en una pared del patio, a través de él se veía la galería cubierta en llamas. En la humareda flotaban fragmentos de papel ardiendo, que se arremolinaban en el patio como encendidos copos de nieve. Ben levantó una viga de acero y liberó mi bolsa. La recogió y regresó junto a mí.

—¿Eso es todo o ha dejado algún otro letrero luminoso de «Kate ha estado aquí» en otro sitio?

Hice un ademán negativo con la cabeza.

—Muy bien, pues. Vámonos.

Pero me quedé plantada donde estaba.

—Vamos.

Ben me empujó sin contemplaciones hacia la escalera. Caminó delante de mí, guiándome conforme descendíamos. En una mano empuñaba una pistola semiautomática. Unas sirenas ululaban en la distancia. El espasmódico resplandor del fuego iluminaba el patio y nuestro camino hasta que llegamos a la planta baja. En los niveles subterráneos estaba oscuro como boca de lobo. Paso a paso, bajamos sumidos en la más absoluta oscuridad. A nuestro alrededor, todo el edificio estaba empezando a gemir y a emitir sonidos metálicos; traté de no pensar en los tres millones y medio de libros que iban cayendo lentamente de sus estanterías planta por planta por encima de nuestras cabezas. De la planta A descendimos a la B.

—Aquí está —dije en voz baja cuando llegamos al nivel C.

Pero entonces me di cuenta de mi error. A diferencia de las plantas superiores, cuyos anchos pasillos discurrían a lo largo de todo el edificio de este a oeste, en las plantas subterráneas sólo había un pasillo central; en el nivel en el que estábamos, únicamente un estrecho pasadizo, semejante a un cuello de botella, conducía desde el ala oeste, en la cual nos encontrábamos, al ala este... y a la puerta del túnel. Y lo peor de todo era que la puerta estaba escondida detrás de una estantería. Cinco años atrás, no hubiera sabido orientarme en aquella parte de la biblioteca ni siquiera con todas las luces encendidas; ahora, en medio de la oscuridad, iba a ser muy difícil encontrar el pasadizo.

Ben me dio una linterna. La encendí y el haz de luz se perdió en la distancia. Sin mediar palabra, me cogió la muñeca y me guió la mano para que la linterna alumbrara el suelo por delante de nosotros. Di unos tímidos pasos en busca del pasadizo. Hileras y más hileras de estanterías se extendían ante nosotros, amenazadoramente altas, e incluso parecían mirarnos con recelo mientras las recorría con la luz de la linterna. Cuando dejaba de alumbrarlas, tenía la sensación de que se movían, doblaban la esquina y giraban en distintas direcciones. *¿Qué hilera de estanterías me interesa?*, pensé. La primera que probé terminaba en un callejón sin salida cerrado por un muro de libros sobre Magallanes. La segunda se detenía en la conquista de los incas. Retrocedí.

—Hay que darse prisa —murmuró Ben.

—Es mejor orientarse bien.

Tiempo atrás había descubierto aquel pasadizo por casualidad mientras buscaba otra cosa. *¿Qué es lo que estoy buscando?*

Roz. *Ella me ha enviado aquí.* Antaño escribí un ensayo acerca de las pérfidas traiciones de los Howard, una de las familias más despiadadas de la Inglaterra renacentista, de la cual era harto conocido que estaba a sueldo de los españoles. «Las pérfidas traiciones de mis antepasados, quieres decir», había dicho Roz, formulando una insinuación que me había conducido hasta allí abajo. Mi búsqueda había sido infructuosa; no había encontrado ni rastro de los Howard. Pero detrás de una estantería llena de antiguos chismorreos españoles —diarios, despachos y documentos de la corte inglesa cuidadosamente transcritos y publicados muchos años atrás por unos aristocráticos estudiosos que los habían dejado criando moho en remotos rincones— había descubierto aquel pasadizo que conducía al ala este de la planta subterránea C.

Iluminé con la linterna otro pasillo de las hileras de estanterías: no era el que buscaba. Y otro. Seguí adelante y después volví sobre mis pasos. Sí, aquel pasillo me resultaba conocido. Avancé más de prisa a medida que aumentaba mi sensación de familiaridad. Sí, era aquél.

En la distancia, se oyó el chirrido de una puerta. Con Ben detrás de mí, apagué la linterna y avancé a tientas hasta que tropecé con unos libros a la altura de la cara. Estiré la mano hacia la derecha y noté que el estante doblaba en ángulo recto. *Maldita sea.* Me cambié el libro de mano y alargué la que tenía libre hacia la izquierda.

Unos cuantos pasillos entre estanterías más allá, oí un impreciso y sordo ruido y después vi que un débil rayo de luz roja cruzaba el techo. Me quedé quieta, el asesino había utilizado una linterna roja. Ben me dio un golpecito en el hombro y comprendí lo que me quería decir. *Siga adelante.* Tanteando los ondulados lomos de unos libros invisibles, mis dedos se toparon de repente con un espacio vacío. Me introduje en el hueco de la estantería. Estaba un poco separada de la pared posterior del edificio; dejé que mis manos recorrieran la pared como arañas, rezando para que la abertura que buscaba todavía estuviera allí.

La encontré tan inesperadamente que tropecé y estuve a punto de caerme; el libro de Chambers se me escapó de las manos. Estirándolas a ciegas, lo atrapé antes de que cayera al suelo e hice una mueca de dolor cuando el trozo de cristal incrustrado en su tapa se me clavó en la palma de la mano. A mi espalda, Ben se agachó y me sujetó.

—Bonita atrapada —me dijo en un susurro.

Las pisadas se acercaron hasta llegar a medio camino del pasillo y allí se detuvieron. La luz roja se filtraba entre los libros de la estantería lo suficiente para permitirnos ver que el pasadizo en el que nos encontrábamos desembocaba en un corredor que se dirigía al este en línea recta. La luz se apagó y las pisadas se fueron por donde habían venido. Lancé un suspiro. Con toda la rapidez que nos permitió nuestra audacia, avanzamos hacia el este hasta que percibí que habíamos desembocado en el corredor.

Giré a la derecha y seguí adelante hasta llegar a una pared desnuda. En una esquina, detrás de una hilera de cubículos desvencijados, había una pesada puerta metálica. Me hundí en el desánimo al comprobar que estaba dotada de una cerradura electrónica. Pero entonces la puerta se movió ligeramente, como una puerta mosquitera agitada por una ráfaga de viento. El apagón debía de haber desactivado el cierre.

Ben abrió la puerta de un tirón y ésta vomitó una cálida y húmeda oscuridad, ligeramente teñida de un putrefacto olor a azufre. Iluminé el interior del túnel con la linterna, pero su luz se desvaneció a escasa distancia.

Retrocedí. *«¿Y qué quiere decir un nombre?* —recordé que había dicho el asesino—. *Quizá le tendríamos que cambiar también el suyo.»* En *Tito*, Lavinia y su amado habían sido atraídos a una oscura y desierta hondonada antes de que a ella la violaran. Él había muerto: ella había suplicado morir. Volví a mirar al interior del túnel y di otro paso atrás.

Se oyeron unas pisadas en el piso de arriba. Una puerta se abrió. Surgió otra voz del pasado. *Tendrás que seguir adelante hasta donde te lleve.* Sujetando con fuerza el libro de Chambers, me adentré en el túnel. Ben me quitó la linterna de la mano y la apagó. Luego cerró la puerta y la oscuridad nos engulló.

12

Ben me rozó al pasar a mi lado. Sujeté bien el libro en una mano y alargué la otra y la deslicé por la pared, apurando el paso para darle alcance. De las paredes del túnel colgaban gigantescas tuberías, algunas emitían calor, otras vibraban y otras no daban el menor signo de actividad. Tanteando el suelo con los pies para no tropezar, avanzamos lo más rápido que podíamos, en medio de la ciega negrura; mis ojos se esforzaban tanto por ver en la oscuridad que pensé que se me iban a salir de las órbitas.

Un poco más adelante, el túnel giraba a la derecha; justo tras haber doblado la esquina, Ben se detuvo.

—¿Qué...? —pregunté, pero él me interrumpió.

—Cierre los ojos y escuché con atención.

Inmediatamente, mis ojos se relajaron y pude concentrarme en lo que se oía en lugar de hacerlo en lo que no podía ver... y lo que oí a nuestra espalda fue un suave murmullo de pisadas arrastrando los pies.

Sin mediar palabra, apresuramos el paso. Un gruñido se elevó en la distancia y después un tarareo recorrió las tuberías, las luces parpadearon en el túnel y me di cuenta de lo que estaba ocurriendo. Alguien estaba tratando de restablecer el suministro eléctrico; si lo lograba antes de que nosotros consiguiéramos llegar a la puerta, ésta se cerraría y quedaríamos atrapados.

—¡Corra! —grité, pero Ben no necesitaba que lo apremiaran.

Las luces volvieron a parpadear y esta vez vi el final del túnel. Nos quedaban todavía unos cuatro metros.

—Deténganse —rugió una voz amplificada a nuestra espalda.

Tres pasos más y Ben se lanzó hacia adelante y golpeó la puerta. Ésta se abrió y la crucé corriendo. Él la franqueó agachado y la empujó para cerrarla. Se oyó el *clic* del pestillo de la cerradura.

Nos quedamos de pie jadeando en un cavernoso sótano que era poco más que un almacén iluminado y lleno de estantes. La única otra puerta que había daba acceso a una escalera. Subimos dos tramos y salimos a un oscuro descansillo de la planta baja de la Lamont. A la derecha había un cuarto con unas fotocopiadoras; a la izquierda, un abandonado mostrador de préstamos bibliotecarios y una cristalera que daba acceso a un pequeño porche. «SALIDA DE EMERGENCIA. ALARMA CONECTADA», decía un letrero colgado en la puerta. Al otro lado de ésta parecía que ya estaban sonando todas las alarmas del campus.

—¿Cree que alguien oirá la alarma? —me preguntó Ben.

Salimos a la oscura noche. Estábamos en un minúsculo porche cubierto de hiedra. El sonido de la alarma se unió al estruendo que nos rodeaba; pero era imposible que alguien la oyera ni aun estando a un metro y medio de distancia. Doblamos una esquina y me detuve en seco.

Un pequeño grupo de personas se había reunido en un sendero un poco más adelante, pero nadie se volvió; en primer lugar, no era posible que nos hubieran oído en medio de aquella horripilante tormenta de ruidos. Y, en segundo, todos estaban mirando boquiabiertos en dirección a la Widener, desde cuyo patio central se elevaba al cielo una columna de humo entremezclada con llamas.

De repente me di cuenta de lo que era pasto de las llamas: el estudio de Harry Widener. *Los libros* —pensé, desfallecida—. *Todos esos libros tan valiosos e insustituibles.* Eso era lo que había visto flotando y ardiendo por el agujero de una de las ventanas rotas del despacho de Roz: las páginas de la valiosa colección de libros raros de Widener.

—Mejor que no haya habido que lamentar desgracias personales —dijo Ben en tono sombrío.

Entonces caí en la cuenta de qué libros estaban ardiendo.

—Dios mío —dije con la voz entrecortada por la emoción—. El Primer Infolio. —Lo había visto precisamente aquella tarde. En la sala semicircular por la que se accedía al estudio.

El Infolio del Globo también había desaparecido en una columna de fuego. En el acto comprendí que el cabrón responsable de aquellas desgracias estaba dispuesto a matar y a incendiar edificios sólo para destruir Infolios. Y uno de esos Infolios, un ejemplar en particular, era la obra magna jacobina a la que se había referido Roz. En cierto modo, la clave de lo que ella había descubierto, lo que significaba que el bastardo asesino no se estaba limitando a impedir que Roz y yo nos apoderáramos del tesoro, cualquiera que éste fuera, sino que estaba eliminando todas las pistas que nos pudieran conducir hasta él.

Me abrí paso entre la gente, pero Ben tiró de mí.

—Ahora ya es demasiado tarde —dijo con voz ronca—. Ha desaparecido.

Nos alejamos de la Lamont y nos dirigimos a Quincy Street. La ceniza me impregnaba el cabello y me llenaba la boca y la nariz. El humo me escocía los ojos.

Cuando llegamos a Massachusetts Avenue, nos pareció que todos los vehículos cuyas sirenas estaban sonando dentro de un radio de ciento cincuenta kilómetros se estaban dirigiendo a toda prisa al Yard. Nos detuvimos en la acera del otro lado de la calle donde estaba mi hotel.

—¿Aquí es donde se aloja? —me preguntó Ben, levantando la voz por encima del ensordecedor estruendo.

Asentí con la cabeza y bajé a la calzada.

Apoyó la mano en mi brazo.

—¿Se registró con su propio nombre?

—Con el de Mona Lisa —contesté, pasándome la lengua por los labios resecos—. ¿Qué nombre cree que utilizo?

—No puede volver.

—La policía no...

—Hay cosas más importantes de que preocuparnos.

Me disponía a replicarle, pero me contuve. «Kate la maldita», me había susurrado al oído el asesino. Conocía mi nombre. Si me buscara, el Inn at Harvard —el hotel que estaba más cerca de las bibliotecas—, sería el primer lugar al que acudiría. Pero ¿a qué otro sitio podía ir?

—Tiene que venir a mi hotel —dijo Ben.

No había ninguna otra alternativa.

Cruzamos rápidamente Massachusetts Avenue y giramos para subir por Bow Street hacia Mount Auburn. Después continuamos por JFK, apurando el paso por la parte trasera de Harvard Square. Se hospedaba junto al río, en el hotel Charles. El Charles, una curiosa mezcla de airosa elegancia urbana y granja de Nueva Inglaterra, era el hotel más lujoso de Cambridge, el lugar donde los miembros de las grandes fortunas y los altos ejecutivos se alojaban cuando iban a visitar a sus hijos o a sus médicos en Harvard. Jamas había estado en una de sus habitaciones.

Ben no disfrutaba de una habitación; tenía una suite. Al entrar me encontré con sofás color púrpura y sillas negras de respaldo alto montando guardia alrededor de una mesa de comedor, en una de cuyas esquinas descansaba un ordenador portátil al lado de unos cuantos papeles. Desde los grandes ventanales se veía la ciudad cuando estaba a punto de amanecer. Gracias a Dios, la Widener no se veía desde allí. Sujetando fuertemente el libro de Chambers, permanecí de pie junto a la puerta.

—¿Por qué tendría que confiar en usted? —volví a preguntar.

—Tiene todos los motivos del mundo para dudar —dijo Ben—. Pero, si quisiera hacerle daño, ya se lo habría hecho. Tal como ya le he dicho, Roz quería protegerla y por eso me contrató. A eso me dedico, Kate. Soy propietario de una empresa de seguridad. —Eso lo podría decir cualquiera.

En algún momento de la conversación, su pistola había desaparecido de la vista. Pasó rápidamente por mi lado y cerró la puerta. Era alto, me di cuenta de repente, y sus ojos eran verdes. Carraspeó.

—Hay una corriente en los negocios de los hombres que, si se aprovecha en la crecida, conduce a la fortuna; si se descuida, toda la travesía de su vida encalla en los bajíos y las miserias.

Era como si Roz le hubiera entregado a Ben una carta de presentación. Era su cita shakespeariana preferida, aunque ella se abstenía de reconocerlo por creer que las citas preferidas eran generalmente sentimentales y previsibles. Pese a ello, aquel pequeño fragmento de *Julio César* resumía la acertada filosofía que presidía su vida y que ella había tratado de inculcarme. Aunque la vez que yo la llevé efectivamente a la práctica —tomando las riendas de una fugaz oportunidad en el teatro—, Roz puso el grito en el cielo y calificó mi alejamiento del mundo universitario como un abandono, una cobardía y una traición. La noche en que nos despedimos, le arrojé a la cara aquellas palabras de *Julio César*. Sólo más tarde me di cuenta de quién las decía en la obra: Bruto, el discípulo convertido en asesino.

Me estremecí.

—¿Ella lo sabía? ¿Sabía que me estaba poniendo en peligro?

—Deme el libro y siéntese.

Me aparté.

—No me interesa el libro, Kate —dijo pacientemente—. Es su mano.

Bajé la vista. Una pastosa mancha oscura de sangre se curvaba como una caligrafía china sobre la cubierta del libro, disimulando el fragmento de cristal todavía incrustado en su centro. Lo solté sin moverme del sitio y lo vi caer al suelo. Tenía un profundo y largo corte en la palma de la mano y estaba sangrando. Dando trompicones me acerqué a la mesa y me senté en una silla.

—Gracias —dijo Ben, agachándose para recoger el libro. Lo dejó encima de la mesa y depositó a su lado la bolsita de color rojo que había sacado de su maleta. Era un botiquín de primeros auxilios. Con unas gasas impregnadas con mercromina me empezó a limpiar la herida. Sus manos eran suaves, pero el antiséptico me escocía—. ¿Tiene idea de quién era su perseguidor?

Meneé la cabeza.

—No. Sólo sé que mató a Roz. La convirtió en el fantasma del padre de Hamlet.

Ben levantó la vista y le conté lo de la marca de la aguja.

Al principio, como estaba examinándome detenidamente la herida, no dijo nada. No manifestó ni incredulidad, ni asombro. Nada.

—Ya está —dijo por fin—. Con esto es suficiente. Se la puedo vendar si quiere, pero cicatrizará mejor si la deja al aire... ¿Qué la induce a pensar que su perseguidor es el asesino?

—Me lo dijo él mismo cuando me asaltó con un cuchillo: «¿Qué quiere decir un nombre? —La amenaza sonaba extraña pronunciada con mi propia voz—. Roz se cambió el nombre. Por el del viejo Hamlet. Quizá tendríamos que cambiar también el suyo».

Un músculo de la mandíbula de Ben se volvió a mover imperceptiblemente.

—También me dejó esto. —Con la mano sana, me saqué del bolsillo la página del Infolio—. ¿Conoce usted la obra *Tito*?

—Vi la película.

Deposité la página encima de la mesa delante de Ben y vi la expresión de repugnancia que se dibujaba en su rostro mientras la leía.

—Santo Dios —dijo mientras terminaba de leer.

—Si quiere protegerme —dije sosegadamente—, no permita de ninguna manera que el hombre que escribió este texto se me acerque.

Ben se levantó, se dirigió a la ventana y miró fuera.

—La única manera de poder hacerlo, Kate, consiste en trabajar en equipo. Eso significa que tengo que saber lo que usted está haciendo. Tengo que saber lo que está buscando.

—¿Ella no se lo dijo?

—Me dijo simplemente que usted iba en busca del conocimiento. Le dije que ése era el costoso ingrediente de las bombas nucleares y el bioterrorismo. Pero ella rechazó mis objeciones. Me explicó que estaba buscando la verdad con uve mayúscula. *La belleza es la verdad, la verdad es belleza. Eso es lo único que sabemos en la tierra, y lo único que necesitamos saber...* —Me miró con una burlona sonrisa en los labios—. No ponga esa cara de sorpresa. Yo también leo. A veces hasta leo a Keats, algo que no es genéticamente incompatible con saber manejar una pistola. Además, le estoy diciendo simplemente lo que ella me dijo.

—Lo cual es más de lo que me dijo a mí. Lo único que tengo es un pequeño estuche envuelto en papel dorado. Una aventura y un secreto, lo llamó ella. Y me ha llevado a esto.

Abrí el libro y lo empujé hacia él. Dentro estaba la nota que había encontrado en el estudio de Roz. Era más pequeña de lo que recordaba, todavía seguía doblada. *Seguramente lo explicaría todo: a cuál de las obras jacobinas de Shakespeare se refería Roz y justo en qué lugar del Primer Infolio tendría que buscar... y para qué. E incluso puede que contuviera algo todavía más valioso: una explicación. Una disculpa.*

Ben se inclinó sobre el libro.

—«Para Kate» —leyó en voz alta, devolviéndome la nota.

El papel crujió cuando lo desdoblé. En letras mayúsculas de imprenta escritas a lápiz estaban anotadas dos palabras: «CHILD. CORR.».

—Un poco enigmático —dijo Ben—. ¿Tiene alguna idea de lo que significa?

—*Corr.* es una abreviatura de «correspondencia» —contesté, frunciendo el entrecejo.

—Pues cartas entonces. Pero ¿de qué es abreviatura child.? ¿Cartas de la infancia? ¿De quién? ¿De la de Roz? —preguntó Ben, arrojando sus palabras a mi alrededor como si fueran piedras de granizo.

—Eso suponiendo que la hubiera tenido, me refiero a la infancia—, aunque yo no contaría demasiado con ello. Sin ánimo de ofender a sus abuelos —añadí.

—Faltaría más.

—En cualquier caso, no creo que a unas cartas infantiles se las pueda llamar «correspondencia». —Meneé la cabeza—. Child es un lugar. La biblioteca privada del Departamento de Inglés.

Child. Para mí, aquel breve vocablo se abría a un mundo perdido mucho más grande que el simple espacio que designaba, una serie de habitaciones situadas en el último piso de la Widener. Para los alumnos del departamento, la Child era su casa, un lugar de mullidos y gastados sillones, grandes mesas y el cálido resplandor de la luz que iluminaba los viejos libros. Albergaba una extraordinaria colección no sólo de literatura sino también de todos los desechos y desperdicios de vidas literarias: memorias, biografías, historias y cartas. Volúmenes y más volúmenes de cartas.

—Está llena de cartas —dije en tono quejumbroso.

—¿De Shakespeare? —preguntó Ben.

—Si usted encuentra alguna, dígamelo.

—¿En la Child no hay cartas de Shakespeare?

—Nadie las tiene —contesté lacónicamente—. No hay ninguna. El más famoso dramaturgo de nuestra lengua, y probablemente del mundo, y no tenemos nada. Ni una sola línea a su mujer, ni una queja a su librero. Ni siquiera una respetuosa nota de gratitud a la reina. Sólo se conserva una carta dirigida a él, concretamente una petición de un pequeño préstamo que jamás le fue enviada. Si nos basáramos en la prueba de sus cartas, no escribió ninguna y nadie le contestó. Casi cabría sospechar que era analfabeto. —Deposité la nota de Roz al lado del libro abierto y me aparté—. Pero tuvo que escribir cartas, naturalmente. Lo que ocurre es que no se han conservado. Un caso clásico de pruebas dispersas.

Me froté el cuello, pensando vagamente que lo que preferiría hacer en aquel momento sería retorcer el de Roz. ¿Qué clase de correspondencia estaba investigando? ¿No habría podido aquella mujer decir alguna vez simplemente lo que pensaba?

Ben estaba examinando el trozo de papel.

—Dígame exactamente cómo lo encontró.

En el acto, y con tono mesurado, le conté lo que sabía. Desde la entrada de Roz en el teatro interpretando el papel del espectro hasta la nota en clave que ella había introducido en el estuche y el fichero de su estudio.

—¿Un fichero? —preguntó frunciendo el entrecejo—. ¿Esto lo ha encontrado usted en un fichero?

Asentí con la cabeza.

—Los edificios de Harvard llevan nombres de personas, ¿verdad?

Asentí con la cabeza.

—Pues, entonces, ¿a quién corresponde el nombre de la biblioteca, profesora?

No me llame así. Pero mientras él pronunciaba las palabras, comprendí a qué se refería. Roz no estaba indicando un lugar. «Child. Corr.» era una anotación abreviada de un fichero. Una nota bibliográfica referente a «Child. Correspondencia». O lo que era lo mismo: «Correspondencia de Child».

—Francis Child fue un profesor —dije muy despacio—. Un profesor de verdad. Un antecesor de Roz de varias generaciones atrás. Era profesor de literatura inglesa y uno de los más grandes estudiosos de Harvard, en realidad. Aunque no tengo ni la menor idea de por qué Roz estaba revolviendo sus papeles o de por qué quería que yo hiciera lo mismo. Su especialidad eran las baladas, no el Bardo. —Señalé el ordenador portátil de Ben—. ¿Está conectado a Internet?

Asintió con la cabeza y lo empujó hacia mí. Escribí la dirección de HOLLIS, el catálogo online de la biblioteca, y tecleé el nombre de Child y la palabra «Correspondencia».

—«Francis James Child —leyó Ben por encima de mi hombro—. Correspondencia, 1855-1896.» Cabrón. —Soltó un gruñido—. No hay nada como llegar con tres horas de retraso para apuntarse el tanto de tener razón.

—No llegamos con retraso.

Meneé lentamente la cabeza.

—¿Se percató usted por casualidad de que algo hizo *boom* esta noche? Fue la explosión de la Widener.

—Mire —dije señalando la pantalla—. La signatura MS Am 1922.

—Eureka —dijo Ben—. Eso lo explica todo.

—MS significa «manuscrito» —dije cerrando la página—. Lo que significa que las cartas no están en la Widener. Están en la Houghton. La biblioteca de libros raros y manuscritos de Harvard.

—¿Dónde está esa biblioteca?

—En el edificio de ladrillo situado entre la Widener y la Lamont.

—En otras palabras, en la puerta de al lado de la Widener. —Ben meneó la cabeza—. ¿Qué le induce a pensar que la Houghton abrirá esta mañana a diferencia de la Widener?

—Estamos en Harvard; abrirá a las nueve. —Lo miré con una pícara sonrisa en los labios—. No llegamos tarde, llegamos demasiado temprano.

—Muy cierto —dijo Ben. Se inclinó hacia adelante y me rozó el brazo—. ¿Está segura de que quiere seguir adelante con esto?

—¿Está intentando asustarme?

—Tendría usted que estar asustada.

—Pero eso no significa que tenga que dejarlo.

Asintió con la cabeza y me pareció ver un fugaz destello de admiración. Se levantó, se acercó al pequeño frigorífico y sacó un Red Bull. Apoyado en el frigorífico, abrió la lata.

—¿Durmió en el avión?

—No.

—¿La noche pasada?

—No demasiado.

Me miró a los ojos.

—Lección número uno: el agotamiento te vuelve estúpido. Y la estupidez te convierte en un ser peligroso, para ti mismo y para cuantos te rodean. Y, ahora mismo, eso me afecta a mí. Por consiguiente, le agradecería que por lo menos lo intentara. —Me indicó la puerta con la mano—. La cama está por allí. Y el cuarto de baño también. Todo para usted.

—Debe de ser una broma.

Pero no lo era.

—Tenemos tiempo para que usted permanezca escondida unas cuantas horas. Si necesita algo, estaré aquí.

Conque trabajar en equipo era eso. Me enviaban a la cama como a una niña. Estaba irritada, pero también muerta de cansancio. Me encaminé hacia el dormitorio.

—Que descanse, profesora.

—Deje de llamarme así.

Cerré la puerta ligeramente más fuerte de lo necesario. Una inmensa cama de matrimonio con una suave colcha color púrpura se extendía ante mí; las ventanas del dormitorio ofrecían unas vistas magníficas. El cuarto de baño parecía todo un continente de brillantes azulejos blancos. Allí me refugié, cerrando todas las puertas posibles entre Ben y mi persona.

Tomé una ducha caliente, dejando que mi cólera se disipara junto con toda la mugre de los últimos dos días. Por mi mente flotaron una serie de imágenes: el fuego serpeando por los estantes del estudio de Harry Elkins Widener, rozando las encuadernaciones de cuero rojo y azul de los valiosos libros. Una llama marrón reptando por las páginas del Primer Infolio. *Los libros... Todos aquellos libros tan valiosos*, pensé una vez más con una punzada de dolor.

«Mejor que no haya habido que lamentar desgracias personales», había dicho Ben.

Otras imágenes aparecieron ante mis ojos: una lluvia de papeles bajando en espiral en el despacho de Roz, en un lento y silencioso frenesí. El busto de Shakespeare, destrozado con una grieta en la mejilla, descansaba sobre la alfombra. *Si hubiera tardado un par de segundos más en abandonar aquella estancia, aquella mejilla habría podido ser la mía*, pensé mientras cerraba el grifo del agua.

Me sequé con la toalla y me pasé un cepillo por el cabello. Cierto que Ben me había tratado como a una niña, lo cual era algo tremendamente molesto, pero yo también había reaccionado comportándome como una niña y abandonando la estancia hecha una furia. En el mejor de los casos, debía de haber parecido una persona grosera y desagradecida; prefería no pensar en la etiqueta que pudiera merecerme en el peor.

Empujé mi ropa con el dedo gordo del pie; apestaba al humo del incendio. A no ser que quisiera dormir con ella, tendría que pedirle a Ben que me prestara una muda de recambio. Contemplé las prendas con expresión de hastío. Después me envolví en una suave toalla blanca del tamaño de una de playa y regresé al salón.

Ben estaba sentado en un lugar en el que disfrutaba de una buena vista tanto de la puerta como de las ventanas, y mantenía los pies apoyados sobre la mesa. Con el arma al alcance de la mano, estaba hojeando las páginas del libro de Chambers. Había conseguido arrancar el fragmento de cristal de la cubierta, pero la mancha oscura seguía allí. Los rasgos de su rostro estaban fuertemente moldeados, como labrados por Miguel Ángel o quizá por Rodin, aunque llevaba demasiada ropa para haber sido cincelado por cualquiera de los dos artistas.

—Roz me dijo que el lenguaje de Shakespeare es tan denso porque en el escenario había pocas cosas —dijo sin levantar los ojos—. Ningún decorado. Sólo trajes de época y unos cuantos elementos de atrezo.

Pegué un brinco. No me había dado cuenta de que había reparado en mi presencia.

—Creaba sus mundos a partir de las palabras.

—¿Habían leído alguna vez este libro usted o Roz? —Pasó una página, frunciendo el entrecejo—. Según dice aquí el viejo Chambers, los escenarios de Londres podían escupir nieblas y fuentes, rayos y truenos, e incluso lluvia y fuegos artificiales... Cabe suponer que no todo al mismo tiempo. Un teatro tenía un bosque móvil que podía subir al escenario a través de unos escotillones. No exactamente al estilo de George Lucas quizá, pero los escenarios tampoco eran paupérrimos. Mi preferido es Plutón vestido con unos ropajes de fuego por unos Hados decididamente sádicos mientras... Escuche esto. —Sus dedos trazaron una línea en la parte superior de la página—. *Júpiter desciende en toda su majestad bajo un arco iris y su rayo ruge...*

—¿Me ha salvado la vida esta noche?

Su dedo se detuvo en la página.

—Eso suena a Elton John.

—Hablo en serio.

—Y yo procuro no hacerlo.

—Bueno, pues inténtelo. Sólo por esta vez. Por su tía, si no por mí.

Depositó el libro en la mesa, se reclinó contra el respaldo de la silla y juntó las manos detrás de la cabeza. Sus ojos se desplazaron perezosamente hacia mí, haciéndome evocar la imagen de un leopardo que contempla unas gacelas desde las ramas de un árbol.

—¿Ya está preparada para arrojar la toalla?

Inmediatamente fui consciente de cada centímetro de aquella toalla, de todas las curvas y recovecos del tejido de rizo que rozaban mi piel.

—Todavía no.

—Pues, entonces, ésta es también mi respuesta. Todavía no.

Me arrebujé mejor en la toalla.

—Gracias de todos modos. Por habérmela salvado hasta ahora.

—Que sueñe con los angelitos, profesora —dijo esbozando una leve sonrisa antes de volver al libro.

—Cabrón —repliqué, regresando al dormitorio.

Al llegar al borde de la cama, me detuve en seco. Tenía intención de pedirle una camiseta; no me entusiasmaba la idea de dormir en cueros en la habitación de un hombre al que apenas conocía, aunque ese hombre fuera el sobrino de Roz. Pero no pensaba volver al salón ni aunque me mataran, y mucho menos para comentar mi desnudez, por muy indirectamente que lo hiciera. Solté la toalla, me deslicé bajo las sábanas y me hundí en el sueño en cuanto mi cabeza tocó la almohada.

Me desperté en algo que sabía que era un sueño. Una fría y grisácea luz llena de aroma de mar; un muro de piedra se perdía en la distancia. Un tapiz de Venus y Adonis colgaba torcido, acuchillado y manchado de sangre. Debajo de él, un rey de cabello blanco yacía en el suelo con la frente ceñida por una corona. Me incliné hacia él. Estaba muerto. El viento soplaba a través de las ramas tejidas del tapiz. Los ojos del rey muerto se abrieron de repente y unos dedos esqueléticos me asieron el brazo. «Venganza...», dijo entre dientes. Antes de que pudiera moverme, una sombra se acercó a mí por detrás y el cálido filo de una hoja me rebanó la garganta.

Me incorporé sobresaltada. Debí de gritar porque Ben se plantó de inmediato en la puerta.

—¿Se encuentra bien?

—Muy bien —contesté esbozando una trémula sonrisa—. Una pesadilla, eso es todo. *Hamlet.*

—¿De veras? —Me miró con incredulidad—. ¿Sueña una tragedia en cinco actos?

—Más bien una película de terror de serie B.

Apartándose brevemente de la puerta, regresó para lanzarme una camiseta al regazo.

—Ya era hora de que se despertara. Acaban de traernos el desayuno —añadió, cerrando la puerta a su espalda.

La camiseta era de color gris sin ningún estampado y se notaba que había sido cuidadosamente doblada, pues tenía marcados los pliegues. Me la acerqué a la nariz; olía a limpio, como si la hubieran puesto a secar en un jardín alpino. El calor reptó por mi pecho mientras me la ponía, y el sueño se retiró como una lenta y susurrante marea.

En el salón, la pantalla del televisor parpadeaba sin sonido, Vivaldi sonaba muy quedo en el equipo estereofónico y los efluvios del tocino y la canela ascendián en espiral desde la mesa. Ben se encontraba de pie junto a las ventanas, contemplando el río Charles.

—Torrijas con arándanos rojos o huevos a la Benedict —anunció—. Si esperaba carne de vaca ahumada y cortada en finas lonchas con acompañamiento de crema de leche, tendremos que pedirlo.

—Me está tomando el pelo. —Hice una mueca—. ¿De verdad que el hotel Charles incluye mierda sobre tejas de madera en su menú?

Se volvió.

—Hasta en el ejército se abstienen de usar expresiones tan poco apetitosas cuando hay señoras delante.

—¿Ha estado usted en el ejército?

—No exactamente.

Esperé para ver si me ofrecía un poco más de información. No lo hizo.

—En tal caso —dije—, ¿qué le parece si nos repartimos los huevos y las torrijas?

—Admirablemente diplomática. —Me sirvió uno de los huevos a la Benedict en mi plato—. También me he encargado de que le sea entregado su equipaje.

Como era de esperar, la pequeña maleta con ruedas que sir Henry le había encargado a la señora Barnes comprar y llenar estaba junto a la puerta.

—Me dijo que no podía volver al hotel.

—Así es. Pero eso no significa que otros no puedan entrar y salir sin ser vistos.

—¿Robó mi equipaje? —le pregunté mientras me llevaba a la boca el tenedor con una porción de huevo.

—Pedí que me devolvieran un antiguo favor. Podemos enviar la maleta de vuelta al hotel si no está de acuerdo.

—No —farfullé con la boca llena de salsa holandesa y huevo—. Contiene ropa limpia y estoy dispuesta a pasar por alto los medios para conseguirla.

—Hablando de actividades sospechosas, ya hemos aparecido en los noticiarios de la mañana. Pero no sólo en los locales. También en las grandes cadenas: CNN. El *Today Show*. *Good Morning America*.

—¿Han dicho algo que no sepamos?

—Ni siquiera han dicho lo que nosotros ya sabemos, aparte de lo obvio para todo el mundo en un radio de quince kilómetros. —Me miró con semblante inquisitivo—. ¿Está segura de que quiere seguir adelante con esto? La cosa está caliente y cada vez lo estará más.

—Peligrosa, quiere decir.

—Suena más fino cuando dices «caliente». —Una sonrisa le iluminó fugazmente el rostro—. Significa más o menos lo mismo. —Apartó su plato a un lado—. Es sólo cuestión de tiempo, Kate, que alguien establezca una relación entre el incendio de Harvard y el incendio del Globo y, cuando eso ocurra, todos los medios de comunicación del mundo le seguirán la pista en compañía de las policías de dos países.

Me acerqué con mi taza de café a la ventana. Lo que quería hacer estaba claro, me siguieran o no la pista. Para mí, la pregunta más interesante, envuelta con dudosas respuestas, era: ¿por qué? *Venganza,* me había gritado el viejo rey en mi sueño. Pero ¿venganza para quién?

Para Roz, naturalmente. Ella era el rey; lo sabía tal como uno sabe en sueños que una perfecta desconocida es su madre o su amante o el perro más querido de su infancia. Lo sabes sin más, con la fe inquebrantable de un santo o quizá de un zelote. Pero era mi garganta la que habían cortado. Y en la biblioteca era a mi garganta donde el asesino había acercado un cuchillo muy auténtico.

No me hacía ilusiones en cuanto a la posibilidad de localizar al asesino y tomarme la justicia por mi mano. O en cuanto a la posibilidad de entregarlo a la policía. Pero, aun así, tenía intención de vengarme.

El asesino estaba dispuesto a provocar incendios e incluso a matar para impedir que saliera a la luz cualquier cosa que Roz hubiera descubierto. Y yo tendría que asegurarme de que saliera.

Pero la venganza era sólo parte de la historia. Bebí otro sorbo de café, contemplando cómo una gaviota sobrevolaba el río y se lanzaba en picado al agua. Aquel regalo dorado que Roz me había ofrecido bien podría ser la caja de Pandora. Era cierto que yo quería venganza para Roz, pero para mí quería algo más sencillo y más egoísta. Quería saber. Quería saber lo que ella había descubierto.

Roz le había hablado a Ben de la Belleza y la Verdad. A mí me había dicho, «Si lo abres tendrás que seguir adelante hasta donde te lleve». Tomé el último sorbo de café y me volví.

—Hice una promesa. Usted no tiene por qué acompañarme.

—Pero es que quiero hacerlo. —Me miró con una sonrisa—. Yo también hice una promesa.

Nos duchamos por turnos. Tuve que reconocer una vez más que resultaba agradable ponerme la ropa limpia que la señora Barnes me había comprado, aunque hubiera llenado la maleta —sin duda a instancias de sir Henry— con cosas que yo jamás hubiera imaginado ponerme. Opté por unos pantalones Capri de color beige y una blusa sin mangas con estampado de piel de jaguar y un profundo escote en pico. Mientras esperaba a Ben, me coloqué el broche en un *blazer* nuevo muy ligero.

Ben salió vestido con un jersey de cuello cisne color verde aceituna y unos pantalones caqui.

—¿Preparado? —pregunté, guardándome el libro en la bolsa junto con unas hojas de papel.

Se ajustó la pistolera al hombro, guardó el arma y se puso una chaqueta de ante.

—Preparado.

Cruzamos la puerta y nos dirigimos a la Houghton.

13

La Widener seguía rodeada por la policía y varios vehículos de bomberos. La gente se amontonaba detrás de las barricadas para mirar dentro, pero todo estaba demasiado sombrío como para ver algo a través de las puertas. Ben y yo nos abrimos paso entre la muchedumbre y nos dirigimos al elegante edificio contiguo más pequeño: la biblioteca Houghton.

La única medida excepcional que adoptó la Houghton a consecuencia de la desgracia sufrida por la Widener la víspera era el aumento del número de vigilantes a la entrada. Ahora había dos guardias. Asintiendo jovialmente con la cabeza, los guardias levantaron la vista de sus periódicos al oír nuestras pisadas. Uno me asignó un armario y el otro examinó cuidadosamente el contenido de mi bolsa.

—Recuerde no cerrar el armario —dijo el primero—. No está permitido en estos momentos.

En el atestado vestíbulo, guardé todo en el armario menos un bloc de papel amarillo y el libro de Chambers. No pensaba dejarlo allí de cualquier manera y menos en un armario abierto. En compañía de Ben, me dirigí a la puerta azul de estilo colonial del final del vestíbulo y llamé al timbre.

Dos segundos después se abrió la puerta con un zumbido y entramos.

La sala de lectura era un espléndido rectángulo espacioso con altas ventanas en las paredes que permitían la entrada de la luz del veraniego cielo azulado. Hileras de grandes y lustrosas mesas se desplegaban por la sala, acogiendo a un pequeño grupo de estudiosos inclinados sobre sus fichas. Me dirigí a una mesa desierta y deposité mi bloc. Ben se sentó a mi lado. En la mesa de enfrente, un hombre con cara de perro salchicha levantó la vista decepcionado, como si le hubiéramos estropeado el panorama. Tras haber rellenado un impreso de solicitud —«MS Am 1922. Francis J. Child. Correspondencia»—, se lo entregué al malhumorado sujeto del mostrador principal. Tomé un lápiz y me senté a esperar. En el pasado, aquel lugar me parecía un cálido capullo; ahora me sentía desprotegida. Que yo supiera, el asesino podía estar allí en la sala.

Ben se levantó y recorrió el recinto, deteniéndose de vez en cuando ante las obras de consulta. Tomando nota, pensé, de todos los detalles de la sala y de las personas que en ella se encontraban. Previendo la mejor vía de escape, en caso de que surgiera algún problema. Me obligué a centrarme en mi propia búsqueda. ¿Qué estaba buscando? ¿Qué hacía Roz investigando el material de Child? ¿Conseguiría reconocer mi fuente de información cuando la viera?

Ben desapareció en el pasillo de la pasarela que unía la Houghton con la Widener, cuyas paredes estaban flanqueadas por los ficheros y los ordenadores donde se podían consultar los catálogos de los fondos de la Houghton, antiguos y nuevos. Para mi asombro, regresó con su propio impreso de solicitud, lo entregó en el mostrador y se sentó a mi lado.

Quince angustiosos minutos después, dos bibliotecarias tan silenciosas y solemnes como los lacayos de los reyes muertos, se acercaron empujando un carrito lleno hasta el tope con cuatro grandes cajas de archivos y un par de finos guantes de algodón. En la mesa siguiente, Perro Salchicha lanzó un suspiro como si todo el peso de aquellas cajas no investigadas le hubiera caído sobre el pecho. Por un instante, me pregunté si podría estar espiando. Pero aquello era ridículo... no, paranoico: él ya estaba allí antes.

Tras ponerme los guantes, retiré la tapa de la primera caja y me puse manos a la obra.

Las cartas estaban todas catalogadas y numeradas pero, en cuestión de investigación, Roz creía no sólo en la rigurosidad sino también en la suerte. No se había dignado facilitarme instrucciones precisas acerca del número de la carta concreta que encerraba su secreto. Buena parte de la mejor erudición, solía decir, se mueve al lento y majestuoso ritmo de un cortejo real o al de la evolución de una nueva especie, pero yo no tenía la suerte de contar con semejante cualidad. Página a página, fui echando una ojeada a todos los enredos y los triunfos de la vida de un hombre, consciente de que no tenía ni idea de lo que estaba buscando. Así que, si iba demasiado rápido, corría el riesgo de pasarlo por alto.

Ninguna de las cartas las había escrito Child: eran cartas que éste había recibido de compañeros y colaboradores suyos en su incansable tarea de coleccionista de baladas populares: los poetas Longfellow y Lowell, uno de los hermanos Grimm, el filósofo William James. Y serpeando en medio de todo aquello, había una interminable corriente de joviales cháchara de su mujer Elizabeth. Ninguna de las cuales era una evidente candidata al ¡eureka! de Roz.

En la mesa de enfrente, Perro Salchicha se estaba desperezando con toda una serie de crujidos de articulaciones. En la pared situada detrás de él, el reloj ya había recorrido dos horas. Regresé a mi trabajo.

Cerca ya del contenido del fondo de la tercera caja, estaba echando un vistazo a otra alegre tanda de comentarios de Elizabeth acerca de un verano en Maine con los niños, cuando me encontré con una página que no seguía la tónica de su antecesora.

«Los pequeños caminaban con paso inseguro, recogiendo zarza-», terminaba una página. Pero, al pasar a la siguiente, el texto decía: «He descubierto una cosa». Palabras de Roz.

Me incorporé y miré a Ben, pero estaba profundamente enfrascado en la lectura de lo que parecía ser un pequeño diario gastado por el uso.

Coloqué las dos páginas la una al lado de la otra. La segunda página no había sido escrita por Elizabeth Child. La fina letra era curiosamente similar a la suya, y lo mismo se podía decir del papel y de la desteñida tinta azul. Eran tan parecidos que la página en cuestión podía parecer formar parte de la misiva si sólo se le echaba un rápido vistazo. Pero no resistiría un examen más exhaustivo.

He descubierto algo que creo podría interesar a un estudioso como usted y, puesto que, tal como firmemente creo, todo lo que es oro no siempre reluce, es posible que incluso tenga valor.

Me humedecí los resecos labios con la lengua mientras me parecía oír la voz de Roz: «He descubierto una cosa. Y necesito tu ayuda». Volví a mirar la carta.

Es un manuscrito. Creo que está escrito en inglés, por lo menos las palabras dispersas aquí y allá pertenecen indudablemente a la lengua inglesa, y el antiguo volumen de Don Quijote *entre cuyas páginas lo encontré escondido es una traducción inglesa. Pero, por desgracia, la escritura resulta en buena parte ilegible, incluso allí donde no está tachada o rayada, de forma que imposibilita leer el contenido. No obstante, he conseguido descifrar el título con, a mi juicio, razonable precisión, exceptuando la primera letra que, lo confieso, jamás había visto anteriormente. Una especie de espiral atravesada por una línea. Algo así:* [illegible] *. Parecía griego, sólo que las letras siguientes pertenecen a nuestro alfabeto latino.*

—ardeno, creo. ¿O quizá —ardonia?

Fruncí el entrecejo. La extraña letra no pertenecía al alfabeto griego sino al inglés: se trataba de una C mayúscula característica de la apretada cursiva isabelina llamada escritura secretaria. Con lo cual se obtenía el título de Cardenio o Cardonia.

Había visto aquella palabra otras veces, estaba segura. La había leído en algún sitio... Era un nombre. Pero ¿de qué? ¿De una persona?, ¿de un lugar? Cuanto más me estrujaba los sesos, más se hundía aquella vaga figura en la tenue niebla gris del olvido. Puede que la carta lo explicara. Leí rápidamente hasta el final.

Lo he dejado en lugar seguro. El mismo en el que ha sobrevivido invisible e inalterado, tal como creo, desde que se perdió por primera vez poco después de haber sido creado. He aquí mi dilema. Me gustaría sacarlo y confiarlo a un experto para que lo evalúe. Pero no conozco ni el nombre ni el paradero de semejante autoridad en este áspero rincón de la civilización. Ignoro igualmente cómo separar el manuscrito del entorno en que se encuentra con el menor riesgo posible de destruirlo... Es frágil y temo que un largo viaje a caballo o en tren podría causar su destrucción. Una travesía por mar sería todavía peor.

Uno de los chicos afirma haber sido «en otros tiempos» uno de sus más entusiastas alumnos y me dice que usted, señor, posee una prodigiosa sabiduría, sobre todo en cuestiones de intrincado carácter literario. Por consiguiente, le agradecería eternamente cualquier consejo que usted me pudiera dar acerca de este asunto. Si, además, me pudiera dar su opinión sobre las probabilidades, las mismas con que cuentan los jugadores de cartas, de que las molestias que me estoy tomando me proporcionen un beneficio, sería, tal como suele decirse, todo oídos.

Pero quizás usted no juega a las cartas.

En prenda de mi gratitud por el tiempo que ya le he robado, le adjunto una balada. Una versión del Nuevo Mundo de una antigua melodía escocesa, creo. Me ha llevado mucho tiempo rebuscar entre las que son populares en los campamentos de aquí hasta seleccionar por lo menos una que no provoque el sonrojo del papel y la tinta con que está escrita, pero espero haberlo conseguido. Tengo el honor, etc.

Sinceramente suyo, Jeremy Granville

El saludo y la firma, apretujados en una sola línea al final de la página, parecían una línea más del texto. Eché un vistazo a la página siguiente.

«-moras —había garabateado Elizabeth—. Mientras a mi me inquietaba, tal como te puedes imaginar, ¡la presencia de osos en el lugar!»

No era de extrañar que el profesor Child coleccionara baladas. Regresé a la carta de Granville. ¿Sería eso lo que Roz había descubierto?

Tenía que serlo.

Rebusqué rápidamente hasta llegar al fondo de la caja, pero no encontré nada más que se saliera de lo corriente. Además, faltaba el resto de la carta de Jeremy Granville. Comprobé la lista del catálogo, pero no vi ninguna referencia a ella. Al parecer, la única página que se conservaba se había deslizado por error entre las páginas de la carta de Elizabeth, probablemente en el despacho del propio profesor Child. En cualquier caso, el bibliotecario encargado de los ficheros, no había descubierto el error.

La solitaria página no estaba fechada y no hacía clara referencia a un lugar, sólo la firma y su localización entre los papeles de Child le podían otorgar un lugar en la historia. Exceptuando la mención a una antigua edición de *Don Quijote.* Recordé sobresaltada que la víspera había encontrado toda una sección de libros de *Don Quijote* en los estantes de Roz. Pero ¿eso qué demostraba? Interesarse por *Don Quijote* era como interesarse por *La Ilíada* o por *Guerra y paz.* Te catalogaba como una persona de aficiones intelectuales, pero no era exactamente una singularidad.

Sin embargo, puede que la referencia sirviera para fechar el hallazgo de Granville. *Don Quijote* se había publicado por primera vez en España a principios del siglo XVII, justo alrededor de la fecha de la muerte de la reina Isabel. Una década después se había traducido al inglés. Por consiguiente, el «antiguo volumen de *Don Quijote*» de Granville y el tesoro que había encontrado escondido en él no podían ser anteriores a aquella fecha. Por otra parte, el hallazgo tampoco se podía fechar después de la muerte del profesor Child, acaecida a finales del siglo XIX, si no recordaba mal. Refunfuñé. Menuda ayuda: ambas fechas delimitaban un período de casi trescientos años.

Eché un vistazo al volumen de Chambers, que descansaba humildemente en el escritorio. Por lo menos, la primera parte de aquel período estaba cubierta por Chambers, el cual escribía sobre muchas más cosas que piezas teatrales. Cogí el libro, lo abrí por el final y lancé un suspiro. No tenía índice. Entonces lo recordé. El índice de los cuatro volúmenes estaba en el último de ellos... y lo había dejado en el estante de Roz. Me concentré de nuevo en la página que Roz había señalado y la volví a leer.

De pronto, me pareció que la luz de las lámparas se intensificaba y se elevaba hacia al techo en cuanto comprendí el alcance de las palabras de Granville. Volví a leer la carta. Quizá lo había soñado. No, decía exactamente lo que yo recordaba.

Sin pérdida de tiempo, saqué mi bloc de páginas amarillas y empecé a copiar la carta con la mano volando sobre la página. Perro Salchicha levantó la vista y me miró con expresión nostálgica, como si envidiara el descubrimiento de algo digno de ser copiado. Sentí el interés de Ben ardiendo en mi piel, a pesar de que él ni siquiera se había movido. «... una especie de espiral atravesada por una línea, algo así: . Parecía griego...» Añadí una nota de mi propia cosecha: «No es griego, sino inglés. Una ce mayúscula isabelina».

Le alcancé la página a Ben. La leyó y me miró, perplejo. En respuesta, empujé el libro hacia él y di unos golpecitos con el dedo al párrafo clave.

Estaba abierto por la misma página que había leído la víspera y enumeraba las grandes obras jacobinas de Shakespeare una por una, cada cual con su propio párrafo descriptivo. Pero al final de la página había otra sección que siempre había pasado por alto antes. A mi lado Ben respiró hondo al llegar a aquel parrafo y reviví su contenido mientras él lo leía rápidamente.

«Obras perdidas», decía. Debajo había dos títulos. El primero era «Trabajos de amor ganados»; el segundo, «Historia de Cardenio».

Ben levantó de inmediato la vista.

—¿Perdidas?

—Tenemos los títulos y las referencias a las representaciones en la corte. Sabemos que existieron. Pero en varios siglos nadie ha visto jamás un solo fragmento de alguna de las dos historias, ni siquiera un par de palabras juntas. —Se me hizo un nudo en la garganta—. Excepto Jeremy Granville.

Me miró con asombro.

—¿Dónde?

Meneé la cabeza. Faltaba la primera página de la carta. En lo que quedaba de ella, su autor había sido considerablemente parco con la información.

—No lo sé.

Pero Roz lo sabía, de eso estaba segura. «He descubierto una cosa, cariño —me había dicho—. Una cosa muy importante.» Más importante que el *Hamlet* del Globo, había insistido mientras un destello de emoción se encendía en sus verdes ojos. Y yo me había burlado de ella con relamida ironía.

Se oyó el zumbido del timbre de la puerta de la sala de lectura y experimenté un sobresalto.

Mientras la puerta se abría, reconocí de inmediato una voz con extraña claridad.

Era el inspector jefe Sinclair.

ENTREACTO

Primavera de 1598

Ante la puerta sobre la que colgaba un tapiz en lo alto de una angosta escalera secreta, la mujer se detuvo y se alisó el vestido de seda verde que tanto realzaba la belleza de sus negros ojos y de su cabello. Con una mano, apartó el cortinaje justo lo suficiente para atisbar con disimulo. Al fondo de la estancia, un joven permanecía arrodillado en ferviente plegaria delante de un altar, ajeno a su presencia.

Permaneció inmóvil. Contemplarlo se había convertido para ella en una necesidad, como la de contemplar el fuego de la chimenea. La aureola de dorado cabello flotaba sobre su cuerpo de salvaje belleza. La mujer se estremeció. Tendría que dejar de llamarlo «el muchacho». Aunque todavía no fuera un hombre hecho y derecho, por lo menos era un joven. *Will*, repitió para sí con firmeza.

Había sido su otro amante quien le había sugerido que llamara al joven por el nombre que ambos compartían.

—Pues, entonces, ¿cómo te voy a llamar a ti? —le había preguntado ella.

—Por mi otro nombre —le había contestado él con una sonrisa en los labios—. Shakespeare. —Y después había sugerido otra cosa que un poco más tarde había formado parte de uno de sus poemas—. *Will satisfará el tesoro de tu amor* —había escrito—. *Tienes a tu Will, y a Will por añadidura, y a Will en sobreabundancia.*

Varios meses atrás, a Shakespeare se le había ocurrido la idea de que ella sedujera al muchacho. Le había suplicado que lo hiciera. La petición le había provocado tal desconcierto que había permanecido sentada en silencio mientras él iba de una punta a otra de la habitación, pasando de la petición al halago y culminando en una breve parrafada de amenazas antes de caer de nuevo en las súplicas.

No sería desagradable, recordó haber pensado ella en aquel momento. El muchacho —Will— era ciertamente muy hermoso, de cabello dorado y de piel a tono y con un ingenio sin rival. Se había fijado en él la primera vez que lo había visto en la compañía de Shakespeare, había observado cómo los ojos de éste lo seguían, aunque no supo y no preguntó si ello se debía a que el joven Will era un pariente, un protegido o un amante. Pero estaba claro que era amado de alguna manera.

—¿Por qué? —había preguntado ella cuando cesaron las súplicas del poeta.

No preguntaba «¿Por qué te empeñas tanto?», sino simplemente: «¿Por qué yo?»

Porque Will jamás se había fijado en ella. Estaba acostumbrada a la fuerza de las miradas de los hombres; hasta los que sólo eran sensibles a otros hombres solían apreciarla como obra de arte. Pero William Shelton era distinto. La había visto, eso por lo menos lo sabía. Ambos se habían hablado una o dos veces. Pero él jamás se había fijado en ella.

—¿Por qué? —había vuelto a preguntar.

Shakespeare se había detenido junto a la ventana.

—Sueña con convertirse en sacerdote. —Miró a su alrededor y sólo entonces había reparado ella en la desesperación de sus ojos—. En sacerdote católico. En jesuita.

Muy a su pesar, la mujer se estremeció. Los jesuitas sólo obedecían al Papa y se consideraban a sí mismos soldados de Cristo, entregados a la tarea de llevar la Verdad a los rincones más peligrosos del mundo pagano, en el cual se incluía Inglaterra, puesto que este país y su herética reina habían abrazado el credo protestante. Sin embargo, los ministros de Isabel opinaban otra cosa. Aborrecían a la Compañía de Jesús por considerarla un nido de fanáticos religiosos que conspiraban incesantemente para matar a la reina, sentar en el trono de Inglaterra a un monarca católico y arrastrar a todo el pueblo inglés a los tormentos de la Inquisición, amenzándoles con las espadas españolas.

El hecho de que un jesuita pusiera simplemente los pies en Inglaterra se consideraba una traición. Pero ellos lo hacían a pesar de todo. Eran perseguidos sin piedad y, cuando los atrapaban, eran torturados con todos los diabólicos inventos que se les pudieran ocurrir a los interrogadores de la reina. Lo que quedaba de ellos era entregado al verdugo.

El pensamiento de que la esbelta y dorada belleza del joven pudiera ser sometida a aquellas penas la hizo palidecer.

No era insólito que las familias irlandesas con muchos hijos destinaran a uno de ellos al sacerdocio. Pero los hermanos de Will, dijo Shakespeare con amargura, le habían infundido el anhelo del martirio y estaban en condiciones de ayudarlo a alcanzarlo. Eran instrumentos de los Howard y, aunque fueran pública y llamativamente protestantes siempre que necesitaban salvar el pellejo, era bien sabido que, en privado, los Howard profesaban la fe católica cuando se trataba de salvar sus almas. Encabezados por el taimado conde de Northampton y su sobrino el conde de Suffolk, también corrían rumores de que estaban al servicio del rey de España. Si alguien podía ayudar a un joven inglés a pasar sano y salvo a la España enemiga y al prohibido refugio de un seminario jesuita, eran los Howard, que expiaban la culpa de sus devaneos espirituales prestando apoyo al celo religioso de otros.

No era de extrañar que Shakespeare estuviera desesperado. La mujer cruzó la estancia y apoyó compasivamente las manos en sus hombros. Y él deslizó un dedo por su mejilla hasta la garganta.

—Tú le podrías enseñar a desear otra cosa —dijo.

Como desafío, le interesaba. Había competido con esposas y enamoradas, con muchachos y hombres, por el corazón de sus amantes, y casi siempre había ganado. Pero jamás se había enfrentado a Dios. Estaba a punto de acceder cuando se dio cuenta del alcance de la petición. Shakespeare no le estaba pidiendo simplemente que sedujera al muchacho. Le estaba pidiendo que lo satisficiera.

Por un instante, había experimentado la tentación de marcharse para jamás regresar. No era una ramera cuyos servicios temporales él pudiera comprar o ganar en una apuesta. Tampoco era una esposa cuyos servicios permanentes él hubiera comprado a un precio un poco más alto y se considerara con derecho a transferir a terceros. Era una mujer libre y, aunque le gustara una buena broma —y fuera capaz de venderla al precio de una alhaja o de un nuevo vestido—, cedía su amor gratuitamente, nadie lo compraba. Le dolía en el alma que él temiera tanto por la belleza sin tacha del joven que fuera capaz de pedirle a ella que prostituyera la suya.

En lo más hondo de su ser había sentido nacer un lento y ardiente afán de venganza. Sí, seduciría a Will, pero no se detendría allí. Al mismo tiempo, volvería a seducir a Shakespeare hasta que el poeta y el joven ardieran por ella con un fuego imposible de apagar. Y cuando llegara el momento oportuno, se encargaría de que ambos lo supieran.

Así pues, se envolvió en sedas y perlas y se peinó el negro cabello en largas y aterciopeladas cascadas. Luego pasó del poeta al muchacho, atrayendo a Will a una red de música y placeres a la luz de las velas, anhelos, mieles y hiel, hasta conseguir atraparlo por entero. Y en todo momento fue consciente de la presencia de Shakespeare sentado en el asiento de alto respaldo de la sala de abajo, contemplando el corazón de las llamas.

Eso había sido varios meses atrás.

A través del resquicio del cortinaje, vio a Will santiguarse y un rubor se extendió por la cremosa piel de su pecho.

Justo la víspera, en la estancia de Shakespeare del piso de abajo, había tropezado por pura casualidad con un poema y, antes de saber lo que era, había leído el primer verso: «Dos amores tengo que me consuelan y desesperan». Reculó como si la hubieran mordido. No le gustaba leer lo que escribía el bardo sin que él se lo pidiera. Le parecía una violación.

Tal vez si él no la hubiera hecho esperar, no habría caído en la tentación de seguir adelante. Pero el verso había excitado su imaginación. No cabía duda de que, con aquella perpleja primera persona del singular, el poeta se refería a sí mismo, pero el verso también se podía aplicar a ella. Por consiguiente, al ver que él se retrasaba, había seguido leyendo:

Dos amores tengo que me consuelan y desesperan,
y que como dos espíritus en seducirme se empeñan.
El ángel bueno es un hombre de belleza sin par;
el mal espíritu, una mujer de turbio color.

El fuego le había subido a las mejillas. El poema se refería a ella, pero no era para ella. ¿Turbio color? ¿El mal espíritu? ¿Ése era el concepto que tenía de ella?

Volvió al poema.

Para llevarme sin tardanza al infierno, mi espíritu malo
tentó a mi ángel bueno y lo apartó de mi lado,
corrompió a mi santo y lo convirtió en demonio,
cortejando su pureza con su hermoso orgullo.

Eso era lo que ella pretendía, se dijo, aquel brote de celos y confusión. Lo que no tenía previsto era caer en su propia red. No tenía previsto enamorarse de Will.

Y si mi ángel se convirtió en demonio,
lo puedo sospechar mas no decir,
pues siéndome ambos amigos y amigos entre sí,
imagino a un ángel en el infierno del otro.

El soneto —si eso pretendía ser— estaba incompleto y le faltaba el dístico final. Una pequeña carcajada de amargo triunfo le recorrió el cuerpo. Si Shakespeare no lo había terminado, era porque no había podido. Ignoraba el final de la historia. Ella podía haber quedado atrapada como una mosca en su propia telaraña, pero por lo menos conocía la línea del argumento. No tenía que adivinarlo como él.

Después se le ocurrió otra idea. ¿Habría dejado Shakespeare el poema a la vista a propósito, y la había dejado a solas a ella para que lo viera? ¿Le estaba pidiendo Shakespeare de una manera indirecta una respuesta? ¿Estaba tratando de averiguar la verdad utilizando la poesía como anzuelo?

En la estancia había una pluma y un tintero. Se puso a pasear arriba y abajo delante de la ventana, tropezando de vez en cuando con la estera de junco. Siempre había tenido la intención de que Shakespeare conociera la verdad. Pero no podía correr el riesgo de separarse de él. Ahora no. No hasta que estuviera segura de que podría ayudar ella sola a Will a hacer oídos sordos a las atenciones de sus hermanos y a los ofrecimientos de los Howard. Por consiguiente, su respuesta tenía que ser impecable.

Finalmente tomó la pluma con sumo cuidado y, mordiéndose la lengua, la acercó al papel.

La verdad no sabré y viviré en la duda...

Oyó un ruido al otro lado de la puerta. Posó la pluma, se acercó a la ventana y se alisó el vestido, contemplando el jardín de abajo sin verlo.

Si Shakespeare había visto lo que ella había hecho, no había dicho nada. Aquella tarde hicieron el amor con inusitado ardor, una y otra vez desde el atardecer hasta el lento suspiro azul del ocaso, mientras el perfume de las violetas penetraba por la ventana abierta.

No supo en qué momento pudo él terminar el poema. Sólo se había separado de su lado para escanciar vino y ofrecérselo en una copa de plata mientras ella descansaba exhausta en su lecho.

Pero cuando ella se retiró, la luz de la vela le mostró su verso rematado por otro, y el soneto terminado.

Hasta que mi ángel malo expulse al bueno.

En su obscena ligereza, le pareció un golpe propinado en su mano, ya que no en su mejilla. Una negativa, a través de un ceremonioso gesto, a tomarse en serio el poema, su amor... cualquier cosa, salvo a Will.

Ahora, mientras contemplaba al muchacho delante del altar, se dio cuenta de que también había sido una confesión. Shakespeare no imaginaba a un ángel en el «infierno» de otro. Él lo sabía. Simplemente se había negado a reconocerlo y lo seguiría haciendo hasta que todo terminara y ella prescindiera de Will. Pues así suponía que terminaría la historia: quedándose él con el trofeo en la mano.

En aquel instante, la mujer supo lo que iba a hacer. Por mucho que le costara, ella saldría vencedora. En la cuestión del corazón de Will Shelton, ella les ganaría la partida a Shakespeare, a los Howard y a Dios.

Apartó el tapiz que cubría la puerta de la capilla y entró en la estancia.

Al oír el rumor de sus pisadas, Will se puso en pie de un salto y echó mano de la espada, pero se le iluminaron los ojos al reconocerla.

—Señora mía —dijo haciendo una reverencia.

—Eres muy descuidado —le reprochó ella—. Hubiera podido ser cualquiera.

—Esta capilla está muy bien escondida.

—Yo te he encontrado —señaló ella enarcando una ceja.

—Pero es que yo no me ocultaba de vos —replicó él.

Le permitió rozarle los dedos con sus labios y después se inclinó hacia él.

—Abajo te espera un pintor —le dijo en un susurro—. Después, si no tarda demasiado, puede que encuentres a otra persona esperándote en el jardín.

Con una prometedora sonrisa en los labios, se retiró, dejándolo tan sólo con el perfume de las violetas y un persistente anhelo.

ACTO II

14

Mi lápiz rodó desde la mesa al suelo de baldosas de corcho. Me incliné a recogerlo agachándome de espaldas a la puerta justo en el momento en que el inspector jefe entraba con uno de los guardias, seguido por dos hombres vestidos con trajes oscuros. Al llegar al mostrador principal, los acompañantes de Sinclair exhibieron algún tipo de identificación.

—FBI —le dijo uno de ellos en voz baja al bibliotecario.

No pude oír el resto. ¿Estaban allí por mí?

Permanecí inmóvil y volví la cabeza, clavando la mirada en la raya de los pantalones de Sinclair. El bibliotecario salió de detrás del mostrador.

—Por aquí, por favor —dijo, y el pequeño grupo que se encontraba junto al mostrador principal dio media vuelta y se encaminó al otro extremo de la sala de lectura, en dirección a la pasarela que conectaba la Houghton con la Wiedener.

Me volví a mirar a Ben.

—El policía británico —susurré.

—Váyase —dijo Ben sin levantar la cabeza del libro que estaba leyendo.

—Pero es que sólo he copiado la mitad ...

—Yo me encargo de eso.

—Lo necesito todo...

—Ahora.

Deslicé mi bloc sobre la mesa y garabateé: «Librería al otro lado de Mass. Ave. Sección Shakespeare». Se lo entregué a Ben, me levanté, apuré el paso hacia la puerta, pulsé el timbre y la puerta se abrió con un zumbido.

En el vestíbulo, el otro guardia estaba sentado leyendo el *Boston Herald.* Levantó la cabeza y me miró de soslayo mientras me acercaba a él. Levanté la mano en la que sostenía el lápiz que era lo único que llevaba y él me indicó con un perezoso gesto de la mano que pasara.

Avanzando de prisa, me dirigí a los armarios, recogí mi bolso y me encaminé hacia la salida. Una oleada de húmedo calor me envolvió cuando salí al Yard. A mi espalda, la puerta cerrada de la sala de lectura emitió una vez más un zumbido. Al volver la cabeza alarmada, choqué con alguien que estaba subiendo los peldaños de la biblioteca. Unas manos me asieron por los hombros para evitar que perdiera el equilibrio.

—¡Kate Stanley! —exclamó una voz de tenor ligero. Debajo de una gastada gorra de los Red Sox, el equipo profesional de béisbol de Boston, distinguí una cabellera dorada y unos ojos azules, y entonces reconocí la fornida figura de Matthew Morris. El otro especialista de Shakespeare de Harvard—. Pero ¿qué demonios estás haciendo aquí?

—Marchándome.

Mierda, mierda, mierda. No tenía tiempo para cháchara. Y menos con él.

Intenté apartarme, pero su presa se intensificó.

—Llevo tres años sin verte ¿y lo único que me ofreces es un adiós sin un hola? Me parece muy fuerte.

—Pensaba que estabas en Washington. En la Folger —dije con una punta de irritación.

Vestía vaqueros y camiseta roja. Tal vez por su condición de vástago de la intelectualidad de Boston iba por la vida vestido de aquella manera para evitar los tópicos sobre los profesores de la prestigiosa Ivy League, el grupo de selectas universidades de Nueva Inglaterra, siempre vestidos con prendas de *tweed.*

—Estaba hasta que sonó el teléfono a una obscena hora de esta mañana. Parece ser que se ha producido una auténtica energencia en el departamento de Shakespeare y me han llamado como experto de la casa que soy.

Una ráfaga de aire frío se escapó de la biblioteca cuando la puerta se abrió de par en par. Di un respingo y me volví. Una regordeta mujer de corto cabello castaño nos saludó brevemente con la cabeza mientras bajaba a toda prisa los peldaños, cargada con una pila de libros y una abultada mochila de ordenador.

—Aquí están todos un poco nerviosos, Kate —comentó Matthew mientras la mujer se alejaba.

—¿Una emergencia relacionada con Shakespeare? —pregunté.

Miró a su alrededor y después se inclinó hacia mí.

—Es el Primer Infolio. Después del incendio de anoche, la sala semicircular de la Widener se llenó de páginas y restos parcialmente carbonizados de la Biblia de Gutenberg, pero hasta ahora no se ha encontrado ningún resto identificable del Infolio. Y parece que han manipulado la urna que contenía ambos libros.

De repente sentí un escalofrío.

—¿Qué estás diciendo?

—Por lo visto robaron el Infolio antes de que estallara el artefacto.

Imaginé una mano amenazadora garabateando en un pequeño cuadrado de luz de luna con tinta azul: «Entra Lavinia». Una página arrancada de un Primer Infolio.

—Llevará algún tiempo hasta que todo se aclare —añadió Matthew—, pero es una posibilidad intrigante porque, por lo visto, en el Globo ocurrió algo muy parecido. ¿Te pasa algo? Estás más blanca que una sábana.

Me aparté.

—Tengo que irme.

—Espera.

Al llegar al último peldaño, me detuve.

—Estos últimos días tienen que haber sido un infierno para ti.

Entornó los ojos con semblante preocupado y compungido.

—Mira, en primer lugar, no sé qué hice para provocar tu enfado, pero dame la oportunidad de compensarlo. ¿Por qué no nos vemos más tarde para tomar una copa? Podemos brindar por Roz. —Esbozó una triste sonrisa—. Ella habría sido la primera en decir que aquí ya nada es lo mismo desde que tú te fuiste... Por cierto, te veo estupenda. El teatro te debe de sentar bien.

—Matthew...

—Vendré a buscarte. ¿Dónde te hospedas?

—En... —titubeé levemente— el Inn at Harvard.

—Perfecto. Pues entonces quedemos en el Faculty Club. Justo enfrente del Inn. A las cinco y media.

Abrió la puerta de la biblioteca y una nueva oleada de aire frío se escapó al exterior. Del interior me llegó una vez más el zumbido de la puerta de la sala de lectura.

—Muy bien —mentí, dando bruscamente la vuelta para marcharme.

Caminé tan de prisa como pude y al doblar la esquina eché a correr y crucé la arcada del pasadizo que atravesaba el Wigglesworth Hall. Salí a la Massachusetts Avenue, pensando todavía en la noticia que me había dado Matthew.

Los Infolios han desaparecido. No han sido destruidos. Han desaparecido.

Un autobús pasó rugiendo a treinta centímetros de mi nariz, arrojándome al cabello ya húmedo de sudor el pestazo de sus gases de escape negroazulados. Crucé la calle y apuré el paso por las aceras de ladrillo en dirección a las conocidas lunas de cristal de unos escaparates orlados de negro; en la parte superior, unas pulcras letras doradas decían: «HARVARD BOOK STORE».

Entré. Salvo por los libros que se exhibían en el escaparate de la fachada, el lugar apenas había cambiado desde que me había ido de Cambridge. Me dirigí a la sala dedicada a la literatura. En el centro destacaban varios estantes con obras relacionadas con Shakespeare. Me detuve delante de ellos y deslicé los dedos por los lomos de los libros con la mente en otro sitio.

Hacía quince minutos, había creído que la pista de Chambers me explicaría en cierto modo la referencia de Roz a la obra magna jacobina, A.D. 1623, el Primer Infolio. Pero la información que me proporcionó Chambers señalaba hacia *Cardenio*, mientras que parecía que el Primer Infolio se perdía por otro camino distinto por completo. Literalmente, en caso de que Matthew estuviera en lo cierto.

No sabía si echarme a reír o a gritar. Por lo menos, nadie estaba destruyendo los Infolios, quemándolos uno a uno en la hoguera. Por otra parte, si el hijo de puta que me había perseguido en la biblioteca no los había destruido, se los había llevado. Lo cual significaba que le interesaban. Y muchísimo.

¿Para qué?

Estaba segura de que tanto la carta como los Infolios conducían en último extremo a la misma fuente: a un manuscrito shakespeariano que cabía esperar que todavía estuviera cubierto por una gruesa y aterciopelada capa de polvo.

¿Sabía mi perseguidor qué estaba buscando? Lo más probable era que no, puesto que había pasado tan rápidamente de un ejemplar del Infolio a otro, e incluso a un tercero si se contaba el facsímil que se había llevado del despacho de Roz. Pero no: seguro que tenía cierta idea de lo que estaba haciendo. ¿Quién correría el riesgo de robar en las bien protegidas cámaras del tesoro del Globo y de la Widener y de borrar después sus huellas mediante el fuego por simple capricho y confiando en la suerte?

Por mucho que aborreciera reconocerlo, el asesino tenía probablemente una idea mucho más clara que yo de lo que estaba haciendo. Yo no tenía ni una sola pista aceptable de la magna obra jacobina.

Por otra parte, tenía una carta acerca de *Cardenio*. O, en cualquier caso, la tenía la Houghton.

Dios mío, había abandonado tan precipitadamente la biblioteca que hasta me había dejado olvidado el trascendental *The Elizabethan Stage* de Chambers. Esperaba con toda mi alma que Ben lo cogiera.

Presa de la inquietud y el nerviosismo, exploré distraídamente la tienda, mirando con disimulo hacia la calle a través de los cristales del escaparate. ¿Dónde estaría Ben? ¿Por qué tardaba tanto?

No era un erudito. ¿Sabría lo que yo quería decir con la palabra *copiar*? ¿Sabría que lo que quería era que lo copiara todo, incluso los errores ortográficos y de puntuación, por extraños que fueran? Me interesaban las palabras de Granville, por supuesto, pero me interesaban también su manera idiosincrásica de escribir y sus errores. En realidad, aquellas singularidades, que tan fácilmente se eliminaban sin pensar, eran las débiles huellas que ayudaban a un estudioso a seguir la pista de la historia y los hábitos de un escritor.

Lancé un suspiro. Hasta que Ben apareciera, los únicos tres fragmentos específicos de información de que disponía eran los nombres de Jeremy Granville y de Francis Child y la traducción al inglés del *Don Quijote*. No era necesario demasiado esfuerzo para comprender que una obra de teatro inglesa, oculta en una traducción a ese idioma y extraviada «poco después de su creación», se tenía que haber perdido en algún lugar de Inglaterra, y debería estar escondida y olvidada en algún escondrijo de una chimenea, tapiada en alguna sala de una torre o de una mazmorra, o sepultada dentro de un cofre a los pies de una enhiesta piedra de algún solitario páramo. Los errores ortográficos de Granville, me parecía recordar, eran de inglés británico.

Pero el hecho de que éste le hubiera escrito al profesor Child echaba por tierra dicha suposición. Si Granville hubiera estado en Inglaterra o en cualquier otro lugar de Europa, en realidad, no sólo hubiera sido más fácil y más rápido establecer contacto con un profesor británico, sino que, además, hubiera sido absolutamente ilógico enviarle una carta a Child al otro lado del charco. Sobre todo en caso de que el propio Granville fuera británico. Tenía que haber hecho su descubrimiento en nuestro hemisferio.

Me devané los sesos. Debía haber otras claves ocultas en aquella carta. Pero serían más confusas, más indirectas. Sólo había leído el maldito documento un par de veces y, encima, de manera muy rápida. Más bien le había echado un vistazo superficial.

Necesitaba aquella carta. ¿Dónde estaba Ben?

Me detuve al llegar al final de la estantería con obras relacionadas con Shakespeare. Bajo mi mano, una voluminosa edición de bolsillo se hundía por su propio peso. Un facsímil del Primer Infolio. La misma edición que había encontrado en el despacho de Roz... y que después había desaparecido. Tal como habían desaparecido los ejemplares de la Widener y el Globo.

Lo saqué del estante y hojeé las páginas; todos los márgenes estaban limpios.

—¿Sigue buscando la obra magna jacobina?

Giré en redondo. Ben me sonreía de oreja a oreja como el maldito gato de Cheshire*. Llevaba el libro de Chambers y mi bloc de apuntes de papel amarillo en la mano.

—La carta —dije—. ¿La tiene?

Me entregó el bloc amarillo. Lo miré.

Estaba en blanco.

* Alusión al gato de *Alicia en el país de las maravillas* [Lewis Caroll], que aparece y desaparece a voluntad y cuya sonrisa es lo último en desvanecerse. (*N. de la T.*)

15

Le miré mientras mi decepción se transformaba en cólera.

—Me dijo que...

—No se ponga nerviosa. —Alargó la mano, pasó rápidamente las páginas y salió volando un trozo de papel. Lo agarré al vuelo.

La página era blanca, no amarilla, con una escritura de trazos muy finos en desteñida tinta azul. Parpadeé mientras asimilaba lentamente los hechos.

—Pero éste es el original.

Me miró sonriendo.

—Lo he pedido prestado.

—¿Está usted loco? —le pregunté en un estridente susurro—. Houghton no es una biblioteca de préstamos.

Las bibliotecas de Harvard se regían por ordenanzas muy estrictas. Una noche de alrededor de una década antes de la Guerra de Independencia, cuando la universidad sólo tenía una biblioteca y estaban terminantemente prohibidos los préstamos a domicilio, la llama de una vela o quizá las chispas de los rescoldos del hogar de una chimenea —nadie lo sabía a ciencia cierta— le prendieron fuego a un trozo de papel suelto, o bien a una cortina o a una alfombra. Lo que sí sabían era que las rugientes ráfagas de un viento del noroeste no habían tardado en avivar el fuego hasta convertirlo en una impresionante conflagración que recorrió sin freno toda la biblioteca hasta que la tormenta amainó y, como regalo de despedida, arrojó nieve suficiente para apagar las llamas.

En una gélida mañana de azulada luz, el reverendo Edward Holyoke, presidente de la universidad, reflexionaba, enfundado en su gabán y con las manos a la espalda, sobre la calamidad con la paciencia de Job: «El Señor lo dio y el Señor lo ha quitado; bendito sea el nombre del Señor». Según contaba la leyenda, un estudiante, se había abierto paso entre la nieve cubierta de grisácea ceniza, que ya se estaba fundiendo y había alegrado al anciano con la devolución de un libro que se había llevado la víspera a escondidas para echarle un último vistazo antes de un examen. Por un golpe de suerte, ahora era el último volumen que quedaba de todos los que John Harvard había legado a la universidad junto con su nombre, aproximadamente un siglo atrás.

Sin ninguna obligación de mostrar a los estudiantes la misma paciencia de la que había hecho gala con el fuego avivado por el cielo, el presidente Holyoke recibió el libro, le dio las gracias al joven y lo expulsó de inmediato por robo.

—¿Quiere que la devuelva? —preguntó Ben.

Mirándole con furia, le arrebaté la carta de las manos, inclinándome sobre ella para examinarla de nuevo. Mientras leía, las frases parecían iluminarse como marcadas a fuego. «Versión del Nuevo Mundo...» Sí, yo estaba en lo cierto. América del Norte, probablemente Estados Unidos. «Este áspero rincón de la civilización...» *El Oeste*, pensé, mordiéndome el labio. La información no era muy útil: el Oeste norteamericano era un lugar inmenso.

Si se examinaba en busca de pistas, la prosa de Granville resultaba deliberadamente evasiva e incluso oscura. No obstante, si Roz se había podido abrir camino a través de aquel rompecabezas, yo también podría.

«Uno de los chicos. Jugadores de cartas. En los campamentos de aquí.» Si hubiera sido un vaquero, ¿no habría escrito «en las praderas», o «en los pastizales», o «en el barracón», o alguna frase por el estilo, en lugar de «en los campamentos de aquí»?

¿Qué campamentos? Evocaban los campamentos del ejército, pero un vistazo a la firma de Granville no revelaba ningún grado. Tampoco se hablaba de oficiales, órdenes, armas, enemigos o combates. No parecía una carta escrita por un militar.

Campamentos. Cerré los ojos y vi una ciudad de tiendas de campaña en medio de los álamos. Picos y palas. Pozos y galerías. *Minas.* Abrí los ojos.

—Estaba en el Oeste —dije—. En los campamentos mineros.

Pero ¿en qué campamentos? ¿Los más antiguos de la fiebre del oro o los más recientes de los prósperos yacimientos de plata? ¿California? ¿Colorado? ¿Arizona? ¿Alaska? Alargué la mano hacia la carta. Allí estaba, justo al principio. «Todo lo que es oro no siempre reluce», había escrito Granville.

—El oro —dije señalando la frase.

—¿Cree que era un trabajador de las minas de oro?

—Creo que buscaba oro, pero que encontró otra cosa. Esta frase es una inversión del proverbio «No es oro todo lo que reluce» que se menciona a mitad de *El mercader de Venecia*. Está puesta de manera casual y puede que incluso inconsciente. Es igual. Lo que importa es que Granville era un minero y conocía muy bien a Shakespeare.

—¿Esta usted segura? —preguntó Ben—. Parece una prosa muy rimbombante para ser un viejo buscador de oro.

—No todos eran palurdos analfabetos —repliqué—. Parece que uno de sus compañeros estudió en Harvard. O, por lo menos, fue alumno de Child. Y quizá Granville no le iba demasiado a la zaga. Y, aunque fuera una persona poco culta, la cosa no habría tenido excesiva importancia. Shakespeare era muy popular en el viejo Oeste, tal como ahora lo son las películas... Todo el mundo compartía el lenguaje de Shakespeare. Los hombres de las montañas eran capaces de soltarte *Romeo y Julieta* o *Julio César* de un tirón, sentados alrededor de la hoguera. Los vaqueros aprendían a leer con las obras completas de Shakespeare. Y los más grandes actores de la época se embarcaban y doblaban el Cabo de Hornos para ir a California, y subían a las montañas en carromatos para interpretar *Hamlet* en los campamentos californianos de la fiebre del oro de finales de la década de 1840. Los mineros arrojaban pepitas de oro y bolsas de polvo de oro a los escenarios. Un buen actor podía ganar en un mes diez veces más de lo que ganaba en toda una temporada en Londres o Nueva York...

—Muy bien, profesora —dijo Ben.

—No me...

—Si no le gusta el apodo, no se comporte como tal. ¿Me permite señalar que el hecho de conocer a Shakespeare no basta para que uno escriba como él? —Tomó de nuevo la carta y la volvió a leer de arriba abajo—. «... *y me dice que usted posee una prodigiosa sabiduría...*» ¿De veras cree que esto lo pudo escribir un viejo minero de la fiebre del oro del siglo diecinueve?

—¿Qué le induce a pensar que era viejo? —pregunté—. ¿Quizás el estereotipo de Hollywood del hombre mayor que renquea? —Cuanto más lo pensaba, más me convencía de que la explotación minera guardaba relación con el enigma—. Además, ¿se le ocurre alguna idea mejor?

—Es que simplemente no comprendo adónde nos lleva todo eso.

—Nos lleva a Utah —dije.

—¿A Utah? No es el primer lugar que a uno le viene a la mente cuando piensa en Shakespeare. Y tampoco en el oro.

—Es que usted no ha estado en el Festival Shakespeariano de Utah. —Deslicé los dedos por la estantería—. Usted cree que el Globo resulta surrealista en Londres, pues espere a verlo en Cedar City, en la llamada Tierra de la Roca Roja.

—Está usted de guasa.

Meneé la cabeza.

—¿Usted cree que actuó allí?

—El teatro no se construyó hasta la década de 1970. Y, como ya le he dicho, creo que Granville era un buscador de oro. Lo que quiero está en la puerta de al lado: en el Archivo de Shakespeare de Utah.

«Archivo» era un término incorrecto. Era más bien un centro de información, una base de datos a la antigua usanza, con fichas que facilitaban referencias de todos los nombres posibles, representaciones, lugares, personas y acontecimientos que guardaran relación con Shakespeare al oeste del Misisipí. Contaba con una buena colección de artículos de importancia secundaria, pero la gente del Oeste había amado a Shakespeare a un nivel sólo comparable con la inmensidad de los territorios que creía su deber conquistar. Como, obviamente, era imposible coleccionar las minas, ciudades, embalses e incluso ríos y montañas bautizadas con el nombre de

Shakespeare, lo que el Archivo no podía coleccionar o copiar, lo cartografiaba.

—Era el archivo privado de investigación de América del Norte preferido de Roz. —Me incliné para echar un vistazo a los ensayos sobre Shakespeare de los estantes inferiores. Cuando encontré el que buscaba, lo saqué y lo deposité en las manos de Ben. La cubierta mostraba la fotografía retocada de un actor con jubón y sombrero de vaquero, que sostenía una calavera en la clásica pose de Hamlet, insertada a modo de camafeo en una fotografía moderna del Big Sky Country*. *The Wild Shakespearean West*** se titulaba la obra. De Rosalind Howard.

—Su más reciente... Su último libro —dije—. Estuvo haciendo investigaciones allí. Fui su ayudante, por lo menos al principio. Antes de que cada una nos fuéramos por nuestro lado.

A lo largo de un espléndido verano, había recorrido kilómetros interminables de praderas, subido montañas y cruzado cañones trabajando para ella, documentando historias interesantes y representaciones largo tiempo olvidadas. Aquel verano cambió mi vida, aunque no en el sentido que Roz pretendía. En el polvoriento escenario de un descolorido teatro en tonos oro y escarlata de Leadville —una ciudad de Colorado surgida durante la fiebre de la plata, próspera y pendenciera, pero que ahora había perdido su lustre de antaño—, pronuncié las palabras de Julieta, primero en un susurro y después cada vez más fuerte hasta que retumbaron en la oscuridad que me rodeaba. En un súbito destello de comprensión, me di cuenta de lo distinto que era Shakespeare en el escenario del Shakespeare impreso. Era la diferencia entre la cálida experiencia y el dulce recuerdo que perdura, entre la vida desbordante y la muerte consagrada.

Aquel otoño, cuando los alumnos del curso sobre Shakespeare de Roz me pidieron que los ayudara en una producción de *Romeo*

* La Tierra del Gran Cielo, entre Denver y San Francisco. (*N. de la T.*)

** *El Salvaje Oeste Shakespeariano. (N. de la T.)*

y Julieta, aproveché encantada la oportunidad. En primavera, accedí a dirigirlos en *Noche de reyes*.

No había vuelto a pensar en ello.

Sin embargo, aquel verano resplandecía en mi memoria como el Jardín del Edén antes de la caída en desgracia de Adán y Eva. «Necesito tu ayuda», me había dicho Roz hacía dos días en el Globo. En esa ocasión lo dijo por mis conocimientos. Pero cuatro años atrás me había dicho lo mismo, y aquella vez lo había dicho por ser yo quien era. Su forma de ir directamente al grano, y sin preámbulos, al estilo de Nueva Inglaterra, no era muy apreciada entre los rancheros y la gente de las pequeñas ciudades del Oeste. Y aunque yo no fuera exactamente como ellos, por lo menos conocía los elementos básicos de la forma de ser de los rancheros. Me sentía a gusto reaccionando acaloradamente y tomándome una cerveza o un vaso de leche y un trozo de pastel antes de hacer preguntas y pedir favores. Y no temía ensuciarme las manos. Si alguien necesitaba ayuda para trasladar el ganado desde un abrevadero a otro, yo sabía montar a caballo lo bastante bien como para poder echar una mano. De ahí que podía conseguir que la gente que miraba con silencioso recelo a Roz se mostrara más abierta conmigo.

Así pues, me había convertido en sus ojos y oídos sobre el terreno y recorría el vasto paisaje en busca de información. Mientras tanto Roz utilizaba el Archivo como centro de mando. Procesaba las listas pulcramente alfabetizadas y ordenadas por categorías y devoraba toda la información que yo le enviaba. Era un reparto de tareas que nos satisfacía a las dos. «La pensadora y la vagabunda», solíamos comentar en broma.

—Si Roz sospechaba que Jeremy Granville tenía algo que ver con Shakespeare en el viejo Oeste —dije en voz alta, el Archivo Shakespeariano de Utah habría sido el primer lugar que hubiera investigado. Es posible que podamos seguir su pista, o la de Granville, a partir de allí.

—Es posible —repitió Ben subrayando sus palabras. Abrió el libro—. ¿Se le cita en la obra?

—Jamás la he leído.

Ben meneó la cabeza y consultó el ensayo.

—No figura en el índice onomástico.

—A lo mejor Roz lo reservaba para más adelante. O, a lo mejor, descubrió datos acerca de él cuando la obra ya estaba en la imprenta —observé.

Ben cerró el libro.

—¿Y qué ocurrirá si usted se equivoca?

—Puede que nos hayamos apartado dos días y cinco mil kilómetros de la pista. Pero no me equivoco.

Ben asintió con la cabeza.

—¿Y si está en lo cierto? Si encontramos lo que buscamos y resulta ser lo que usted cree que es, ¿cuánto valdría?

Me pasé la mano por el cabello. No había dejado de pensar en ello. A lo mejor nos lo podría decir Christie's, pero, que yo supiera, las casas de subastas establecían el valor de un objeto por medio de comparaciones. Y para lo que Granville afirmaba haber encontrado, no se podía establecer ninguna comparación. No había ningún otro ejemplar de *Cardenio* y ningún manuscrito contemporáneo de ninguna obra perteneciente con toda certeza a Shakespeare, y mucho menos un manuscrito escrito de su puño y letra. Sólo había seis manuscritos, y todos ellos estaban en poder del gobierno británico y jamás se habían puesto a la venta.

Si por un Primer Infolio —uno de entre algo más de doscientos treinta ejemplares— habían pagado en una subasta de pocos años atrás seis millones de dólares, según me había dicho sir Henry, ¿cuánto podrían pagar por el manuscrito único de una obra perdida? Meneé la cabeza. Me mareaba de sólo pensar en una suma.

—No lo sé —dije—. Nadie lo sabe. Pero no valdrá nada a no ser que lo encontremos.

—Me parece que alguien ya le ha puesto precio —dijo Ben—. Y bastante alto, por cierto.

Vacilé al comprender lo que había querido decir. Un asesinato. El precio de una vida. Por un fugaz instante, vi los ojos de Roz mirándome desde debajo del banco del Globo. Pero el asesino no se había detenido allí. Volví a ver la página del Infolio, la mano dibujada en tinta azul, señalando unas ensangrentadas palabras: «Entra Lavinia, con las manos cortadas, la lengua cortada, y violada...»

—El precio de mi vida —dije serenamente.

—Sólo para que lo tengamos claro —dijo Ben.

En el exterior sonaron unas sirenas. A través de los escaparates de la fachada vimos detenerse tres coches patrulla, que bloquearon las entradas del Yard. Instintivamente introduje la página entre las hojas centrales del bloc amarillo.

—¿Utah? —preguntó Ben.

Esta vez era una petición de instrucciones, no una manifestación de incredulidad.

Asentí con la cabeza.

—Espere aquí —dijo—. Vuelvo con un taxi dentro de cinco minutos.

Mientras salía a la calle, sacó su móvil.

16

Tenía cinco minutos de espera. Podía dejarme llevar por el pánico, o bien aprovecharlos.

De un vistazo comprobé que los coches patrulla continuaban aparcados. Me agaché entre las estanterías, amontoné todas mis cosas en el suelo y abrí *The Elizabethan Stage.* Según Chambers, *Cardenio* había sido fruto de la colaboración entre Shakespeare y John Fletcher, el sucesor del bardo —y elegido personalmente por éste— al frente de los Hombres del Rey Nadie sabía hasta dónde había llegado la colaboración del señor Fletcher y qué partes de la obra le correspondían.

En ausencia de la obra, semejantes conjeturas eran más o menos futiles. Pero la sola existencia de una colaboración significaba una cosa: la obra era probablemente tardía, puesto que las otras obras en las cuales Shakespeare le había permitido a Fletcher que participara en la escritura —*Los dos parientes nobles* y *Enrique VIII*— figuraban entre las últimas.

Pasé cuidadosamente la página. Me pareció que estaba en lo cierto con respecto a la fecha de su realización:

> *Cardenio* es probablemente la obra que representaron en la corte los Hombres del Rey bajo el título de *Cardenno* y *Cardenna* en 1612-1613 y de nuevo el 8 de junio de 1613. Su argumento, sacado de *Don Quijote...*

El libro casi se me cayó de las manos; de repente caí en la cuenta de lo imbécil que había sido hasta ese momento. Por eso Roz tenía tantos volúmenes del *Quijote* en sus estantes. Y por eso la cosa me sonaba tan familiar. Había leído el *Quijote.* Aunque podía decir en mi descargo que llevaba años sin releerlo.

Ya era hora de volver a leerlo. En las estanterías de narrativa busqué en la ce hasta llegar a Miguel de Cervantes. Allí estaba *Don Quijote* en el conocido formato de Penguin, un libro regordete de lomo de color negro, en cuya cubierta campeaba la escuálida figura del caballero imaginado por Gustave Doré. Lo coloqué encima del libro de Roz y del facsímil del Infolio me acerqué a toda prisa al mostrador de la entrada. La tarjeta de crédito pasó por el lector de tarjetas justo en el momento en que un taxi se detenía delante de la puerta principal. Firmé a toda prisa, agarré los libros y salí a la calle.

Mientras me acomodaba junto a Ben, vi un repentino y confuso movimiento al otro lado de la calle. Un grupo de hombres apareció en la entrada del Yard. Al frente del mismo se encontraba el inspector jefe Sinclair, seguido por los Trajes Oscuros.

—Aeropuerto Logan —dijo Ben.

El taxi se empezó a apartar del bordillo, pero inmediatamente se detuvo.

Al otro lado de la calle, los vehículos de la policía cobraron vida en medio del silbido de las sirenas. Por un instante, pensé que iban directamente a por nosotros, pero después los vi dar media vuelta en una cerrada curva y alejarse por la Massachusetts Avenue, donde las sirenas parecían converger desde todas direcciones.

Me hundí todo lo que pude en el asiento; no había ningún otro sitio adonde ir.

Sinclair bajó de la acera, pero no para acercarse a nosotros. Por el espejo retrovisor, vi adónde se dirigía. Una o dos manzanas más arriba, los coches patrulla se arremolinaron como hormigas blanquinegras alrededor de un edificio de ladrillo con arcadas que, rodeado de unos lujuriantes jardines, parecía levantarse en mitad de la calle. El Inn at Harvard.

Nuestro taxi se adentró en el tráfico. Dos cortas manzanas más arriba, doblamos la esquina en dirección al río.

—¿Le dijo por casualidad a alguien dónde se alojaba? —preguntó Ben al cabo de unos cuantos minutos.

Asentí con expresión culpable.

—Al salir de la biblioteca, me tropecé con un hombre al que conozco.

—¿Un tipo fornido? ¿Con gorra de béisbol?

—La única manera de quitármelo de encima fue prometerle que me reuniría más tarde con él para tomar una copa.

—Pues condujo directamente al hotel al policía británico.

—Es inspector jefe. Me refiero al policía. Se llama Sinclair.

—¿Y su conocido?

Me mordí el labio.

—Es otro profesor especialista en Shakespeare.

—Pero por el amor de Dios, Kate. —El reproche de Ben era muy doloroso, y el hecho de que me lo mereciera intensificaba el dolor—. ¿Consideró la posibilidad de situarse en la calle agitando una banderita roja?

Pensé que el taxista no me oiría, entre el tabique de plexiglás que separaba los asientos y el pop haitiano que se escapaba de su radio.

—Matthew, el profesor, dice que los Primeros Infolios han desaparecido. Tanto el del Globo como el de la Widener.

Estaba a punto de añadir algo más cuando Ben meneó brevemente la cabeza en direción al taxista. No era posible que aquel hombre pudiera oír algo, aunque no hubiera estado tarareando unos cuatro tonos y medio más bajo y, por si fuera poco, marcando su propio ritmo. Pero recordé la sombra en la ventana de mi apartamento y no dije nada.

Mientras nos acercábamos a Soldier's Field Road, sonó el móvil en mi bolso. Lo saqué y leí en la pantalla: «Matthew Morris».

—¿Es él? —preguntó Ben.

Asentí con la cabeza, y estaba a punto de abrir el teléfono cuando Ben meneó la cabeza. Me arrebató el móvil de la mano y lo apagó. Sin darme ninguna explicación, permaneció sentado con el móvil en la mano mientras Boston se deslizaba por la ventanilla.

Me molestó verme contemplando sus manos.

Efectuamos el resto del camino en silencio.

En el aeropuerto, Ben se introdujo en el grupo de personas que se apretujaba alrededor de los mozos que había en la parte exterior de la terminal. Soltando maldiciones por lo bajo y asiendo con fuerza la bolsa de los libros, lo seguí. Apenas había recorrido unos pasos cuando me deslizaron un asa en la mano libre. Bajé la mirada. Era de una maleta con ruedas. La examiné más detenidamente. Mi maleta. Miré a mi alrededor, pero no vi que nadie me prestara la menor atención. Ahora Ben también tiraba de una maleta. Me dirigió una rápida sonrisa y entramos. Nos registró a los dos en un mostrador y me entregó mi billete.

—Pero esto es para Los Ángeles —dije mientras nos apartábamos de la cola de nerviosos viajeros que teníamos a nuestra espalda.

—Sí.

—Cedar City tiene su propio aeropuerto.

—Si volamos a Cedar City, su amigo el inspector jefe se reunirá con nosotros en cuestión de horas.

—De acuerdo. Pero Los Ángeles está demasiado lejos. Un viaje por carretera de seis horas por lo menos. Puede que diez.

—No vamos a Los Ángeles.

Volví a mirar mi billete.

—U.S. Airways cree que sí.

—Confíe en mí.

Confiar no parecía precisamente la palabra más apropiada para cualquier cosa que estuviera tramando, pero me contuve y no dije nada. Pasamos por el control de seguridad mostrando nuestros pasaportes y, a continuación, él se dirigió a toda prisa a la puerta de embarque. Poco antes de que la alcanzáramos, aminoró la marcha.

—Allí está el lavabo —dijo indicándomelo por señas—. Hay una muda de ropa en el compartimento exterior de su maleta. Puede registrar todo el maldito contenido si está preocupada por el hecho de que la maleta haya estado lejos de sus manos. Siempre y cuando vuelva usted a reunirse aquí conmigo dentro de diez minutos. Y deme su billete.

Hice ademán de protestar, pero él me dijo:

—Démelo, Kate.

Tiré de la maleta y entré en el lavabo, cerrando ruidosamente la puerta del escusado individual. La idea de Ben del trabajo en equipo me estaba empezando a parecer cada vez más descabellada. Por lo menos, tenía razón respecto a la ropa. En el compartimento exterior encontré unos vaqueros ceñidos, unas botas de ante con tacón de aguja y una ajustada blusa de color rosa chicle y profundo escote en uve. Al fondo había algo que al principio me pareció un debilitado hurón albino, pero que resultó ser una larga peluca rubio platino.

No sin cierto reparo, me quité los zapatos y me puse los vaqueros. Tuve que contraer los músculos del abdomen para poder subirme la cremallera. No sólo eran ajustados, sino que, además, estaban tan tiesos como patas de palo. Me quité el top de seda que sir Henry había aprobado y me puse la blusa de color de rosa que probablemente lo hubiera puesto enfermo, aunque no sé si a causa del mareo o de la risa. La prenda me llegaba justo por encima del ombligo y no alcanzaba ni de lejos la parte superior de los vaqueros. Maravilloso. Iba totalmente vestida, pero apenas llevaba algo más que un bikini.

Después me encasqueté el hurón.

Por último, en el fondo del compartimento exterior de la maleta, encontré una bolsita de maquillaje y una caja de pestañas postizas. Me quité cuidadosamente el broche de Roz que me había prendido en la chaqueta, lo envolví con papel higiénico y lo guardé en el fondo del bolso. Después introduje mi ropa en la maleta y salí del retrete. Delante del espejo, me detuve en seco. Yo había desaparecido y Paris Hilton había ocupado mi lugar, aunque, lo reconozco, era Paris Hilton después de unas cuantas comilonas para alcanzar un peso normal.

Unos trazos de rímel de color negro, carmín de labios rosa y pestañas postizas, y listo. Abandoné los servicios, tirando de la maleta a mi espalda.

Ben me estaba esperando. Su cabello peinado hacia atrás parecía más oscuro y llevaba una desabrochada y chillona camisa estampada que dejaba al descubierto una gruesa cadena de oro alrededor de su cuello. Olía a colonia cara y sus indolentes andares transmitían la idea de que le gustaba más ir de marcha que comer. Una turbia sonrisa casi socarrona jugueteaba en su boca.

—La veo estupenda —me dijo, arrastrando las palabras con un acento que parecía directamente salido de un pantano del Misisipí.

—Si le gustan los hurones albinos con la tripa al aire... —repliqué en tono irritado—. Usted parece un Elvis pasado por Eurovisión.

Me volví hacia la puerta de embarque del vuelo con destino a Los Ángeles.

Él me agarró del brazo.

—Por aquí —me dijo, señalándome una puerta situada justo al otro lado—. Nos vamos a Las Vegas, nena.

—Profesora Nena, si no le importa —repliqué—. Y la última vez que miré, nuestros billetes decían Los Ángeles.

Ben meneó la cabeza.

—Katharine Stanley vuela a Los Ángeles. Probablemente ya se encuentra a bordo. En cambio, Krystal Shelby se dirige a Las Vegas.

Como era de esperar, el billete que me entregó decía «Krystal Shelby».

—¿Cree de veras que esto va a dar resultado?

—No estamos tratando de infiltrarnos en la mafia rusa. Simplemente intentamos despistar.

Mi mente empezó a analizar a velocidad de vértigo la escenificación de aquel teatro. Demasiado rebuscado simplemente para despistar. La peluca. La ropa, toda de mi talla, cuidadosamente colocada en mi maleta. Nuestro equipaje trasladado a toda prisa desde el hotel al aeropuerto y las reservas de los vuelos.

—¿Cuánto tiempo lo lleva planeando?

Por lo menos, fue Ben quien contestó, y no Elvis.

—Todo el propósito de venir a Boston era el de protejerla. Había que sacarla del Reino Unido de incógnito, en caso necesario. Lo reconozco, pensaba que íbamos a regresar a Londres. Utah es sólo un pequeño desvío pasajero en el plan.

Me detuve en mitad del aeropuerto con los brazos en jarras, bloqueándole el paso.

—Todo esto precisa algo más que un plan. Precisa dinero y la participación de varias personas. En plural.

Ben se encogió de hombros.

—Elvis tiene sus espías.

No me moví de donde estaba.

—¿Quiere que me vuelva a poner serio?

Asentí con la cabeza.

Agarrándome por el codo, me llevó a un tranquilo rincón de una puerta de embarque desierta.

—Tal como le dije anoche, tengo mi propia empresa. Y eso significa tener empleados, Kate. Además, tengo contactos en más lugares de los que usted se imagina.

—Pues, entonces, ¿por qué usted? ¿Por qué usted personalmente?

Habló rápidamente y en voz baja.

—Es lo que quería Roz. Mi tía me contrató para que la protegiera personalmente mientras usted estuviera siguiendo la pista que ella misma le había señalado, y eso es lo que pienso hacer. Llámeme anticuado, pero me gusta pensar que mi palabra significa algo. Aunque sería muy útil que usted colaborara. Por consiguiente, preste atención. Dar protección es mi actividad habitual, pero tampoco se me dan del todo mal las fugas y seguir pistas. Dos habilidades que usted necesita en estos momentos, por si no se ha dado cuenta. Pero yo no obro milagros. Cuanto más tiempo tenga para organizar fugas como ésta, mejor. Y cuantas menos fugas tenga que organizar, muchísimo mejor todavía. En cuanto al dinero, hay mucho, pero es limitado. Cuanto más lejos lleguemos, más querrá atraparla la policía y más difícil, y más caro, resultará seguir tratando de localizar clandestinamente lo que busca. Por consiguiente, cuanto más rápido trabaje, más probable será que alcance su propósito. —Cruzó los brazos casi como si me estuviera lanzando un desafío—. O simplemente podría dejarlo correr y cederle la búsqueda a la policía.

—No.

Me miró sonriendo.

—No es la respuesta más inteligente, pero tengo que reconocer que la admiro. Sin embargo, yo tengo mis límites, aunque usted no los tenga. En algún lugar hay una línea que no pienso cruzar ni por usted ni por Roz.

—¿Dónde?

Meneó la cabeza.

—Se lo diré cuando llegue el momento. Mientras tanto, en cuestiones relacionadas con la seguridad, tendrá usted que seguir mis indicaciones so pena de que yo considere roto el contrato y me desentienda de usted.

—¿Es una amenaza?

—Es lo que hay.

Asentí con la cabeza.

—De acuerdo.

—Muy bien, pues. —Me señaló la hilera de teléfonos que había en la pared.

—Si quiere consultar su buzón de voz, ahora es el momento.

—¿Dónde está mi móvil?

—Fuera de servicio.

—Funcionaba bien en el automóvil.

—Pero ahora ya no.

—¿Qué le ha hecho?

—Liquidarlo. Lo siento, Kate. Pero todos los minutos que permanece encendido, usted está localizable dentro de un radio de un campo de fútbol en cualquier lugar del planeta.

Le entregué mi bolso y me acerqué a uno de los teléfonos. Introduje dos monedas de veinticinco centavos y marqué el número. Tenía tres mensajes. Dos de ellos eran de sir Henry. «¿Dónde está?», me preguntaba. El siguiente era una súplica: «Vuelva a casa.» Con una punzada de remordimiento, los borré.

El tercer mensaje era de Matthew.

«Lo siento, Kate —decía su voz, manifiestamente preocupada—. Cualquier cosa que estés haciendo, es probable que te la he estropeado. Cuando te dejé para entrar en la Houghton, pensé que me iban a someter a un duro interrogatorio acerca del Infolio, pero, en su lugar, un policía británico me estuvo haciendo preguntas sobre Francis Child. Sin embargo, lo más curioso fue que los papeles de Child no estaban en su sitio porque alguien se los había llevado. Pero eso tú ya lo debes saber, puesto que ese alguien eres tú.

»Cuando el policía se enteró de la noticia, pensé por un momento que iba a estallar como el Krakatoa, pero no lo hizo. En su lugar, se hundió en un gélido silencio, lo cual fue mucho peor. Cree que corres peligro, Kate. Un grave peligro. Por consiguiente, le dije dónde te alojabas... Espero que fuera lo más apropiado.

»También mandó custodiar todos los documentos relacionados con Child.

»No tengo ni idea de en qué lío estás metida, pero si necesitas ayuda, llámame. Y, si no la necesitas, llámame de todos modos. Me encantaría saber qué hay en esas cajas. Y, más que eso, me gustaría saber que estás bien.»

El mensaje terminó con un *clic.*

Volví a escucharlo.

—Escuche esto —le dije a Ben, indicándole por señas que se acercara.

Él se acercó el auricular a la oreja con el rostro más inexpresivo que una máscara.

—Sabe lo de Child —dije con creciente temor—. Sinclair sabe lo de Child.

Dentro de la bolsa de plástico blanco y negro de la Harvard Book Store, escondida en el interior de un bloc de páginas amarillas entre los libros, se encontraba la carta de Granville... perteneciente al fondo de la Houghton. Seguramente estaba despidiendo un fulgor nuclear.

Ben colgó el teléfono.

—Eso no significa que sepa lo que está buscando. Y, aunque lo supiera, no lo encontrará. —A pesar del tono de serenidad de su voz, percibí un estremecimiento de diversión—. No si nosotros llegamos primero.

«El vuelo Cinco-Ventiocho a Las Vegas está preparado para el embarque —dijo una voz a través de un estridente sistema de megafonía—. El acceso a bordo es conforme al número de asiento. Los pasajeros de primera clase pueden embarcar en cualquier momento.»

Nos dirigimos a la puerta. Mientras el empleado de la compañía aérea comprobaba nuestros billetes, oí el rumor de gente corriendo a nuestras espaldas. Los viajeros que estaban en la puerta de embarque volvieron la cabeza y estiraron el cuello para mirar. Varios policías corrían en fila india sin apenas dirigir una mirada a nuestra cola. Sujeté con tal fuerza la bolsa de los libros que el corte de la mano me volvió a escocer.

Ben me la quitó de las manos.

—Tal como le dije esta mañana —me susurró tranquilamente al oído—, la cosa está caliente y cada vez lo estará más.

Tres puertas de embarque más allá, los agentes se desplegaron en abanico de cara a la puerta. Pero estaba cerrada y no había nadie.

La mujer del mostrador meneó la cabeza, visiblemente preocupada.

—El vuelo de Los Ángeles ya está rodando por la pista de despegue —dijo Ben—. Lástima.

En la puerta, el empleado tomó mi billete y avancé con mi maleta de ruedas por el *finger*, tambaleándome sobre mis ridículos tacones.

17

Teníamos asientos en clase *business*, pero el avión estaba tan lleno que era imposible mantener una charla confidencial. Aunque tampoco es que la fuéramos a mantener pues, en cuanto llegamos a nuestros asientos, Ben bostezó y anunció:

—Si no le importa demasiado, voy a dormir.

Educado, pero irreductible. En dos minutos se quedó dormido.

¡Dormir! Cierto que la víspera Ben no había dormido y, que yo supiera, la antevíspera también se la había pasado en blanco. Pero a mí me era tan imposible conciliar el sueño como desplegar unas alas y volar rumbo a las praderas del Edén salpicadas de lirios. Además, la peluca me picaba.

Contemplé cómo el avión corría por la pista de despegue y se elevaba por encima del mar antes de virar hacia el oeste. Me removí con inquietud en mi asiento. Si Sinclair estaba enterado de lo de los papeles de Child, era muy posible que el asesino también lo estuviera. Y, que yo supiera, éste se me había adelantado. Por lo visto, ambos creíamos que había por ahí una obra teatral que llevaba casi cuatro siglos sin que nadie la hubiera visto representada en un escenario.

¿Habría visto Roz el manuscrito de Granville? Había acudido a mí suplicándome ayuda, lo cual permitía suponer que no lo había visto. De lo contrario, tal como sir Henry había señalado, hubiera podido ir directamente a Christie's.

¿Qué se experimentaría al echarle un vistazo? A juzgar por la descripción de Granville, el ejemplar estaba muy gastado, arañado y emborronado. Y por tanto no era un dechado de belleza. La fascinación que ejercía debía de ser de otra clase.

Veinte años atrás habían salido a la luz dos poemas y sus descubridores habían afirmado que eran de Shakespeare. No eran poemas demasiado buenos —hasta sus valedores lo reconocían— y estaba claro que no pertenecían a Shakespeare. Y, sin embargo, se había armado un revuelo internacional y la noticia se había divulgado a través de los noticiarios nocturnos y las primeras planas de los periódicos de Nueva York, Londres y Tokio.

Pero ahora se trataba de una pieza teatral. Una pieza entera.

Ben tenía razón. En un mundo en el que los chicos son capaces de matar por unos tapacubos, en el que un pandillero te puede liquidar simplemente para comprobar si su arma funciona, no falta gente capaz de cometer uno o dos asesinatos.

¿Sería una buena pieza teatral?

¿Acaso importaba?

A mí sí. Casi todas los relatos se desvanecen cuando terminan, pero las grandes historias son distintas. Yo había soñado con amar como Julieta y con ser amada como Cleopatra. Con apurar la vida hasta las heces como Falstaff y combatir como Enrique V. Si sólo había atisbado un lejano eco de vez en cuando, no había sido por no haberlo intentado. Ni por no haber obtenido mi recompensa: incluso aquellos lejanos ecos habían labrado mi vida, convirtiéndola en algo mucho más fructífero y profundo de lo que yo hubiera podido imaginar por mi cuenta. En Shakespeare, había visto lo que era amar y reír, odiar, traicionar e incluso matar: todo lo que hay de más claro y oscuro en el alma humana.

Y ahora parecía que quizá, sólo quizá, había algo más.

No había habido ninguna nueva obra de Shakespeare —una pieza que alguien hubiera visto o leído— desde la última vez que el dramaturgo envió al Globo la última creación de su pluma. ¿Cuándo debió de ser eso? Probablemente en 1613; tal vez se trataba de *All is True*, la obra sobre Enrique VIII. Lo cual la situaba a menos de un año de la aparición de *Cardenio*.

Tal vez *Cardenio* fuera la obra magna jacobina de Shakespeare.

¿Mejor que *El rey Lear*, *Macbeth*, *Otelo* y *La tempestad*? Era mucho pedir.

Si lo fuera, ¿por qué no figuraba en el Infolio? ¿Y por qué Roz se había referido a la fecha de éste?

A mi lado, escuchaba el suave murmullo de la respiración de Ben. Rebusqué en silencio en la bolsa de la Harvard Book Store hasta encontrar el libro de Chambers. Tras acomodarme contra el respaldo, leí, por una vez desde el principio hasta el final, su anotación acerca de *Cardenio.*

Tras haberse sumergido en *Don Quijote*, parece ser que Shakespeare escribió una obra que surcó el cielo cual si fuera una estrella fugaz y despertó el interés inicial de la corte, pero acabó finalmente en el olvido. Según Chambers, sólo se había vuelto a representar en una adaptación del siglo XVIII bajo el título de *La doble falsedad o los amantes afligidos*.

Eso, por lo menos, sobrevivió, por más que Chambers diera a entender que la obra era en todo caso peor que el título que incorrectamente se le había atribuido*, y que era tan mala como para no tener el menor derecho a aferrarse tan tenazmente a la vida. Tal vez tuvo que ser reescrita de principio a fin, igual que *Romeo y Julieta*, del mismo período, en la cual los amantes se despertaban justo a tiempo para vivir felices por siempre jamás. El siglo XVIII era aficionado a las obras optimistas, de pulcra estructura y lenguaje refinado, lo cual había exigido una considerable revisión de los textos de Shakespeare. Tenía que encontrar aquella adaptación en cuanto pudiera. Cabía la posibilidad de que hubiera algunos fragmentos dispersos esparcidos entre los cascotes. Necesitaría una biblioteca muy bien surtida para encontrar un ejemplar.

Lástima que no hubiera tenido ocasión de leer el comentario entero de Chambers en la Widener o la Houghton. En algún lugar del despacho de Roz debía de haber un ejemplar de *La doble falsedad*, y la Houghton debía de custodiar dos o tres en sus cámaras. Entre tanto, podía empezar por donde Shakespeare lo había hecho: por Cervantes.

Saqué mi recién adquirido ejemplar de bolsillo de *Don Quijote* y me puse a leer.

* El título en inglés (cuya ortografía es caprichosa) es *Double Falshood, or The Distrest Lovers. (N. de la T.)*

Al cabo de varias horas y de doscientas páginas de bucear en el texto hacia adelante y hacia atrás, y de tres servilletas de cóctel emborronadas con notas, ya había localizado la historia de Cardenio, que entraba y salía velozmente del argumento principal de la obra. Cervantes era un maestro y un mago del relato. Ahora lo ves y ahora no lo ves. En *Don Quijote* las líneas argumentales aparecen, desaparecen y vuelven a aparecer como conejos o como vistosos pañuelos de seda.

Al final, lo que tuve delante fue un triángulo. La simple geometría del amor puesto a prueba: el amante, la amada y un amigo convertido en traidor. Era un esquema que Shakespeare había utilizado mucho tiempo atrás en *Los dos caballeros de Verona*, una de sus primeras obras.

Pero *Los dos caballeros*, con su amistad rota por una mujer, era sólo el principio. Leer la historia de Cardemio era como ver las obras completas de Shakespeare fragmentadas a través de un calidoscopio. En una historia enmarañada estaban presentes muchos de los momentos que hacían que varias obras perduraran en la mente. Una hija obligada por su padre a contraer un matrimonio que ella aborrece: «Y tú serás mía, te entregaré a mi amigo. Y no serás ahorcada, perecerás de hambre, morirás en las calles, pues por mi alma que jamás te reconoceré». Un matrimonio roto y una mujer tratada peor que un perro callejero y, sin embargo, todavía leal y todavía enamorada. Una hija perdida —«Mi hija. ¡Oh, mis ducados!»— y una hija encontrada. El suelo de un bosque cubierto de poemas de amor y un hombre extasiado ante la música: «Sonidos y dulces melodías que deleitan y no hacen daño [...], y cuando desperté, pedí a gritos volver a soñar».

No era de extrañar que Shakespeare se hubiera apropiado de Cardenio cuando ya sus días bajo el sol se iban deslizando hacia el ocaso. Le debió de parecer algo así como volver a casa.

Una soñolienta nostalgia me estaba empezando a invadir cuando el avión aterrizó con una sacudida. Introduje mis servilletas llenas de anotaciones en el libro y lo guardé; no tuve tanto éxito en guardar mi inquietud. A mi lado, Ben bostezó, se desperezó y se incorporó. Unos minutos después lo seguí con el corazón galopando en mi pecho desde el *finger* hasta la terminal.

Nadie nos miró dos veces. Ni siquiera los policías. En Las Vegas, la ropa que en Boston llamaba la atención hubiera podido ser de camuflaje.

La estratagema de Ben había dado resultado. Nos abrimos paso entre la gente que se apretujaba bajo los cavernosos techos cubiertos de espejos estilo disco y pasamos por delante de unas enormes pantallas en las que se exhibían coristas y jugadores profesionales de póquer.

En el garaje, elegimos un Chrevrolet de un indescriptible color canela —alquilado bajo un nombre que no guardaba el menor parecido con Benjamin Pearl, pero coincidía con el de varias tarjetas de crédito y un carnet de conducir que sacó del billetero— y nos dirigimos al nordeste, al desierto de Mojave.

18

Hacia el norte se divisaban unas montañas dentadas cubiertas de nubes. Hasta donde alcanzaba la vista el desierto estaba salpicado de matorrales achaparrados El termómetro del automóvil indicaba que la temperatura del exterior era de cuarenta y cinco grados, pero puede que la apreciación fuera un poco optimista. Por la cegadora luz que nos rodeaba, yo la hubiera calificado de brutal.

Ben interrumpió mis reflexiones.

—¿Por qué decidió Roz enviarla a estos desiertos y estas montañas para que recopilara material para su libro? ¿Acaso es usted de algún sitio de por aquí?

Solté una breve carcajada.

—No. Soy de todas partes y de ninguna. Mis padres eran diplomáticos. Pero una tía abuela mía tenía un rancho en Arizona. En la frontera con México.

—¿Tenía algún nombre esa tía?

—Helen —contesté sonriendo—. Aunque mi padre siempre se refería a ella como la baronesa. —Mi mirada se perdió en la distancia—. Cuando yo tenía quince años, mis padres murieron en un accidente de aviación. Su avioneta se estrelló en Cachemira al pie de la cordillera del Himalaya. Por aquel entonces yo estaba en un internado, pero después del accidente siempre pasé mis vacaciones con tía Helen. Dos mujeres y treinta kilómetros cuadrados de cielo salvaje, solía decir ella. Echaba de menos a mis padres y, al principio, todo aquello no me gustaba. Sólo cielo y susurrantes prados del color de los huesos viejos y unas extrañas montañas a lo lejos. Pero, al final, el Crown S se convirtió en el único lugar en el que siempre me sentía a gusto.

Amaba a mis padres, pero jamás llegué a conocerlos. Durante buena parte de mi joven existencia habían estado ocupados con su vida y con sus profesiones mientras que tía Helen me amaba desde que yo era pequeña con toda la testaruda furia de una tigresa. De repente, se me ocurrió pensar que ella me había preparado para Roz o que me había dado la fuerza necesaria para resistirla, por lo menos durante algún tiempo.

—¿Pertenece el rancho al pasado?

—Lo mismo que mi tía. Murió cuando yo estudiaba el último curso en la universidad, y la propiedad se dividió y se vendió... Resultaba demasiado caro mantenerla. No quería que ni mis primos ni yo estuviéramos atados al rancho, y tampoco quería que nos peleáramos por él. Ahora es un conjunto de pequeños ranchos de dieciocho hectáreas, comprados por ejecutivos a los que de vez en cuando les gusta jugar a los vaqueros los fines de semana. No he regresado.

—El paraíso perdido —dijo Ben en voz baja.

Al cabo de un rato, asentí con la cabeza.

Nada se movía salvo los automóviles que circulaban por la Interestatal y la reverberación del halo vaporoso, producido por el calor, que subía del asfalto. En la distancia, un ave que podía ser un águila volaba en círculo impulsada por las corrientes de aire.

—Usted no llama a Roz «tía Roz» —dije de repente.

—A ella no le gustaba —contestó Ben, con una mano en el volante y rebuscando en un estuche de cedés con la otra—. Una campiña tan grande necesita música de la grande. ¿U2 o Beethoven?

—¿Y qué me dice de una gran historia? —repliqué.

Cinco minutos después le estaba comentando a Ben el relato de *Don Quijote* con la melancólica fuerza de la sinfonía *Heroica* de fondo.

El argumento principal era muy sencillo. Ante el desprecio de un mundo incrédulo, el viejo y enloquecido don Quijote se convierte en caballero andante y se lanza a recorrer España en busca de aventuras en compañía de su gruñón y panzudo escudero Sancho Panza. De momento, todo bien.

Lo malo de la historia de Cardenio era que se trataba de un argumento secundario y los argumentos secundarios de *Don Quijo-*

te lo son todo menos sencillos, aparecen como de la nada y vuelven a desaparecer justo en el momento en que las cosas se están poniendo interesantes. La historia de Cardenio, tal y como yo la había entendido, se desarrollaba de la siguiente manera: lejos de su hogar y desviviéndose por ser servicial en la corte del duque, el joven Cardenio confía el cortejo de su amada Luscinda a su amigo Fernando, el hijo menor del duque. Sin embargo, una mirada a Luscinda asomada a una ventana a la luz de una vela, induce a Fernando a traicionar a Cardenio y cortejar a la dama en su propio beneficio.

Regresando justo a tiempo para ser testigo del «sí» balbucido por su amada a su mejor amigo, Cardenio pega un brinco y se interpone entre ellos con la espada desenvainada, pero antes de matar a alguien huye a la montaña, loco de celos y de dolor. En el altar, Luscinda se desmaya, dejando caer una daga y una nota de suicidio. Cuando se le niega la muerte, se retira a un convento.

—A primera vista, no parece un tema muy prometedor para una comedia —comentó Ben.

—Pero es que no le he contado ni la mitad —repliqué—. Llegados a este punto, casi todos los narradores ya estarían medio muertos de agotamiento, pero Cervantes simplemente acaba de empezar.

Ben lo pensó un poco.

—¿Y qué cree que hizo Shakespeare con la historia?

—Es la pregunta del millón, ¿verdad? —Teníamos puesto el aire acondicionado a tope y todo lo que no estaba atado aleteaba. La parte de mi persona expuesta a la brisa estaba fría; el resto de mí estaba sudando. Me despegué del pegajoso asiento y me removí para que el frío aire me secara la espalda—. Sólo espero que conservara al viejo caballero y a su escudero.

—Usted prefiere las comedias de enredo a las estúpidas historias románticas.

No era una pregunta, pero le contesté como si la fuera.

—La mayoría de las veces sí. Pero eso no lo es todo. —Miré por la ventanilla buscando las palabras apropiadas, como si éstas fueran flores que estuvieran diseminadas por el desierto.

—Don Quijote y Sancho... son los que confieren a la historia una cierta chispa filosófica y le dan un poco más de enjundia a lo que sólo sería un vulgar culebrón.

—¿Le gusta pensar que Shakespeare no creaba culebrones?

No supe decir si Ben sentía auténtica curiosidad o sólo me estaba aguijoneando. Probablemente un poco de las dos cosas. A fin de cuentas, estaba emparentado con Roz.

—Me gusta pensar que sabía reconocer el talento allí donde lo había. *Don Quijote* es mucho más que una historia o una serie de historias, aunque se puede leer como tal si uno quiere, y reírse de buena gana al mismo tiempo. Eso solo ya justificaría el papel en el que está impreso. Pero es también un texto acerca del arte de contar historias. Acerca de la negativa de éstas a quedarse limpiamente ancladas en los libros.

Observé a Ben mientras hablaba, tratando de averiguar si sus ojos reflejaban aburrimiento y preguntándome si rechazaría mis ideas con algún comentario mordaz. Lejos de aparentar aburrimiento, se le veía insólitamente interesado con una expresión tan en desacuerdo con su disfraz de pareja de baile profesional que, de repente, no tuve más remedio que reprimir una risita.

—Siga —me dijo, frunciendo ligeramente el entrecejo.

Le expliqué que, tal y como la cuenta Cervantes, la historia de Cardenio empieza con unos ingeniosos artificios: una mula muerta, todavía ensillada y embridada, y una bolsa de cuero llena de oro, poesías y cartas de amor, con las que el caballero y su escudero se tropiezan en la sierra. Un cabrero relaciona muy pronto la mula y la bolsa con unos inquietantes rumores acerca de la presencia de un loco en el bosque. Cuando don Quijote y Sancho se encuentran con el loco, aquellos rumores acuden a la memoria de ambos mientras el joven —que es, naturalmente, Cardenio, en un momento de lucidez— les cuenta la triste historia de su amor perdido y de la traición de su amigo. Al final, la historia de Cardenio se libra totalmente de los relatos pasados y estalla en la realidad actual (por lo menos, desde el punto de vista de don Quijote y Sancho Panza) cuando el caballero y su escudero se tropiezan con todos los protagonistas principales en una venta, donde todos lloran, gritan, se pelean y perdonan. Para cuando la historia llega a su desenlace, los personajes ya no son el público de la venta, sino protagonistas atrapados en la acción.

—Suena bien —dijo Ben—. ¿Eso se lo ha inventado usted?

Me eché a reír.

—Ojalá. Pero eso se lo tenemos que atribuir a Cervantes. Muchas de sus historias son así. Incontenibles en cierto modo.

Me aparté del cuello un mechón del largo cabello rubio de la peluca, ladeando la cabeza para aprovechar la corriente de aire frío—. Pero si yo puedo ver esta intriga, supongo que Shakespeare la debió de ver más rápido y debió de penetrar en ella más profundamente que yo. A fin de cuentas, ya había ideado planteamientos parecidos mucho antes de llegar a *Cardenio.* Lo hizo en plan jocoso en *La fierecilla domada.* Tenemos también *Macbeth.* Con todos aquellos extraños acertijos...

—*Un hombre no nacido de mujer y el día en que un bosque se levante y se mueva* —dijo Ben en tono meditativo—. Macbeth cree que eso son simples metáforas de «nadie» y «nunca».

Asentí con la cabeza.

—Pero el caso es que se cumplen al pie de la letra. Y en *Macbeth* la idea de las historias y de los acertijos que se convierten en realidad es aterradora. —Dejé que el cabello se volviera a deslizar por mi cuello—. Me gustaría creer que, hacia el final de su vida, Shakespeare cayó en la cuenta de que la idea de convertir las historias en realidad podía tener su gracia. Aunque no veo de qué manera se puede lograr tal cosa, por lo menos, no en la historia de Cardenio, sin que el caballero y su escudero aparezcan como testigos que entran en acción.

Un destello de comprensión nos alcanzó simultáneamente a los dos. Vi que los nudillos de Ben palidecían sobre el volante mientras yo sentía que la sangre huía de mi rostro. Siguiendo la pista de *Cardenio* —el Cervantes de Shakespeare—, Roz había subido al escenario en el papel del espectro del padre de Hamlet y, unas cuantas horas después, con sus verdes ojos desorbitados por el asombro, había muerto casi como el viejo Hamlet a causa del veneno que le habían inyectado detrás de la oreja.

Pero su asesino no se había limitado a interpretar a Shakespeare. En cierto modo, también había interpretado el papel de Cervantes, convirtiéndose en un cruel giro del viejo y orgulloso don Quijote, introduciendo a la fuerza a otras personas en sus historias preferidas y logrando que dichas historias cobraran vida.

O muerte.

Y la cosa no tenía la menor gracia.

—¿Cree que el asesino conoce la conexión de Cervantes? —preguntó Ben en un susurro.

Meneé la cabeza, esperando con toda mi alma que no la conociera.

—Conduzca más rápido.

19

El desierto se deslizó como una borrosa mancha. Cuando la *Heroica* concluyó con su estruendoso final, cambié el cedé por el de U2, algo curiosamente oportuno, habida cuenta de que las únicas cosas vivas más altas que veía desde hacía lo que me parecían varias horas eran las pitas de pencas con espinas, en honor de las cuales Bono y su grupo habían bautizado uno de sus álbumes con el nombre de *The Joshua Tree.*

—¿Cuánto nos falta todavía para llegar a la civilización? —pregunté mientras la música resonaba en el interior del vehículo y su sonido se me antojaba tan ancho y desolado como el paisaje del exterior—. Tendría que llamar a sir Henry.

—¿Le va a anunciar nuestro paradero?

—No —contesté haciendo una mueca—. No le diré dónde estamos.

Ben me arrojó su móvil.

—¿Y cómo se las ha arreglado usted para conservar su móvil? —le pregunté, indignada—. ¿Porque es una BlackBerry con toda suerte de timbres y pitidos?

—En efecto. Y también porque nadie busca al individuo fantasma a cuyo nombre está registrado.

Marqué el número de teléfono de sir Henry y escuché con impaciencia el doble timbre británico. *Contesta, maldita sea.*

Se oyó el *clic* de la línea.

—Ah, la hija pródiga —exclamó sir Henry—. Pero una característica intrínseca de los pródigos es la de regresar. Cosa que con toda evidencia usted no ha hecho. Temeraria muchacha, ni siquiera se ha tomado la molestia de quedarse donde estaba.

—Perdón...

—Ni siquiera un mensaje de texto para decirme que estaba viva —añadió sir Henry en tono de reproche.

—Le estoy llamando ahora.

—Lo cual significa que quiere algo —replicó él con desdén. El remordimiento era un lujo al cual yo no tenía tiempo de entregarme.

—El análisis toxicológico —reconocí.

Tuvieron que transcurrir varios minutos de halagos antes de que sir Henry se ablandara lo bastante como para decirme lo que sabía. La policía había descubierto algo, pero él no sabía qué era. Simplemente lo había deducido porque el inspector jefe Sinclair, tal como él decía, se había ascendido a sí mismo desde el cargo de Inspector Siniestro al de Inspector Siniestrísimo, insistiendo con sospechosa machaconería en que necesitaba hablar conmigo a propósito de *Hamlet*. Al ver que Sinclair se ponía grosero ante la imposibilidad de ponerse en contacto conmigo, sir Henry se había ofrecido a darle explicaciones. Sinclair no había tenido más remedio que conformarse, pero dejó claro que sir Henry no era un sucedáneo de mi propia persona, lo cual no habría contribuido precisamente a calmar los ánimos de sir Henry, pensé. Podía ser tan vanidoso como un pavo real.

Aunque no podía decirme con certeza qué era lo que había descubierto la policía, sabía lo que el Globo había perdido. Cuando me comunicó la desaparición del Infolio, estaba tan evidentemente deseoso de arrancarme un jadeo de asombro, que experimenté la perversa satisfacción de provocarle otro a él a mi vez.

—El de Harvard también ha desaparecido —dije—. Precisamente anoche.

Soltó un reniego.

—¿Y qué me dice del ejemplar de Chambers? ¿Lo encontró?

—Sí.

—¿Le parece útil?

—Sí.

Esperaba que me preguntara en qué sentido, pero resultó que ahora le tocaba a él sorprenderme.

—Cualquier cosa que haya encontrado, Kate, entréguela a la policía. Que ellos se encarguen de buscar los Infolios. —Al ver que yo no decía nada, lanzó un suspiro—. No quiere que la policía localice los Infolios, ¿verdad?

—Roz tampoco lo quería.

—Roz ignoraba que iba a morir y que usted correría peligro.

Casi a modo de disculpa, dije:

—Me limito simplemente a seguir una pista más.

Lanzó un suspiro.

—Trate de recordar que hay un asesino al final de este arco iris en particular. No me gusta que lo haga todo usted sola.

—No lo hago sola.

El silencio brotó del teléfono como una impetuosa ola.

—¿Tengo que estar celoso o descorchar la botella de champán? —preguntó cuando estuvo en condiciones de hablar.

—Ambas cosas, si usted quiere.

—Pues entonces tengo que suponer que es un varón. ¿Quién es?

—Alguien muy útil.

—Espero que eso signifique que tiene buena puntería —dijo misteriosamente sir Henry—. Si averiguo algo más, se lo diré, y usted dígame cuándo vuelve a casa. Hasta entonces, tenga mucho cuidado.

El dubitativo tono de su voz no era demasiado alentador. La comunicación se cortó antes de que yo pudiera decir adiós.

Le devolví el móvil a Ben con una mezcla de alivio y tristeza. Sir Henry me había hecho un favor tras otro y, a cambio, yo lo había decepcionado y lo había dejado a oscuras. Me pregunté por un instante si eso se podría calificar de deslealtad, pero deseché de inmediato aquel pensamiento. No había mentido y ya habría tiempo más que suficiente para revelarle la verdad a sir Henry.

Eso si conseguía descubrir cuál era.

—¿Se refería usted por casualidad a mí cuando dijo «alguien útil»? —preguntó Ben.

—Sir Henry ha dicho que espera que tenga usted buena puntería. ¿La tiene?

—Cuando hace falta.

—¿Y cómo la adquirió?

—Con la práctica.

—Le he hablado un poco de mí. Es justo que usted me corresponda de la misma manera. —Al ver que no decía nada, seguí adelante sola, resumiendo lo que sabía—. Es usted propietario de una empresa de seguridad y dice que se le dan muy bien descubrir pistas y las fugas. Tiene buena puntería gracias a la práctica, pero no ha estado «exactamente en el ejército». No creo que aprendiera usted su oficio en la policía; no tendría sentido mostrarse evasivo a este respecto. ¿Significa eso que tengo que elegir entre el IRA y el SAS?

El alfilerazo provocó una respuesta.

—¿Le parezco irlandés?

—Hace unas horas se parecía a Elvis.

—A lo mejor es que soy Elvis.

—Ex agente del servicio secreto británico —dije meneando la cabeza—. En cualquier caso, de uno de ellos. ¿El SAS o el M16? Ésos son los únicos que conozco.

—*I ain't but a hound dog* —canturreó como Elvis, lo cual sonaba radicalmente distinto a U2.

Puesto que no estaba yendo a ninguna parte, le revelé lo que sir Henry me había dicho acerca del análisis toxicológico. Bruscamente, dejó de cantar.

—Tiene sentido. Se comprende que Sinclair necesite atarla corta. Si sabe que ha habido un asesinato, lo último que le interesará es que haya otro. Y lo penúltimo, que un aficionado le estropee la investigación.

Cerca de la frontera con Arizona nos detuvimos a poner gasolina en la ciudad de Mesquite. En el lavabo, me eché agua en la cara y me lavé el corte de la mano. En la caja, me compré un collar barato de plata (auténtica artesanía indígena). Quería ponerme el broche, pero el ajustado tejido de mi top no resistiría su peso y por ningún motivo me iba a poner la chaqueta. Pasé el broche por el collar y me lo ajusté alrededor del cuello. El broche quedaba un poco torcido y seguro que estropeaba el escote del top, pero me gustaba sentirlo allí colgado.

Entramos en Arizona y subimos por la angosta garganta de un río labrada en piedra caliza. Cuando salimos a la alta meseta del desierto del sur de Utah, el sol ya se había hundido en el horizonte lo bastante como para alargar las sombras y suavizar el calor.

No habíamos llegado muy lejos cuando el vehículo se deslizó por una pendiente y bajó rugiendo por un camino de tierra sin asfaltar. Chocamos contra una cerca y nos detuvimos entre unos álamos ocultos a la vista de la carretera interestatal por la joroba de una pequeña colina.

—Elvis está preparado para abandonar el edificio —dijo Ben. A continuación apagó el motor y bajó del vehículo para rebuscar en el interior de la bolsa que había dejado en el asiento de atrás—. Si sabe algo de París, ya me lo dirá.

Cargado con varias piezas de ropa, se situó detrás de uno de los grandes árboles.

Por una vez, no discutí. Encontré un vestido de tirantes y unas sandalias en la maleta. Me acerqué a otro árbol, me coloqué detrás y bajé por una orilla hasta un somero riachuelo, me quité la peluca rubia y después los sudados vaqueros y también el top de *lycra* de color de rosa. Por un instante, permanecí desnuda bajo la luz de última hora de la tarde, peinándome el cabello cobrizo con las manos y sintiendo la dulce caricia del aire perfumado con enebro sobre mi piel. Después oí el crujido de las pisadas de Ben que estaba regresando al automóvil. Rápidamente me puse el vestido.

—Afrodita surgiendo de la espuma —dijo Ben cuando volví al coche.

—Sólo que no estamos en ningún océano —contesté con aspereza—. Y, que yo sepa, nadie ha sido hecho preso y castrado, ofreciéndome un poco de espuma de mar de la que pueda surgir.

—Sabe usted destripar un cumplido mucho mejor que cualquier mujer que haya conocido —dijo jovialmente—. Pero sigue estando muy guapa, tanto si le gusta como si no.

—Vamos —rezongué.

Justo cuando la tarde se estaba inclinando hacia el ocaso, llegamos a Cedar City, arracimada bajo unas rojas barrancas entre los parques nacionales de Bryce y Zion. Su calle principal era una versión *vintage* estándar del Oeste, una fea amalgama de moteles, estaciones de servicio y centros comerciales. Sin embargo, a una manzana de la calle principal, una pequeña ciudad mormona se extendía en ordenadas hileras entre unas calles trazadas según los criterios de Brigham Young, el célebre dirigente mormón: lo bastante anchas como para que un convoy de carromatos pudiera doblar la esquina y adentrarse en ellas. En Boston, pensé con aire cansado, aquellas calles hubieran sido autopistas de cuatro carriles llenas de automóviles circulando a ciento veinte kilómetros por hora. Aquí estaban casi desiertas, bordeadas de pulcros prados y viejos y gigantescos alerces y fresnos. Bien alejadas de las aceras, las casas eran de estilo *revival* Tudor o bien *craftsman bungalow*, rodeadas de porches y adornadas con rosas trepadoras. Allí donde las calzadas se juntaban con las aceras, las corrientes que bajaban de la montaña discurrían por unas profundas cunetas, de tal forma que en toda la ciudad se escuchaba el rápido murmullo del agua.

Al llegar al campus de la Universidad del Sur de Utah, entramos en el aparcamiento del Festival Shakespeariano. Ben bajó muy despacio del vehículo y se frotó los ojos como si no creyera lo que estaba viendo: detrás de la curva de un auditorio estilo *mod* de la década de 1960, se elevaban los gabletes de un teatro isabelino. Su techumbre fuertemente inclinada era de tejas en lugar de paja y estaba muy bien iluminada por las lámparas que arrojaban a su alrededor una luz amarilla, como si fueran antorchas en medio de la brisa.

Unos rótulos proclamaban que el espectáculo de aquella noche iba a ser *Romeo y Julieta*. Contemplé aquel teatro que se había salvado de las llamas con una punzada de envidia y después rodeamos el auditorio, atravesando un arboleda de altos abetos. La noche profunda ya se había enroscado en las ramas y, por un instante, no pude ver nada en medio de la oscuridad. Pero sí oí unas carcajadas un poco más adelante. Cuando salimos de entre los árboles, vimos una multitud congregada en el extenso prado del extremo más alejado del teatro.

La gente permanecía sentada en los bancos o tumbada sobre la hierba; algunas personas incluso se habían encaramado a los árboles. Comiendo pastelillos y empanadas, contemplaban extasiadas cómo un grupo de joviales actores vestidos de verde representaban entre risas una sátira vodevilesca centrada en Julio Estornudo, un pañuelo extraviado y un Bruto Resfriado. Sin prestar la menor atención al espectáculo, mozas vestidas con faldas largas y ajustados corpiños paseaban entre la gente llevando unas grandes cestas de comida y anunciando: «¡Tartas de frutas calientes bajo los árboles!» y «¡Dulces para tu cariñito!»

La escena cómica tocó a su final, acogida con palmadas sobre las rodillas. Disfrutando con los silbidos y los aplausos, los actores se pusieron a bailar una giga. Se escuchó el estruendo de una trompeta desde la parte de atrás, y la *troupe* de actores se alejó bailando entre los árboles sin perder ni un solo compás antes de desaparecer por las puertas abiertas del teatro. El público se levantó, se alisó la ropa y los siguió.

En cuestión de minutos, nos quedamos solos sobre la hierba en medio de la creciente oscuridad. Señalé al otro lado de una herbosa hondonada una casita no de estilo *revival* Tudor sino auténticamente Tudor: una copia exacta de la casa natal de Shakespeare en Stratford-on-Avon, incluso con el mismo suave color grisáceo de las paredes y la techumbre de paja.

—Allí está —le dije a Ben—. El archivo.

Era todavía más bonito de lo que recordaba. Unos escalones de piedra bajaban a la hondonada, pasando junto a un pequeño estanque y un sauce inclinado sobre él. Aquellos dos elementos no estaban allí antes, como tampoco lo estaban las flores que todavía resplandecían débilmente bajo la menguante luz, apretujadas como en una casita inglesa, a pesar de que procedían del oeste de las Montañas Rocosas: palomillas, escrofularias y consueldas. Al borde del estanque, vislumbré el dorado fulgor de unas carpas tan misteriosas como sirenas, y me detuve.

Había estado persiguiendo la casita que ahora tenía delante desde que la había sacado de los viejos recuerdos a unos cinco mil kilómetros al este, de pie entre las estanterías de la Harvard Book Store. Pero, de pronto, me negaba a seguir adelante. Si me quedara allí, siempre cabía la posibilidad de que la respuesta que estaba buscando se encontrara justo al otro lado del prado, cruzando la pesada puerta de madera de roble. Y, si entraba, tal vez comprobara que no estaba en aquel lugar.

Mientras permanecía allí de pie, la luna llena se elevó por encima de la techumbre de paja. A nuestra espalda, un expectante silencio cayó sobre el teatro.

No sé qué esperaba. Quizás otro toque de trompetas. Lo que ocurrió fue mucho más sencillo. Se abrió la puerta de la casa y apareció una mujer con su largo cabello negro brillando bajo la luz de la luna. Se encontraba de espaldas a nosotros cuando giró una llave en la cerradura, pero alcancé a ver que su piel era de un color tan castaño rojizo como el de la tierra de Utah.

—*Ya'at'eeh* —dije en un susurro.

Era lo único que recordaba de la lengua navajo: «Hola».

Permaneció inmóvil un momento y después se volvió. Mezcla de navajo y paiute, Maxine Tom era una belleza deslumbrante de pómulos altos y boca risueña. Con su holgada falda, su ajustada sudadera de cremallera y una alhaja relumbrando en la nariz, hubiera dado la impresión de encontrarse como en casa en cualquiera que fuera el lugar elegido aquella semana como el más sofisticado de Manhattan, pero en ningún otro sitio se hubiera encontrado como en casa más que allí, en una surrealista encrucijada en la que confluían Shakespeare y el desierto del suroeste.

La conocí cuando ella estaba terminando sus estudios en Harvard y yo estaba empezando los míos. Me pareció la persona más brillante del mundo, y yo no era la única en pensarlo. Las ofertas de trabajo le llegaban con una asiduidad verdaderamente obscena, habida cuenta de la escasez de nombramientos para especialistas en Shakespeare. De entre toda la serie de ofertas que le llovían, eligió la única que a ella le interesaba: profesora auxiliar de literatura inglesa y directora de una pequeña biblioteca entre las rojas rocas y los enebros del desierto de Utah.

A Roz no le gustó la elección. Yo estaba trabajando en la antesala de su despacho cuando entró Maxine para comunicarle la noticia. Se produjo un gélido silencio y después Roz le dijo: «Hubieras podido ir a Yale o Stanford. ¿Por qué desperdiciar tus capacidades en el sur de Utah?»

Pero el sur de Utah era lo que Maxine quería. Era, dijo, el lugar que le correspondía o, en cualquier caso, el que más cerca se encontraba tanto de la zona paiute de donde era oriundo su padre, justo al sur de la ciudad, como de la de su madre, allá en el Dinetah —la tierra navajo—, y al mismo tiempo ese puesto de trabajo le permitiría poder pasar los días no sólo con Shakespeare, sino también con sus alumnos, algunos de ellos indios. Después la puerta se cerró y ya no oí nada más. Fue un silencio que a mí se me antojó de mal agüero, el silencio de los pájaros antes de un terremoto. Cuando se fue, Maxine me arrojó un consejo como las monedas que se arrojan en una boda, a pesar de que su sonrisa estaba teñida de tristeza: «No dejes que te convenzan de que te apartes de tu alma».

Ahora me miró con los ojos muy abiertos.

—Kate Stanley —dijo en un susurro.

Se oyeron unos gritos procedentes del teatro, seguidos de un breve entrechoque de espadas; sus ojos parpadearon mirando en aquella dirección.

—Pasa —me dijo. Después se volvió, abrió la puerta que acababa de cerrar y entró—. Te estaba esperando —añadió, perdiéndose en la oscuridad.

En el umbral, vacilé. ¿*Esperando*? ¿Quién le había dicho que yo iría?

Me volví a mirar a Ben y lo vi guardarse la pistola en el bolsillo.

Con un profundo suspiro, la seguí al interior.

20

Permanecí de pie justo en el umbral, consciente de la tensa presencia de Ben a mi lado.

—¿Quién te dijo que iba a venir?

—Roz —contestó Maxine desde la oscuridad—. ¿Quién pensabas?

Pulsó un interruptor y una cálida luz dorada inundó la estancia.

—Si quieres consultar el archivo, está al fondo.

Di unos cuantos pasos. Ben no se movió. Maxine abrió una a una las ventanas de cristales romboidales y el perfume de las rosas flotó en el aire nocturno.

—¿Qué ocurre, Katie?

—Estoy investigando algo.

Se volvió, enmarcada por una de las ventanas, y me estudió sin que lo pareciera, al estilo navajo.

—Roz te va a visitar al Globo y muere allí mientras arden el teatro y el Infolio... nada menos que el día veintinueve de junio. Martes, veintinueve de junio. —Se echó hacia atrás y cruzó una pierna por delante de la otra—. Dos noches después, tú te presentas aquí, tal como ella dijo que harías. Entre tanto, el Infolio de Harvard también ha sido pasto de las llamas. —Me miró a los ojos—. El mundo shakespeariano está alborotado con tantos incendios, Kate. Debo de tener cien correos electrónicos en mi bandeja de entrada. ¿Y tú sólo te dedicas a investigar algo?

Di un respingo.

—Sería mejor que no me hicieras preguntas a las cuales no puedo responder.

—Pues tengo que hacerte una. —Se apartó del alfeizar de la ventana—. ¿Estás trabajando por ella o contra ella?

El broche me pesaba alrededor del cuello.

—Por ella.

Maxine asintió con la cabeza.

—Muy bien, pues. Tú ya sabes cómo funciona este lugar. Dime si necesitas algo.

Miré a mi alrededor. La estancia era considerablemente más cómoda de lo que recordaba. Las amplias mesas repartidas sobre el suelo de baldosas grises eran las mismas, pero ahora había también unos mullidos sillones tapizados en calicó y cuencos de flores de plata.

Contra las paredes se seguían alineando los ficheros de madera de roble donde se guardaban las fichas.

Maxine miró en dirección al mostrador principal donde unas letras de latón rezaban: «El Shakespeare de Athenaide D. Preston en el Archivo del Oeste, Universidad del Sur de Utah».

—Tenemos una nueva mecenas —explicó Maxine.

Yo había oído hablar vagamente de la señora Preston. Una excéntrica coleccionista, no una estudiosa. Decían que era más rica que el rey Midas.

Me acerqué al catálogo principal. Había toda una serie de archivadores dedicados a personas, dos a lugares, otro dedicado a representaciones y otro a misceláneas. Me fui directamente al archivador de «Personas», al cajón Gl-Gy.

«Goodnight, Charles, ranchero (leía Shakespeare a sus vaqueros).»

«Grant, Ulysses S., general y presidente (interpretó a Desdémona en Texas, cuando era teniente).»

Noté un nudo en la garganta. Pasé a la siguiente ficha.

«Granville, Jeremy, buscador de minas y jugador de cartas (interpretó a Hamlet en Tombstone en el Teatro Birdcage, mayo de 1881).»

¡Hamlet! ¡Había interpretado el papel de Hamlet! De pronto, Granville se me antojó tan cercano, tan extremadamente cercano, que pensé que, si volviera la cabeza con la suficiente rapidez, lo podría vislumbrar a mi espalda, borroso e indefinido como la figura de un espejismo, pero presente.

Miré hacia atrás, pero sólo vi las ventanas abiertas al teatro.

Junto al escritorio, Ben estaba hablando con Maxine en voz baja tal como se hace en una biblioteca. Ella soltó una alegre carcajada que nada tenía que ver con el ambiente de las bibliotecas. Parecía una carcajada amistosa, pero pude ver que, mientras ella se reía, Ben vigilaba la puerta, todas las ventanas y a la propia Maxine.

Saqué la ficha de Granville del fichero, coloqué en su lugar la tarjeta rosa que señalaba «ficha retirada». «Hamlet.» Eso debía de ser lo que había llamado la atención de Roz sobre Granville. Pero ¿adónde habría ido a partir de allí? Eché un vistazo a la ficha.

> *Trabajó en Nuevo México y Arizona, 1870-1881. Denuncios de minas de Arizona: Cordelia, Ophelia, El Príncipe de Marruecos, Timón de Atenas; Denuncios de Nuevo México: Cleopatra, Cupido Guiñando el Ojo.*

Granville conocía muy bien a su Shakespeare: Cordelia, Ophelia y Cleopatra eran nombres evidentemente shakespearianos, amados por los mineros de toda la zona montañosa occidental. Pero no acertaba a comprender por qué había elegido *Timón*... A juzgar por lo que se podía deducir, Shakespeare estaba de muy mal humor cuando escribió la obra y, como consecuencia de ello, nadie la leía por gusto. En cuanto a «Cupido Guiñando el Ojo», me sonaba que podía ser shakespeariana, pero tendría que buscarla para estar segura. Sin embargo, lo que de verdad me había llamado la atención era el «Príncipe de Marruecos», no porque fuera oscuro sino porque era una alusión muy mordaz.

En *El mercader de Venecia*, el Príncipe de Marruecos tiene que elegir entre tres cofres: de oro, de plata y de plomo.

Si abre el que contiene el retrato de la heroína, adquirirá el derecho a casarse con ella. Elige el de oro y lo encuentra vacío, a excepción de un mensaje burlón: «Todo lo que reluce no es oro». La misma frase con la cual Granville había jugueteado en su carta al profesor Child. Arizona y Nuevo México no eran estados en los que abundara el oro, pero yo tenía razón. La idea del oro era algo más que una fantasía pasajera para el señor Granville.

La ficha mencionaba varios artículos del *Tombstone Epitaph*. La última frase decía: «Obituario: *Tombstone Epitaph*, 20 de agosto de 1881».

O sea que el profesor Child tenía que haber escrito su carta antes de aquella fecha.

—¿Encuentras lo que estás buscando? —preguntó Maxine, y pegué un brinco.

Ella y Ben estaban a mis espaldas.

—Pues sí.

Anoté las fechas del artículo en una ficha de préstamo del *Epitaph*.

Maxine desapareció en una estancia del fondo y regresó con dos cajas de microfilms marcadas «Enero-junio 1881» y «Julio-diciembre» del mismo año. Le entregué a Ben la caja de «Julio-diciembre».

—¿Ha leído microfilms alguna vez?

—En mi tipo de trabajo, no son muy necesarios.

—Pues ahora sí lo son. —Había dos lectores de microfilms. Le enseñé a pasar el carrete por el lector y encendí la luz—. La nota necrológica de Granville tiene que estar en alguna página del periódico del 20 de agosto de 1881.

Entre tanto, me dediqué a buscar artículos acerca del debut de Granville en el papel de Hamlet. Las páginas pasaron con vertiginosa rapidez mientras me iba acercando al mes de mayo y me detenía. Allí estaba:

> UNA BUENA APUESTA. —Nos hemos enterado esta mañana de que un caballero de esta ciudad muy conocido en los círculos del ambiente del juego hará su presentación como Hamlet el próximo sábado por la noche en el teatro Bird Cage. El caballero interpretará el papel tras haber aceptado una fuerte apuesta de cien dólares a que no se podrá aprender el papel (uno de los más largos de la obra) en tres días. Se dice que empezará a estudiar la obra esta tarde en cierto salón de mucho renombre. Prepárense para un emocionante momento.

El artículo no mencionaba el nombre de Granville, pero lo calificaba de jugador y no precisamente insignificante, por cierto. Cien dólares debía de ser un montón de dinero en 1881: por lo menos miles, quizá decenas de miles de dólares de los de hoy. Pero más que la suma, era la idea del plazo de tres días lo que me impresionaba. Semejante hazaña sólo habría sido posible por parte de alguien ya familiarizado con Shakespeare, a quien las cadencias y los ritmos del lenguaje le resultaran naturales. Alguien que fuera un buen narrador por derecho propio y un buen actor aficionado... O bien alguien con un memorión extraordinario.

Pulsé la tecla de «copia» y el aparato cobró vida con un zumbido. Las voces de hombres que gritaban entraron por una ventana seguidas por un entrechoque de espadas. Mercutio y Teobaldo debían de estar interpretando la escena en el teatro, lo cual significaba que no tardarían en morir. Hice un esfuerzo por volver a concentrarme en la pantalla, pulsando la tecla de avance.

Durante los tres días siguientes, el periódico fue publicando breves noticias acerca de los progresos de Granville bajo la atenta y curiosa mirada de los grandes personajes de la ciudad, en el salón de una tal señorita Marie-Pearl Dumont en su exclusivo establecimiento llamado Versalles. Al parecer, Granville estaba ensayando en un burdel francés.

Al final, llegué a la crítica, la cual utilizaba un lenguaje extrañamente florido para ser un periódico de una de las ciudades más violentas y anárquicas de la historia del Lejano Oeste.

> THE BIRD CAGE. —La interpretación de *Hamlet* por parte del señor J. Granville en el teatro el pasado sábado por la noche fue altamente meritoria, por cuyo motivo la ciudad puede sentirse justamente orgullosa. Lejos de dejar convertidos en guiñapos los torrentes de pasión del danés, los representó con una admirable suavidad. Fue caviar, sí, y también champán, pero de ésos que adora el público en general. En las manos del señor Granville, el héroe no fue el desmayado lirio tan popu-

> lar últimamente en los escenarios de la costa Este, sino un alma vigorosa que hasta los más revoltosos miembros del Territorio de Arizona pueden admirar. Con la práctica y el estudio, estamos convencidos de que el señor Granville podría llegar a convertirse en un destacado actor, aunque suponemos que él prefiere observar y hacerse con el botín.

Hice una copia de aquella página. «Observar y hacerse con el botín.» ¿Acaso Granville era un estafador, además de jugador y experto en prospecciones mineras? Experimenté un sobresalto de desconfianza. ¿Habría estado engañando a Child acerca del manuscrito y, a través de él, a Roz... y a mí?

—He encontrado el obituario —dijo Ben.

—Saque una copia —le pedí, cambiando de posición para leer por encima de su hombro.

> THE BIRD CAGE. —El sábado pasado, los amigos y admiradores del señor Jeremy Granville, vecino de esta ciudad, aprovecharon la presencia de la excelente compañía de actores del señor Macready para organizar en el teatro una representación de *Hamlet* en su memoria. El caballero en cuestión abandonó a caballo hace dos meses la ciudad con la intención de ausentarse una semana, pero no se le ha visto ni oído desde entonces. Los rumores acerca de un hallazgo de oro han inducido a muchos amigos antiguos y recientes a peinar el desierto en su búsqueda, pero todo ha sido inútil.
>
> Según las personas más allegadas a él, el señor Granville no era aficionado a los funerales, pese a ser muy consciente de que tal vez se estuviera dirigiendo al suyo propio cuando emprendió la marcha a lugares desconocidos, sobre todo sabiendo que se podía cruzar por el camino con los belicosos apaches. No podemos reproducir aquí la naturaleza exacta del presunto co-

> mentario del caballero, pero su tenor general señalaba que cualquier palabra que se tuviera que pronunciar por él o acerca de él debería pertenecer a Shakespeare y ser pronunciada por un actor, en sustitución de las palabras del devocionario leídas por un sacerdote. En eso, sus compañeros consideraron que lo mejor sería cumplir sus deseos. Por acuerdo general, el señor Macready le rindió tal homenaje que el mayor pesar del señor Granville debió de ser el de haberse perdido la representación.

—Fíjese en la fecha —dijo Ben, meneando la cabeza—. Dos meses antes del tiroteo en el OK Corral. Menuda manera de que te echen el olvido a paletadas sobre la cabeza, por muy insistentes que fueran los rumores acerca de la existencia de un yacimiento de oro.

—Tombstone se encuentra en un territorio rico en yacimientos de plata, no de oro, y las personas más sagaces que rodeaban a Granville lo hubieran sabido. Si hubiera habido alguna posibilidad auténtica de dar con una mina de oro por allí, la leyenda no habría caído tan rápidamente en el olvido, con OK Corral o sin él... No creo que hablara de oro en sentido literal.

A Ben le brillaron los ojos de emoción.

—¿Cree que lo dijo en sentido literario?

—Cambió lo de «No es oro todo lo que reluce» por «Todo lo que es oro no siempre reluce». Apuesto a que sabía exactamente lo que había encontrado en aquel manuscrito y tenía cierta idea de cuál podía ser su valor... Siempre y cuando no fuera imaginario.

Le mostré el artículo que hablaba de «vigilar y hacerse con el botín».

Ben meneó la cabeza.

—Si había estado engañando a Child, ¿por qué largarse antes de que éste mordiera el anzuelo después de haber preparado tan cuidadosamente la trampa? Creo que el manuscrito existió. Pero la cuestión es: ¿qué fue de él?

—Según los periódicos, los apaches estaban efectuando cada vez más incursiones aquel verano. Puede que atraparan a Granville. A lo mejor, los Clanton lo capturaron o puede que lo hicieran los bandidos mexicanos. Si iba tras alguna pista que indicara una mínima posibilidad de dar con una mina de oro, lo más probable es que tres cuartas partes de la población lo estuviera siguiendo. Si tenemos suerte, murió mientras se dirigía hacia allá, dondequiera que esté ese «allá», y no durante su regreso aquí. Porque, en tal caso, es posible que lo que buscaba siga estando donde él lo encontró.

—¿Cree que nosotros lo podremos localizar a pesar de que sus amigos no pudieron?

—Roz creía que podría.

—¿A qué distancia se encuentra Tombstone?

—A unos ochocientos kilómetros. Puede que a novecientos.

Ben frunció el entrecejo.

—Antes de poder ir allí, necesitaremos comida, Kate.

—Hay un bar a dos manzanas donde preparan bocadillos. El Pastry Pub. En Utah no hay problema para localizar una taberna irlandesa que sirva bocadillos a todas horas. Usted vaya por la comida y yo terminaré aquí. Hay una o dos referencias más que quiero examinar.

Ben vaciló.

—Vaya —insistí, indicándole la puerta—. Confío en Maxine y nadie más sabe que estoy aquí. Vaya tranquilo. Eso nos dará una ventaja inicial.

Se levantó.

—Vuelvo dentro de diez minutos. Espéreme aquí.

Mientras él se iba, saqué la ficha de Granville del fichero, coloqué en su lugar una de «préstamo» y se la llevé a Maxine.

—¿Granville dices? —dijo ella levantando los ojos del ordenador.

Le indiqué la última línea: «Foto 23.1875; EP: CP 437».

—Parece que hay una fotografía. ¿Puedo verla?

—Eso está hecho.

Se acercó a un expositor etiquetado con la indicación de «Amigos de la Biblioteca».

Sacó un libro y lo depositó en mis manos. El libro de Roz.

—*Voilà*, Jeremy Granville —dijo señalando la fotografía de la portada que mostraba a un hombre tocado con un sombrero Stetson de ala ancha y que sostenía una calavera en la mano.

Alargó la mano, abrió el libro y me indicó los créditos de la solapa: «Fotografía de Jeremy Granville como Hamlet. Tombstone, Arizona, 1881. Cortesía del Archivo Shakespeariano de Utah, Universidad del Sur de Utah».

—Eso fue antes de que adquiriéramos nuestro nuevo nombre —dijo.

Por primera vez, estudié con detenimiento el rostro del hombre tocado con el Stetson. Unos cuarenta años, calculé. Un artista había coloreado la foto, otorgándole unas patillas de color jengibre y unas mejillas sonrosadas. Pero los ojos pensativos y la boca un poco marchita eran sin duda de Granville.

Maxine volvió a estudiar la referencia de la ficha.

—«EP» significa efectos personales. Ropa, relojes, libros, documentos. Era un actor; puede que haya algún programa de sus representaciones. Y muchos de los antiguos buscadores de minas tenían mapas.

Fue como si alguien hubiera aspirado todo el aire de la estancia.

—¿Mapas?

—«CP» son las siglas de «colección particular». Mañana puedo llamar al propietario, si quieres.

—Hazlo ahora —le rogué—. Por favor.

Maxine lanzó un suspiro. Tomó la ficha que yo sostenía en mi mano y tecleó el código en el ordenador. Miró la pantalla, alargó la mano hacia el teléfono y marcó un número. Un código del área 520, correspondiente al sur de Arizona. *Tombstone*, pensé.

—¿Señora Jiménez? —dijo—. Soy Maxine Tom, del Archivo Preston. Siento molestarla tan tarde, pero es que tenemos otra petición para ver la colección Granville. Bastante urgente. —Hizo una pausa—. Ah, comprendo. Sí. Sí. No. Muy interesante. Bueno, pues, muchas gracias. Y saludos al señor Jiménez.

Colgó.

—¿La puedo ver?

—No.

Maxine contempló el teléfono, frunciendo el entrecejo.

—¿Por qué no?

—La han vendido.

Solté una maldición.

—¿A quién?

—A Athenaide Preston. No digas nada... quieres que la llame también a ella.

—Por favor, Maxine —le supliqué—. Hazlo por Roz.

—De acuerdo —dijo—. Llamaré por Roz. Pero que conste que eres tú quien me deberá el favor.

Escuché los tonos de llamada y después alguien respondió.

—Hola. ¿Señora Preston? Soy la profesora Maxine Tom, del Archivo.

La voz del otro extremo de la línea sonaba estridente, pero no pude captar lo que estaba diciendo, sobre todo porque Maxine cubrió el aparato con la mano e hizo una mueca. Despues habló en tono perentorio.

—Sí, señora, le pido disculpas por llamar tan tarde, pero tengo a alguien aquí que desea ver la colección Granville. La señora Jiménez dice que se la vendió a usted hace tres días... Puedo responder por la persona solicitante; estudiamos juntas en la universidad. Se llama Katharine Stanley... Sí, señora. Está aquí mismo, delante de mí. No, señora. Por supuesto. Se lo diré. Muchas gracias. Que tenga una buena noche.

Maxine colgó violentamente el teléfono.

—Espero que observes la dentellada que tengo en la oreja. —Me miró con expresión inquisitiva—. Me ha hablado hecha una fiera hasta que ha oído tu nombre. Me ha dicho que conoce tus trabajos y que vayas a su casa. Pero tendrás que estar allí a las siete de la mañana. Se va a las nueve.

—¿Dónde vive?

—Tiene un pueblo para ella sola. Es un pueblo fantasma, pero ella es la propietaria de todo. En Nuevo México, en las afueras de la preciosa Lordsburg. Se llama Shakespeare.

Alcé bruscamente la cabeza.

—¿Con todo el tiempo que estuviste viajando y recopilando información para Roz y no lo sabías?

—Fue sólo un mes. Cuando me fui, apenas habíamos rascado la superficie de las cosas.

—Está en el libro.

La miré sin comprender.

—No lo has leído, ¿verdad? —Alargó la mano sobre el mostrador y abrió una vez más el libro, esta vez pasando de la portada a una página casi vacía.

—«Para Kate» —leí. Y justo debajo otra línea en cursiva—. *«Todas las hijas de mi casa»*.

Lo contemplé casi sin respiración.

Maxine me miró con semblante compasivo.

—¿Rabia o pesar?

—Las dos cosas.

—Déjalo, Kate. Deja a Roz.

La miré a los ojos.

—No puedo. Todavía no.

Meneó la cabeza.

—Si quieres ver a la señora Preston, será mejor que te pongas en camino. Shakespeare está aproximadamente a unas once horas de carretera, respetando el límite de velocidad, así que vas a llegar a las nueve y media, algo de lo cual estoy segura que la señora Preston es consciente. Supongo que es para ponerte a prueba y ver hasta qué punto deseas ver eso que buscas.

Sacó un mapa y me indicó el camino: un largo y profundo navajazo en forma de jota al revés, atravesando Arizona y curvándose hacia el este en Tucson en dirección a Nuevo México.

—Y ahora, si no te importa, me voy a casa. Tengo un hijo pequeño y le gusta que le cuenten historias a la hora de dormir.

Me pilló desprevenida.

—Claro. No lo sabía.

—Hacía mucho tiempo que no nos veíamos —dijo Maxine en voz baja.

Consulté mi reloj. Ben regresaría de un momento a otro. Probablemente me cruzaría con él cuando saliera para dirigirme al automóvil. Recogí las copias de los artículos. Maxine no aceptó ningún pago y me encaminé hacia la puerta.

—Gracias —dije con torpeza.

—Cuídate, Katie —dijo Maxine.

Me dirigí a la oscura y pequeña hondonada para regresar al teatro y de allí al aparcamiento. Llegué al camino que conducía a este último rodeando el teatro y me detuve un momento para prestar atención, pero lo único que pude oír fue un suave murmullo. Quizá Romeo y Julieta se estaban despertando antes de comprender que se tenían que separar. O quizá Julieta se estaba bebiendo el veneno que simulaba la muerte.

Había bajado tres peldaños cuando oí un susurro entre los árboles. Me volví. Las ventanas de la biblioteca estaban a oscuras; unos altos jirones de nubes que cruzaban por delante de la luna hacían que los rombos de cristal brillaran y se retorcieran como una piel de serpiente. Bajo el sauce, el estanque era un charco de negrura. Permanecí inmóvil, tratando de descubrir de dónde procedía el sonido.

En algún lugar de la hondonada, sentí que unos crueles ojos me observaban. Di media vuelta por el camino que conducía al aparcamiento, confiando en ver a Ben acercándose a mí. Y entonces oí el mismo sonido que me había aterrorizado en los escalones que bajaban al Támesis: el de una espada extraída de su vaina.

Eché a correr entre la arboleda de abetos hasta que salí a la luz del aparcamiento. A Ben no se le veía por ninguna parte. Me acerqué corriendo al vehículo, pero estaba cerrado.

Me volví. La silueta de un hombre apareció bajo la luz y echó a correr directamente hacia mí.

Rodeé el coche para que éste se interpusiera entre nosotros. Y entonces las luces del automóvil se encendieron, oí que se abrían las puertas y me di cuenta de que el hombre que corría era Ben, que llevaba una bolsa y dos vasos altos de papel.

—¿Qué ha ocurrido? —me preguntó.

—Yo conduzco —le dije respirando entrecortadamente mientras abría la puerta—. Suba.

21

—Lo he oído —le comenté mientras nos dirigíamos al este para abandonar la ciudad—. He oído al asesino. Desenvainó una espada.

Ben alzó la vista de los bocadillos que estaba desenvolviendo y me miró sorprendido.

—¿Está segura? Estaban combatiendo con espadas en el escenario, Kate.

—Él estaba allí —dije tensando la voz—. En el Archivo.

Me ofreció un bocadillo, pero hice un ademán negativo con la cabeza. Quizá la comida era como el sueño para él —atrápala cuando puedas—, pero a mí era lo que menos me interesaba. Viajamos en silencio mientras él comía.

La carretera subía a las montañas describiendo curvas. Los achaparrados enebros y los pinos piñoneros cedieron el lugar a los ondulantes pinos rodenos y éstos a su vez a las oscuras flechas de los abetos. El bosque, cada vez más alto y espeso, se apiñaba junto al camino, pero la negra y serpeante cinta seguía ascendiendo. Las estrellas envolvían las copas de los árboles con su tenue y plateada luz, pero la carretera parecía un túnel atravesando la oscuridad. A nuestro alrededor, el mundo parecía inmóvil y misteriosamente vacío, exceptuando el murmullo de los árboles, pero no podía sacudirme de encima la sensación de ser observada.

—Creo que nos podría estar siguiendo —dije en un susurro.

Ben arrugó el envoltorio de su bocadillo y se volvió a mirar por la ventanilla posterior.

—¿Ha visto algo?

—No. Pero lo presiento.

Sus ojos se posaron un momento en mí y después él se inclinó hacia delante y apagó los faros delanteros.

—Jesús —exclamé levantando el pie del acelerador.

—No aminore la marcha —me dijo lacónicamente—. Siga la línea central.

Se desabrochó el cinturón de seguridad, bajó el cristal de su ventanilla y se asomó sacando todo el tronco fuera. Después volvió a meter el cuerpo en el vehículo. El áspero y gélido perfume de los abetos se mezcló con el más cálido aroma del café.

—Afuera sólo hay árboles.

—Él está ahí fuera —insistí.

—Tal vez. —Tomó el vaso de café y se calentó las manos—. El instinto me ha salvado la vida más de una vez.

Me había preparado para una negativa o una hiriente broma; su seriedad me pilló por sorpresa. Por estar mirando por el espejo retrovisor, estuve a punto de comerme una curva de la carretera; los neumáticos chirriaron un poco mientras enderezaba el vehículo y doblaba la curva.

—¿Qué tal si usted conduce y yo vigilo? —sugirió Ben. Apuró su café e introdujo el vaso en una bolsa de papel—. ¿Aún no tiene apetito?

Al ver que yo meneaba la cabeza, tomó el libro de Chambers y encendió una pequeña linterna.

—Hábleme un poco más de *Cardenio.* Chambers dice que alguien lo revisó y lo adaptó.

—*La doble falsedad* —dije asintiendo con la cabeza y agradeciendo que se me ofreciera otra cosa en que pensar—. Fue por el año 1700.

—En 1728 —dijo comprobando la fecha—. ¿Qué sabe usted de eso?

—No demasiado. —Tomé un sorbo de mi café—. Fue idea de un hombre llamado Lewis Theobald, que adquirió fama sobre todo por sus controversias con el poeta Alexander Pope. Theobald dijo que la edición de Shakespeare de Pope estaba llena de errores, lo cual era cierto, y Pope contraatacó señalando que Theobald era un pedante pelmazo incapaz de reconocer la valía de un buen relato por muy cerca que lo tuviera y aunque hubiera vivido directamente los diez años de la guerra de Troya, cosa que también era verdad. Pope escribió todo un poema épico satírico, *La dunciada**, en el que coronaba a Theobald como Rey de los Burros.

Ben se echó a reír.

—¿Una pluma más poderosa que la espada?

—En el caso de Pope, más poderosa que toda una brigada acorazada. Y con la adición de uno o dos navíos de guerra, por si acaso.

—Era temerario tener a Pope de enemigo. ¿Usted ha leído la obra?

—No, no es muy conocida. Ojalá la hubiera descubierto cuando estábamos todavía en Harvard. Aunque seguramente la podríamos encontrar en Internet. Los especialistas en el siglo dieciocho figuran entre los primeros que empezaron a introducir en la Red todo el material que tenían. Y los especialistas en Shakespeare no les fueron muy a la zaga.

Ben alargó la mano hacia el asiento de atrás y sacó un portátil.

—¿Usted cree que esta metrópolis está conectada?

Acabábamos de atravesar una trocha y la carretera se había convertido en un angosto saliente agarrado a la ladera de la montaña. A nuestra izquierda, el bosque bajaba hacia nosotros por una acusada pendiente desde una alta y árida cumbre. A la derecha, los árboles se apartaban de un precipicio casi vertical. Seguíamos circulando con los faros apagados; en toda aquella inmensa extensión de tierra, no se veía el menor parpadeo de luces. Salvo la carretera, no había ninguna otra señal del paso de seres humanos por aquel lugar.

—Vía satélite sí lo está. —Ben pulsó unas cuantas teclas y el portátil emitió una pequeña melodía y se despertó, llenando el interior del vehículo con su azulado resplandor. Le oí teclear y el resplandor cambió de azul a blanco y a melocotón cuando apareció en la pantalla una nueva página.

* De *dunce*, «burro» o «tonto» en inglés. (*N. de la T.*)

—Mire lo que tenemos aquí —dijo Ben—. *La doble falsedad o Los amantes afligidos.* —Pulsó unas cuantas teclas más—. ¿Qué quiere primero? ¿La obra o todo lo que viene delante? ¿Dedicatoria, prefacio del editor, prólogo?

—El prefacio —contesté, apretando fuertemente con las manos el volante sin apartar los ojos del tenue resplandor de la línea central.

—Parece ser que el rey Theobald ya se puso a la defensiva inmediatamente después de salir. Escuche esto: «Se ha calificado de increíble que semejante rareza pudiera permanecer oculta y perdida para el mundo a lo largo de más de un siglo».

—Ahora ya han trascurrido casi cuatro siglos —constaté.

Ben siguió examinando los datos.

—¡Toma! —exclamó tan de repente que pegué un brinco en el asiento—. ¿Sabía que Shakespeare tenía una hija bastarda?

Fruncí el entrecejo.

—Me lo tomo como un no —dijo Ben.

—No consta en los documentos.

—A menos que eso se considere un documento.

Meneé la cabeza. Me había pasado años estudiando a Shakespeare y jamás había encontrado la menor referencia a una hija.

—«*Hay una tradición* —leyó Ben—, *que me ha transmitido la noble persona que me facilitó uno de mis ejemplares...*»

—¿Uno? —pregunté con incredulidad—. ¿Uno de sus ejemplares? ¿En plural?

—Dice que tuvo tres.

Reí por lo bajini mientras Ben volvía a empezar.

—«*Hay una tradición, que me ha transmitido la noble persona que me facilitó uno de mis ejemplares, según la cual el autor le regaló esta obra como un valioso presente a una hija natural suya, en cuyo honor la escribió en la época de su retiro de la escena.*» ¿Por qué razón los hijos ilegítimos son «naturales»? ¿Significa eso que los hijos legítimos no son naturales? ¿Y qué es lo que tiene tanta gracia en su lado del automóvil?

—Es que, aparte de los hechos de que Shakespeare nació y murió, no se tienen muchos más datos de él. Y usted se acaba de cargar la mitad de ellos. —Los empecé a enumerar—: *Cardenio* es una pieza teatral perdida, no hay manuscritos shakespearianos y, aunque por lo visto no visitó su viejo lecho conyugal demasiado a menudo, las veces en que lo hizo creció y se multiplicó: tuvo tres hijos, todos legítimos y, de repente, estamos hablando de tres manuscritos de *Cardenio* y, por si fuera poco, de una hija bastarda.

Ben estaba contemplando la pantalla como si creyera que ésta le pudiera hablar.

—¿Cree usted que el manuscrito de Granville perteneció a Theobald? A lo mejor, se hizo con uno de ellos y se lo llevó al Oeste.

—A lo mejor —repetí en tono dubitativo—. Pero Granville dice que, a su juicio, el manuscrito llevaba en el lugar donde él lo encontró desde poco después de su creación.

—¿Y eso tiene sentido para usted?

—No. Pero es que nada de todo esto lo tiene.

Ben pasó del prefacio a la obra y lo primero que observé fue que tenía una buena voz para leer, capaz de trasladar con facilidad los ritmos poéticos a la cadencia del lenguaje hablado. Lo segundo que observé fue que la obra era un desastre. Sir Henry, en un momento de extravagancia, la habría podido calificar de noble ruina; Roz la hubiera rechazado de plano como una vergüenza.

A don Quijote y a Sancho Panza no se les encontraba por ningún sitio. Los restantes personajes eran reconocibles, aunque Theobald les había cambiado el nombre a todos. Era algo tan desconcertante que Ben no tardó en regresar a los nombres de Cervantes. Pero no pudo llenar las lagunas del argumento.

Era como si las polillas lo llevaran devorando desde 1728. O quizá los cocodrilos. El pecado se había cortado en rebanadas y repartido al por mayor, pero eso no era todo, había ocurrido lo mismo con buena parte de la acción hasta el extremo de que los personajes se habían quedado allí, hablando de unos acontecimientos sobre los que el público sólo podía conjeturar: una violación, una batalla campal en el transcurso de una boda, un secuestro ocurrido en un convento de monjas. Si Theobald hubiera adaptado el relato del Génesis, pensé malhumorada, lo habría limitado a la conversación entre Eva y la serpiente, pero habría eliminado el acto de comer la manzana, las hojas de parra y la expulsión del Jardín del Edén. Y, ya puesto, probablemente habría reducido las dos conversaciones de Eva, primero con la serpiente y después con Dios, a una sola pensando que, de esta manera, podría ahorrar tiempo y un actor. Al final, el relato no habría tenido ni pies ni cabeza, pero semejante consideración no parecía preocupar demasiado a Theobald.

—No se puede comparar con Shakespeare —observó Ben.

Y, en buena parte, tenía razón. Sin embargo, algunos pasajes se deslizaban por el oído con una belleza casi demasiado dulce como para poder resistirla:

¿Has visto alguna vez el fénix de la tierra,
el ave del Paraíso?
Yo sí; y conozco sus moradas y el lugar donde
construyó su fragante nido; hasta que, como un crédulo necio,
le mostré el tesoro a un amigo en quien confiaba,
y él me lo arrebató.

Casi me pareció ver el fulgor de las doradas y rojas plumas a través del oscuro encaje de las ramas, aspirar en el aire el perfune del sándalo y el jazmín y oír la terrible ruptura de un corazón. Ben también lo debió de intuir, pues guardó silencio.

—El caso es —dijo al cabo de un rato— que no se trata simplemente de una bella poesía. Si pone estos versos en una pieza teatral, hasta pueden ser divertidos. Lo he leído como un soliloquio, pero no lo es. Cardenio está hablando con un pastor. Probablemente, el pobre desgraciado no ha visto jamás en toda su vida nada más exótico que una oveja moteada y ahora se encuentra con un chalado que le habla de aves fénix y fragantes nidos... Mire, vamos a probarlo. Usted leerá el papel del pastor.

—Creía que quería que condujera yo.

—Lo único que tiene que hacer es aparentar perplejidad y, cuando yo le haga una indicación, decir: *Yo no, señor, en verdad.* ¿Lo podrá hacer?

—*Yo no, señor, en verdad.*

—Bravo. El pastor sincero... Me gusta eso de dirigir. Es muy bueno para el propio sentido del dominio y de la maestría. ¿Qué le parece si nos ponemos manos a la obra?

—Señoras y señores, cuando quieran.

Me salió automáticamente y me di cuenta con una punzada de dolor de lo mucho que echaba de menos el teatro.

—Muy bien, pues, señoras y señores, cuando quieran.

Siguiendo su propia indicación, Ben se lanzó a la escena.

Usted, señor, posee una prodigiosa sabiduría,
y parece que ha llegado muy lejos en sus conocimientos;
¿ha visto alguna vez el fénix...?

Una puerta de mi memoria se abrió de golpe con una ráfaga de reconocimiento.

—¿Qué ha dicho?

—Ése no es el verso que le corresponde.

—Que se vaya a paseo mi verso. Vuelva a leer el suyo.

Usted, señor, posee una prodigiosa sabiduría...

Frené tan de repente que dimos un pequeño bandazo mientras nos deteníamos en plena salida de una acusada curva.

—La carta —le espeté—. La carta de Granville. ¿Dónde está?

Me volví y empecé a rebuscar entre las cosas del asiento trasero.

Ben sacó mi bolsa con los libros de detrás de su asiento y encontró la carta de Granville. Le eché un vistazo hasta localizar lo que estaba buscando y le mostré la página, señalándola con el dedo.

—*Usted, señor, posee una prodigiosa sabiduría* —leyó.

—Tenía usted razón en la biblioteca. Eso no lo escribió mi viejo de 1849.

Ben alzó la vista.

—¿Cree que Granville conocía la obra de Theobald?

Las sienes me iban a estallar.

—No es probable.

La adaptación de Theobald ya llevaba mucho tiempo sumida en el olvido cuando nació Granville, quien no disponía de Internet para encontrar escritos raros.

—Pero si no conocía *La doble falsedad* —dijo Ben muy despacio—, el único lugar donde pudo haber encontrado esta frase es en su manuscrito. Lo cual significa...

—Que estas palabras no son de Theobald.

Ninguno de los dos pudo terminar la idea en voz alta: ¡son de Shakespeare!

Bajé del vehículo y me acerqué al borde del despeñadero. Debían de haber aplanado el reborde para que los automovilistas se pudieran detener para contemplar el panorama. Nos encontrábamos en un alto saliente que era como un mirador natural sobre un vasto y profundo valle rodeado por todas partes por unas lejanas cumbres más oscuras que el cielo nocturno. Cuatrocientos metros más abajo, los árboles cubrían como un denso tapiz el suelo del valle. Mucho más al sur, las cimas del parque nacional de Zion resplandecían bajo la luna como si fueran unas cortinas que cubrieran la entrada de otro mundo.

—Podrían ser de Fletcher —dijo Ben con aspereza—. Chambers dice que la obra fue una colaboración.

—Es posible —reconocí—. Pero es usted quien ha señalado que el poema está entretejido con la comedia, y ése es uno de los recursos preferidos de Shakespeare. No hay en todas sus obras un solo pasaje de sublime poesía que no esté encajado en algún contexto de comedia o ironía. Como si no confiara en la belleza.

—Theobald tuvo la obra —dijo Ben—. Imagínese. Tenía oro y lo convirtió en paja.

—Y después perdió lo que le quedaba —comenté en tono burlón—. Sus manuscritos se han perdido. Se cree que se perdieron en el incendio que destruyó su teatro.

—Eso supone un montón de incendios relacionados con Shakespeare —dijo Ben.

Pero mi mente estaba demasiado ocupada girando en torno a Granville como para poder dedicarse a pensar en Theobald. Si Granville había podido leer la frase que había citado, también habría podido leer la complicada maraña de la escritura cursiva isabelina. Y, si sabía leer la escritura secretaria, lo que había empezado a sospechar en el Archivo tenía que ser verdad. Sabía exactamente lo que tenía en sus manos cuando escribió al profesor Child.

¿Quién era aquel buscador de minas y jugador de cartas que tan bien sabía orientarse por los oscuros rincones de la literatura del Renacimiento inglés? ¿Y por qué fingía ignorancia?

Me volví a mirar a Ben, pero él estaba mirando hacia atrás con el ceño fruncido. Unos segundos después, vi lo que él estaba viendo. Un destello de luz a cosa de un kilómetro a nuestra espalda.

—¿Qué es eso?

—Un vehículo —contestó con todo el cuerpo en tensión.

Lo volví a ver: el suave resplandor de la luz de la luna sobre el acero. Después me fijé en lo que no había visto: unos faros delanteros.

—Suba al coche —dijo Ben, volviéndose para abrir la puerta del copiloto.

No discutí.

22

Ben conducía más rápido con las luces apagadas de lo que yo me hubiera atrevido a hacer llevándolas encendidas. Al cabo de un rato, la pendiente se suavizó y atravesamos un llano prado. Sin que él me lo hubiera pedido, yo permanecía sentada mirando hacia atrás, pero sólo veía las espectrales formas de los árboles y las rocas.

Después la carretera volvió a bajar por la pendiente. Los árboles empezaron a ralear y a encogerse hasta que, al final, desaparecieron del todo. Al llegar a las estribaciones de las montañas, giramos al sur hacia la autopista 89 y el tráfico aumentó, aunque no demasiado. Cada veinte minutos, aproximadamente, un automóvil aparecía en la distancia, se nos acercaba rugiendo y, en el último momento, nos adelantaba. Parecía que estuviéramos atravesando un inmenso mar de oscuridad. En algún lugar hacia el sur, el abismo del Gran Cañón se hundía en una lobreguez todavía más profunda. Ya no volví a ver el menor rastro del vehículo que nos había estado siguiendo hasta las montañas.

Cuando estábamos al norte de Flagstaff, me quedé dormida.

Me despertó sobresaltada el chirrido del patinazo del automóvil al pasar del asfalto a la grava. Ben se acababa de adentrar en un camino de tierra y ahora nos estábamos dirigiendo hacia un grupo de colinas bajas pobladas de arbustos resinosos y chumberas. El mundo estaba envuelto en una pálida luz de color amarillo limón.

—Ya casi estamos —dijo Ben.

El reloj marcaba las seis.

—Llegamos temprano.

—No tanto.

No se veía ninguna autopista y ninguna carretera interestatal por ningún sitio. Tampoco se veía ningún otro automóvil. Ni tampoco había edificio alguno a la vista.

—¿Alguien nos ha seguido?

—No que yo haya visto.

Ben detuvo el vehículo y bajó. Me desperecé e imité su ejemplo. Permanecimos de pie en un área de descanso bordeada por la valla de un viejo corral de ganado. En la verja colgaba un letrero escrito en letras rojas: «POR FAVOR, ESPERE AQUÍ PARA EL SIGUIENTE RECORRIDO». Ben alargó la mano y abrió la verja.

Delante de nosotros una ancha calle sin asfaltar bajaba suavemente y se desviaba hacia la derecha. Edificios desiertos, la mayoría de adobe y con oxidados tejados de hojalata, flanqueaban ambos lados de la calle. Unos cuantos estaban construidos con restos de traviesas como las que se emplean en las vías del ferrocarril. Al pie de la colina, un grupo de edificios cortaba la calle. Detrás de ellos, se elevaba un campanario. Parecía que alguien hubiera decidido ocultar a la iglesia del pueblo los pecados cometidos en su única calle.

Más adelante se levantaba en solitario el edificio más grande del pueblo. Un rótulo rojo con letras adornadas con florituras anunciaba «HOTEL STRATFORD». Dentro brillaba una luz. Nos miramos el uno al otro y hacia allí nos dirigimos.

Una larga y estrecha mesa dominaba la penumbra del interior. Por encima de nuestras cabezas, un techo de muselina estaba fijado a las vigas. Arriba, algo se alejó correteando hacia las alfardas en respuesta al sonido de nuestras pisadas. El enlucido que antaño iluminaba las paredes se había desprendido en pedazos junto con el áspero yeso. El lugar olía a polvo y a vacío.

—Billy el Niño lavaba platos en la cocina del fondo —dijo una ronca voz a nuestra espalda con un aristocrático acento de Nueva Inglaterra—. Antes de aficionarse a matar.

Me volví y vi a una mujer menuda con el blanco cabello pulcramente peinado y la esbelta figura envuelta en un vestido de seda con botones de bronce en forma de hojas. De un vistazo, hasta alguien sin especiales conocimientos acerca de la moda habría comprendido que la mujer no había comprado aquel vestido en una tienda de ropa de confección y ni siquiera en Needless Markup o

Saks, templos de la elegancia. Se lo habrían confeccionado a la medida en una lujosa casa de alta costura de París o Nueva York, con un diseñador revoloteando en segundo plano.

—Aunque a lo mejor fue Shakespeare quien le enseñó que la vida era barata y la muerte todavía más —prosiguió diciendo la mujer—. Me refiero al pueblo que lleva ese nombre, no a las obras de teatro.

Me tendió la mano. Era la de una anciana rica de toda la vida con la marfileña piel estriada de abultadas venas azules y las uñas perfectamente pintadas con un esmalte de suave color rosado.

—Soy Athenaide Preston. Por favor, llámenme Athenaide. Y usted es la doctora Katharine Stanley, ¿verdad?

—Si yo la llamo Athenaide, usted tendrá que llamarme Kate.

—Dejémoslo en Katharine. —Su mirada se desplazó a Ben, estudiándolo tal como me imagino que hubiera estudiado a un purasangre—. Y su amigo, ¿cómo se llama?

—Ben Pearl —contesté.

—Bienvenido a Shakespeare, Benjamin Pearl. Vamos a ver qué es lo que puedo recordar. —Dio unos pasos y señaló un rincón de la parte de atrás, con una mancha oscura todavía en la pared—. Un hombre llamado Bean Belly Smith mató allí al hijo de la dueña de la casa en el transcurso de una disputa por un huevo. Al chico le habían servido uno en el desayuno, junto con una galleta y un poco de tocino; a Bean Belly no le sirvieron nada. Unos comentarios acerca del comportamiento de la señora de la casa indujeron al hijo a desenfundar la pistola, pero Bean Belly fue más rápido y el chico murió con un huevo en el estomago, bien salpimentado con plomo. —Se volvió a mirarnos con una cuidada ceja enarcada y una perversa sonrisa—. ¿Les apetece comer algo?

—No, gracias —dije —. Si pudiéranos ver los papeles de Granville, no le robaríamos más tiempo.

—Conozco su trabajo, Katharine. Soy una gran aficionada. Y el respaldo de Maxine es una gran ayuda. Sin embargo, no la conozco personalmente y no le abro mi cofre de los tesoros a nadie que no conozca.

Pero ¿quién se ha creído que es?, pensé. *¿Un genio del desierto? ¿Mi hada madrina? ¿Una muñeca katsina de los indios hopi caída de las nubes? Dios Todopoderoso, ¿acaso tengo un imán que atrae a los chiflados?* Pero asentí con la cabeza.

—Venga conmigo entonces.

Saliendo de nuevo fuera, se encaminó hacia la destartalada hilera de edificios del final de la calle.

Ben apoyó una mano en mi hombro.

—Kate. Nos podrían tender una emboscada.

—Usted dijo que nadie nos seguía.

—Dije que no vi a nadie.

—Si quiere considerar roto su contrato e irse, váyase. Tal como me dijo, eso es lo que hay. Pero tengo que ver los papeles de Granville.

Me volví y alcancé a Athenaide. A mi espalda, Ben lanzó un suspiro y me siguió.

Al final de la calle, Athenaide rodeó la fachada lateral de un largo edificio, bajando por un camino que atravesaba unos arbustos de mezquite. El desierto se volvió más lujuriante y más esculpido y el camino de tierra dio paso a un sendero embaldosado. De repente, doblamos una esquina y salimos a una terraza con grandes macetas de barro llenas de floridas buganvillas de color rojizo. Dos fuentes de estilo italiano llenaban el aire con el suave murmullo del agua.

Sin embargo, fue la vista la que me dejó sin aliento. La terraza estaba cortada a pico sobre un profundo barranco y la llanura que se desplegaba a nuestros pies parecía extenderse a lo largo de unos ochenta kilómetros formando una ondulada alfombra de tonos canela, marrón y rosa, salpicada aquí y allá con pálidas y polvorientas manchas verdes. El vapor producido por el calor ya se estaba elevando hacia un cielo inmaculadamente azul. En lontananza, hacia el norte, una pequeña hilera de colinas atravesaba la tierra, elevándose de izquierda a derecha como si una inmensa criatura estuviera saliendo de su madriguera para atrapar el sol.

—¿Me puede decir dónde está? —preguntó Athenaide, ladeando la cabeza—. La respuesta correcta no es Nuevo México.

Me volví hacia la casa. Desde allí, el edificio no guardaba ningún parecido con la destartalada fachada que habíamos visto desde la calle. Era un palacio barroco en miniatura.

—¿O sea que la fachada de la calle es de pega?

Athenaide se echó a reír.

—Todo el pueblo es de pega. ¿No lo sabía usted? Su nombre original era Ralston, en honor del presidente del Banco de California. El pueblo se arruinó por culpa de una estafa relacionada con una mina de diamantes, a resultas de lo cual varios grandes magnates se lanzaron desde las altas ventanas a la calle. Un escándalo nacional e internacional. El coronel William Boyle compró el pueblo en 1879 y le cambió el nombre para poder seguir estafando de forma menos espectacular pero sin tomarse un respiro a compañías mineras tanto del este como del oeste. Buscaba un nombre que evocara clase y cultura y se le ocurrió Shakespeare. Se le fue un poco la cabeza, pero, sí, la fachada de la calle de este edificio es de pega. Aunque los demás edificios de Stratford Avenue son reales, si por ello se entiende que formaban parte ya desde el principio de este pueblo de pega.

—¿Por qué comprar un pueblo que usted desprecia por ser una impostura? —preguntó Ben.

—Mis padres eran diseñadores de moda en la época dorada de Hollywood. Vestían a las grandes estrellas y yo me dedicaba a observar. Bette Davis me dijo una vez que todas las grandes actrices eran impostoras. —Hizo un amplio gesto con las manos—. Me encantan las imposturas.

Dejé de prestar atención a su chárara y me concentré en el edificio. Construido en piedra cuidadosamente labrada, a través de sus altas ventanas se contemplaba el espléndido panorama. Tres gabletes festoneados adornaban su inclinado tejado de pizarra. A ambos lados se elevaban unas torrecitas de cobre de color verdoso por efecto de la intemperie. En el centro, lo que había tomado por el campanario de una iglesia parecía una fantasía de pastel de bodas, con cúpulas, columnas y grecas, rematada por un chapitel. Por debajo de todo aquello, una arcada conducía a un patio interior flanqueado por estatuas clásicas de Neptuno blandiendo su tridente y Hermes calzado con sus sandalias aladas.

Cerré los ojos.

—Conozco este lugar.

—Me lo imaginé —dijo Athenaide.

—¿Ha estado usted aquí? —me preguntó Ben.

—No —contestó Athenaide, respondiendo por mí—. Pero apostaría un reino a que ella ha estado en su homónimo.

Abrí los ojos.

—Elsinore.

Me miró sonriendo.

—Más concretamente, el castillo de Kronborg, en Helsingor, en el Oresund.

Pronunció las vocales escandinavas como si fuera una nativa.

—Dinamarca —le expliqué a Ben.

—La casa de Hamlet —agregó Athenaide.

Entró en el patio y la seguí.

—¿Ha construido usted una reproducción de Elsinore en el desierto de Nuevo México? —pregunté con la voz quebrada por la incredulidad.

Deteniéndose delante de una ornamentada puerta abierta, nuestra anfitriona se rió.

—No una reproducción sino un pequeño *hommage*.

—¿Por qué?

—Los daneses no quisieron venderme el original. —Me hizo señas de que entrara—. Usted primero.

Una vez más, Ben me asió por el brazo, pero me zafé de su presa y entré.

Nos encontrábamos en una larga galería con un suelo ajedrezado de baldosas de mármol blancas y negras. En las blancas paredes de uno de los lados colgaban enormes lienzos con voluptuosas escenas que parecían obra de antiguos maestros de la pintura. En el otro lado había grandes vitrales con forma de rombo enmarcados.

—Todo recto y doblando la esquina a la derecha —señaló Atenaide—. Deténganse —ordenó. Me volví y la vi de pie con los brazos cruzados, de espaldas a la alta puerta de doble hoja—. Una pregunta aclarada, faltan dos. ¿Por qué siente tantos deseos de ver los efectos personales de Jeremy Granville, otrora residente en Tombstone, hasta el punto de que no ha dudado en recorrer mil doscientos kilómetros de noche, a velocidades que ningún representante de la ley habría permitido?

¿Qué podía decir? ¿Que lo había hecho porque a Roz le interesaba y ahora ella estaba muerta? Carraspeé.

—Me interesa Hamlet y Granville interpretó una vez el papel de Hamlet por una apuesta.

—Una respuesta aceptable, aunque insincera. A mí también me fascina Hamlet, y ello justifica en un cincuenta por ciento el motivo por el cual compré los efectos personales de Granville. Pero, como es natural, esta no es la razón por la cual estoy interesada en él en este momento, y estoy segura que en su caso ocurre lo mismo. Pero vale como respuesta. —Se volvió y empujó solemnemente las hojas de la puerta—. Bienvenidos al Gran Salón.

Decir «grande» era quedarse corto, incluso en un palacio. La estancia era una inmensa sala cuadrada divida en dos por un impresionante arco cuya piedra estaba labrada en una mellada trenza. Arriba, cerca del techo de madera, unos arcos más pequeños se abrían a una galería que rodeaba todo el perímetro. Una luz dorada se derramaba hacia abajo en torrentes tan espesos como la miel. A nivel del suelo, más ventanas traspasaban las paredes, pero las ventanas eran estrechas y las paredes muy gruesas, por lo que zonas sombrías se concentraban en los espacios intermedios, en los que las paredes estaban cubiertas con tapices que representaban pálidos unicornios y damas tocadas con altos capirotes.

—Eso no es Elsinore —insinué.

—No.

Bajo nuestros pies, el reluciente suelo de madera estaba cubierto de espliego y romero, que emanaban su perfume cuando los pisábamos.

Athenaide permanecía de pie mirando hacia la parte superior de la pared que había a mi derecha. Me volví para ver qué estaba mirando. Por encima de la repisa de una chimenea lo bastante grande como para que se pudiera quemar en ella una secuoya, colgaba un cuadro que, bajo la extraña luz, resplandecía en tonos verdes y dorados. Una mujer de pálido rostro envuelta en un vestido largo de brocado flotaba boca arriba en un estanque cuyas aguas estaban sembradas de flores rojas y moradas. Ophelia, pintada en el momento de su muerte por sir John Everett Millais.

Era una pintura al óleo, no un grabado, absolutamente exquisita en todos sus detalles, incluyendo la extraña forma y los complicados adornos del marco dorado. Era tan exquisita que, por un instante, me pregunté si Athenaide habría adquirido el original.

—Siempre me ha encantado este cuadro.

Me acerqué, parpadeando. A mí también. Ella —siempre pensaba en el cuadro como si éste fuera la propia Ophelia— era una de las grandes obras maestras del arte prerrafaelita. Pero habría tenido que estar en la Tate de Londres. Lo sabía. Desde que había había empezado a preparar la puesta en escena de *Hamlet*, la había ido a ver muchas veces, caminando bajo la frondosa sombra de la orilla del Támesis antes de entrar en la larga sala de color rosa a la hora del crepúsculo donde ella reinaba en su acuosa corte entre dos pinturas de mujeres ataviadas con llamativos vestidos azules. La propia Ophelia se mostraba curiosamente exangüe y casi parecía desvanecerse en la transparencia, pero el mundo en el cual flotaba resplandecía en un esplendoroso y desafiante color verde.

Hacia un lado, oí abrirse una puerta. Me volví, sorprendida; no había visto ninguna otra puerta salvo la de la entrada principal. Los tapices se movieron y detrás de ellos apareció una corpulenta mexicana, portando una bandeja con un servicio de café de plata.

—Ah, es Graciela —dijo Athenaide—, que nos trae unos regalos.

Graciela cruzó la sala y depositó la bandeja en la mesa. Después se volvió y, levantando el brazo derecho, me apuntó. En su manaza empuñaba una negra y pequeña pistola de morro achatado que parecía un juguete infantil.

La miré parpadeando. Ben también había sacado su arma. Pero no apuntaba a Graciela; su pistola apuntaba directamente al pecho de Athenaide.

—Baje su arma, señor Pearl —le dijo ésta.

Él no se movió.

—La testosterona —dijo Athenaide, lanzando un suspiro—. Que hormona tan aburrida. Ahora va de estrógenos. Nunca se sabe qué es lo que pueden desencadenar. Me temo que tengo una Glock veintidós hundida en los riñones de Katharine.

Con cara de asco, Ben se agachó muy despacio y depositó su pistola en el suelo.

—Gracias —dijo Athenaide.

Graciela recogió el arma. Y después Athenaide formuló su tercera pregunta.

—¿Asesinó usted a Maxine Tom?

23

Sentí náuseas. ¿Que si había asesinado a Maxine?

No era posible. Ella había abandonado la biblioteca y se había ido a su casa para leerle un cuento a su hijo a la hora de acostarlo. Las ventanas estaban a oscuras cuando yo me había alejado del teatro.

Me costaba respirar. El asesino había estado allí. Yo había percibido la mirada de sus ojos. Le había oído desenvainar una espada... ¡Dios mío! ¿Lo habría guiado yo hasta Maxine y después me había ido mientras él la mantenía cautiva y aterrorizada?

—Katharine, ¿asesinó usted a la profesora Tom?

—No —contesté con voz pastosa—. No. —No la había puesto en guardia. No le había insinuado el menor peligro—. ¿Qué ha ocurrido?

—*Mucho no pudo tardar* —recitó Athenaide—, *pues la ropa empapada de agua apartó a la desventurada de su melodioso canto y la arrastró a una cenagosa muerte...* Unos espectadores la encontraron anoche flotando en el estanque de las carpas del Archivo con el cabello ondeando sobre la superficie como el de una sirena y la falda extendida a su alrededor. Ahogada.

Se había transformado en Ophelia.

—Mandé construir ese jardín como un homenaje a Millais —dijo Athenaide—. No como una incitación a un asesinato.

El estanque del cuadro con juncos y musgo salpicado de florecitas blancas —e incluso el gigantesco sauce de la esquina— mostraba un misterioso parecido con el estanque del Archivo. *Maxine. La vivaz y resuelta Maxine.* Tras un prolongado y trémulo suspiro, intenté serenar mi voz.

—Sabía que un asesino me seguía la pista y no la avisé. Ha muerto por mi culpa. Pero yo no la he matado.

Athenaide se volvió para mirarme a la cara. Lentamente asintió con la cabeza y después se guardó la pistola.

—Es lo que yo pensaba. Pero tenía que estar segura. Tendrá que perdonarme la crudeza de mi método.

—Puede que también la haya puesto a usted en peligro. Nos han seguido parte del camino hasta aquí.

Ben me interrumpió y se dirigió a Athenaide.

—¿Cómo se enteró del asesinato?

—Por el Departamento de Policía de Cedar City. Mi número es el último que marcó Maxine.

—¿Les dijo que íbamos a venir aquí?

Los ojos de Athenaide se posaron suavemente en Ben.

—Los intereses de la policía no siempre coinciden con los míos. Aunque creo que vendrán a hacerme una visita más pronto que tarde. Un detalle que merecería la pena tener en cuenta. —Se volvió hacia Graciela—. Creo que eso es todo, gracias —le dijo con una breve inclinación de la cabeza.

Frunciendo los labios con expresión de reproche, la mujer depositó la pistola de Ben en la bandeja y se retiró.

—El arma le será devuelta, señor Pearl, cuando abandone esta casa —anunció Athenaide. Después se volvió hacia mí—. Los papeles de Granville tienen algo que ver con todo lo que está pasando. Rosalind Howard los quería y ahora ha muerto. Después viene usted por ellos y muere Maxine. ¿Por qué?

No tenía nada que ofrecerle a cambio más que la verdad. Apreté con fuerza la obra de Chambers.

—¿Le suena de algo el nombre de *Cardenio*?

—¿La obra perdida?

—Por favor, Athenaide. Déjeme ver los papeles de Granville.

—Cardenio —dijo ella, como si estuviera saboreando la palabra. De repente, se acercó a un pequeño teclado que formaba parte de una caja fuerte encastrada en la pared y tecleó una clave. Un escáner biométrico se desplegó ante ella y colocó un dedo bajo la lente de lectura. Se oyó el *clic* de una cerradura y se percibió una pequeña ráfaga de aire cuando se abrió la caja fuerte. Athenaide tomó una delgada carpeta de color azul y la llevó a una mesa cuadrada de gran tamaño que había en el centro de la sala—. ¿Supongo, puesto que conoce *Hamlet*, que ha leído lo que hay en el Archivo acerca de Granville?

Asentí con la cabeza.

—Cuando se marchó de Tombstone, dejó una muda de ropa y unos cuantos libros. No dejó papeles.

—¿Ninguno?

—Ninguno que él supiera. Pero se recibió una carta después de su desaparición y la dueña del burdel en el que él se hospedaba, la conservó. Blonde-Marie, se llamaba, y también Gold Dollar. Es la tatarabuela de la señora Jiménez, aunque ella sea un poco reacia a comentar la antigua profesión de su antepasada. Blonde-Marie jamás abrió la carta.

Athenaide sacó un viejo sobre con un garabato en desteñida tinta morada. El sello era británico; el matasellos era de Londres. La parte superior estaba rasgada.

—Pero ha sido abierta.

—La semana pasada —corroboró Athenaide—. Lo hizo alguien que ambas conocíamos.

Sacó un par de blancos guantes de algodón de los que se usan en los archivos.

—¿La abrió Roz?

—Si con esta horrible palabra que parece un zumbido se refiere usted a la profesora Rosalind Howard, la respuesta es sí. —Sacó una hoja de papel de color marfil y la desdobló cuidadosamente—. Les prometió a los Jiménez un montón de dinero a cambio, pero después se fue, diciendo que Harvard asumiría el gasto. Cuando me presenté talonario en mano tres días después, los Jiménez llegaron a la conclusión de que ya habían esperado demasiado.

Se apartó un poco y me indicó por señas que me acercara a la mesa.

—Léala, por favor. En voz alta.

La escritura era tan delicada como unas patas de araña deslizándose por la página.

—La escribió una mujer —dije levantando los ojos.

Ben también se había acercado. Athenaide asintió con la cabeza.

Empecé a leer.

20 de mayo de 1881
Hotel Savoy, Londres

Mi queridísimo Jem:

Hice una pausa. «Jem» era un antiguo diminutivo británico de Jeremy. A los únicos hombres a los que una dama victoriana se podía dirigir utilizando un cariñoso diminutivo infantil eran a sus hermanos, a sus hijos y a su marido.

Ahora que se acerca el día en que una vez más volveremos a contemplarnos el uno al otro, la ansiedad se enrosca a mi alrededor como si fuera una lujuriante enredadera de las más profundas selvas del Congo...

El florido lenguaje estaba lleno de las indirectas y sensuales insinuaciones propias de los victorianos, lo cual significaba que el tal Jem no era ni hermano ni hijo. ¿Sería el marido?

Siguiendo tus instrucciones, he ido a Londres para averiguar la clase de conexiones que puede haber entre Somerset y la familia Howard. Creo que encontrarás, tal como yo lo he hecho, que los resultados son de lo más intrigantes, aunque desgraciadamente sórdidos. Voy a utilizar mi pluma femenina con tanta audacia como para describirlos con la misma franqueza con que lo haría un hombre simplemente para facilitar información y espero que tú los leas con este mismo espíritu.

Al principio, pensé que «Somerset» se refería al condado, lo cual me llevó a unas Cumbres de Frustración tan estériles como el Hielo Polar. Sin embargo, un comentario casual de un bibliotecario me indujo a acudir corriendo a la Guía Debrett y a repasar los árboles genealógicos de la aristocracia. Allí averigüé que en tiempos del rey Jacobo hubo un condado de Somerset y que el apellido de la familia del conde de Somerset era Carr, un apellido que no pudo por menos que despertar mi curiosidad.

—Carr —ronroneó Athenaide—. Cardenio. —Me miró con la cara muy seria—. Francamente curioso.

Seguí adelante. Los frecuentes subrayados conferían a la prosa un cierto aire de veleidosidad.

Además, ¿a que no te imaginas? ¡Su condesa era una Howard de nacimiento! Frances se llamaba la pobre señora. Era la hermana de la última aunque no insignificante persona de la cadena, Theophilus, lord Howard de Walden, a quien estuvo dedicada la primera versión en inglés de Don Quijote.

—El *Quijote* —susurró Ben—. ¿Es eso cierto?

Asentí con la cabeza, echando un vistazo al texto y resumiéndolo mientras lo leía. La historia de Frances Howard y el conde de Somerset era tan sórdida como se había anunciado y, a grandes rasgos, la mujer que escribía a Jem la había captado debidamente.

Frances Howard era una belleza rubia, la orgullosa y consentida hija de una de las más orgullosas y voraces familias de la historia inglesa. Cuando Robert Carr empezó a cortejarla, era la condesa de Essex por el matrimonio contraído seis años atrás con el conde de Essex. Carr también era rubio y apuesto, pero no era más que un terrateniente escocés venido a menos hasta que llamó la atención del rey al caer del caballo y romperse una pierna. El monarca se enamoró de él, lo cubrió de títulos y riquezas y estaba tan encaprichado con él como una dama con su perrito faldero.

—¿Y qué ocurrió cuando el rey descubrió el interés de su amante por la condesa? —preguntó Ben.

—Las mujeres no le infundían celos —contesté—. De hecho, el rey Jacobo animaba a sus favoritos a que se casaran. Por consiguiente, cuando se enteró del capricho de Carr por Frances, el soberano decidió que su amado Carr conseguiría lo que quería por mucho que le costara. Y lo que costó fue una anulación del primer matrimonio de Frances; ésta y su familia insistieron en ello. El monarca manipuló a la comisión investigadora, pero, aun así, tuvo que insistir mucho. En cuanto se logró la anulación, el rey elevó el título de Carr desde el simple vizcondado al condado de Somerset, de tal manera que Frances no sufriera un menoscabo en su categoría. La boda que se celebró a continuación fue casi tan fastuosa como una boda real. Y dicen que el rey —añadí, incluyendo un detalle que la autora había omitido— se reunió con los recién casados en su lecho a la mañana siguiente.

—Una historia de la que sentirse orgulloso —dijo Ben—. Piense en todas las molestias que se hubiera podido ahorrar Enrique VIII si hubiera casado a Ana Bolena con otro y después se hubiera reunido con ella y su marido para darse un revolcón a tres bandas cada vez que le hubiera apetecido.

—Enrique necesitaba herederos —terció Athenaide—. Jacobo, no.

—El rey tuvo suerte de no interponerse en el camino de Frances —comenté—. Y también la tuvo Essex. Carr, que para entonces ya era el conde de Somerset, tenía otro amante, que sí se interpuso en su camino o, por lo menos, lo intentó. Frances consiguió, mediante tortuosos procedimientos, que su rival fuera enviado a la Torre de Londres y después, en una muestra de benevolencia, le envió un cesto de tartaletas de fruta.

—La Reina de Corazoncitos hizo unos pastelitos —entonó alegremente Ben.

—Y los roció con veneno —precisé—. El pobre hombre murió en medio de horribles tormentos. Frances se declaró culpable de asesinato en la Cámara de los Lores; Somerset se declaró inocente, pero fue condenado. Ambos fueron sentenciados a muerte, pero el rey les conmutó las penas por la de cadena perpetua. Fue el mayor escándalo de la época jacobina.

—Cosas de la vieja y deliciosa Inglaterra —dijo Ben—. ¿Y éstas son las personas que Granville quería que la autora de la carta investigara? ¿Guardan alguna relación con Shakespeare?

—No que yo sepa. Pero como sí la guardan con *Don Quijote* y, por consiguiente, con la historia de Cardenio, tal vez sí están relacionadas con Shakespeare.

—Siga leyendo la carta —me instó Athenaide.

> *Lo que parece prometedor para nuestro trabajo, y espero que tú estés de acuerdo, es la curiosa geometría de su triángulo amoroso con Essex.*

Athenaide me tocó el brazo.

—¿La historia de *Cardenio* es un triángulo amoroso?

La miré a regañadientes a los ojos.

—Sí.

—¿No le parece entonces que tiene sentido que Cardenio represente a Carr, conde de Somerset, y su trío amoroso con Essex y la condesa?

—No —contesté más bruscamente de lo que quería. Traté de explicarlo—. Si el juguete del rey se llamara Carr y usted fuera tan temeraria como para querer representarlo en el escenario, el nombre de «Cardenio» sería el último que elegiría. Es lógico. Pues es peligroso.

—¿Y usted cree que Shakespeare era un hombre que temía el peligro?

—Cualquier persona sensata temería el carácter vengativo de un rey del Renacimiento —repliqué—. El mayor problema que plantea su sugerencia es el de que no todos los triángulos son iguales. El triángulo del relato convierte a Cardenio en el primer y único amor verdadero de la dama y lo enfrenta a un intruso traidor. Por otra parte, la historia dice que el primer marido de Frances Howard era un presuntuoso impotente que ni la amaba ni quería dejarla libre. Carr representaba al recién llegado que la salvaba de un matrimonio que era poco más que una estéril prisión.

—¿Essex era impotente? —preguntó Ben.

—¿Quién sabe? Pero el conde que estaba al frente del clan, no sé muy bien si se trataba del tío o del tío abuelo de Frances, llamaba a Essex «milord el castrado».

Athenaide entornó los ojos.

—Ustedes vinieron aquí esperando encontrar algo acerca de *Cardenio* y ahora surge una teoría. ¿Por qué tantas prisas en rechazarla?

—No hemos venido a buscar algo acerca de *Cardenio.*

Me miró y luego miró a Ben.

—¿Cómo dice? —me preguntó volviéndose de nuevo hacia mí.

Sentí el reproche de Ben amontonarse contra mí en fríos ventisqueros, pero me hacía más falta la aprobación de Athenaide.

—No hemos venido para encontrar algo acerca de la obra. Hemos venido a buscar la obra propiamente dicha. Granville decía que tenía una copia del manuscrito.

Se produjo un breve silencio. Una pequeña arruga se formó en la frente de Athenaide.

—¿Y usted cree que la podrán encontrar?

La fuerza de su codicia era casi palpable.

—Roz creía que podría.

—¿Cómo?

—No lo sé. Pero no tratando de establecer una conexión con los Howard. Estoy casi segura de que eso no tiene ninguna importancia, de lo contrario, Granville no habría intentado desarrollarla después de haber encontrado la obra.

Athenaide ladeó la cabeza, pensativa. Después parpadeó y dio un paso atrás.

—Termine de leer la carta.

Estoy bastante satisfecha de mí misma por haber conseguido establecer esta primera serie de conexiones. Suaviza por lo menos el dolor de tener que informar de que he fallado por completo en la segunda. No consigo entender qué clase de relación familiar pudo haber entre el conde y el poeta. Me gustaría que tú me dijeras qué te indujo a pensar qué eran familia.

A mí también, pensé.

—¿Granville pensaba que Shakespeare y los ponzoñosos Howard estaban emparentados? —preguntó Ben.

—Eso no lo es todo —observé, inclinándome hacia delante—. Al parecer, sugirió alguna especie de relación con un sacerdote. Un sacerdote católico.

—Pero eso era jugar con fuego, ¿verdad? —preguntó Ben.

Asentí con la cabeza.

—Por el hecho de asociarte con sacerdotes lo podías perder todo: los medios de vida, las tierras, todo lo que tenías, incluso la custodia de tus hijos. Si pensaban que estabas confabulado con los jesuitas contra la reina, podían acusarte de traición y ahorcarte y descuartizarte. Aun así, la autora de la carta dice que lo del sacerdote tiene sentido si se compara con los Howard.

Ben se inclinó sobre mi hombro.

—¿Y si Granville era un chiflado?

—Convenció al profesor Child. Escuche esto:

> *Quizás el profesor Child te podrá aclarar mejor las cosas. Tengo que confesar que me sorprende su vehemente deseo de visitarte, aunque también me alienta. Seguro que no se tomaría tantas molestias si no pensara muy en serio que tu descubrimiento podría ser auténtico.*

El profesor Child, que no era precisamente un aficionado a los chismes, tenía previsto visitar personalmente a Granville. En Tombstone. Desde Massachusetts. Un viaje que no se podía emprender a la ligera en 1881.

Eché un rápido vistazo al resto de la carta y vi que no era más que cháchara insignificante. La autora de la carta terminaba con una cita de Shakespeare doblemente subrayada.

Los viajes terminan con el encuentro de los amantes,
bien lo saben todos los hijos de los sabios.

Valoro tus cartas como si hubieran sido enviadas por mi más preciado joyero,

Ophelia Fayrer Granville

Ophelia, pensé con una punzada de angustia.

—Las Ophelias se están multiplicando como malditos conejos —dijo Ben.

—Ésta no —observó Athenaide—. Pobre mujer. Su amante jamás regresó a casa.

—Su marido —comentó Ben—. Firma como Granville.

—Ella guardó sus cartas —tercié—. Y eso es lo que importa. La pista que nos lleva a Jeremy Granville pasa por Ophelia.

—Tenemos que encontrarla —sentenció Athenaide.

—Y también las cartas —añadí.

—¿Usted cree que todavía existen? —preguntó Ben.

—Creo que Roz lo creía.

Ben examinó el sobre.

—No se trata tan sólo de que el sello sea británico —dijo—. Su forma de expresarse también lo es. Y el tono que utiliza. Simplemente suena británica.

—Escribía desde el Savoy —maticé —. Lo cual significa que no era londinense. Tenía dinero, pero no muchos contactos en Londres, de lo contrario se hubiera hospedado en casa de alguien. —Meneé la cabeza—. Así no podía llegar muy lejos.

—Hay una posdata en el reverso de la carta —señaló Athenaide.

En efecto, Ophelia había añadido dos frases a toda prisa, al parecer, tras haber doblado la carta para echarla al correo.

La familia Bacon de Connecticut me acaba de dar permiso para examinar los papeles de la señorita Bacon ¡cuando vaya a reunirme contigo! Escríbeme y dime exactamente qué quieres que busque.

Athenaide estaba contemplando el Millais de encima de la repisa de la chimenea con una sonrisita en los labios.

—Supongo que ya ha tomado nota de la referencia a la señorita Bacon.

Ben nos miró sorprendido.

—¿Quién es la señorita Bacon?

—Delia Bacon —contesté llevándome las manos a las sienes—. Una estudiosa del siglo diecinueve cuya obsesión por Shakespeare la llevó a la locura.

—¿Qué obsesión era esa?

—Creía que William Shakespeare de Stratford no escribió las obras teatrales cuya autoría se le atribuye —contestó Athenaide apartando los ojos de la pintura para posarlos en mí.

Hubo un largo silencio.

—Eso es ridículo —dijo Ben. Al ver que ninguna de las dos decía nada, añadió—: ¿Verdad?

—No es ridículo —repuse en tono pausado—. Delia Bacon era brillante. En una época en que las mujeres solteras de cierta clase eran relegadas al cuarto de los niños como institutrices, consiguió hacerse un nombre como erudita. Se ganaba la vida como conferenciante en Nueva York y Nueva Inglaterra, hablando de historia y literatura ante multitudes que agotaban todas las localidades. Pero su pasión siempre fue Shakespeare, y renunció a la carrera que tanto esfuerzo le había costado para dedicarse al estudio de sus obras.

No podía permanecer sentada mientras contaba la historia de Delia Bacon. Me levanté y empecé a pasearme por la estancia, deslizando la mano por los tapices, que se agitaban a mi paso.

—Delia creía haber detectado una profunda filosofía entretejida en todas las obras de Shakespeare —continué—. Mientras intentaba desentrañarla, llegó al convencimiento de que el hombre de Stratford no podía haber escrito algo tan sublime. Viajó a Inglaterra y se pasó una década sola en frías y estrechas habitaciones, escribiendo el libro con el que pensaba demostrar su teoría.

La mañana de Nuevo México entraba a raudales a través de una de las arqueadas ventanas, derramando en el suelo delante de mí la radiante luz del sol.

—Cuando se publicó finalmente su obra maestra, esperaba recibir aplausos —proseguí—. Pero lo único que recibió fueron burlas y silencio. Su mente no resistió la tensión. La internaron en un asilo y murió dos años después en un manicomio sin volver a leer ni oír ni una sola frase de sus amadas obras; su hermano prohibió que se pronunciara el nombre de Shakespeare en presencia de ella.

—No es ridículo —concedió Ben—. Retiro lo dicho. Fue trágico.

—Pero aquí lo que interesa no es la locura de Delia —terció Athenaide animada—, sino sus papeles. Si Ophelia escribió, solicitando verlos, eso quiere decir...

—Eso quiere decir que tendríamos que buscar a Ophelia, y lo que ella estaba investigando, entre los papeles de Bacon —sentencié.

—Deduzco que usted sabe dónde están —intervino Ben.

—En la Biblioteca Folger Shakespeare —contesté—. Justo a dos pasos del Mall de Washington, D.C.

La Biblioteca Folger posee entre sus paredes de mármol blanco la colección shakespeariana más importante del mundo. Es uno de los prodigios que se construyeron con los beneficios derivados del oro negro que antaño colmó hasta rebosar las arcas de la Standard Oil. Si algo guarda relación con Shakespeare, la Folger lo quiere tener, y lo que quiere la Folger, de una u otra forma, lo acaba consiguiendo. La biblioteca había adquirido los papeles de Delia en algún momento de la década de 1960.

Los ojos azul porcelana de Athenaide se iluminaron.

—Qué suerte la mía, precisamente esta tarde tengo que asistir a una conferencia en la Folger.

—Eso no será una coincidencia, ¿verdad? —le pregunté.

—Sí que lo fue el que usted llamara anoche interesándose por la carta de Granville. —Athenaide se encogió de hombros—. Pero no lo fue el que yo les invitara a venir a verla antes de irme. Pensé que, en caso de que todo fuera bien, les podía pedir que me acompañaran. Se me ocurrió que el camino que lleva a Ophelia tal vez pasa por los papeles de Bacon. Pero yo soy una coleccionista, Katharine. No una estudiosa. Su ayuda me podría ser muy útil.

—¿Tiene la Folger un Primer Infolio? —preguntó Ben.

—¿Un Infolio? —Athenaide soltó un bufido—. No, señor Pearl. La Folger tiene setenta y nueve Infolios. Aproximadamente un tercio de todos los Primeros Infolios que se conservan, lo cual la convierte con mucho en la colección más grande del mundo. El segundo lugar, un segundo lugar a mucha distancia del primero, lo ocupa la Universidad Meisei de Japón, que tiene doce, una cantidad que duplica ampliamente los cinco que conserva la Biblioteca Británica. La Folger es la Zona Cero por lo que respecta al Primer Infolio.

—Pues entonces, será el primer lugar en que piensen Sinclair y el FBI para tendernos una trampa.

—Tendrán el trabajo medio hecho —dijo Athenaide—, porque esta noche se va a inaugurar allí un importante simposio en el que se exhibirán varios de los Infolios. Tal vez le interese saber, Katharine, que el discurso inaugural lo iba a pronunciar la profesora Howard. Su tema iba a ser Delia Bacon.

Me senté.

Ben se acercó y se plantó delante de mí.

—Ir a la Folger es una locura. El ofrecimiento de Athenaide podría ser una trampa —añadió bajando la voz.

—Si quisiera que los atraparan —dijo Athenaide desde el otro extremo de la sala—, la policía ya estaría aquí. Les ofrezco la posibilidad de escapar y dirigirse justo al lugar al que quieren ir. Y les puedo facilitar el acceso.

Ambos nos volvimos a mirarla.

—¿Cómo?

—Esta noche se celebrará una recepción en la Sala de Lectura, seguida de un cena en el Gran Salón. Como financio el simposio, la biblioteca recurre a los servicios de la empresa de *catering* que suele trabajar para mí. Estoy segura de que podré convencer a Lorenzo de que incluya a dos camareros más en su equipo. —Jugueteó con el arma que descansaba todavía sobre la mesa delante de ella—. Hago muchos negocios en Washington D.C. Soy muy buena cliente.

—Pero, para poder entrar, primero tenemos que llegar —dijo Ben—. La seguridad del aeropuerto...

—Tienen suerte de que no haya ningún servicio de seguridad en el aeropuerto... municipal de Lordsburg. Pero es que, claro, no es gran cosa como aeropuerto. Sólo una pista de despegue y aterrizaje y unos cuantos hangares.

—¿Y por qué iba a hacer usted todo esto? —pregunté.

Volvió a guardar la carta en la carpeta y se levantó.

—Estoy tan interesada como usted en encontrar lo que el señor Granville descubrió.

—Vámonos de aquí, Kate —me dijo Ben en tono apremiante.

En la distancia oí el chisporroteo de una sierra de cadena. El ruido se fue intensificando y el ritmo sincopado se hizo más definido. De repente, lo reconocí. Era un helicóptero.

—Supongo que son los representantes de la ley. —Athenaide se acercó a una de las ventanas—. Me temo que el momento de marcharse ya ha pasado. *Hay una corriente en los negocios de los hombres que, si se aprovecha en la crecida, conduce a la fortuna; si se descuida, toda la travesía de su vida encalla en los bajíos y las miserias...* ¿Qué elige, Katharine?

Era la frase preferida de Roz.

Miré a los ojos a Ben.

—La Folger —contesté.

24

—Tendrán que darme sus zapatos —dijo Athenaide.

—¿Por qué?

—Un pequeño juego de acertijos. La utilización del helicóptero sugiere que la policía no se ha dejado caer por aquí para mantener una simple charla. Imagino que sospechan que me está visitando un asesino de Utah. Si el FBI se ha enterado y ha relacionado la muerte de Maxine con los incendios shakespearianos, hasta es posible que conozcan sus nombres. En cualquier caso, será evidente que alguien ha estado aquí. Por de pronto, aquí está su automóvil, aunque me he tomado la libertad de mandar retirar sus pertenencias.

Los libros, pensé sobresaltada.

—Les serán devueltas —dijo ella fríamente—. Denunciaremos la presencia de intrusos —añadió— y la policía encontrará unas huellas que conducen hacia un lugar del desierto donde se sabe que los coyotes abandonan a los inmigrantes ilegales que han logrado cruzar la frontera. Con un poco de suerte, eso permitirá que la búsqueda no rebase el ámbito local, por lo menos durante algún tiempo.

—¿Y, mientras tanto, salimos por la puerta principal? —preguntó Ben.

—Mi casa tiene muchas puertas, señor Pearl —contestó Athenaide con una sonrisa socarrona en los labios.

Oí un ligero chirrido y apareció Graciela, moviéndose pesadamente como un gnomo, justo en la entrada de la gigantesca chimenea. Tras ella, en el lugar previamente ocupado por la parte posterior de la chimenea, vislumbré la más absoluta oscuridad.

Nos señaló los pies con una mano.

—Los zapatos —exigió—. Dénmelos*.

* En español en el original. *(N. de la T.)*

Para mi asombro, Ben se sacó los zapatos sacudiendo los pies, se agachó para recogerlos y los sostuvo en alto para entregárselos; imité inmediatamente su ejemplo y ella desapareció en la oscuridad del túnel.

Ben dio un paso al frente.

—Espere —dijo Athenaide—. Volverá.

Fuera, el rugido del helicóptero se intensificó.

Ben se inclinó para examinar el agujero abierto en la pared de la chimenea manchada de hollín.

—Tremendamente ingenioso —constató.

—Antaño servía para esconder sacerdotes —precisó Athenaide.

—¿Un escondrijo de curas?

Yo ya había visto alguna vez alguno de estos escondrijos de curas. Eran espacios reducidos ocultos debajo de escaleras. Ahora se exhibían detrás de paneles de plexiglás en las casas inglesas antiguas. Pero jamás había visto ninguno que se utilizara.

En tiempos de Shakespeare, Inglaterra era protestante por real decreto. Que un inglés se ordenara sacerdote católico o que las familias inglesas los acogieran en sus casas se consideraba un delito de alta traición. A principios de su reinado, Isabel había pedido tolerancia a ambos bandos, pero sus ministros temían que los católicos tuvieran intención de matar a la reina. Cuando algunos de ellos fueron sorprendidos intentándolo, los lobos de Isabel empezaron a perseguir a los hombres considerados responsables: los sacerdotes. A su vez, los católicos ingleses comenzaron a esconder a los santos varones en paredes huecas y grietas extrañamente tapadas, tal como la hija del faraón había escondido a Moisés entre los juncos.

—Los mejores escondrijos no se pueden descubrir acercando el oído a los muros en busca de espacios huecos o palpando las paredes en busca de grietas. Hay que saber dónde están y cómo se abren las puertas. Mandé construir éste inspirándome en uno de los mejores —dijo Athenaide—. El original está tan bien aislado que se puede encender un crepitante fuego en la chimenea sin correr el riesgo de achicharrar al cura.

—¿Y éste? —preguntó Ben.

—No hemos tenido ocasión de probarlo. Todavía.

—¿Quiere decir que todo esto es una improvisación?

—Variaciones sobre un mismo tema —contestó Athenaide.

Graciela apareció de nuevo justo en el momento en que el ruido del exterior se convertía en un siniestro silencio.

—Síganme —ordenó.

Y no fue necesario saber español para comprender lo que nos había dicho.

—*Au revoir* —dijo Athenaide.

Entramos y la puerta se cerró ruidosamente a nuestras espaldas. Por un momento, permanecimos de pie en medio de la más absoluta oscuridad. Después brilló una luz amarilla y Graciela empezó a avanzar con rapidez por el túnel. A pesar de su voluminosa figura, era muy ágil. Tuve que hacer un esfuerzo para no quedarme rezagada.

No sé qué esperaba, quizá no exactamente murciélagos, arañas, fango y cadenas resonando contra las paredes, pero tampoco lo que encontré: un pulcro pasillo de piedra limpio como una patena y lo bastante alto como para que Ben pudiera caminar sin agacharse. Las luces, que funcionaban en coordinación con sensores de movimiento situados por encima de nuestras cabezas, se encendían a nuestro paso y luego se apagaban. De tal manera que, de no haber sido por las puertas que cada tanto aparecían empotradas en las paredes de piedra, habría experimentado la sensación de que estábamos caminando sin movernos de sitio.

Avanzábamos dejando atrás puertas idénticas a ambos lados. El pasadizo descendió un poco y después volvió a subir. Al cabo de un rato, se curvó a la derecha. Debíamos de haber recorrido medio kilómetro cuando llegamos al final del túnel. Una puerta cerraba el paso. No había ninguna indicación, exceptuando un teclado numérico en la pared.

Graciela tecleó una clave y la puerta se abrió.

Permanecí de pie parpadeando a causa de la cegadora luz del desierto.

—Adelante —dijo Graciela, empujándonos hacia afuera.

Salimos al exterior.

—Adiós —nos dijo.

Y, antes de que pudiéramos movernos, la puerta se volvió a cerrar y una piedra de gran tamaño se deslizó y ocupó nuevamente su sitio.

Me protegí los ojos con la mano y los entrecerré. Nos encontrábamos en lo que parecía una torrentera seca, de pie en un saliente de piedra, detrás del cual se levantaban unas rocas de gran tamaño. En una de las orillas había mezquites y en el saliente descansaban dos pares de zapatos. Los de Ben y los míos. Y, junto a ellos, la pistola de Ben.

Justo en aquel momento oímos el rugido del motor de un automóvil.

Tomamos nuestros zapatos, nos escondimos entre los mezquites y nos tumbamos en el suelo. Un vehículo todoterreno de color bronce con los cristales tintados apareció ante nuestros ojos avanzando muy despacio. Mientras se adentraba dando bandazos en la torrentera y se apartaba del saliente de roca, vi que era un Cadillac Escalade.

El cristal de la ventanilla del piloto bajó muy despacio.

—Ya pueden salir del escondite —canturreó Athenaide.

Minutos después circulábamos por una carretera asfaltada que atravesaba un polvoriento barrio de casas prefabricadas con capillitas de plástico en los porches en honor de la Virgen y de san Francisco.

—Bienvenidos al Aeropuerto Municipal de Lordsburg —dijo Athenaide mientras se acercaba a la verja de una valla de tela metálica—. Aquí aterrizó Charles Lindbergh. Es un sitio más antiguo que los aeropuertos de JFK y O'Hare.

—El índice de crecimiento ha sido un poco menor —dijo Ben.

—Sirve sobre todo para los Cessnas de los granjeros locales y para los pilotos particulares que saltan de aeropuerto en aeropuerto por todo el país —dijo Athenaide—. O servía hasta el año pasado por lo menos.

Nos detuvimos al lado de una pista de despegue y aterrizaje y vi el aparato de Athenaide. Era un jet —un Gulfstream V, me dijo Ben al oído— y sus turbinas ya estaban girando y producían un fuerte rugido.

—Las pistas se tendrían que alargar —gritó alegremente Athenaide.

En el compartimento principal de la cabina del jet, Athenaide depositó la carpeta con la carta de Granville encima de la mesa de conferencias. Apilados en el interior de un cesto fijado a la mesa, encontré mis libros. Lo primero que hice fue hojear el de Chambers. La ficha de Roz, la carta de Granville a Child y las xerografías de los artículos de prensa seguían allí.

Hasta un jet como el de Athenaide tardaba cuatro horas para cubrir el trayecto Nuevo México-Washington D.C.

Ben leyó la historia de Cardenio en *Don Quijote* y después se echó un sueño. Le mostré a Athenaide cómo encontrar una versión de *La doble falsedad* en Internet y bajársela en su ordenador portátil. Cuando Ben terminó de leer la historia de Cardenio, le pasó el libro a nuestra anfitriona

Con el volumen de Chambers descansando sobre mi regazo, miré por la ventanilla, sintiéndome intranquila. Delia Bacon había sido poco más que una nota a pie de página en mi tesis, pero lo poco que sabía de ella me había intrigado. Cuando le dije a Roz que quería escribir la biografía de Delia, me hizo desistir de mi propósito con un docto sermón acerca de mi futuro profesional. Había una diferencia entre disponer de información sobre un tema, es decir, alguien que está al corriente, y alguien que simplemente está loco, y la gente empezaría a preguntarse si yo no sería una persona tan controvertida como mis temas.

¿Por qué Roz me había apartado de Delia para después abalanzarse ella misma sobre el tema? ¿Y cuánto tiempo llevaba en ello?

Al final de aquel sendero había una ciénaga de hirviente y verdoso rencor; la sentía brillar con tenue resplandor en una cercana distancia. *Concéntrate en Ophelia*, me dije.

Sin embargo, excepto arrojar dardos a un atlas, poco podía hacer para localizar a Ophelia y su escondrijo de cartas de Granville hasta que llegáramos a la Folger. *Por favor, que no se hayan perdido*, pensé.

¿Y el papel de los Howard? Le había dicho a Athenaide que la historia de los Howard carecía de importancia, lo que era cierto en lo tocante a la búsqueda de la obra. Pero cuando la encontráramos, si es que lo conseguíamos, entonces, ¿qué?

Si la obra fuera buena, importaría un pimiento la razón por la cual se hubiera escrito o para quién. Sería estúpida, cruel o hermosa por méritos propios. Pero si no fuera tan buena —aunque *La doble falsedad* fuera mala—, sus nexos con la espeluznante historia, podrían permitir que hasta una historia mal contada resultara interesante.

Volví a leer las dos cartas: la de Granville a Child y la de Ophelia a Granville. Juntas resultaban bastante claras. Jeremy Granville había encontrado un manuscrito de *Cardenio* y algo en aquel manuscrito le había inducido a pensar que la obra estaba ligada en cierto modo a los Howard y al conde de Somerset. También pensaba que el autor estaba relacionado con «la condesa», una dama que Ophelia Fayrer Granville identificaba con Frances Howard, condesa de Somerset.

Shakespeare fue uno de los más grandes forjadores de sueños que jamás han caminado bajo el sol y, sin embargo, apenas sabíamos nada de él. No como soñador, en cualquier caso. No como narrador de historias. Cuatro siglos de investigaciones sólo nos habían revelado que nació, se casó a toda prisa, procreó tres hijos con una esposa a la que raras veces veía, invirtió en inmuebles y evadió el pago de impuestos, fue demandado por sus vecinos y después murió. De paso, publicó más de treinta obras —un puñado de ellas consideradas las mejores que nunca se han escrito en cualquier idioma y cualquier época— y algunos poemarios de exquisita y sublime factura.

Pero sus obras, a pesar de su inmensa fuerza, eran curiosamente impersonales, como si el autor hubiera corrido de manera deliberada un oscuro y a veces socarrón velo entre sus sueños públicos y sus sueños privados. Se podían ver conexiones generales: el arco de sus intereses se movía desde las historias de jóvenes amores del principio hasta las historias de traiciones y amargura de la mediana edad que, al final de su vida, habían culminado en historias de padres e hijas, redención y regeneración. Pilas de libros y artículos establecían conexiones entre *Hamlet* y las muertes de Hamnet, el hijo menor de Shakespeare, su padre y la reina que gobernaba Inglaterra desde antes de que él naciera. Muchos más señalaban que en los *Sonetos*, el triángulo de un poeta, una dama oscura y un joven dorado trazaba los perfiles de una experiencia agridulce. Pero todo eran simples conjeturas. Si el arte, tal como decía Hamlet, era un espejo de la naturaleza, las obras de Shakespeare mostraban un reflejo de sí mismo más bien oscuro.

Pero ¿y si el manuscrito de Granville contuviera algo más que una obra perdida? ¿Y si nos permitiera vislumbrar a Shakespeare el hombre?

A fin de cuentas, no sabíamos nada acerca de las personas a las que había amado y acerca de la manera en que las había cortejado. De qué se había reído con sus amigos. Qué provocaba su ira, qué le llenaba los ojos de lágrimas o le encendía las venas con un melifluo resplandor de felicidad. En el brillante y pomposo mundo del Londres isabelino, Shakespeare había alcanzado en cierto modo la fama, consiguiendo mantenerse prácticamente invisible. El hecho de descubrir una obra que lo implicara en uno de los más espeluznantes escándalos de sexo y asesinato de su época —y no sólo como observador, sino como protagonista, aunque en menor medida— sería como encender de repente unos fuegos artificiales en una noche sin luna.

No era posible.

¿O sí lo era?

Debí de quedarme dormida porque me desperté mientras Athenaide me sacudía suavemente por los hombros. Ya era hora de cambiarme, me dijo. Y fue entonces cuando descubrí que había sacado del automóvil e introducido en el avión no sólo nuestros libros sino también nuestro equipaje, y que yo no sólo disponía de ropa limpia sino también de un dormitorio donde cambiarme.

Cuidadosamente colocados en la sección superior de mi maleta, encontré una falda negra y un fino top blanco. Al fondo de la maleta vi unos zapatos de tacón bajo y talón abierto que pensé que me iban a sentar bien. Me cambié, me recogí el cabello en un moño en la nuca, me prendí el broche de Roz en el hombro y regresé a la cabina principal del aparato.

—Lorenzo —anunció Athenaide— espera a dos miembros más de su equipo esta noche. La hija de unos amigos, Susan Quinn, y a su novio Jude Hall.

No pude contener la risa.

—¿Cómo? —preguntó Ben.

Se había puesto unos pantalones negros y una camisa blanca.

—Las hijas de Shakespeare —dije—. Susanna y Judith... Susan y Jude. Susanna se casó con el doctor Hall y Judith se casó con un tal señor Quiney. De ahí los apellidos de Hall y Quinn. Por lo menos ha invertido los apellidos.

—No es una buena idea —dijo Ben.

—Tenga un poco de sentido del humor, señor Pearl —lo regañó Athenaide—. La relación le pasó desapercibida a usted.

—Pero a Kate no.

—La única persona que comprobará la lista de nombres de Lorenzo será el guardia de la puerta de la entrada de servicio.

—Quien más que probablemente pertenecerá al FBI —replicó Ben.

—En tal caso, sus rostros plantearán más problemas que sus nombres. Sobre todo, el de Katharine.

—Esto no es un juego —sentenció con severidad Ben.

—Puede que no —concedió Athenaide—. Pero reírse ante el peligro es un signo de valentía.

—La seriedad tiene un índice superior de supervivencia —replicó Ben.

Pocos minutos después ya habíamos tomado tierra en Dulles, donde una limusina negra nos estaba esperando. Después de Nuevo México, Washington D.C. nos pareció tan verde como la Ciudad Esmeralda. Pero el aire era espeso y desagradable, y el horizonte parecía una maraña de algodón blanco grisáceo, claustrofóbicamente amontonada muy cerca de allí. Por encima de nuestras cabezas sólo se podía ver un pequeño círculo de cielo azul.

Cuarenta y cinco minutos después nos dejaron en las cocinas de la empresa de *catering*. Tuve que encomendarle mis libros a Athenaide.

—Los cuidaré —me prometió—. Usted sólo preocúpese de entrar.

El propietario de la empresa de *catering* era un sujeto fornido de cabello entrecano y bigote bien recortado. Cuando reía, sus carcajadas eran operísticas. Nos entregó unas chaquetas blancas, nos presentó al resto del equipo y todos nos apretujamos en el interior de una furgoneta de gran tamaño. Poco después llegamos a la bombonera art decó de la Biblioteca Folger Shakespeare, con su fachada de mármol blanco delicadamente labrada con escenas de las obras del autor. Rodeamos el edificio y enfilamos una calle que conducía a la entrada de servicio. Cuando habíamos descargado la furgoneta, me pegué a un carrito de ruedas cargado de tantas bandejas que me sobrepasaba en altura y tiré de él reculando en dirección de la puerta de servicio. El guardia no vio de mí más que una chaqueta blanca y la parte posterior de mi cabeza. Comprobó mi nombre —Susan Quinn— sin apenas parpadear. Un momento después, oí que le franqueaba el paso a Jude Hall. Ya estábamos dentro.

25

La entrada de servicio conducía al sótano. Ben había rechazado categóricamente que nos viéramos con Athenaide en la Sala de Lectura, alegando que el FBI habría infiltrado agentes entre los estudiosos. Acordamos, en su lugar, reunirnos con ella en la Sala de los Fundadores, un pequeño refugio en un apartado rincón de la planta principal. Ella se encargaría de que pudiéramos utilizarlo aquella tarde como despacho privado, nos dijo jovialmente.

El caos provocado por la necesidad de servir una cena oficial a ciento cincuenta de los más destacados investigadores y patrocinadores de estudios sobre Shakespeare facilitaba la tarea de abandonar con disimulo la cocina. Doblamos una esquina, nos quitamos las chaquetas blancas y las empujamos al fondo de un carrito de la colada. Después atravesamos rápidamente el pasillo y subimos la escalera que conducía al vestíbulo principal. A esa hora del viernes estaba casi desierto. Al fondo, la puerta de la Sala de los Fundadores estaba abierta.

A un lado de la escalera había un pequeño despacho que conducía a la Sala de Lectura. Junto a la puerta abierta, otro vigilante permanecía sentado detrás de un mostrador. Ben me agarró del brazo hasta que oímos que alguien abandonaba la Sala de Lectura e introducía la tarjeta de salida... No era un medio de distracción demasiado bueno, pero probablemente no dispondríamos de otro. Ben hizo una seña con la cabeza y, tras abandonar la escalera, pasamos con la mayor naturalidad posible por delante de la puerta donde estaba el vigilante, recorrimos el pasillo y entramos en la Sala de los Fundadores.

Estaba desierta. Ben entornó la puerta y la cerró. Inicialmente construida como refugio privado para los fundadores de la biblioteca, Henry y Emily Folger, la estancia parecía un salón isabelino con paneles rectangulares de oscura madera de roble, techo de vigas, relucientes suelos de maderas nobles y ventanas emplomadas de cristal opaco. En el centro había una larga mesa de madera labrada, rodeada por unas sillas de apariencia frágil en comparación con el resto de la estancia. Un soberbio retrato de la reina Isabel I presidía el conjunto.

Athenaide brillaba por su ausencia.

Mientras Ben recorría la estancia, contemplé a la reina. El vestido de terciopelo rojo y raso acolchado de color marfil con incrustaciones de oro y perlas que lucía realzaba su tez clara, sus bucles pelirrojos y sus ojos negros. En una mano sostenía un tamiz, símbolo de su condición de Reina Virgen. El pintor le había conferido un rostro capaz tanto de grandeza como de crueldad.

Ben estaba examinando una serie de puertas artesonadas que cerraban una arcada de piedra cuando oímos un golpe en la esquina posterior izquierda. Ambos nos volvimos.

A través de una puerta oculta en el rincón, el doctor Nicholas Sanderson, el bibliotecario de la Folger, irrumpió en la estancia sosteniendo unas hojas sueltas de textos escritos a máquina.

—Confío en que esto sea.... —empezó diciendo. Y después se detuvo en seco junto al otro extremo de la mesa, desplazando la mirada de Ben a mí—. Doctora Stanley —dijo en un asfixiado jadeo.

Un atildado caballero sureño de baja estatura con ligero acento virginiano, dulces ojos oscuros de gacela y una fina y puntiaguda nariz. Su tez de color avellana era tan pulida como una piedra de río y el ensortijado cabello gris le circundaba la cabeza formando una tonsura típica de la mediana edad, no muy distinta a la de Shakespeare. Era aficionado a las pajaritas —la de aquella tarde era roja— y le gustaban los zapatos relucientes que resonaban sobre los suelos de madera noble.

—El FBI dijo que era muy posible que usted viniera. ¿Cómo consiguió burlar la vigilancia?

—Me colé por la entrada de servicio.

—Dudo que al FBI le haga gracia enterarse de su presencia —dijo en tono cortante.

—Y yo preferiría que no se enterara. He venido a pedirle ayuda, doctor Sanderson.

Se colocó las manos a la espalda y me estudió.

—Comprenderá que sea un poco reacio. Que yo sepa, doctora Stanley, cada vez que usted ha aparecido por algún sitio últimamente, los Infolios han mostrado una marcada tendencia a ser pasto de las llamas junto con los edificios que los albergaban.

—Los Infolios del Globo y de Harvard no se han quemado —dije tranquilamente—. Los han robado.

—¿Cómo?

—Setenta y nueve —aseveró Ben—. Es el número de ejemplares que ustedes poseen, ¿verdad?

El doctor Sanderson se volvió hacia él.

—¿Y usted quién es?

—Hall —contestó Ben antes de que yo pudiera presentarlo—. Jude Hall.

Pegué un respingo, pero no vi en el rostro del bibliotecario ninguna señal de que le hubiera llamado la atención el nombre que Ben le había dado. Quizá porque no lo había oído junto al de Susan Quinn.

—En efecto, señor Hall —dijo el doctor Sanderson, arrastrando las palabras más de lo que era habitual en él a causa de la indignación—. Es una cantidad que exige una cierta responsabilidad.

—¿Los ha contado usted recientemente? —le pregunté.

Montó en cólera.

—Si está insinuando que un Primer Infolio podría haber desaparecido sin que yo me enterara, debo decirle que aquí somos un poco maniáticos con la vigilancia de las personas que tienen acceso a ellos.

—También lo eran en Harvard y en el Globo —observé.

—Además de nuestras medidas de seguridad normales —añadió el doctor Sanderson—, el FBI lleva dos días aquí.

—Nosotros hemos entrado —dijo Ben.

—Pero, a lo mejor, lo tendrán más difícil para salir —replicó el bibliotecario—. Sin embargo, entiendo lo que quiere decir. Si me disculpan, quizá yo mismo haré el recuento.

—Espere —le espeté, interponiéndome entre él y la puerta de la esquina.

—¿Por qué me detiene? —me preguntó— si, tal como han dado a entender, se preocupan por la Folger y por la seguridad de nuestros Infolios?

—Necesito echar un vistazo a los papeles de Bacon.

—Pues, entonces, deduzco que esto no es para la señora Preston.

Dando un paso al frente, depositó el catálogo que sostenía en la mano encima de la mesa.

«Delia Bacon. Papeles», se leía en la tapa.

—Por desgracia, ahora la Sala de Lectura está cerrada por la conferencia y, si desean tener acceso a la cámara de seguridad, la respuesta es no. Sólo los funcionarios de alto rango pueden acceder a ella.

—Usted es un funcionario de alto rango.

—¿Me está pidiendo que lleve a cabo la investigación en su lugar? ¿Ahora? —La exasperación crepitó en su voz—. Tal como usted ha insinuado con toda claridad, lo que tengo que hacer es contar los Infolios.

—Lo que me trae aquí es más importante.

Las palabras de Roz. Me di cuenta mientras las pronunciaba.

—¿Más importante que velar por la seguridad de setenta y nueve Primeros Infolios? —replicó.

—Busco un manuscrito.

Entornó los ojos.

—¿Qué clase de manuscrito?

—Uno de Shakespeare.

El silencio se interpuso entre nosotros.

—Menuda petición, doctora Stanley. Se parece usted a ella, ¿sabe? —Señaló con la mano a mi espalda y me volví y vi a la reina Isabel—. Una gran reina —añadió—, pero era capaz de mentir como un bellaco con tal de conseguir lo que quería.

—Me he metido en una ratonera para pedirle ayuda, doctor Sanderson.

—Espero que eso no sea del todo cierto y que su meditabundo señor Hall aquí presente disponga de un arma. En cualquier caso, si como dice no es culpable de nada, la ratonera no está destinada a usted. Aunque supongo que su búsqueda tiene algo que ver con la quema, o el robo, de los Infolios.

—No soy yo la que quema y roba. Pero estoy siguiendo la misma pista que el ladrón. Quiero llegar al final antes que él. No le pido que haga algo peligroso o equivocado. Lo único que necesito es un poco de ayuda para seguir el rastro de una mujer.

Tomó una silla y se sentó junto a la mesa, cruzando las manos sobre el catálogo.

—¿Qué puede ofrecer a cambio?

Permanecí de pie.

—Parte del mérito cuando lo encuentre.

—¿Y el manuscrito?

Su voz se tensó a causa del anhelo y la curiosidad.

—Pertenece a una biblioteca.

—¿Como la Folger?

No hizo el menor movimiento, pero se mascaba la tensión.

Moví la cabeza lentamente en señal de asentimiento.

Empujó el catálogo sobre la mesa.

—¿Qué es lo que quiere?

—La mujer en cuestión escribió a la familia Bacon en 1881 y recibió autorización para examinar los papeles de Delia. Confío en encontrar una pista que me conduzca hasta ella.

El doctor Sanderson meneó la cabeza.

—Me temo que nuestros archivos no serán muy distintos de los que tenía la familia.

Ben había tomado el catálogo y lo estaba hojeando.

—No se la cita en el catálogo —dijo dejándolo sobre la mesa.

—¿Cómo se llamaba? —preguntó el doctor Sanderson.

—Ophelia —contesté.

—Muy apropiado para alguien que estaba investigando sobre una loca.

—Ophelia Fayrer Granville.

Al doctor Sanderson se le escapó un silbido.

—Usted busca la carta de Granville.

—¿La conoce?

—Sé de la existencia de una carta de Ophelia Granville en nuestra colección, pero no la encontrará en el archivo Bacon. Le escribió a Emily Folger, uno de nuestros fundadores, a principios de la década de 1930. La señora Granville era hija del médico de Delia Bacon, el hombre que por primera vez la mandó recluir en un manicomio. Dirigía un sanatorio privado en Henley-in-Arden, cerca de Stratford.

—¿Del Avon?

—Pues claro que «del Avon». Si me refiriera a Ontario, lo diría. Supongo que también querrá ver el broche.

¿El broche?

—El que ella le envió a Emily Folger junto con la carta. Lleva usted una reproducción de él en su hombro. Reproducción de calidad museística, exclusiva de nuestra tienda de regalos. ¿No lo sabía?

Prendido en mi blusa, el broche se me antojó súbitamente pesado.

¿Un broche acompañaba la carta? ¿Y había sido reproducido? Intenté disimular mi sorpresa.

—Me lo dio Roz.

—No me extraña —dijo el doctor Sanderson—. A ella se le ocurrió la idea de reproducirlo. —Se levantó, dejó la silla exactamente donde estaba antes y tomó de nuevo el catálogo de Bacon—. Y ahora, si me disculpa, tengo que contar setenta y nueve Infolios y localizar una carta. Me llevará cierto tiempo, pero regresaré apenas termine. Mientras, permanezcan en esta sala, el FBI no se enterará de su presencia por mí.

Se volvió hacia la puerta por la que había entrado.

—Una cosa más —pedí.

Se revolvió con impaciencia.

—Por si fuera poco, también tengo la inauguración de un importante simposio dentro de veinte minutos. No creo que pueda hacer nada más.

—Este ladrón. No sólo roba e incendia. También asesina.

—Asesinó a la profesora Howard —corroboró él en un susurro.

Asentí con la cabeza.

—Volvió a asesinar anoche. A Maxine Tom, del Archivo Preston de Utah. Y lo intentó una vez conmigo.

El doctor Sanderson hizo una mueca.

—Gracias. Quizá me permita una advertencia como muestra de reciprocidad. Me habían dicho que era la señora Preston la que deseaba ver este archivo. ¿Está usted conchabada con ella?

—Yo no ...

—Tenga cuidado, doctora Stanley.

—¿Con Athenaide?

Sus cejas se arquearon formando una agorera expresión.

—La reputación, querida, la reputación. Si la pierde, pierde la parte inmortal de sí misma. Lo que queda es sólo bestial.

Bruscamente, cruzó la puerta de la esquina. Ésta se cerró y oí el *clic* de la cerradura.

Momentos después alguien llamó a la puerta principal.

—Soy Athenaide —dijo una voz—. Abran.

Indicándome por señas que me situara a su espalda, Ben extrajo su arma y abrió la puerta con la otra mano.

—No ha habido suerte con los Howard —dijo Athenaide, entrando con un montón de libros—. Y ahora la Sala de Lectura está cerrada.

Ben se disponía a cerrar la puerta cuando una voz dijo desde fuera:

—¡Athenaide, espere! —e irrumpió en la sala.

Era Matthew Morris.

—Pensé que había dejado muy claro que no quería que me molestaran —dijo Athenaide con frialdad.

—¿Por qué cree que estoy interpretando el papel de chico de los recados? —replicó Matthew—. Todos los demás están temblando de...¡Kate! —Al ver el arma que Ben empuñaba se calló—. ¿Cómo estás?

—Muy bien. De veras.

Ben cerró la puerta.

—Pues claro que está bien —dijo Athenaide.

—Pues, entonces, ¿quién es el vaquero? —preguntó Matthew.

—Protección —contestó Athenaide—. Bueno, ¿qué me quería decir con tanta urgencia?

Matthew contempló de soslayo el arma de Ben y despues miró a Athenaide.

—De momento, parece que en el debate de esta noche no tendré oponente. Su protegido no se ha presentado.

Athenaide depositó los libros encima de la mesa y se sacó un móvil del bolso.

—Un momento, por favor —dijo en tono cortante, acercándose a una esquina mientras marcaba.

—¿Protegido? —le pregunté a Matthew.

—Wesley North —aclaró éste con una sonrisa en los labios.

Mi sorpresa fue mayúscula.

—¿El Wesley North autor de *Más verdadero que la verdad*?

Era la primera obra importante en la que se defendía la tesis según la cual el conde de Oxford era Shakespeare, y lo hacía con muy buenos argumentos y con un perfecto estilo académico, a diferencia del estilo y el tono de que hubiera hecho gala un quejumbroso aficionado.

—El mismo que viste y calza —contestó Matthew—. Tengo que intervenir en un debate con él como parte de la ceremonia de inauguración de este maldito simposio. El doctor Sanderson me señaló a mí como defensor de la ortodoxia y acepté en buena parte porque no podía rechazar la oportunidad de ver al Señor Misterio.

—¿Nunca lo has visto?

—No, ni yo, ni nadie. Ni siquiera Athenaide. Enseña en una universidad online y jamás ha participado en ningún simposio. Por desgracia, parece que esta costumbre no va a cambiar.

—¿Qué clase de simposio es el que se va a celebrar aquí?

—¿No te has enterado?

De la bolsa de su ordenador sacó un programa y lo depositó en mis manos. Ben se inclinó para mirar por encima de mi hombro.

En letras de color rojo en la parte superior de un lustroso folleto estaba escrito: «¿QUIÉN ERA SHAKESPEARE?»

Levanté al instante los ojos.

—Estás de guasa.

—Hablo completamente en serio —contestó Matthew—. Aunque parece que tiene bastantes posibilidades de resultar entretenido. Hay ponencias sobre todos los candidatos principales: el conde de Oxford, sir Francis Bacon, Christopher Marlowe, la reina Isabel...

—¿La reina Isabel? —preguntó Ben con incredulidad.

—Bueno, hay candidatos mejores que esa frígida loca —dijo Matthew, señalando con un gesto de rechazo el retrato de la soberana—. Henry Howard, el conde de Surrey, por ejemplo, que murió cuarenta años antes de que la primera obra de Shakespeare se representara en el escenario. Y Daniel Defoe, que nació cuarenta años después. O, mi favorito personal, el por otra parte desconocido francés llamado Jacques Pierre.

Vi el nombre de Matthew en el programa correspondiente al sábado por la mañana.

—¿«Shakespeare y los ardores de un catolicismo secreto»?

—Codo con codo con el archimago Wayland Smith que disertará sobre «Shakespeare, los Hermanos de la Rosa Cruz y los Caballeros Templarios» —dijo Ben—. Una dura competición.

—El archimago tiene una desbordante vida imaginaria —dijo Matthew en tono socarrón—. Tengo pruebas. Y, en cualquier caso, me han vuelto a recolocar. —Me miró con una expresión profundamente compasiva—. Voy a ser el orador que pronunciará el discurso inaugural.

—Encuéntrelo —le oí decir a Athenaide, que a continuación colgó y se acercó de nuevo a nosotros—. Aún no se ha librado del compromiso —le dijo a Matthew—. Dígales a los organizadores que tanto se preocupan que encontraremos a Wesley North. —Al ver que Matthew no contestaba, añadió—: Por favor.

Matthew vaciló.

—¿Seguro que estás bien? —me preguntó.

—Mientras la policía no me localice.

Empalideció.

—Perdona. Pensé...

—No te preocupes.

Sacó una tarjeta. Anotó en ella el número de su móvil y me la depositó en la mano.

—Prométeme que me llamarás si necesitas ayuda.

Me guardé la tarjeta en el bolsillo.

—No me ocurrirá nada, Matthew.

—No olvide —dijo Athenaide en tono apremiante— que acabo de pedirle ayuda.

Ben abrió la puerta cautelosamente y Matthew se retiró.

—Wesley North —dije en tono acusador cuando la puerta se cerró.

Athenaide ignoró mis palabras.

—¿Qué tal fue su conversación con Nicholas? —me preguntó.

¿Nicholas? Nadie llamaba Nicholas al doctor Sanderson. Ni siquiera Roz. La puse al corriente sobre Ophelia, sobre su conexión con Delia y sobre la carta que no figuraba entre los papeles de Bacon. Pero me guardé la información sobre el broche para mí. Era el regalo que me había hecho Roz y no veía ningún motivo, todavía, para compartirlo con nadie.

—Estamos esperando a que el doctor Sanderson regrese con la carta —dije—. Mientras eso sucede, en mi opinión, usted es oxfordiana, Athenaide.

—*Vero nihil verius* —citó ella, abriendo las manos.

Conocía la frase. En latín, «Nada es más verdadero que la verdad». Pero no era ninguna perogrullada. Era el lema del conde de Oxford. Una especie de curiosa contraseña perteneciente al submundo shakespeariano. Un mundo marginal lleno de toda suerte de locuras.

Athenaide esbozó una triste sonrisa.

—Su amiga, señor Pearl, no me está haciendo ningún cumplido por haber sido alumna de la Universidad de Oxford, lo cual me convertiría en todo caso en una oxoniense. Tampoco se refiere a ningún lazo familiar en Oxford, ni en el de Inglaterra ni en el de Misisipí.

Tomando de nuevo el folleto, lo dobló por la mitad para mostrar el retrato de un hombre con un jubón blanco de cuello alto y gorguera ribeteada de encaje negro. El cabello oscuro y una barba recortada enmarcaban un rostro en forma de corazón; su nariz era larga y arrogante. Acariciaba un jabalí dorado colgado de una cinta negra alrededor de su cuello.

—Por oxfordiana —añadió Athenaide— se refiere a que yo creo que las obras que atribuimos a Shakespeare fueron escritas, en realidad, por el hombre que tiene usted retratado delante. Edward de Vere, decimoséptimo conde de Oxford. —Me miró con aire desafiante—. Quiere decir que soy una hereje.

26

—Yo jamás he utilizado esa palabra.

—Pero sí el tono —me reprendió ella—. Con cuánta rapidez pasamos de la alabanza a la condena en las cuestiones relacionadas con la fe.

Me disponía a protestar, pero Athenaide me cortó.

—Shakespeare, señor Pearl, no es simplemente literatura. Es una religión.

—Y también una ciencia —repliqué—. Basada en la evidencia, es decir, en las pruebas.

—¿Y usted ha pasado las pruebas por la criba? ¿Todas las pruebas? —Se volvió hacia Ben—. Los stradfordianos poseen universidades e instituciones como ésta. Y las universidades están en posesión de la Verdad. En ellas no se enseñan las cuestiones sujetas a controversia, las pruebas en contra. Sólo lo que ellas han decidido que es la verdad.

—Eso es injusto.

—¿De veras?

—Hubiera tenido que darme cuenta —refunfuñé—. Su fascinación por Hamlet me hubiera tenido que poner sobre aviso. Y Elsinore.

—Elsinore, en efecto —repitió como un eco, satisfecha de sí misma—. Oxford... El verdadero Hamlet, dentro de Elsinore, dentro de Shakespeare.

Ben nos miraba sin entender nada.

—¿El verdadero Hamlet?

—Los oxfordianos leen *Hamlet* como una autobiografía secreta de Oxford —expliqué.

—Me decepciona usted —dijo Athenaide, riéndose entre dientes—. ¿Quién escribió «*Hamlet* ciertamente es como un eco de la vida de Oxford, con una misteriosa equivalencia suficiente para merecer ulteriores estudios»?

Pegué un respingo. Acababa de citar un pasaje de mi tesis. Al decirme ella que conocía mi obra, había pensado que se refería a mi labor teatral. Nadie lee las tesis, ni siquiera las madres a las que se les cae la baba por sus hijos.

—Aseveré que la trama repite como un eco la vida de Oxford, Athenaide. Lo cual dista mucho de decir que es una autobiografía.

—¿Cómo pudo un humilde mozo, hijo de un guantero de Stratford, haberse atrevido a seguir las andanzas de uno de los más augustos personajes del reino? ¿Cómo hubiera podido conocer los detalles?

—Todo el mundo conocía los detalles. Lo mismo que hoy en día todo el mundo conoce los sórdidos detalles de la vida de Michael Jackson. Los ricos y famosos siempre han vivido bajo la luz de los focos y algunos siempre han hecho alarde de ello. Lo que yo quiero saber es por qué. ¿Por qué iba usted, o cualquier otra persona, a sustituir al personaje cuyo nombre figura en la portada por Oxford ?

—Porque para mí, lo que hay en las obras es superior al nombre que aparece en las portadas —se limitó a contestar ella—. El hombre que escribió estas obras tenía amplios y profundos conocimientos clásicos y fácil acceso a los buenos libros. Tenía puntos de vista aristocráticos y costumbres de la nobleza, como la caza y la cetrería; conocía la campiña inglesa tal como la conoce un terrateniente. Desconfiaba de las mujeres, adoraba la música y desdeñaba mendigar dinero. Estaba familiarizado con los complejos detalles de la legislación inglesa y de la navegación; había viajado por Italia y hablaba francés y latín. Y, por encima de todo, vivía y respiraba poesía. Hasta donde se ha podido demostrar (no deducir de las obras, sino demostrar con los documentos sobre su vida), William Shakespeare de Stratford no tenía este perfil. Por consiguiente, no escribió las obras.

Se sentó con aire triunfal en un sillón bajo una hilera de falsas ventanas.

—Oxford, en cambio, cumple con cada uno de los atributos enumerados.

—Menos uno —repliqué—. Murió una década demasiado pronto. Estamos buscando *Cardenio*, por el amor de Dios. Una obra escrita en 1612. ¿Cómo pudo un hombre que murió...?, ¿cuándo?, ¿en 1605?

—En 1604.

—Muy bien, en 1604. ¿Cómo pudo un hombre que murió en 1604 haber escrito una obra en 1612? Y no sólo es de *Cardenio* de lo que hay que prescindir. También de *Macbeth*, *Otelo*, *El rey Lear*, *La tempestad*, *Cuento de invierno*, *Antonio y Cleopatra*... Prácticamente todas las obras jacobinas se tienen que arrojar por la ventana.

—Las fechas —dijo Athenaide, rechazando la idea con un encogimiento de hombros—. Sería una hipótesis muy endeble si se hundiera por una cuestión de fechas. Sobre todo, de unas fechas tan inseguras como las creadas por la torre de marfil académica. *Cardenio*, tal como usted dice, se representó por primera vez en 1612. Pero eso no significa que se escribiera aquel año. Cabe otra posibilidad. En 1604, Oxford pudo encargar a un tercero la traducción de *Don Quijote* o llevarla a cabo él mismo. Después escribió la mitad de la obra... y murió. Unos años después se publicó la traducción. Y más tarde sus amigos y su hijo encargaron la terminación de la obra a John Fletcher y la llevaron al escenario en el momento más apropiado para provocarles la máxima vergüenza a los Howard, los viejos enemigos de Oxford. —Su voz se convirtió en un aterciopelado reto—. ¿Recuerda que eran enemigos?

Se volvió a mirar Ben.

—El jefe de la familia, el viejo conde de Northampton, era amigo y primo hermano de Oxford, pero cuando le convino salvar su pellejo de miembro del linaje de los Howard, no tuvo el menor reparo en acusar a Oxford de pederasta.

—Athenaide —estallé—, eso es una locura. Basada en toda una serie de «quizás» y «puede ser». Está usted siguiendo el tortuoso y enmarañado camino de un abejorro borracho, cuando le sería más fácil trazar una línea recta entre dos puntos.

Soltó un desdeñoso bufido.

—¿Preferiría creer que las obras de Shakespeare las escribió un zopenco sin apenas educación, el pobre hijo de un guantero analfabeto, que se sacó de la manga el conocimiento de las leyes, la teología, la etiqueta palaciega, la historia, la botánica, la cetrería y, por si fuera poco, la caza?

Se levantó, contemplando con detenimiento los retratos de cortesanos que colgaban en las paredes y empezó a pasear por la estancia.

—*Ver* es la raíz latina de «verdad». Un término lo suficientemente próximo a «Vere», el apellido familiar de los condes de Oxford, como para crear uno de aquellos juegos de palabras de los que tan orgullosos se sentían los hombres del Renacimiento. De ahí que los condes adoptaran como lema la frase *Vero nihil verius*, nada es más verdadero que la verdad. Que por casualidad es también mi lema, pues mi apellido de soltera es Dever. Una «bastardización», por así decirlo, de «de Vere», bastante apropiada para una rama ilegítima de la familia.

»Mi padre acertó con mi nombre de pila. Athenaide. Una versión de la Atenea de brillantes ojos, «la portadora de escudo, la agitadora de lanzas». —Pronunció el final de la frase* con deleite, dirigiéndose a Ben—. El conde de Oxford, como campeón en las lizas, era celebrado como protegido de Atenea y como parecido a ella. «Sus ojos brillaban, su mirada agitaba lanzas.»

—Eso es una traducción errónea, y usted lo sabe —repliqué—. *Vultus tela vibrat*: «Tu ojo resplandece, tu mirada arroja dardos».

—Veo que conoce las pruebas —concedió con admiración—. Aunque usted también se equivoca con la traducción. «Disparar lanzas», tal vez. Pero no «arrojar dardos». Eso suena más a encuentro de amiguetes en el *pub* que a una justa isabelina.

—De acuerdo. Pero tampoco «agitar lanzas».

Se encogió de hombros.

* *Spear-shaker*, en el original. Juego de palabras consistente en invertir los términos homónimos del apellido de Shakespeare. *(N. de la T.)*

—Bueno, *telum* es un término genérico para «proyectil», no específico de la palabra «lanza». Pero *vibrat* significa «agita» en latín, la tercera persona del presente del verbo *vibrare*. El mismo que nuestro verbo «vibrar». ¿Me permite señalar que no se agitan flechas ni dardos? ¿Y ni siquiera jabalinas? Se agitan o blanden lanzas. Concretamente, Atenea agita o blande su lanza y lo lleva haciendo desde que alguien entonó los primeros himnos homéricos hace casi tres mil años, cuando la diosa de ojos grises surge de la cabeza de Zeus, blandiendo su afilada lanza hasta que todo el Olimpo se estremece, la tierra gime y las olas se levantan embravecidas en un mar tan oscuro como el vino.

—Un poco exigente la niña —comentó Ben, y tuve que reprimir una risita.

Athenaide nos ignoró a ambos.

—Y, por si fuera poco, en los diccionarios latín-inglés del Renacimiento, *vultus* podía significar «voluntad» y también «mirada», «expresión». Lo cual hace que *Vultus tela vibrat* se pueda traducir, tal como usted podrá observar, como «La voluntad agita lanzas»*.

Miró a su alrededor con aire triunfal.

—¿De verdad? —preguntó Ben.

—Se lo aseguro —contestó ella con una perversa sonrisa en los labios—. Un pequeño juego de palabras en latín, dicho en honor de un hombre en cuyo escudo de armas figura un juego de palabras.

La embobada fascinación de Ben me estaba irritando.

—Una oscura frase en latín que puede que sea o puede que no sea un juego de palabras, pronunciada más de una década antes de que Shakespeare pusiera en escena una obra suya y quince años antes de que su nombre apareciera en una portada no constituye una prueba. Constituye una casualidad o una coincidencia.

—No creo en las coincidencias —dijo Athenaide, deteniéndose delante del retrato de la reina—. Aunque, hablando de coincidencias, este juego de palabras que usted desprecia se leyó en voz

* En el original, *will shakes spears. (N. de la T.)*

alta en presencia de la reina en Audley End, la casa solariega de los Howard, que tanto han despertado nuestra curiosidad.

Sonó su móvil y ella contestó.

—¡Oh! ¡Dios mío! —exclamó—. Voy enseguida.

Colgó.

—¿Qué ocurre?

—El profesor North no tomó su avión. Si ustedes me disculpan, tengo que ir a apagar unos cuantos incendios. Cuando Nicholas regrese, ya estaré de vuelta.

Ben no se apartó de la puerta.

—Sin compañía la próxima vez —especificó.

La ira chispeó en los ojos de Athenaide.

—Soy consciente de mi error, señor Pearl. No volverá a ocurrir. He dejado sus libros encima de la mesa, Katharine. Me podrá dar las gracias cuando vuelva.

Ben se apartó a un lado y ella salió.

—¿Qué sabe usted de ese North? —preguntó Ben cerrando la puerta.

—Escribió un libro afirmando que Oxford era Shakespeare. No sé mucho más de lo que usted le ha oído decir a Matthew.

—Pero ¿es un profesor especialista en Shakespeare?

—Sí.

—¿Por qué cree que no ha venido? ¿Cree que es por timidez?

—Parece que encaja con su manera de ser.

—También podría encajar con lo que les ha venido ocurriendo a otros profesores especialistas en Shakespeare.

Me dejé caer pesadamente en un asiento.

—¿Cree que podría ser la siguiente víctima?

—Creo que alguien tendría que pensar en esa posibilidad. —Se desperezó—. Pero no nosotros. Kate, tenemos que empezar a pensar en el lugar al que deberemos ir a continuación. ¿Cree que será Henley-in-Arden? ¿El hogar de Ophelia?

—Probablemente. Si no exactamente Henley, algún otro lugar de Gran Bretaña. Pero no lo sabré con certeza hasta que aparezca el doctor Sanderson.

—Gran Bretaña significa pasaportes. Nuevas identidades. Todo el riesgo de los aeropuertos. No será fácil.

—Pero ¿es posible?

—Me hará falta un poco de tiempo.

—De todos modos, necesito ver primero la carta.

—¿Qué le parece si la abandono por un rato mientras me encargo de todo lo necesario?

—No me hace falta un canguro que cuide de mí las veinticuatro horas del día los siete días de la semana. ¿Puede salir y volver a entrar?

—Sin llevarla a usted a remolque, sí.

—Pues, entonces, adelante.

—No abra la puerta, Kate. Ni a Athenaide, ni a Matthew, ni al doctor Sanderson.

—A nadie —repetí como un loro.

—Me la puede abrir a mí —dijo Ben sonriendo.

—¿Y cómo sabré que es usted?

—Dos golpes lentos con los nudillos y tres rápidos. A no ser que conozca usted una señal shakespeariana secreta.

—Muy gracioso.

—Hasta pronto.

Abrió cautelosamente la puerta y luego salió.

Cogí los libros que Athenaide me había traído. Había sólo dos: el facsímil en edición de bolsillo del Infolio y el ejemplar de Chambers de la Widener. Las cartas estaban donde las había dejado. Salvo que había una más. Athenaide había añadido la carta de Ophelia a Jem. La saqué.

¿Qué era lo que Ophelia necesitaba decirle a Emily Folger? ¿Dónde estaba el doctor Sanderson? ¿Cuánto tardaría en comprobar que no faltaba ninguno de los setenta y nueve infolios? Presa de la inquietud, volví a leer las cartas.

Me estaba abriendo camino a través del enredo de los Howard cuando me sobresaltó una llamada a la puerta principal. Dos simples golpecitos. No el complicado tamborileo de Ben.

—Kate Stanley —llamó una pausada voz, y el corazón me dio un vuelco en el pecho.

Era Sinclair.

Guardé de nuevo las cartas en el interior de la obra de Chambers, recogí los libros y me aparté de la puerta.

—Sé que está ahí adentro.

Miré aterrorizada a mi alrededor. La puerta de la esquina estaba cerrada. El único otro medio de salir eran las ventanas, pero éstas no se abrían. Tendría que romper una.

—Escúcheme bien, señora Stanley —dijo Sinclair—. Sé que usted no es la asesina, pero el FBI no opina lo mismo. La encontrarán y la detendrán muy pronto y las preguntas se las harán después. En cambio, si colabora conmigo, le permitiré encontrar lo que está buscando.

—¿Cómo?

Me alarmé al darme cuenta de que había hablado.

—Venga conmigo ahora y le conseguiré billete en un avión con destino a Gran Bretaña, que despega en cuestión de media hora.

Gran Bretaña. Con toda probabilidad, era exactamente el lugar adonde necesitaba ir. A Henley-in-Arden, cerca de Stratford. Pero no lo sabría hasta que el doctor Sanderson regresara con la carta. ¿Dónde estaría ahora?

—Me encargaré de que pueda salir de aquí, Kate.

Sinclair no tenía jurisdicción en Estados Unidos. No podía garantizar sus promesas ni respaldar sus amenazas. Eso, siempre y cuando no fuera simplemente una estratagema. Y, en caso de que no lo fuera, lo que me proponía hacer no sólo era ilegal sino que estaba falto de ética: entorpecer una investigación criminal en el territorio soberano de otro país. ¿Qué razón tenía Sinclair para hacerme semejante ofrecimiento? ¿Por qué tenía tanto interés?

—¿A cambio de qué? —pregunté.

—A cambio del cabrón hijo de puta que incendió un monumento nacional que estaba bajo mi jurisdicción —dijo con furia—. Lo quiero atrapar. Si usted me ayuda, yo la ayudaré a usted.

Miré la puerta de la esquina. ¿Dónde estaba el doctor Sanderson? ¿Dónde estaba Ben?

—Necesito un poco de tiempo.

—No dispone de tiempo. El FBI todavía la está buscando en Nuevo México. Pero en cuanto deje de hacerlo llegará a la misma conclusión que yo: que usted se las ingenió para subir al avión de la señora Preston.

—No.

No pensaba irme a ningún sitio sin aquella carta.

La puerta crujió un poco y reculé. Dejé los libros en un asiento al pie de una ventana, tomé una de las sillas que rodeaban la mesa, dispuesta a arrojarla contra el cristal. Si alguien entraba por la puerta, intentaría saltar por la ventana.

—No puede seguir huyendo —dijo Sinclair—. Tal como yo lo veo, usted está buscando lo mismo que el asesino, lo cual significa que el peligro que corre puede ser mucho mayor viniendo de él que de la policía.

—Eso ya lo sé, gracias. El asesino ya me ha dicho más o menos lo mismo.

—¿Ha hablado usted con él? —preguntó.

Se advertía en su voz un matiz de ansiedad.

—Él ha hablado conmigo.

—¿Lo reconoció?

—No.

Hubo una pausa.

—¿Hasta qué extremo conoce al tipo con quien viaja?

—Lo suficiente como para saber que no es el asesino, si es eso lo que está insinuando.

Su prisa pareció intensificarse.

—¿Quién más pudo haber cometido el asesinato en Utah?

—Quienquiera que nos estuviera siguiendo.

—¿Vio usted a alguien?

Oí abrirse la puerta oculta de la esquina, presa de temor y de esperanza a partes iguales. ¿Sería el doctor Sanderson? ¿Sería el FBI? Sujeté con más fuerza la silla.

Era Athenaide. Acercándose un dedo a los labios, me indicó por señas que la siguiera.

En el exterior del salón, Sinclair continuaba hablando:

—Es alguien que la puede seguir muy de cerca, Kate. Probablemente alguien a quien usted conoce.

No, pensé. No lo quiero creer. Y crucé la puerta siguiendo a Athenaide.

Ésta la cerró a nuestra espalda. Nos encontrábamos en un pequeño despacho desierto, con el escritorio vacío y el ordenador apagado. Los cristales de las ventanas estaban protegidos con tela metálica. Una puerta en la pared de enfrente permanecía abierta de par en par. Athenaide la cruzó a toda prisa.

Al otro lado se encontraba el despacho del doctor Sanderson, profusamente decorado con piezas antiguas. En tres de las paredes colgaban retratos de hombres vestidos con jubones. En la cuarta, unas ventanas casi tan altas como puertas vidrieras se abrían a un estrecho invernadero atestado de plantas y herramientas de jardinería. La ventana central estaba abierta.

Desde el pasillo, oí unos golpes en la puerta de la Sala de los Fundadores.

—Ha llegado la hora de irnos —dijo Athenaide.

Se encaramó a la ventana y pasó al otro lado para dirigirse a una puertecita que se abría un poco más allá en la pared del otro lado del invernadero. La seguí.

La puerta se abrió y me vi en un pasillo flanqueado por ficheros. A mi izquierda, había gente conversando animadamente y entrechocando copas, por lo que, por un momento, no tuve ni idea de dónde estaba. Después vislumbré una alfombra verde musgo que enseguida reconocí.

Nos encontrábanos en un pasillo que conectaba las dos mitades de la Sala de Lectura, la Antigua y la Nueva. Lejos de haber salido de la biblioteca, me había hundido por completo en su bien vigilado núcleo.

Fue la presencia de la gente lo que me desconcertó. Pero entonces comprendí lo que estaba ocurriendo. Había empezado la recepción del simposio.

—Váyase —me dijo Athenaide—. Confúndase con la gente.

—Pero el doctor Sanderson... —protesté—. La carta...

—Es él quien me ha enviado en su busca —dijo Athenaide—. Tiene que reunirse con él dentro de media hora, a dos manzanas al oeste de aquí. Me ha dicho que es un sitio desde donde se divisa una preciosa vista en esa dirección. Sabrá a que lugar se refiere en cuanto la vea.

—Estupendo, Athenaide. Lo único que tengo que hacer es escabullirme del acoso del FBI.

—Le sugiero que utilice la puerta de la entrada —me dijo guiñándome el ojo—. Dado el revuelo que ha armado en la de la entrada de servicio. Hay camareros vestidos con trajes del Renacimiento sirviendo champán en el césped. Encontrará una exposición de vestidos de época cerca de la entrada principal, en el Gran Salón. Tome prestado uno.

—Pero Ben...

—Yo le diré dónde está usted. Y ahora váyase.

Me dio un empujoncito y entré en la Antigua Sala de Lectura. No es que estuviera repleta de gente, es que no cabía ni un alfiler.

Desde el alto techo, la luz se filtraba por unas vidrieras de colores. Se escuchaban distintas variantes de inglés, así como retazos de alemán, japonés, francés y ruso. En algún lugar, un cuarteto estaba interpretando madrigales. Choqué con un hombre vestido de druida —probablemente el archimago— y seguí adelante.

En el otro lado de la sala, alguien dijo mi nombre.

Athenaide pasó junto a mí y subió con paso ligero una escalera que conducía a una galería que circundaba toda la sala. Se inclinó sobre un balcón y tocó una campanilla que emitió un estridente y argentino repiqueteo.

La gente enmudeció y dirigió la mirada hacia arriba.

—Quisiera darles a todos ustedes la bienvenida —empezó diciendo Athenaide.

Abriéndome paso entre la multitud, me fui acercando a una alta chimenea labrada. Justo más allá de la misma llegué a las cristaleras del Gran Salón del otro lado y entré en él. La estancia estaba revestida de paneles como la Sala de los Fundadores, pero era cinco o seis veces más grande y tenía un alto techo abovedado.

Normalmente, era la sala de las exposiciones, el único sector de la biblioteca abierto al público. Aquella noche, sin embargo, estaba llena de mesas preparadas para un espléndido banquete. Fui serpeando entre ellas en dirección a la tienda de regalos y la puerta que daba a la calle.

En el rincón más alejado, tal como Athenaide me había dicho, había una muestra de maniquíes vestidos con atuendos de las obras del dramaturgo. No eran prendas auténticamente renacentistas, sino vestidos de época de algunas de las grandes produccciones shakespearianas de Hollywood. «De la Colección de Athenaide Dever Preston», se leía en un letrero.

En el centro se alzaba un maniquí de Lawrence Olivier vestido de Hamlet. Me bastó un abrir y cerrar de ojos para quitarle de los hombros al maniquí la capa del danés y otro para echármela alrededor de los míos. Asomé la cabeza por la puerta. A la izquierda, al fondo de la larga sala principal, la Sala de los Fundadores estaba llena a rebosar de hombres.

Sujetando con fuerza mis libros, giré a la derecha, franqueé las puertas acristaladas y salí al césped, donde unos personajes del siglo XVI estaban ofreciendo champán en bandejas de plata a personas del XXI. Cuando pasó un grupo de gente por la acera, salí para mezclarme con ella y me dirigí a Capital Street lo más deprisa que me atreví.

27

El día había sido muy húmedo y caluroso. Al anochecer, el calor continuaba siendo sofocante, pero por lo menos soplaba una suave brisa. Aun así, bajo la capa de Hamlet la ropa se me pegaba a la piel.

Con la cabeza gacha y aguzando el oído por si alguien me seguía, pasé por delante de la Biblioteca del Congreso, a mi izquierda, y del Tribunal Supremo a mi derecha. No oí pisadas a mis espaldas. Me quité la capa. Delante de mí tenía un amplio espacio marmoreo, verde césped y vallas metálicas, y más allá la cúpula del Capitolio elevándose al cielo.

«Dos manzanas al oeste», le había dicho el doctor Sanderson a Athenaide. «Es un sitio desde donde se divisa una preciosa vista en esa dirección.» Experimenté una oleada de afecto por Sanderson mientras rodeaba el lado sur del Capitolio, apurando el paso junto a la calzada de cemento y pasando entre olmos y arces. Allí se estaba más fresco o, por lo menos, yo podía hacer el esfuerzo de creerlo mientras escuchaba el suave susurro del aire que circulaba entre los árboles.

Tal como me habían prometido, la cara del Capitolio que daba al oeste ofrecía uno de los mejores panoramas de todo el Distrito de Columbia. El obelisco del Monumento a Washington se recortaba en toda su blancura en el horizonte mientras el sol se inclinaba hacia el ocaso envuelto en la bruma. Los alegres acordes de la marcha de Sousa llegaban desde un estrado para orquesta situado junto al estanque. Seguía prefiriendo la baraúnda de Londres y Nueva York, donde el caos del presente chocaba alegremente con el pasado, en lugar de contemplarlo en reverente silencio. Sin embargo, tenía que reconocer que el Mall era un encanto en medio de la tranquilidad de un ocaso estival.

Contemplé la vasta extensión de mármol y pavimento delante del Capitolio. A pesar de estar a las puertas del fin de semana del Cuatro de Julio, todo parecía extrañamente desierto, a excepción de una pareja de enamorados que paseaban por allí y uno o dos sujetos que apuraban el paso con la cabeza gacha para dirigirse a algún sitio. Pero mientras que ya era demasiado tarde para los paseos turísticos y casi todo el personal de las oficinas ya se había ido a casa, era demasiado pronto —y aún hacía demasiado calor— para que empezaran las actividades nocturnas. Sólo un reducido grupo de personas se apretujaba alrededor de la banda de música junto al estanque.

El doctor Sanderson no se veía por ninguna parte, pero yo me había adelantado. Me volví y subí los peldaños contemplando la blanca Cúpula que coronaba la colina. Al llegar al primer rellano, me volví para contemplar una vez más la ciudad blanca y verde.

Abajo y a la izquierda, más allá de la balaustrada, la oscuridad exhalaba su perfume desde la arboleda de magnolios que se aferraba a la ladera de la colina. Unas cuantas flores colgaban como pequeñas y fragantes lunas en medio del oscuro brillo de las hojas. Me dirigí a la arboleda. A medio camino, un movimiento en los helechos de abajo me llamó la atención.

Seguí avanzando. Abajo, en el oscuro suelo que parecía el fondo de un profundo agujero, alguien yacía tumbado entre los helechos.

—¿Hola?

No obtuve respuesta. Bajé a toda prisa los peldaños y rodeé la balaustrada. Luego subí con cuidado por la ladera y me adentré en la oscuridad bajo las copas de los árboles. Las sombras lo cubrían todo y me detuve para que mis ojos se adaptaran a la penumbra. Un hombre yacía tumbado en el suelo. Un hombre de cabello gris y pajarita roja.

Tiré la capa y eché a correr hacia él. El doctor Sanderson tenía más puñaladas de las que podía contar. Lo habían degollado y la herida parecía una segunda boca abierta justo por debajo de la pajarita. Oí un zumbido y después me envolvió el olor ligeramente metálico de la sangre. Las moscas ya se estaban congregando alrededor. Mientras doblaba el tronco para vomitar, vi que la mano de Sanderson sostenía todavía un arrugado papel. Me incliné para mirar.

Una capucha me cubrió la cabeza y alguien me arrojó al suelo.

Los libros se me escaparon volando de las manos y me quedé sin respiración, de tal manera que no pude emitir ningún gemido. A continuación, mi agresor se me echó encima, me introdujo una mordaza en la boca y me ató rápidamente las muñecas. Una mano buscó a tientas hacia abajo y se deslizó entre mis piernas.

Con toda la fuerza de la que pude hacer acopio, rodé hacia un lado y me lo sacudí de encima. Traté de ponerme de rodillas, pero él me volvió a atrapar y me empujó hacia atrás. Me golpeé la cabeza con tal fuerza contra el suelo que vi estrellas.

Guardé silencio. *Ahora no me puedo desmayar, no puedo*, pensé.

Las estrellas se fueron apagando, pero seguía consciente. Permanecí tumbada sin moverme, aguzando el oído. Me pareció que él estaba encima de mí. ¿Haciendo qué? No podía ver nada a través de la capucha y lo peor de todo era que sólo podía oír el débil susurro de su respiración. Los cuchillos, pensé, no hacen ruido una vez los extraes de su funda.

Mi atacante se agachó para ponerse a horcajadas sobre mí y entonces levanté la rodilla hacia arriba con toda la fuerza que pude.

Oí un áspero gruñido de dolor y él cayó hacia un lado. Confiando en haberle dado en la entrepierna, me aparte rodando. Noté el roce de unas hojas... Debía de haber ido a parar debajo de un arbusto.

Oí que mi agresor se levantaba tambaleándose y daba unos pasos haciendo eses. Y después silencio.

Permanecí tumbada sin apenas respirar.

El silencio se prolongó.

De pronto oí unas enérgicas pisadas, cada vez más cerca.

—¡Kate! —gritó una voz.

Era Ben.

Oí una mezcla de pisadas, algunas acercándose y otras alejándose.

—Kate —volvió a llamar Ben.

Tan alto como pude, le respondí a pesar de estar amordazada. Se oyó un crujido, y unas manos me quitaron la capucha, y me deshicieron la mordaza, y allí estaba Ben, desatándome las manos y sujetándome mientras yo vomitaba sin apenas poder respirar.

—¿Todo bien aquí abajo?

La voz acostumbrada a mandar resonó arriba. Una oscura figura permanecía de pie en la escalinata del Capitolio, mirando más allá de la balaustrada tal como yo había hecho.

Ben tiró de mí hacia atrás para arrastrarme de nuevo a la oscuridad.

Un haz luminoso recorrió el suelo pasando más allá de Sanderson y después se retiró rápidamente. En aquel instante, vi el pálido retazo de marfil. La carta se encontraba todavía en la mano de Sanderson.

—Dios mío —dijo la voz.

Unas pisadas bajaron ruidosamente por los peldaños. Tirando de Ben, eché a correr hacia el doctor Sanderson, procurando no mirar la cuchillada de su garganta. Su mano estaba fría y ya se estaba agarrotando. Conseguí sacar la carta de su presa. Estaba envuelta alrededor de algo duro.

Me volví para recoger mis libros. Ben se arrodilló para ayudarme. Las cartas que había guardado entre las páginas del libro de Chamber seguían allí: las notas de Roz, la carta de Granville a Child y una carta de Ophelia a Granville.

Ben estaba hablando en tono sereno y pausado:

—Ésta es su oportunidad para aclarar las cosas con la policía —me dijo en voz baja—. Si se queda.

—No hasta que lea la carta.

—Puede que no le sea tan fácil regresar.

—La carta.

Ben asintió con la cabeza y me sujetó por el codo, guiándome hacia lo más profundo de las sombras justo en el momento en que el agente llegaba al pie de la escalinata. Atravesamos la pendiente en sentido horizontal y salimos de la arboleda de magnolios a un camino que rodeaba el lado sur del Capitolio. Apurando el paso por la calzada, echamos a correr a través de la oscuridad bajo los árboles más altos del parque —olmos y robles— hacia Independence Avenue. A nuestra espalda, oí el ruido de una radio mientras el agente pedía refuerzos.

Cerca de allí una sirena empezó a sonar.

Mientras cruzábamos velozmente la calle en dirección a la entrada del Rayburn House Office Building, donde se ubicaban las oficinas de los congresistas, Ben hizo señas a un taxi y nos dirigimos a toda prisa a la zona residencial de la Colina del Capitolio. Unas cuantas manzanas más al este y al norte, descendimos del vehículo. Tomándome del brazo, Ben apuró el paso calle arriba. Procuré prestar atención para hacerme una idea de hacia dónde nos dirigíamos, pero el rostro del doctor Sanderson seguía flotando delante de mí en la oscuridad, con el navajazo de su garganta semejante a una boca que gritara en silencio. Sentí náuseas y vomité en un jardín particular.

Cuando dejé de vomitar, Ben me cubrió con su chaqueta y me rodeó los hombros con su brazo.

—Ha sido una muerte muy desagradable —dijo.

—Ha sido un asesinato —repliqué, escupiendo las palabras—. Lo han convertido en César en las gradas del Capitolio.

—Sí.

No trató de quitarle hierro a la situación, cosa que le agradecí. También le agradecí que me rodeara los hombros con su brazo. En medio de la creciente oscuridad, su presencia me parecía un eslabón que me unía a la seguridad. Parpadeé para librarme del escozor de las lágrimas y seguimos caminando un buen rato en silencio.

—Creo... —dije tragando saliva— creo que también ha sido Basiano.

—¿Quién?

—El amor de Lavinia. Le degollaron y su cuerpo fue arrojado a una zanja del bosque antes... antes de que a ella la violaran y mutilaran.

Noté que Ben se puso tenso.

—¿La ha...?

—No. —Pero el lugar de mi entrepierna donde su mano había buscado a tientas todavía me dolía—. ¿Adónde vamos?

—He organizado un plan, Kate, y si no quiere acudir a la policía, lo mejor que podemos hacer es llevarlo a la práctica.

Asentí con la cabeza, recorrimos una manzana más y giramos a la derecha. Unos diez metros más allá, Ben alargó la mano y abrió la verja de hierro de una casa de la esquina. Era una residencia estilo Reina Ana de intenso color azul, con gabletes y torrecitas, rosas trepando alrededor de las columnas y un columpio en el porche de la entrada. Sin soltarme el brazo, recorrimos el camino que atravesaba el jardín hasta la puerta principal. Estaba abierta de par en par. Entramos y Ben la entornó a nuestra espalda; la puerta se cerró con un *clic*.

La casa estaba a oscuras, a excepción de la lámpara con pie de jarrón chino que iluminaba débilmente el pasillo, pero Ben me guió con paso seguro hasta el comedor y luego hasta la cocina, que estaba en la parte trasera.

—¿Supongo que conoce a los propietarios?

—Están ausentes en estos momentos. —Dejó los dos libros encima de la mesa y encendió una luz—. Siéntese —me dijo, y le obedecí. —Buscó en los cajones una toalla limpia y la mojó en el fregadero.

Procuré reprimir el pánico.

—¿La gente le deja su casa cuando usted lo necesita? ¿Y no les importa dejar la puerta abierta?

Se volvió a mirarme con una sonrisa en los labios.

—Depende de lo buenas que sean las conexiones que uno tiene. Pero no, no es fácil. Me he pasado esta última hora tirando de todos los hilos que se me han ocurrido.

Inclinada sobre la mesa, abrí el puño. El papel me resbaló de la mano: el objeto que contenía cayó sobre la mesa con un sordo ruido. Un broche negro pintado con delicadas flores. Igual que el que yo llevaba prendido a mi blusa. ¿Aún estaba allí? Me palpé el hombro.

Sí.

En la mesa, el papel manchado de sangre, que ya se había vuelto de color marrón, me llamó la atención. Era una carta fechada en 1932, pero estaba escrita con una fina y nítida caligrafía correspondiente a una época anterior. La firma era la de Ophelia.

Una frase con doble subrayado en el centro de la página destacaba poderosamente entre las demás.

La señorita Bacon tenía razón, había escrito Ophelia. *Una razón que se sumaba a otra razón.*

El suelo pareció hundirse bajo mis pies. Si Delia Bacon tenía razón, William Shakespeare de Stratford no había escrito las obras que se le atribuían.

—Oh, Dios mío —dijo una voz, y entonces me di cuenta de que la voz era mía.

ENTREACTO

3 de mayo de 1606

En la fachada oeste de San Pablo, bajo las estatuas medio desmoronadas de los profetas, una mujer dirigió la mirada hacia los dos hombres sentados en las gradas de madera enfrente del patíbulo. Coronando la cúpula, los dentados restos de la aguja de la catedral, destrozada por un rayo medio siglo atrás, mordían el cielo matutino.

Cubriéndose con una sencilla capa de color gris y con la capucha echada hacia adelante para ocultar el brillo de su negro cabello, los había seguido a los dos sin que se dieran cuenta desde la casa de Shakespeare hasta la catedral encaramada en lo alto de la colina. Las calles estaban tan abarrotadas de gente que no le había resultado tan difícil como pensaba no perderles la pista, a pesar de que los hombres iban a caballo y ella a pie.

De haberlo querido, la mujer también hubiera podido ocupar un lugar en aquellas gradas tan precipitadamente levantadas para encumbrar a los espectadores de mayor rango y riqueza por encima del populacho. Pero había optado por permanecer de pie entre los jornaleros, los aprendices, los niños y los perros abandonados, las criadas y los mendigos autorizados que se apretujaban en el espacio abierto dándose codazos entre sí para poder disfrutar mejor del espectáculo. El terreno adyacente a la iglesia estaba tan lleno que los únicos huecos libres que quedaban no permitían ver el patíbulo, pero a ella no le importaba. No había acudido allí para presenciar una ejecución. Lo que quería era vigilar a los espectadores. A dos de ellos, para ser más exactos.

Oyó a su espalda un alboroto y un siniestro toque de tambores. Las rechiflas y las burlas se añadieron al estruendo. Un poco a la izquierda, la muchedumbre abrió paso, y tres caballos se acercaron al cadalso, arrastrando una narria de mimbre con un hombre atado a ella.

El padre Henry Garnet, superior de la Orden Jesuita en Inglaterra. El sacerdote que el gobierno había elegido como chivo expiatorio para el llamado complot de la pólvora, el diabólico plan urdido para hacer saltar por los aires al nuevo rey, a la familia real, las Cámaras de los Lores y de los Comunes y un número no especificado de inocentes espectadores durante la inauguración por parte del monarca de una nueva sesión del Parlamento el anterior mes de noviembre. De haber cumplido su objetivo, la explosión hubiera destrozado una buena parte de Westminster y probablemente hubiera puesto de rodillas a Inglaterra.

La mujer estudió los rostros de las gradas: jóvenes y viejos, curiosos, entusiastas y ansiosos con sus impecables rasos y terciopelos. Los hombres que habrían muerto en medio de una infernal tormenta de sangre y dolor si los conspiradores hubieran conseguido hacer explotar la pólvora que habían logrado almacenar en los sótanos del Parlamento. Contó jueces, consejeros reales, lores y uno o dos obispos. Mezclados entre ellos, había otros de menor rango pero suficientemente ricos como para hacerse merecedores de un lugar de respeto. Abogados y mercaderes, terratenientes y clérigos. E incluso algún que otro poeta. Los Howard, observó, estaban presentes en gran número, con el conde de Northampton al frente de ellos, seguido del conde de Suffolk y de su hijo, el joven lord Howard de Walden; todos ellos rodeados de servidores vestidos con librea amarilla.

Después de que le desataran de la narria, el sacedote pidió un lugar tranquilo para rezar. Como respuesta, un funcionario de la Corona vestido de negro empezó a reprenderlo, exigiéndole la satisfacción de una confesión. Con gran serenidad, el sacerdote negó tener nada que confesar.

La mujer no prestó atención al altercado. Entre la concurrencia, Will se prendó del hechizo de la dulce voz del sacerdote. Mientras contemplaba cómo la inquietud y el temor temblaban en su rostro, la mujer apenas se dio cuenta de que las burlas y los insultos de la multitud iban disminuyendo hasta cesar del todo.

Después comprendió que tenía que mirar. Al pie del cadalso, el sacerdote ayudó al verdugo a quitarle la ropa hasta dejarle sólo la camisa con los largos faldones cosidos en un triste intento de respetar la modestia. Con la mansedumbre de un niño, aceptó el lazo corredizo alrededor del cuello, pero cuando otro clérigo se adelantó para ofrecerle unas plegarias protestantes, el jesuita lo rechazó de plano. Mientras los tambores marcaban el ritmo de sus pasos, subió la escalera.

Al llegar arriba, rezó brevemente en latín. Los toques de tambor se intensificaron hasta convertirse en un redoble. Para entonces algunos de los que antes habían estado pidiendo sangre a gritos ya estaban llorando sin recato. El sacerdote cruzó los brazos sobre el pecho. El representante del rey asintió con la cabeza. Los tambores enmudecieron, la escalera de mano se retiró y el sacerdote cayó verticalmente.

Abajo, la gente se abalanzó hacia delante, arrastrando consigo a la mujer. Algunos agarraron al verdugo y tiraron de él hacia atrás mientras le gritaban: «¡Detente!,¡Detente!» Otros tiraron piadosamente de las piernas del sacerdote. Le tenían que arrancar las entrañas vivo, pero cuando los guardias del rey consiguieron abrirse paso hasta el prisionero utilizando zurriagos, el hombre ya estaba muerto.

La muchedumbre se retiró en medio de un pavoroso silencio mientras los carniceros ponían manos a la obra. Cuando el cálido y denso olor a matadero le llenó las ventanas de la nariz, la mujer se tambaleó y cerró los ojos. Los volvió a abrir con cautela, obligándose a sí misma a centrarse de nuevo en su propósito.

Desde las gradas, el conde de Northampton contempló el destripamiento con meticuloso interés. Los argumentos que había utilizado la acusación para condenar al padre Garnet habían sido suyos. En cuanto terminara aquella sanguinaria ejecución, se ocuparía de dictarlos para su publicación.

El padre Garnet había reconocido haber estado al corriente del complot de la pólvora y, sin embargo, no había hecho nada para impedirlo. No podía hacerlo, afirmó; se había enterado bajo secreto de confesión. El conde había rechazado la defensa por considerarla fuera de lugar. El padre Garnet, insistió, había urdido la conspiración.

La acusación era falsa; y el conde lo sabía. Pero había sido necesario decirlo así, y además de manera convincente, para demostrar su propia lealtad ante los insistentes rumores según los cuales era católico y partidario de los españoles. El país necesitaba apagar su sed de venganza, y para evitar que la gente empezara a mirar con recelo a los Howard o a sus aliados entre las viejas familias católicas, él les había dado un chivo expiatorio.

El padre Garnet había sido sacrificado para salvar a otros. Y él, mejor que nadie, lo comprendería.

El conde olfateó el aire. Había hecho bien su trabajo. Lástima que los organizadores de aquel espectáculo no hubieran hecho lo mismo con el suyo. Les había advertido que no dejaran hablar al sacerdote.

En el tajo, el verdugo se movió. Su puño se elevó, sosteniendo en alto el corazón del sacerdote mientras un chorro de sangre caía describiendo un arco sobre la multitud. En las gradas de enfrente, un joven de dorado cabello levantó el brazo para taparse el rostro y entonces una gota de sangre cayó brillando sobre el encaje de su manga. El joven palideció.

—¡Contemplad el corazón! —gritó el verdugo. Era la señal convenida para que un rugido de satisfacción se elevara de entre la multitud. Pero no hubo ningún rugido. Al percatarse de que el joven miraba horrizado la sangre que había manchado su manga, los presentes empezaron a murmurar por lo bajo.

El conde miró con más detenimiento. Reconoció naturalmente el rostro que había al lado del joven, pero también creyó reconocer al joven. Un Shelton con toda seguridad, aunque no recordaba su nombre de pila. Pero, en su calidad de Shelton, era por derecho propio un hombre de los Howard. El conde se inclinó para hablar con su sobrino nieto Theophilus mientras otro representante de los Shelton empezaba a abrirse paso entre las gradas para acercarse a su hermano.

Entre tanto, Northampton se levantó en medio del siniestro silencio.

—¡Contemplad el corazón! —gritó con una voz que ondeaba como una bandera al viento primaveral.

Con la cara muy seria, miró directamente al joven.

Como penitencia por el sacrificio del padre Garnet, había jurado en privado sustituirlo. Si un sacerdote había tenido que morir a causa de sus intrigas, él se encargaría de que otro recibiera las órdenes. Un sacerdote a cambio de un sacerdote. ¿Qué mejor sustituto que un joven marcado por la sangre del mártir?

Abajo, la mujer morena también había visto cómo la sangre salpicaba la manga de Will, y contempló el horror extenderse por su rostro. Después vio un movimiento. Otra cabeza dorada abriéndose paso entre las gradas. Uno de los hermanos de Will, vistiendo el color amarillo de los Howard.

La mujer empezó a empujar hacia adelante. Pero el hermano llegó primero a Will y se inclinó para hablarle al oído. En el rostro de Will, una chispa se encendió y creció abarcando todo el horror en una hoguera de éxtasis. Se levantó para mirar a Northampton y, extendiendo la manga hacia adelante, clavó la mirada en la del conde.

—¡Contemplad el corazón! —repitió con aspereza.

En aquel momento, la mujer comprendió que lo había perdido. Se detuvo.

Al lado de Will, los ojos de Shakespeare se cruzaron con los suyos.

Ambos lo habían perdido.

La mujer se apartó a un lado y se inclinó para vomitar. En ese momento se inició una pelea a base de empujones. En medio de los zarandeos, perdió el equilibrio y resbaló cayendo sobre una rodilla.

Un puntapié le alcanzó la espalda y otro estuvo a punto de darle en la cabeza.

Después unos fuertes brazos la ayudaron a levantarse.

—Si no sabéis resistir la contemplación de la justicia —dijo una amable voz, hablando con acento escocés—, hubiera sido mejor que os hubierais quedado en casa.

¡La contemplación de la justicia! Angustia y muerte, presentes y futuras, eran lo único que ella había visto. Pero no era la muerte la que la había hecho vomitar. Era una nueva vida.

Estaba encinta. ¿De quién? No lo sabía. «Dos amores tengo que me consuelan y desesperan...»

Se echó la capucha sobre el rostro y se alejó tambaleándose por la calle.

ACTO III

28

En la cocina de la casa de Capitol Hill, estudié el papel que tenía delante de mí sobre la mesa y volví a leer la frase subrayada: «La señorita Bacon tenía razón. Una razón que se sumaba a otra razón».

Por un instante, me sentí como flotando aturdida. *Que Ophelia pensara que Delia tenía razón no significaba que la tuviera*, pensé en medio de una vertiginosa mezcla de alarma y emoción.

—Lea la carta —dijo Ben.

La lectura no era fácil. El papel estaba arrugado y manchado con gotas de sangre que habían adquirido un tono marrón. Y mucho antes de aquella noche, anónimas salpicaduras de lluvia, o vino, o lágrimas habían entintado algunas palabras de tal forma que las mutilaban.

HENLEY-IN-ARDEN

Señora de Henry Clay Folger
Biblioteca Folger
Washington, DC
USA

5 de mayo de 1932

Querida señora Folger:

Disculpe que siendo una desconocida para usted me permita escribirle. Quisiera que aceptara mis condolencias por la muerte de su esposo, así como mi felicitación por su decisión de seguir adelante y abrir la biblioteca tal como él hubiera deseado. No me tomaría semejante libertad si yo mism[illegible] no me estuviera muriendo, lo cual la librará por lo menos del peso de la respuesta.

Tengo conocimiento de cierta información que durante muchos años no he querido revelar a causa de algo que ahora sólo puedo calificar de cobardía. Aunque, para ser justos, fue una mezcla de cobardía y precaución. El silencio fue el camino que elegí por mi propia seguridad, pero sobre todo por la de mi hija.

Hace tiempo, un amigo y yo nos propusimos buscar una obra de arte tan legendaria como las murallas caídas de Troya o el Palacio de Minos; nuestro Esquilo inglés, lo llamábamos. Nuestro Sófocles perdido, nuestra dulce Safo. Al final, después de largos e ímprobos esfuerzos, él la encontró, pero, junto con ella, halló otros papeles que arrojaban una violenta luz sobre nuestro triunfo. Unas cartas. Yo jamás las vi, pero conozco la esencia de lo que decían:

La señorita Bacon tenía razón. Una razón que se sumaba a otra razón.

En la búsqueda de este tesoro, sin embargo, pecamos contra Dios y contra el hombre. Mi amigo murió por esta causa, solo y lejos de su casa, en circunstancias desconocidas, pero muy probablemente dignas de las más profundas cavernas del infierno. Durante años he vivido soportando que esta certeza a medias de su muerte y de su verdad abrieran galerías subterráneas en mi mente.

Como ve, carezco de pruebas. Mi amigo se llevó, si no la prueba propiamente dicha, sí el conocimiento de su paradero a su anónima tumba.

Me temo que no tengo ni la valentía ni la certidumbre de la señorita Bacon. A falta de una prueba, he optado por vivir en silencio antes que correr el riesgo de compartir su destino, encerrada en un manicomio: una condenación terrenal cuyos tormentos conozco lo bastante como para temerlos a la plena luz del día. Diré en mi descargo que he tenido otra vida en la que pensar, cosa que ella no tenía.

Aunque miraba con recelo lo que le cuento a usted ahora, otro querido amigo, un profesor de Harvard, me instó —hace mucho tiempo— a no guardar silencio hasta la tumba. El mal que hacen los hombres, me advirtió, les sobrevive mientras que el bien queda frecuentemente sepultado con sus huesos. Sus palabras me sobresaltaron porque yo ya había contemplado aquellas palabras con temor y compasión. Él me obligó a prometerle que intentaría invertir el curso de aquella maldición, una promesa que deseo cumplir.

De conformidad con ello, he devuelto todo lo que he podido al lugar que le corresponde, aunque algunas de las puertas me han estado vedadas; lo poco que queda lo he enterrado en mi jardín. Pero hay muchos caminos que conducen a la Verdad. Nuestro obra magna jacobina c. [illegible] *1623 es uno de ellos. Shakespeare señala otro.*

No me hago ilusiones de que usted quiera seguir un camino que a otros les ha costado tan caro en felicidad y en sangre. Le escribo porque usted tiene medios para preservar el conocimiento de que este camino existe, de que el bien que hacemos nos puede sobrevivir mientras que el mal queda sepultado con nuestros huesos.

Sinceramente suya,

Ophelia Fayrer Granville

—Que Ophelia pensara que Delia tenía razón no significa que la tuviera.

Esta vez lo manifesté en voz alta.

Ben escurrió la toalla en el fregadero.

—Ella creía tener pruebas —comentó—. O, por lo menos, pensaba que Jem Granville tenía pruebas. —Se acercó a mí, se arrodilló y empezó a frotarme suavemente la cara—. Un par de magulladuras y unos cuantos arañazos. Nada demasiado impresentable. Es usted una mujer muy testaruda, Kate Stanley.

Le así la muñeca.

—Tenemos que hallar lo que Granville encontró. Tenemos que hacerlo.

Su rostro estaba muy cerca del mío. Asintiendo con expresión seria, se incorporó y se sentó en la silla que había a mi lado.

—Muy bien. ¿Qué es lo que sabemos? —Echó rápidamente un vistazo a la carta—. Ophelia y Jem Granville estaban buscando *Cardenio*. Él encontró la obra. Es posible que también hallara pruebas de que Shakespeare no era Shakespeare. Jem muere; desaparecen las pruebas, Ophelia hace mutis. Más tarde, reunió todas esas pruebas, pero no sabemos lo que se había llevado ni de dónde. Lo que no pudo devolver, lo enterró en su jardín. Probablemente en Henley-on-Arden.

»Donde debió de enterarse de los delirios de Delia, aunque, si Ophelia vivía en 1932, debía de ser muy joven, apenas una niña, cuando Delia Bacon estuvo allí. Eso debió de ser hacia finales de la década de 1850. Aproximadamente unos setenta y cinco años antes.

»Estuvo buscando los papeles de Delia Bacon en nombre de Granville en... ¿1881? ¿Pudo haberse llevado algunos con la intención de devolverlos más tarde, pero no poder hacerlo porque entonces los papeles estaban fuertemente custodiados en una biblioteca? ¿Las puertas que le estuvieron vedadas pudieron ser las de la Folger?

Meneé la cabeza.

—No es difícil añadir papeles a una colección. Basta con deslizarlos entre los demás. Lo arriesgado es sacarlos; o al menos eso considera todo el mundo.

Una media sonrisa se dibujó en la boca de Ben mientras me miraba con expresión pensativa.

—En cualquier caso —continué—, la Folger no adquirió los papeles de Delia, o buena parte de ellos, hasta la década de 1960. Es posible, de todos modos, que Ophelia volviera a solicitar tener acceso a los papeles familiares con la intención de volver a dejar las cosas en su sitio, y que la petición le fuera denegada.

—Y entonces echó mano de la pala del jardín.

Logré contener la risa.

—Dejándonos a nosotros la tarea de excavar en los jardines de todo Henley.

—A no ser que sigamos uno de los restantes caminos que conducen a la verdad.

«Nuestra obra magna jacobina de c. _____ 1623», había escrito Ophelia. Saqué la ficha que Roz había escondido en el estuche dorado, junto con el broche. Estaba tal y como yo lo recordaba. Al pedir prestada la frase, Roz había llenado el hueco con la palabra «circa» y después la había vuelto a abreviar, dejándola de nuevo en una «c.» Levanté la carta a contraluz. La *i* después de la *c* resultaba ligeramente visible y la siguiente letra parecía una *r*. Tenía su lógica como intento de reconstrucción del contenido de la carta, pero es que Roz jamás había dejado que sus sueños enturbiaran su erudición. Eso sólo le ocurría con sus relaciones. Por lo menos, ahora sabíamos de dónde había sacado aquella exasperante frase. Pero ¿por qué «nuestro»? ¿Sería posible que Ophelia hubiera tenido en su poder un Infolio? No parecía probable. ¿Habría mantenido tratos con alguna institución que sí lo tenía?

Eso de que Shakespeare señalara el camino parecía todavía más inútil. A Shakespeare se le puede hacer señalar cualquier cosa y en cualquier sitio, tal como suelen demostrar los directores anti-stradfordianos y los vanguardistas.

—El té —dijo Ben, como si ésta fuera la respuesta a todos los males del mundo. Se levantó, se acercó al mueble de la cocina y encendió el quemador encima del cual estaba la tetera—. Vamos a pensar con lógica —propuso rebuscando en los cajones hasta encontrar unas tazas y una caja llena con más de veinte variedades de té—. Ophelia anuncia que hay muchos caminos que conducen a la Verdad y después menciona la obra magna jacobina. En otras palabras, el camino número uno: el Primer Infolio. Las obras completas de Shakespeare. —La tetera emitió un silbido y él echó el té—. Justo en la frase siguiente nos dice, o le dice a la señora Folger, que Shakespeare señala «otro». ¿Otro qué? Otro camino, cabe suponer. Pero si el Infolio señala un camino, ¿por qué iba Shakespeare, es decir, sus obras completas, a señalar otro en la frase siguiente? —Mientras me ofrecía una taza, contestó su propia pregunta—. Son prácticamente lo mismo. A no ser que el segundo Shakespeare no sean sus obras completas.

—¿A no ser que el segundo Shakespeare no sean las obras sino el hombre? —aventuré.

Asintió con la cabeza y bebió un sorbo de té.

—Piense en sentido literal. ¿Hacia dónde señala Shakespeare?

Mientras el vapor de mi taza se elevaba como un cálido velo sobre mi rostro, rememoré todas las imágenes que pude recordar. No el retrato grabado que figuraba en el Infolio: allí no había manos. No el retrato de Chandos, el óleo designado con la sigla NPG I, el retrato con el que se inició la Galería Nacional de Retratos Británica. Ese lienzo retrata sobre todo un par de ojos cautos e inteligentes. Los únicos otros detalles que podía recordar eran un modesto cuello de linón y el destello de un pendiente de oro. Tampoco había manos. Se conservaban otros retratos más dudosos cuyas frentes despejadas se equilibraban con prendas más elegantes: raso carmesí con botones de plata o brocado oscuro con hilos de oro y plata entretejidos. Pero todos ellos eran imágenes de varones de hombros —o todo lo más codos— para arriba. Ninguno de ellos señalaba hacia ningún sitio.

—¿Y qué me dice de las estatuas? —preguntó Ben.

Meneé la cabeza. La única estatua casi contemporánea era el monumento funerario de Stratford. Aquella misma tarde había visto una copia enfrente de la Sala de Lectura de la Folger. Un rostro casi tan redondo como el de Charlie Brown y una expresión tirando a jovial o a presumida, dependiendo de la disposición de ánimo del espectador. Estaba preparado, con una pluma y una hoja de papel en blanco, descansando sobre un cojín. Pero ¿preparado para qué? Parecía más bien un escribiente a punto de anotar algo al dictado, más que un genio a la espera de la inspiración.

—La estatua por lo menos tiene manos —dijo Ben.

—Pero no señalan hacia ningún sitio.

—¿De qué época tiene que ser la estatua?

Me recliné hacia atrás en mi asiento. No había pensado en ello, pero, claro, bastaba con que hubiera sido lo bastante antigua como para que Ophelia y probablememte Jem la hubieran visto. ¿Qué otras estatuas de Shakespeare había? Una borrosa imagen en blanco y gris se agitó en mi mente. Mármol blanco, fondo gris...

—La abadía de Westminster.

Por un momento ambos nos miramos boquiabiertos de asombro.

—El Rincón de los Poetas —dijo Ben—. ¿Qué es lo que señala la estatua de Shakespeare?

—Un libro quizá. O un pergamino. No estoy segura.

Ben posó su taza.

—Si lo desea, la llevaré a Londres. De todos modos, íbamos a pasar por Heathrow para ir a Henley. Pero es posible que la policía haya pensado que el Rincón de los Poetas podría ser otro objetivo, en cuyo caso habrá vigilancia.

Se inclinó hacia mí con resolución.

—Tengo que decirle, sin embargo, que si va usted ahora a la policía, verán con toda claridad que es una víctima. Les puede decir todo lo que sabe y dejar que ellos se encarguen de buscar al asesino. Pero si sigue huyendo, no tendrán más remedio que pensar que está usted, como mínimo, asociada con él. O con ella.

Me levanté de un salto y empecé a pasear arriba y abajo de la cocina.

—Y él o ella ya nos lleva una hora de ventaja, que puede llegar a convertirse en varios días.

—No necesariamente —dijo Ben sin inmutarse—. El asesino no se llevó la carta.

Me detuve en seco.

—¿Qué insinúa?

—Puede que no quiera que se descubra el hallazgo de Granville. A lo mejor quiere que la búsqueda se detenga del todo.

Volví a pasearme por la cocina mientras rumiaba la idea.

—Hay montones de personas que no soportarían ver a Shakespeare derribado de su pedestal.

—Olvídese de la cuestión de la autoría. No sabíamos nada de esto hasta leer esta carta. Hasta ahora hemos estado buscando una obra teatral. —La voz de Ben adquirió un tinte más siniestro—. ¿A quién no le interesa que se encuentre *Cardenio*?

—¿Por qué no le iba a interesar a alguien...? —Me detuve a media frase—. A los oxfordianos —dije con trémula voz—. A Athenaide.

«Las fechas son tan inseguras», había dicho antes en la Sala de Lectura. Pero, en realidad, no lo eran. Si nosotros consiguiéramos encontrar *Cardenio*, su hombre, la alhaja secreta incrustada en las mismas entrañas de su castillo, el conde de Oxford, quedaría descartado.

El sesgo añadido de la búsqueda —el hecho de que Delia pudiera estar en lo cierto— no le importaría en absoluto. Delia creía que sir Francis Bacon era la mente que se ocultaba detrás de la máscara de Shakespeare. Y si estabas dispuesto a matar para proteger a tu hombre contra la prueba de que William Shakespeare de Stratford había hecho lo que los impresores decían que había hecho, ¿por qué razón ibas a poner reparos a matar para proteger a tu hombre contra sir Francis?

No, lo de Athenaide era lógico en la medida en que semejante brutalidad se pudiera considerar lógica. Nadie sabía nada acerca de la búsqueda de *Cardenio,* excepto nosotros tres. Ni siquiera se lo había dicho todavía a sir Henry. Roz lo sabía, y estaba muerta. Maxine conocía una pista que llevaba a la casa de Athenaide, y estaba muerta.

Athenaide me había dicho que el doctor Sanderson quería reunirse conmigo en el Capitolio, pero cabía la posibilidad de que ella hubiera organizado el encuentro, comunicándole a él el mismo mensaje de mi parte. Cuando Sinclair estaba a punto de impedírmelo, Athenaide se había encargado de que yo acudiera a la cita.

—Kate, el doctor Sanderson tuvo razón al prevenirla sobre Athenaide. No por el hecho de que sea oxfordiana, sino porque no es trigo limpio. Nadie manda construir inmensos túneles secretos en su propiedad por un simple capricho histórico. Sobre todo a ochenta kilómetros de la frontera mexicana. O trafica con drogas o trafica con seres humanos, o con ambas cosas a la vez.

Me senté. ¿Cómo había podido ser tan estúpida?

Lo de Athenaide tenía sentido de no ser por un detalle. La mano buscando a tientas en mi entrepierna.

—Fue un hombre el que me atacó —dije estremeciéndome—. Aquí y en la Widener.

—Roz me contrató a mí —observó Ben.

En otras palabras, las mujeres contratan a hombres. Por alguna razón, oí la voz de Matthew. «Su protegido no se ha presentado.» Wesley North. El hombre de Athenaide.

—Pero dejó la carta —dije, atacando todavía la teoría de Ben—. Si el objetivo era pararme los pies, parárselos a todo el mundo, ¿por qué no llevarse la carta?

—A lo mejor usted lo ha asustado.

—O usted.

Se encogió de hombros.

—O puede que dejara la carta deliberadamente para que usted la encontrara.

Me eché bruscamente hacia atrás en la silla.

—Pero usted acababa de insinuar que trataba de pararme los pies. Intentó matarme.

—Pero no lo hizo.

—¿Insinúa que falló a propósito?

—Cuando hay que pararle los pies a alguien, existen métodos fáciles y seguros de hacerlo. Un tiro en la cabeza con una pistola con silenciador. Un golpe en la nuca. Si de veras hubiera querido matarla, usted habría muerto antes de que yo me presentara. Pero no ha sido así. Y por eso me pregunto: ¿por qué no? ¿Por qué son tan espectaculares estos asesinatos? ¿Y por qué ha escapado usted no una sino dos veces —Se encogió de hombros—. Una posibilidad muy clara es la de que sean espectaculares precisamente porque son un espectáculo destinado a influir en un público... muy especial.

—¿Yo?

—Quizás Athenaide quiera que usted haga exactamente lo que está haciendo: seguir en la búsqueda con toda su determinación. Es posible que la esté siguiendo, en lugar de anticipársele. Que le esté desbrozando el camino y empujándola hacia delante. ¿No le parece?

Fruncí el entrecejo.

—¿Por qué? Fue usted quien dijo que ella no quería que se encontrara el hallazgo de Granville.

—Quizá sería mejor decir que no quiere que salga a la luz. Nunca. Pero la única manera de conseguirlo consiste en destruirlo. Y, para destruirlo, hay que encontrarlo. Es posible que usted esté viva porque ella la necesita.

—Para encontrar *Cardenio*. ¿Y si lo encuentro?

—Athenaide lo destruirá, y también a usted. Y hará desaparecer cualquier otra cosa que Granville pudiera haber encontrado.

Me puse a pasear una vez más por la cocina.

—No me lo puedo creer.

Ben se introdujo la mano en el bolsillo de la chaqueta y depositó algo encima de la mesa. Un pequeño marco de plata. Me acerqué un poco, pero guardando las distancias. Como si pudiera morderme.

La fotografía enmarcada era en blanco y negro y su composición presentaba las líneas sencillas y elegantes de un retrato de Avedon. Una mujer de talle de avispa permanecía de pie en aquella curiosa pose cóncava de las modelos de alrededor del año 1955, la época de *Vacaciones en Roma* y *La ventana indiscreta*. Era Athenaide. Más joven, bella y exquisita. Cerca de ella, una niña la miraba extasiada. Su rostro conservaba todavía los dúctiles rasgos de la infancia, pero era con toda evidencia una joven Rosalind Howard.

Pese a todo, lo que más llamaba la atención era el sombrero de Athenaide. Un sombrero blanco de ala ancha adornado con unas rosas del tamaño de unas peonías tan negras que sólo un color, el rojo —un rojo intensamente escarlata—, podía producir ese efecto en una película en blanco y negro. Había visto antes el sombrero, pero en tecnicolor. Al lado del cadaver de Roz.

—¿Dónde lo encontró? —le pregunté azorada a Ben.

—En el avión de Athenaide —me contestó.

—¿Por qué no me lo dijo?

—Porque no estaba seguro de lo que significaba.

«He descubierto una cosa muy importante», me susurró Roz al oído.

«¿Más importante que *Hamlet*? —contestó mi propia voz—. Más importante...»

«Tienes que seguir adelante hasta donde te lleve», me había dicho ella. El resultado saltaba a la vista.

—Otras dos personas han sido asesinadas por mi culpa —dije con un sordo tono de voz—. Fui yo quien guió a Athenaide hasta el doctor Sanderson. Y hasta Maxine Tom.

Apoyando ambas manos en mis hombros, Ben me dio una ligera sacudida.

—Escúcheme bien: no importa quién sigue a quién. De eso no tiene usted la culpa.

Mientras me aferraba a sus palabras, mi sensación de culpa cedió el lugar a la cólera. Ben tenía razón: no importaba que yo persiguiera o que me persiguieran a mí; mi decisión era la misma. Tenía que llegar hasta el final antes de que lo hiciera el asesino.

—Debemos ir a la abadía de Westminster —dije con voz ronca.

—Con una condición —dijo Ben—. Jamás se apartará de mi vista. Ni para rezar, ni para mear. ¿De acuerdo?

—Muy bien.

—Prométamelo.

—Se lo prometo. Usted lléveme a Londres.

Se sacó algo del bolsillo. Un librito de color azul oscuro con un águila dibujada en oro. Un pasaporte. Lo abrí. Allí estaba yo, mirándome a mí misma. Por lo menos, la cara era la mía. Pero tenía el cabello corto y oscuro y el nombre que figuraba en el pasaporte era el de un muchacho: Johnson, William. Fecha de nacimiento: 23 de abril de 1982.

—Tendrá que teñirse el cabello y permitirme que se lo corte. A no ser que usted misma quiera hacerlo.

—¿Por qué un chico?

—El asesinato de Sanderson fue horrendo, Kate. Y ya ha habido suficientes asesinatos y lo bastante misteriosos como para calificarlos de asesinatos en serie. La vigilancia en los aeropuertos ya es muy intensa y lo será todavía más. Por otra parte, todas las heroínas de Shakespeare se tienen que disfrazar de chico por lo menos una vez.

—¿Cree que dará resultado?

—¿Se le ocurre otra sugerencia mejor?

—Deme el tinte.

Rebuscó en el interior de una bolsas de plástico que había sobre la mesa, me entregó un frasco y me indicó el camino del cuarto de baño. Contemplé el conocido brillo castaño rojizo de mi cabello en el espejo. El tinte prometía ser provisional. Me metí bajo la ducha y confié en que fuera verdad.

Con el cabello húmedo y luciendo el recién adquirido color casi negro, Ben me lo cortó a toda prisa. Cuando terminó, la cara que vi en el espejo habría podido ser de chico o de chica. Costaba decirlo. Aunque si me pusiera la única ropa que tenía —la falda y los zapatos de tacón alto—, no habría duda al respecto.

Ben se rió ante la idea. En el pasillo había dos pequeñas maletas rectangulares con ruedas.

—Resulta sospechoso viajar a Europa sin equipaje —dijo—. Y necesitará usted algunas cosas de todos modos. Aunque cabe la posibilidad de que sean las únicas cosas de que disponga durante algún tiempo. Por consiguiente, procure no maltratarlas.

En su interior encontré unos pantalones holgados, una camisa de manga larga, una chaqueta también holgada, varios calcetines y unos cuantos pares de zapatos. No me quedaban tan impecables como las prendas que me había comprado sir Henry, pero no estaban mal. En el último momento, encontré la tarjeta de Matthew en el bolsillo de mi falda y la traspasé a mi chaqueta.

—Tendrá que quitarse de encima a todos los maricas de Inglaterra —dijo Ben cuando salí del cuarto de baño. Me entregó una larga cadena para el cuello—. Para el broche —me indicó.

Una vez más me lo prendí alrededor del cuello, pero en esta ocasión me lo colgué por dentro de la camisa.

Diez minutos después ya estábamos en un taxi rumbo al aeropuerto Dulles.

Nuevamente encontramos unos billetes reservados a nuestros nombres. Por supuesto correspondían a un destino equivocado. Pero esta vez subimos al avión de la ciudad equivocada.

Despegamos a media noche rumbo a Frankfurt.

29

Volamos en clase turista, para variar. El servicio de *business*, argumentó Ben, tiene ciertos inconvenientes cuando uno pretende formar parte de una masa sin rostro. Mientras el aparato ascendía, palpé el volumen de Chambers que había guardado en el bolsillo del asiento que tenía delante.

—Lo ha comprobado tres veces en diez minutos —comentó Ben—. Estoy seguro de que sigue ahí.

—A lo mejor le nacerán piernas y huirá corriendo —repliqué—. Nunca se sabe.

Un poco más tarde, los carritos con la cena y las bebidas ocuparon el pasillo, dejándonos confinados en nuestros asientos. Tras retirar el plástico que envolvía nuestras bandejas nos dispusimos a cenar.

—Bueno —dijo Ben, inclinado sobre una pastosa lasaña—, explíqueme por qué alguien podría pensar que Shakespeare no escribió las obras. Alguien que no sufra alucinaciones —añadió.

La señorita Bacon tenía razón. Una razón que se sumaba a otra razón, pensé.

Tomé un sorbo de vino.

—Por mucho que me duela reconocerlo, Athenaide tiene razón. El autor que requieren las obras no encaja con el hombre que nos ofrece la historia. Los stradfordianos dicen que el desemparejamiento es una ilusión óptica, un problema de deterioro de las pruebas a causa del desgaste producido por el paso del tiempo, y escriben ensayos que relacionan al hombre de Stratford con las obras. Los antistradfordianos, por otra parte, dicen que el desemparejamiento es real: el resultado de dos personas distintas que utilizan el mismo nombre: un actor de Stratford que prestó o vendió su nombre a un tímido dramaturgo para que lo utilizara como máscara. Y a su vez escriben ensayos en los que se mantiene la distinción entre el actor y el escritor.

»Ambas partes afirman estar en posesión de la verdad. Califican sus argumentaciones de historia y biografía y atacan a sus oponentes, llamándolos insensatos, locos y mentirosos... Ya oyó usted a Athenaide. Ellos han adoptado incluso el lenguaje de la religión y hablan de ortodoxia y herejía.

—¿Ellos? —preguntó—. ¿Se sitúa usted por encima de todo como si fuera un dios que contemplara las trifulcas de sus hijos?

—Si yo fuera tan divina, tendría una respuesta. Pero la verdad es que no sabemos quién escribió las obras. No lo sabemos con la misma certeza con que sabemos que el agua se compone de dos partes de hidrógeno y una de oxígeno o que todos los seres humanos morirán. —Rememoré el rostro del doctor Sanderson y se me hizo un nudo en la garganta—. La preponderancia de las pruebas apunta al actor de Stratford. Pero las lagunas de la historia son lo bastante profundas como para resultar inquietantes... En un juicio penal, dudo que usted pudiera atribuir las obras al actor según el criterio del «más allá de toda duda razonable». —Alargué la mano por debajo de la mesita de mi bandeja y busqué en el bolsillo del asiento que tenía delante—. En realidad, el nexo entre el actor y las obras lo estableció Ben Jonson, quien conoció al actor y leyó el Primer Infolio, cuya edición Jonson probablemente preparó. —Saqué el facsímil en edición de bolsillo y lo abrí por la página del retrato del hombre de la cabeza de huevo.

»El Infolio señala al hombre de Stratford. Por otra parte, todo lo que dice Jonson acerca del autor y su retrato suena evasivo y quizás irónico. Por consiguiente, ¿se estaba comportando Jonson como «el sincero Ben»? ¿O se comportaba más bien como el irónico e ingenioso Ben Jonson? Porque fíjese en el verso de la dedicatoria, justo delante del absurdo retrato:

Lector, contempla
no su retrato sino su libro.

—Sensato consejo dada la fealdad del retratado.

—Sí, pero no es necesario torcer demasiado las cosas para que el verso se convierta en una velada insinuación de que el retrato no corresponde en realidad a Shakespeare. Además, como acontecimiento editorial, parece ser que el Infolio se publicó casi a escondidas, con un susurro, cuando no un gemido. Cuando Jonson publicó el infolio de sus propias obras completas en 1616, unos treinta conocidos poetas y literatos le dedicaron sonetos de triunfal alabanza. A Shakespeare sólo Jonson, de entre los escritores más conocidos, pudo o quiso dedicarle algo. Los demás, y sólo hubo tres, eran de tercera categoría, si es que se les podía clasificar de alguna manera.

—Por consiguiente, si no fue Shakespeare, ¿quién fue?

Levanté las manos en gesto de impotencia.

—Aquí está el busilis. En primer lugar, ¿a quién le podría interesar el sigilo? A un aristócrata, posiblemente, pues el escenario habría sido un desdoro para el nombre de la familia. A una ramera, sin duda. Y después hay lectores que creen ver mensajes secretos en las obras, por regla general de los masones, los rosacruces o los jesuitas. O bien se formulan afirmaciones según las cuales el autor —generalmente Bacon— era el hijo de la reina. Para ellos, la máscara constituye una medida de seguridad necesaria.

»Pero ¿cómo demonios se pudo guardar semejante secreto? Digamos que es cierto y que las obras las escribió otro. Aunque no supiera quién lo hizo, Ben Jonson debía de saber que el actor no las escribió, y lo mismo cabe decir de los Hombres del Rey. Eso significa que hubo un montón de personas que guardaron silencio, nada menos que en una época que era tan aficionada a los chismorreos.

—Eso explicaría los esquizofrénicos comentarios de Jonson acerca de Shakespeare —dijo Ben.

—Sí, pero no explicaría que nadie le negara a Shakespeare su condición de autor durante su vida, ni mucho tiempo después de su muerte. En segundo lugar, y hablando más en serio, no hay más candidatos a quienes adjudicar la autoría. Los antistradfordianos argumentan con cierta base que no parece probable que el hombre de Stratford fuera el autor... más aceptable de lo que la mayoría de estudiosos estarían dispuestos a reconocer. Pero nadie ha conseguido sacarse de la manga otro autor que reúna en su persona la convincente combinación de medios, motivos y atributos para llevarse el gato al agua.

Me toqué la nuca; me sentía la cabeza extrañamente ligera con mi nuevo corte de cabello.

—Bacon fue la elección de Delia.

—Bacon a favor de Bacon —dijo Ben en tono meditabundo—. Parece un poco barrer para casa, ¿no cree? Un especie de nepotismo a la inversa.

Esbocé una sonrisa.

—No hay ninguna relación de parentesco entre ellos. Delia se volvió loca tratando de demostrar que sir Francis escribió las obras de Shakespeare, pero yo juraría por mi alma ante el demonio que no fue él quien las escribió. Sir Francis era un hombre brillante, el principal abogado de la Corona bajo el reinado del rey Jacobo. Poseía ciertamente la educación adecuada y el hábito de la escritura. Es uno de los grandes escritores en prosa de la lengua inglesa. Pero sus escritos no suenan ni de lejos a Shakespeare. Sería como decir, qué sé yo, que una misma mente pudo crear la obra de William F. Buckley Jr. y la de Steven Spielberg. Bacon era asombrosamente erudito, en el campo político, filosófico y enciclopédico, y Shakespeare era un aventurero épico en los géneros más importantes de la literatura.

El auxiliar de vuelo recogió nuestras bandejas y me desperecé y cambié de posición.

—Aunque Delia convirtió a Mark Twain.

—¿El Mark Twain de *Huck Finn* y de *Tom Sawyer*? —preguntó Ben.

Me lo estaba pasando bien.

—Twain leyó el libro de Delia Bacon mientras pilotaba embarcaciones de vapor en el Misisipí, y hacia el final de su vida, escribió una humorística antibiografía del hombre de Stratford titulada *¿Ha muerto Shakespeare?* Tendría que buscarla alguna vez en Internet.

—¿Y qué me dice de Oxford, el hombre de Athenaide?

—Es el hijo alternativo preferido en estos momentos. Por desgracia para él, su principal defensor era un hombre apellidado Looney*.

Ben se partió de risa.

—Se pronuncia «Loney», pero no les ha hecho ningún favor a los oxfordianos. Sin embargo, su libro convenció a Freud, entre otros. No obstante, Oxford tiene algunos tantos a su favor. Tal como señaló Athenaide, *Hamlet* repite extrañamente como un eco algunos episodios de su vida.

—También señaló que usted lo había dicho, para ser más exactos —dijo Ben con una relamida sonrisa en los labios.

—Y también dije que las reminiscencias no convierten las obras en autobiográficas. Por otra parte, el conde tenía la educación y las experiencias adecuadas. También consta que escribió piezas teatrales, aunque todas se han perdido. En cambio, se conservan algunos de sus poemas, bastante buenos por cierto y algunos de ellos escritos con el insólito esquema métrico propio de Shakespeare. Y lo más intrigante es que en sus escritos se pueden encontrar referencias a Vere. O «Ver», tal como a menudo lo escribía el conde.

—¿Como en *Vero nihil verius*?

—Sí, pero en inglés. Juegos de palabras con *ever* y *never***. Mi preferido es el encabezamiento de un prefacio de la obra *Troilo y Crésida*: «*A Never Writer to a Never Reader*».*** Pero, si se desplaza la posición de algunas letras, la frase se convierte en «*An Ever Writer to an Ever Reader*».****, Lo cual se convierte a su vez en «*An E. Ver Writer to an E. Ver Reader*».*****

—Genial.

—Contexto —dije amargamente—. Fíjese en el contexto. ¿Tiene usted alguna idea de cuántas veces utilizó Shakespeare la pala-

* En inglés, lunático. (*N. de la T.*)

** Siempre [o posible] y nunca o jamás, respectivamente. (*N. de la T.*)

*** «Un jamás escritor a un jamás lector.» (*N. de la T.*)

**** «Un [posible] escritor a un [posible] lector.» (*N. de la T.*)

***** «Un escritor E. Ver a un lector E. Ver.» (*N. de la T.*)

bra *ever*? Del orden de unas seiscientas. Lo he mirado. Y el vocablo *every* aparece otras seiscientas veces. Agréguele *never* y tendrá otras mil. Añada las traducciones inglesas de *verdadero* y *verdad*, y tendrá alrededor de mil palabras con las que jugar en los escritos de Shakespeare. Con esta frecuencia, no es de extrañar que a un par de ejemplos se les pueda atribuir otro significado. Pero, si se refiere usted al otro significado y le gustan los rompecabezas complicados, ¿no cree que aparecería más de una o dos veces sobre tres mil?

—Sigue siendo genial.

—Si éste le gusta, seguro que le encantará el verso «*Every word doth almost tell my name*»*, perteneciente a los *Sonetos*. Tome el *ver* de *Every* y trasládelo al final de la frase, y entonces *Every word* se convierte en *Eyword Ver.* Cambie la *y* por una *d* y obtiene *Edword Ver.*

—¿Y eso no es hacer trampa?

—Lo podría parecer. Pero el verso dice que no tiene que ser exacto. «Casi» dice su nombre. O sea que «Eyword Vere» es «casi» Edward Vere...

—Muy ingenioso.

—Por supuesto, siempre que esté dispuesto a ignorar el espectacular final de este mismo soneto... sus cuatro palabras finales.

—¿Que son?

—«Mi nombre es Will.»

—Está usted de guasa.

Meneé la cabeza.

—¿Y eso cómo lo explican los oxfordianos?

—Diciendo que Will era uno de los apodos de Oxford.

—¿Sobre qué base?

—Especialmente este soneto.

—Pero eso es un razonamiento viciado.

—Más bien es un razonamiento que se hunde en espiral en un negro abismo de engaño. Y no es que los que miran a Oxford con

* «Cada palabra casi dice mi nombre.» *(N. de la T.)*

escepticismo no tengan sus propios remolinos de sentimentalismo. Debo decir que una de las razones por las cuales tengo problemas con él es el hecho de que no fuera una buena persona. Uno puede ser un genio y ser al mismo tiempo irascible e incluso cruel, naturalmente. Picasso y Beethoven no eran precisamente unos ositos de peluche. Sin embargo, me gustaría pensar que la persona que se inventó a Julieta, Hamlet y Lear tenía buen corazón.

—Pero el verdadero inconveniente de Oxford es su muerte. Athenaide puede cansarse de decir que las fechas son inseguras, pero se equivoca. Por supuesto que en una obra aislada las fechas pueden presentar variaciones de uno, dos e incluso cinco años. Pero ¿que toda la obra de Shakespeare presente una variación de una década o más? Eso no es posible.

—¿Por qué no?

Las luces de la cabina se amortiguaron y me cubrí con una manta. Me saqué el broche del interior de la camisa y lo hice girar hacia uno y otro lado en su cadena.

—Dentro de cuatrocientos años, si se escucharan todas las grabaciones supervivientes de música rock, ¿cree que se podría desplazar una década toda la producción de los Beatles? ¿Que se podría tomar el arco comprendido entre «Love Me Do» y el ácido bamboleo de «Come Together» y retrasarlo a la década de 1950 del *doo-wop* con un simple movimiento de la mano, diciendo que las fechas son inseguras? ¿Cree que algo así se podría hacer si se conociera también el contexto de Elvis Presley, Buddy Holly, Fats Domino, los Stones, Cream, The Doors y The Who, o incluso sólo sabiendo algo acerca de la divisoria existente entre la década de 1950 y la de 1960? ¿Cree que se podría confundir a los Beatles con un grupo de la década de 1950?

—¿Está usted diciendo que la ignorancia es una bendición?

Solté una sonora carcajada.

—Lo que estoy diciendo es que muchos stratfordianos andan revolviendo la cultura renacentista en busca de una determinada respuesta y no ven el bosque por culpa de un árbol en particular.

—Pues, entonces, ¿qué es lo que usted cree? —preguntó Ben.

Esbocé una sonrisa.

—Dickens escribió una vez a un amigo y le dijo algo así como: «Es un gran consuelo que se sepa tan poco acerca de Shakespeare. Es un hermoso misterio y tiemblo cada día temiendo que aparezca algo...» Creo que estoy con Dickens.

—¿Y si aparece algo? ¿Cree que alguna vez conoceremos la verdad?

El broche se seguía moviendo hipnóticamente de un lado para otro.

—Podría aparecer toda una constelación de hechos. Si están ahí, convendría que salieran a la luz; no creo en la conveniencia de esconder los datos o de escondernos de ellos. Pero los datos no son lo mismo que la verdad, especialmente en cuestiones relacionadas con la imaginación y el corazón. No creo que Dickens se tenga que revolver en su tumba, temiendo que uno o dos datos, o dos mil, borren el misterio de la mente capaz de escribir *Romeo y Julieta*, *Hamlet* y *El rey Lear*.

La cadena de la que colgaba el broche se rompió y éste resbaló al suelo. Ambos nos agachamos para recogerlo y la mejilla de Ben rozó la mía. Antes de darme cuenta de lo que estaba haciendo, me volví y lo besé. Se le iluminaron los ojos de asombro y después me besó a su vez. Al comprender lo que estaba ocurriendo, me incorporé bruscamente.

Él estaba todavía inclinado con una expresión de perplejidad en el rostro. Muy despacio recogió el broche y se incorporó.

Sentí que me ardían el pecho y las mejillas.

—Lo siento.

—Pues yo no —dijo él, mirándome estupefacto mientras depositaba el broche en mi mano—. Interesante eso de que a uno lo bese un chico. Es la primera vez que me ocurre.

Se me dilataron los ojos de pánico. Lo había olvidado.

—Procure recordarlo —me dijo sonriendo.

Asentí, refunfuñando quedamente. *¿Interesante?* Para acabar de arreglarlo, había prometido no apartarme de su vista. Y, aunque no me hubiera atado a él, la señal indicaba que tenía que mantener el cinturón abrochado. Ni siquiera podía ir al cuarto de baño. Aunque el único lugar al que hubiera deseado ir era la bodega de equipaje, donde quizá me pudiera acurrucar en el interior de una caja.

Ben volvió a reclinarse contra el respaldo de su asiento; apenas podía ver el brillo de sus ojos en la oscuridad.

—Buenas noches, profesora —dijo antes de quedarse profundamente dormido.

Tras prenderme cuidadosamente el broche en la parte interior de la chaqueta, incliné todo lo que pude mi asiento hacia atrás. Al poco rato, Ben se estiró, cambió de posición y su pierna me rozó la mía. Permanecí un buen rato despierta en la oscurecida cabina rodeada por el ritmo de los suaves ronquidos de los pasajeros, consciente de su calor. Mientras me iba quedando dormida, oí la voz de Roz diciendo: «Hay muchos caminos que conducen a la Verdad». *Las palabras de Ophelia*, pensé con irritación. *No las de Roz.*

30

En Frankfurt pasamos por el control de pasaportes y recogimos nuestro equipaje.

—Deme su pasaporte —me dijo Ben después de pasar la aduana.

—Y ahora, ¿qué?

—Comemos —contestó, dirigiéndose hacia una pequeña y alegre cafetería con mesas de tablero de granito, donde pidió café y pastas en un alemán que me sonó fluido.

—¿Cuántos idiomas habla? —le pregunté con algo más que una pizca de envidia.

Se encogió de hombros.

—Empecé con el español. Me costó bastante trabajo comprender que el inglés y el español eran idiomas distintos. A partir de entonces, los demás se me han dado muy bien. De la misma manera que algunas personas pueden interpretar una pieza musical tras haberla oído sólo una o dos veces.

—Algunas personas pueden tocar la música de «María tenía un corderito» —repliqué—. Pero nadie domina las sinfonías de Beethoven o de Mahler tras haberlas escuchado una sola vez.

—Decir «Dos cafés, por favor, y un *strudel* de manzana» está probablemente más cerca de «María tenía un corderito» que de Mahler, pero supongo que, para pedir prestada una frase, en cuestión de idiomas como de geografía, me encuentro más o menos a gusto en cualquier sitio y en ninguno.

—¿Y eso cómo ocurrió?

—¿Lo de los idiomas o lo de la geografía?

—Ambas cosas.

Se reclinó contra el respaldo de su asiento y sonrió. En medio de una oleada de calor, recordé que lo había besado y aparté la mirada.

—En primer lugar, mis padres son políglotas —dijo—. Mi madre habla cuatro idiomas. No quería que sus hijos retrocedieran en lo que ella llamaba la curva del aprendizaje. Y, en segundo lugar, soy incapaz de estarme quieto. En una familia de banqueros, abogados y médicos, la única forma respetable de escapar de tu destino es la carrera de las armas. —Se encogió de hombros—. Es una manera de ver el mundo.

—¿Y el respetable antídoto contra la profesión de soldado?

—Si lo hay, no lo he encontrado. —Tras apurar el último sorbo de café, se sacó mi pasaporte del bolsillo superior de la chaqueta y me lo entregó—. Prueba instrumental número uno de corrupción.

Estaba a punto de guardármelo, pero él me advirtió:

—Yo que usted lo examinaría.

Era un pasaporte distinto. Mi fotografía era la misma, pero el nombre había pasado de William Johnson a William Turner y los sellos de los países también eran distintos. Por de pronto, eran más numerosos. Al parecer, Turner había estado buena parte del verano viajando por Europa. El sello alemán indicaba que había permanecido una semana en Alemania.

—Por si la ruta aérea de Washington D.C. a Londres estuviera vigilada —comentó.

—¿Cuántos pasaportes de esta clase tiene?

—Esperemos que éste la lleve adonde necesita ir.

Mientras que la ruta aérea de la capital de Estados Unidos a Londres estaba vigilada, la de Frankfurt a Londres no lo estaba; por lo menos nadie buscaba a un tal William Turner. Aterrizamos en Heathrow sobre las tres de la tarde. Ben desapareció en la cola de «Reino Unido y Comunidad Económica Europea»; tras haberme abierto paso a impacientes empujones en la cola de «Otros», un cordial sujeto tocado con un turbante sij me franqueó la entrada a Gran Bretaña. Ben ya había recogido nuestras maletas. Nadie nos miró mientras pasábamos la aduana. Fuera, el Bentley de sir Henry nos estaba esperando.

—¡Dios bendito! —exclamó sir Henry sorprendido mientras yo me deslizaba a su lado en el asiento posterior del automóvil—. Resulta usted un muchacho muy guapo, Kate.

—William —lo corregí con arrogancia—. William Turner.

—¿Adónde vamos, señor Turner?

—A la abadía de Westminster —indicó Ben, subiendo detrás de mí.

Barnes, el chófer, hizo un ademán de entendimiento con la cabeza.

—Y usted debe de ser el señor Útil Para Todo —le dijo sir Henry a Ben—. Espero que Kate se las haya arreglado para averiguar exactamente qué clase de habilidades posee.

Cuando el vehículo se apartó del bordillo, fruncí el entrecejo y presenté a Ben a sir Henry. Inclinándose hacia adelante, éste pulsó el botón que levantaba la separación de cristal entre el asiento del conductor y la parte de atrás. Después se volvió hacia mí.

—He descubierto el veneno que mató a Roz.

Me quedé petrificada.

—Fue potasio. O sea que nada del misterioso «jugo de tejo en una ampolla». Una simple solución de potasio inyectada en el cuello de Roz. Fácil de encontrar, fácil de utilizar, de rápidas y fatales consecuencias y prácticamente imposible de detectar.

—¿Y cómo lo detectó usted?

—No fui yo —contestó sir Henry—. Fue el inspector Siniestrísimo quien lo hizo. Resulta que es tan ingenioso como siniestro. Hasta dudo de que pueda mear más de una vez el día de su cumpleaños, pero su equipo de colaboradores es más humano. Eso es lo que me han dicho: después de la muerte, todas las células del cuerpo liberan potasio. Por consiguiente, su elevada presencia es natural en un cadáver. Pero resulta que el potasio no es simplemente un indicio de muerte, es también una de sus causas. El corazón sano camina por una cuerda floja: déficit de potasio, igual a parada cardíaca. Exceso de potasio, el mismo problema. Por consiguiente, una inyección de solución de potasio en la yugular digamos que podría surtir el mismo efecto que el tejo de que se habla en *Hamlet*. —Su voz adquirió un timbre más profundo—. *Esa ponzoñosa destilación cuyo efecto es tan contrario a la sangre del hombre que, tan sutil como el mercurio, transita por... el cuerpo y con súbito vigor... cuaja la pura y salutífera sangre.*

Tenía sentido. Maxine y el doctor Sanderson también habían muerto... y asimismo de una manera rápida, sin el forcejeo que cabría esperar de una mujer que se ahoga o de un hombre apuñalado en un lugar bastante público. Lo cual tendría sentido si ambos ya hubieran estado muertos o moribundos cuando les... ¿cuál sería la expresión más correcta?, ¿Asignaron sus papeles?, ¿se los prepararon a la medida? Me llené de furia.

—Al asesino no le bastó con matar a Roz.

—Me lo imaginaba —dijo sir Henry—. Lo siento. Si puede resistirlo, me gustaría oír lo que usted sabe.

Mientras nos acercábamos a Londres, le puse al día, carta por carta, muerte por muerte, hasta llegar al asesinato del doctor Sanderson.

—Julio César —dijo sir Henry en tono pausado.

—Esto es lo que apretaba en su mano.

Le entregué la carta de Ophelia a la señora Folger y le observé mientras leía con el rostro cincelado por una creciente expresión de desagrado.

—¿Que la señorita Bacon tenía razón? —levantó los ojos con incredulidad—. ¿Una razón que se sumaba a otra razón?

—Ophelia así lo creía.

—¡Qué disparate! —replicó sir Henry—. ¿No me irá a decir que la toma usted en serio?

—Tres personas han muerto y a mí me han atacado dos veces. Eso me lo tomo en serio.

Sir Henry se mostró inmediatamente arrepentido.

—Pues claro. Es normal. Perdóneme.

—Le envió esto a la señora Folger, junto con la carta.

Le entregué el broche que el doctor Sanderson apretaba en su mano en el momento de morir.

Frunció el entrecejo.

—Es igual al que Roz le dio a usted, ¿verdad?

Asentí con la cabeza.

—Éste es el original. Ella debió de comprar una de las reproducciones que venden en la tienda de regalos de la Folger, probablemente a modo de pista que me pudiera llevar a la carta. Sabemos que la vio... parece ser que de allí sacó el término de *obra magna jacobina*.

Examinó minuciosamente el broche y después le dio la vuelta, empujándose las gafas hacia arriba para estudiarlo con más detenimiento.

—¿Éste es el que usted encontró en la mano del doctor Sanderson?

Asentí.

—¿Me permite ver el que Roz le regaló?

La joya estaba caliente por estar en contacto con mi cuerpo. Me desabotoné la chaqueta a regañadientes y lo desabroché. Tras devolverme el original, sir Henry sometió la copia al mismo examen.

—Sí, me ha parecido recordarlos —dijo poco después. Inclinó el broche hacia abajo y me miró—. O usted los ha cambiado o nuestra Roz se apropió de algo que no era suyo. Fíjese. —Me señaló una hilera de varias marcas diminutas grabadas en el oro de la parte posterior—. Marcas de contraste. En Gran Bretaña, se exigen en todas las piezas de oro de cierto peso. Una de ellas, las tres gavillas de trigo, es la marca del laboratorio de examen de la calidad de los metales de Chester. Pero ese laboratorio cerró hace mucho tiempo, antes de que usted naciera, creo yo. Tal como le dije cuando me la mostró por primera vez, lo más seguro es que esta pieza sea victoriana. —Me la devolvió—. Pero no es falsa o neovictoriana, que conste. Victoriana sin más. —Hizo un gesto de desprecio—. La otra es una baratija moderna. No lleva marcas de contraste, por consiguiente, o no es británica o no es de oro. Probablemente no es ni una cosa ni la otra.

Contemplé los dos broches, el de Roz en mi mano izquierda y el del doctor Sanderson en la derecha.

—Pero ¿por qué iba Roz a apropiarse de algo ajeno?

—A pesar de sus afirmaciones en el sentido de que ella vivía al margen de las normas, robar no es muy propio de una buena profesora, ¿no le parece? Vamos a echar otro vistazo a esta última carta.

Los tres nos inclinamos sobre ella en el asiento posterior del automóvil. El tono era esencialmente el mismo que el de la mucho más antigua carta de Ophelia a Jem, aunque menos afanoso, como si la sensación de vértigo se hubiera desvanecido en cierto modo. *Pecamos contra Dios y contra el hombre.* ¿Qué había ocurrido?

He devuelto todo lo que he podido al lugar que le corresponde, aunque algunas de las puertas me han estado vedadas; lo poco que queda lo he enterrado en mi jardín. Pero hay muchos caminos que conducen a la Verdad. Nuestra obra magna jacobina, c. _____ 1623 es uno de ellos. Shakespeare señala otro.

—Ah —dijo sir Henry—. ¿Por eso quiere ir a Westminster?

Asentí.

—Admirablemente ingeniosa.

—Si yo fuera tan admirable, ahora nos estaríamos dirigiendo al jardín de Ophelia armados con palas. ¿Le he dicho que se crió en Henley-in-Arden, cerca de Stratford? Su padre era el director del manicomio en el que fue ingresada Delia Bacon.

—Ophelia —dijo mientras el asombro asomaba a su rostro.

—Lo sé. Es algo así como tentar el destino que un médico de locos bautice a su hija con el nombre de Ophelia. Nos hemos preguntado si podría ser el jardín de Henley al que ella se refiere, si es que todavía existe.

—Pero lo tiene en su mano —dijo sir Henry.

—¿Qué es lo que tengo en mi mano?

—Su jardín —señaló mi mano izquierda.

Contemplé las flores del broche de Roz, unas delicadas ramitas de color blanco, amarillo y morado sobre un fondo ovalado más profundo y oscuro que la medianoche. *Hay romero, que es para la memoria. Y trinitarias, que son para los pensamientos.* Hinojo y campanillas; ruda, margaritas y violetas marchitas. *Las flores de Ophelia.*

De repente, el broche me quemó en la mano.

Sir Henry lo tomó con delicadeza. Le dio la vuelta, buscó en su bolsillo con la otra mano, sacó una pequeña navaja y lo abrió. Con mucho cuidado, empezó a tantear las junturas de la parte posterior de la pieza que, con un delicado *clic*, se abrió como un medallón.

Dentro vi el destello de unas llamas. Oculto en el interior del broche había un exquisito retrato en miniatura de un joven.

—Hilliard —dijo sir Henry con reverente admiración.

Nicholas Hilliard era para la pintura inglesa del Renacimiento lo que Shakespeare era para el teatro inglés de ese mismo período histórico. El pintor había retratado a su modelo vestido con un sencillo atuendo doméstico con una holgada camisa de linón de ancho cuello de encaje y la pechera todavía desabrochada. El joven llevaba el cabello corto y tanto el bigote como la perilla estaban cuidadosamente recortados; una cruz de rubíes brillaba en su oreja. Sus ojos eran inteligentes y sensibles y mantenía las cejas enarcadas como si acabara de contar un chiste muy gracioso y se preguntara si su interlocutor había sido lo suficientemente rápido como para comprenderlo. Sostenía en una mano una joya colgada de la cadena de oro que le rodeaba el cuello. En segundo plano, las llamas parecían parpadear y silbar.

—¿Quién es? —pregunté en un susurro.

Sir Henry señaló las oscuras letras de filigrana escritas en el borde izquierdo de las llamas. «Mas tu eterno estío no se apagará.»

—¿Conoce usted el verso? —inquirió con voz ronca.

Asentí con la cabeza. Pertenecía a uno de los más célebres sonetos de Shakespeare, el que empezaba con los versos: «¿Te compararé con un día estival? Tú eres más bella y sosegada».

La voz de sir Henry llenó el interior del vehículo:

Mas tu eterno estío no se apagará,
ni perderá la posesión de esta belleza que tú tienes,
ni la muerte se jactará de haberte arrastrado a su sombra
cuando en perennes versos tú crezcas en el tiempo.

Deteniéndose brevemente, elevó el último dístico a algo muy parecido a la música:

Mientras haya hombres que respiren y ojos que puedan ver,
todo ello perdurará y vida te dará.

—¿Entonces usted cree que es Shakespeare? —preguntó Ben.

Sir Henry meneó la cabeza.

—No. William, sí. Shakespeare, no.

Ladeó la cabeza como si estuviera escuchando una lejana melodía y citó otro soneto distinto:

Quienquiera que tenga su deseo, tú tienes a tu Will,
y a Will por añadidura, y a Will en sobreabundancia.

—Éste es Shakespeare hablándole a su amante de su afición a jugar a dos bandas... El joven a quien el poeta empujó a los brazos de la mujer parece ser que era otro Will, ¿comprende? —Sir Henry lanzó un suspiro—. O sea que no es Shakespeare, no. Es el amado de Shakespeare.

—Uno de ellos —dijo Ben.

Sir Henry le lanzó una mirada de reproche.

—Si queremos hacer alguna conjetura, aquí estamos viendo al joven rubio de los sonetos de Shakespeare, ardiendo en las doradas llamas del amor.

—Pero ¿qué clase de amor? —pregunté, señalando las letras que se curvaban hacia abajo en el borde de la derecha.

«*Ad majorem Dei gloriam*», decían. A la mayor gloria de Dios.

Miré con más detenimiento. El objeto que sostenía el joven en la mano era la única parte de la pintura cuya belleza no estaba a la altura del resto, como si se hubiera modificado en una fecha más tardía. Ignoraba qué había tenido en sus manos inicialmente el modelo, pero ahora sostenía un crucifijo. Un objeto prohibido en la Inglaterra de Isabel y de Jacobo. La Iglesia anglicana veneraba las cruces sencillas; el crucifijo, con la figura de Cristo doliente, era un signo de Roma. Del catolicismo.

Hilliard, un fervoroso protestante que se ganaba la vida complaciendo a la corte, había pintado sin duda el fuego y el hielo de la pasión carnal; pero más tarde unos cuantos trazos de otro pincel más áspero habían cambiado la escena por otra en la que se representababa otra clase de pasión completamente distinta: las llamas del martirio. Pero ¿de un martirio auténtico o de un martirio simplemente esperado?

—Me temo que aquí no pueden aparcar —dijo una voz.

Pegué un brinco en el asiento y cerré el medallón.

El vehículo había aminorado la velocidad y alguien había bajado el cristal de la ventanilla. Enmarcado en ella vi el rostro de un hombre de mediana edad, con el cabello gris muy corto y unas gafas de gruesos cristales; vestía una túnica roja de sacristán. A su espalda, el blanco encaje de piedra de la abadía ocupó toda mi visión.

—Aquí no pueden aparcar —repitió, pero enseguida se detuvo—. Oh, sir Henry. No me había dado cuenta de que era usted. Encantado de volverle a ver, señor.

Y entonces, a pesar de que las normas lo prohibían expresamente, sir Henry obtuvo permiso para aparcar su Bentley delante del pórtico de la abadía, con la excusa de que deseaba mostrar a dos jóvenes amigos los esplendores del canto de vísperas. Me guardé el broche en el bolsillo de la chaqueta y bajamos del automóvil.

El sacristán estaba impidiendo la entrada a un pequeño grupo de turistas.

—Me temo que el servicio ya ha empezado —dijo el sacristán.

—Seremos tan silenciosos como ratones de iglesia —le prometió sir Henry.

—En menos de lo que canta un gallo estaremos afuera —dijo Ben mientras nos dirigíamos a toda prisa hacia la gran fachada occidental—. Será una visita rápida.

Dentro, una acuosa luz verdegris brillaba débilmente con los vivos colores de los profetas de la vidriera occidental. Más adelante, el sobrenatural sonido de la solitaria voz de soprano de un muchacho se elevó hacia las bóvedas del techo. «Mi alma magnífica al Señor...» Los bajos profundos del coro de hombres se añadieron a las jóvenes voces en el encaje auditivo de la polifonía isabelina. William Byrd tal vez, o Thomas Tallis.

Sir Henry estaba cruzando a grandes zancadas la desierta nave en dirección al cálido resplandor dorado del coro. Tuve que apurar el paso para darle alcance. A través de un alto arco ojival de filigrana de piedra vislumbré el coro y los fieles, pero sir Henry giró a la derecha por detrás de una gruesa columna y continuó por un pasillo débilmente iluminado. Ben y yo lo seguimos. El pasillo desembocó en un espacio abierto y sir Henry se detuvo y señaló con la mano. Estábamos en el crucero sur. El Rincón de los Poetas.

Delante de nosotros, en un elevado pedestal bajo un frontón neoclásico, Shakespeare presidía el Rincón de los Poetas con su figura en mármol blanco de tamaño natural. En los pedestales adyacentes los bustos de otros vates flotaban como un enjambre de solemnes querubines, pero el dramaturgo o no se daba cuenta o no le importaba. Con su aire perennemente imperturbable, se inclinaba un poco hacia delante con el codo del brazo derecho descansando sobre una pila de libros, y con el dedo índice de la mano izquierda señalaba un pergamino situado a media altura de los libros.

Me acerqué de puntillas para leer las palabras labradas en él. Las nostálgicas palabras de Próspero con las que el mago se despide del arte en *La tempestad* mientras los cantos del coro, ahora a nuestra izquierda, se elevaban y volvían a bajar.

Las torres envueltas en nubes,
los espléndidos palacios,
los solemnes templos,
el mismo Gran Globo,
todo lo que heredará
se disolverá,
y como el edificio sin cimientos de una visión,
no dejará ni una sola ruina a su espalda.

—Señala la palabra «Templos» —dijo Ben—. ¿Cree que eso significa algo?

Puse los ojos en blanco y sir Henry soltó un gruñido.

—Pero, hombre, por Dios, ya basta de templos. O de templarios.

—No está a gusto, el pobre —dijo una lastimera voz a nuestra espalda mientras los tres pegábamos un brinco—. Está enterrado en otro sitio, ¿saben? Lo tiene Stratford y Stratford se quedará con él. Aunque por derecho, por ser un tesoro nacional, tendría que estar aquí.

Me volví y vi a otro sacristán envuelto en una túnica roja. Unos cuantos cabellos extraviados se levantaban con gesto desafiante en su coronilla y unas arrugas formaban en su frente una pronunciada eme. Con las manos en la espalda, contemplaba con reverencia a Shakespeare.

—Pero ustedes están aquí —dijo mirándonos con semblante enojado—, aunque según las ordenanzas no deberían. El servicio —añadió innecesariamente— se celebra en el coro. Y ustedes perdonen.

Sir Henry ignoró el gesto del hombre indicando a los fieles.

—¿Por qué señala Shakespeare la palabra «templos»?

—Ah, ¿ahora lo hace? —El sacristán juntó las cejas—. No siempre lo hace.

—¿Está insinuando que esta maldita cosa se mueve? —preguntó sir Henry.

—No lo puede hacer, señor —contestó el sacristán—. Está muerto. Aunque no, tal como ya he dicho, muerto aquí. Ya lo dijo Jonson: «Un monumento sin tumba». Resulta que yo también soy un poco poeta. ¿Les gustaría oír alguno de mis versos?

—Nos encantaría —contestó Ben haciendo esfuerzos para mostrarse serio.

—Rotundamente no —lo corrigió sir Henry, pero el hombre ya se había lanzado:

Cuando Shakespeare murió, el mundo gritó: «Oh, Will, ¿por qué nos dejas?»

—El monumento —insistió sir Henry, rechinando los dientes.

—Ya estoy llegando a eso —dijo el sacristán—. *¡Oh, tumba de marmol! ¡Oh, entrañas terrenas!*

—¿Se mueve? —preguntó sir Henry.

El sacristán se detuvo, consternado.

—¿Qué es lo que se mueve, señor?

—La estatua.

—Tal como ya le he dicho, es de mármol. ¿Cómo se va a mover?

—Usted ha dicho que se movía.

El hombre frunció el entrecejo.

—¿Y por qué iba yo a decir eso?

—No importa el porqué —replicó sir Henry—. Dígame simplemente qué otra cosa señala Shakespeare aparte de la palabra «templos» cuando se mueve.

—Pero es que no se mueve, señor. A lo mejor, hay alguna otra estatua que sí lo hace. Si a usted le gustan los templos, hay la iglesia del Temple, el Inner Temple, el Middle Temple —los iba enumerando con los dedos a medida que los nombraba— y, naturalmente, el Temple Bar, aunque ahora lo han trasladado a Paternoster Row. Después tenemos los templos masones...

Lo corté.

—¿A qué otra estatua se refiere?

Frunció el entrecejo.

—Pues a la única que hay. La de la Casa de los Incompetentes.

—¿La Casa de los Incompetentes?

A sir Henry estaba a punto de darle un ataque.

Carraspeando, el sacristán entonó:

—A la muy notable e incompetente pareja de hermanos, William, conde de Pembroke, etcétera, y Philip, conde de Montgomery, etcétera. —Nos miró parpadeando con condescendiente regocijo—. Los hermanos que profanan las páginas iniciales del Primer Infolio del señor Shakespeare. El conde de Pembroke, un sucesor, naturalmente, mandó hacer una copia de esta estatua para su casa.

A nuestra espalda, el coro elevó sus voces para entonar el *Nunc dimittis*: «Ahora, Señor, despide en paz a tu siervo».

Sir Henry agarró al sorprendido sacristán por ambas mejillas y lo besó.

—Incomparables, insensato —lo reprendió sir Henry—. Los Incomparables Hermanos. No los Incompetentes.

Las cabezas de algunos fieles se empezaron a volver. Sir Henry no les hizo caso y prácticamente se puso a bailar alrededor del sacristán.

—Y adornan con toda certeza, amigo mío. En modo alguno profanan.

Cuando por fin soltó al sacristán, sir Henry nos arrastró a Ben y a mí de nuevo por el pasillo.

—¿Qué es lo que señala la estatua de Pembroke? —gritó por encima del hombro.

En medio de las sombras, el sacristán se ruborizó junto a la estatua.

—No lo sé, señor. Jamás la he visto. —Se sacó del bolsillo una hoja de papel doblado—. Tengo una copia de mi poema...

Pero sir Henry no se detuvo para oír su ofrecimiento. Mientras corríamos por la nave, la música se elevó una vez más, arremolinándose y girando a nuestro alrededor. Apenas estuvimos en el exterior de la abadía, echamos a correr hacia el automóvil.

—Wilton House, Barnes —ordenó sir Henry—. Residencia de los condes de Pembroke.

—Eso ha sido demasiado fácil —dijo Ben mientras el vehículo se apartaba del bordillo.

—¿Qué esperaba usted? —refunfuñó sir Henry—. ¿La policía que rodea Downing Street o la guardia del Palacio de Buckingham?

—El Rincón de los Poetas es un blanco demasiado obvio. Tendría que haber habido un poco de presencia policial.

—Pues no la había —dijo sir Henry—. Y alégrese. Quizás el inspector Siniestrísimo piensa que al asesino sólo le interesan los libros, o que, como Shakespeare no está en casa, tal como ha dicho nuestro amigo, la abadía no cuenta. A lo mejor, el deán dijo que no.

—Quizá la policía estaba allí y pronto nos va a hacer compañía —dijo Ben.

Me volví a mirar. Las dos torres de la abadía aún resultaban visibles, pero apenas.

—¿Ha visto algo? —pregunté.

—Todavía no —contestó.

31

Escapamos del tráfico de Londres y nos dirigimos por el suroeste hacia la pequeña ciudad episcopal de Salisbury, pero Ben seguía sin ver nada sospechoso. Abrí mi ejemplar del Primer Infolio por el retrato de Shakespeare, luego pasé a la dedicatoria:

A LA MÁS NOBLE

E

INCOMPARABLE PAREJA

DE HERMANOS

—Los Incomparables —dijo sir Henry con deleite.

—Habla usted de ellos como si fueran unos superhéroes —observé.

William Herbert, conde de Pembroke, y su hermano Philip, conde de Montgomery —Will y Phil, dijo Ben en plan de guasa—, habían sido dos de los más insignes representantes de la nobleza de la Inglaterra jacobina. Por parte de padre, eran vástagos de una de las más prósperas casas de la recién enriquecida aristocracia Tudor. La familia había iniciado su ascenso apenas dos generaciones atrás, cuando el rey Enrique VIII se había encariñado con su abuelo William Herbert, un campechano y exaltado galés casado con Katherine Parr, la hermana de la reina, la sexta y última esposa de Enrique. Desde un asesinato cometido en un arrebato de furia, pasando por el exilio en Francia y el indulto real y siguiendo con el nombramiento como caballero, el título de barón y finalmente el de conde, todo fue una improbable escalera hacia la grandeza que el primer conde subió a una velocidad tan pasmosa que hizo que su hazaña pareciera fácil.

Por parte de madre, ambos habían heredado lo que se podría llamar el dominio del lenguaje. Mary Sidney, condesa de Pembroke, era una gran protectora de las letras y de la ciencia y una excelente poetisa por derecho propio. Su hermano, el tío de los «Incomparables», había sido el poeta-soldado sir Philip Sidney, cuya gallardía, ingenio, idealismo y temprana muerte en el campo de batalla se cernía como un arco sobre la corte isabelina con el predestinado fulgor de una estrella fugaz. A su muerte, la condesa se erigió en guardiana de la llama de su hermano.

Impulsados por el ejemplo y por la riqueza casi inimaginable de la familia, sus hijos se convirtieron de mayores en unos hombres de exquisita cultura y extremado buen gusto. Los reyes confiaban en ellos por su condición de expertos conocedores de las artes. Entre los dos gobernaron sucesivamente la casas del rey Jacobo y el rey Carlos I como primeros chambelanes de la Casa Real durante veintiséis años.

Una de las artes que más apreciaban era el teatro. «Puesto que vuestras señorías han tenido a bien apreciar estas comedias y hasta ahora, decía el Infolio, les han otorgado tanto favor como a su autor en vida [...], las hemos reunido y hemos asumido el deber de rendir homenaje al muerto facilitándole unos tutores a los huérfanos, sin el menor afán de beneficios o de fama: sólo para conservar la memoria de un amigo y compañero tan digno en vida como fue nuestro SHAKESPEARE, mediante el humilde ofrecimiento de sus obras a vuestro nobilísimo patronazgo.»

La carta estaba firmada por los compañeros actores de Shakespeare en la compañía de los Hombres del Rey, John Heminges y Henry Condell.

—¿Lo ven? —dijo sir Henry—. Las obras son de Shakespeare. Heminges y Condell lo sabían, y también lo sabían Pembroke y Montgomery.

Lo miré con una pícara sonrisa en los labios.

—A menos que uno crea que todo el Infolio es la perpetuación de una tapadera que ya venía de muy lejos.

—Eso usted no lo cree, y lo sabe. Y lo que es más, yo lo sé.

Lancé un suspiro. El problema principal de esta teoría era la magnitud del alcance de la conspiración que se requería. Heminges y Condell habían firmado la carta, pero ésta contenía destellos de erudición informal y de florituras retóricas que sonaban tremendamente a Ben Jonson, a quien muchos estudiosos atribuían la autoría de la carta, independientemente de quién la hubiera firmado. Por cuyo motivo, si hubiera sido una conspiración, no sólo Heminges y Condell, sino también probablemente todos los Hombres del Rey, hubieran conocido la verdad, tal como la conocían Ben Jonson y por lo menos dos representantes de la nobleza del reino. Pese a lo cual, nadie se había ido jamás de la lengua.

—No —dije—, tiene usted razón. No lo creo.

Ya no sabía qué creer. Me saqué el broche del bolsillo y pensé en el hombre de cabello dorado pintado por Hillard en su interior mientras en el largo anochecer estival británico, en cuyo transcurso el azul del cielo se fue oscureciendo imperceptiblemente, los verdes de la campiña y el bosque se condensaron en unos matices semejantes a los de las alhajas. Mientras circulábamos ascendiendo suavemente las cuestas, dejamos atrás Stonehenge montando guardia a la derecha. Un poco más adelante, giramos al sur, apartándonos de la carretera principal, y cruzamos la campiña por una estrecha carretera bordeada de setos vivos.

Wilton House, todavía residencia solariega de los condes de Pembroke, domina la entrada de la aldea de Wilton, a unos pocos kilómetros al oeste de Salisbury. Lo primero que vi del edificio fue un alto muro de piedra cubierto de musgo. Desde un arco de triunfo, un emperador romano montado en un semental nos contemplaba con benevolencia, pero la verja de hierro forjado que nos impedía el paso seguía estando decididamente cerrada. Un letrero proclamaba que la zona de aparcamiento para los asistentes al concierto se encontraba en la parte trasera de la finca; un mapa indicaba el camino.

¿Concierto? Vimos unas luces en el otro extremo del patio anterior, pero no personas.

Sir Henry no prestó atención ni al letrero ni a la falta de gente y le dijo a Barnes que se acercara al teclado numérico que había delante de la verja. Bajó el cristal de su ventanilla pulsó la tecla de llamada.

—Aquí sir Henry Lee —dijo mayestáticamente—. Vengo a ver la casa.

Pero ¿qué se habria creído? Ya eran casi las ocho de la tarde.

El portero automático permaneció en silencio.

Sir Henry estaba a punto de volver a pulsar la tecla cuando la verja cobró vida con un repentino tirón y empezó a abrirse a regañadientes. El Bentley avanzó muy despacio y sus ruedas aplastaron ruidosamente la grava mientras rodeábamos un jardín central bordeado de arbolillos cuyas ramas entretejidas lo ocultaban todo menos el surtidor de una fuente de gran tamaño. Al otro lado del jardín, una impresionante puerta estaba abierta de par en par. Una mujer menuda con sonrisa de preocupación en los labios se estaba apartando a un lado.

—Bienvenido a Wilton House, residencia del conde de Pembroke. Encantada de conocerlo, sir Henry. —Alargó la mano—. Soy la señora Quigley. Marjorie Quigley, guía jefe. No tenía ni idea de que estaba usted en la lista del recorrido de esta noche. Aunque se comprende, ¿verdad? La música de Shakespeare y todo lo demás. Pero me temo que llega usted un poco pronto —dijo mientras bajábamos del automóvil—. Verá, es que el recorrido de la casa está programado para después del concierto, que está empezando ahora mismo mientras hablamos.

—Y yo que estaba deseando participar en ambas cosas —dijo sir Henry, lanzando un suspiro—. Pero resulta que aquí mis amigos no pueden esperar ni un minuto más cuando haya sonado la última nota.

—¡Qué lastima! —exclamó la señora Quigley, volviéndose hacia nosotros—. La casa es tan bonita a la luz de las velas.

—Quizá... —sir Henry carraspeó discretamente—. ¿Sería una terrible molestia que echáramos ahora un rápido vistazo por ahí?

—Pero es que se van ustedes a perder el concierto —dijo ella, consternada—. La Orquesta Sinfónica de Bournemouth en «Una velada musical con Shakespeare».

—Prefiero perderme el concierto que la casa —dijo sir Henry.

—Por supuesto —dijo la señora Quigley—. Por supuesto que tienen ustedes que entrar.

Nos apelotonamos todos en la puerta antes de que pudiera cambiar de opinión.

En el centro de un vestíbulo resonante de ecos, aparecía Shakespeare enmarcado por unas altas ventanas góticas e iluminado desde el fondo por la pálida luz azulada de las primeras horas del anochecer. Como en la abadía de Westminster, estaba reclinado apoyando un codo sobre una pila de libros. Pero aquí no estaba constreñido bajo un arco. En el centro de la estancia, se le veía más grande y más relajado. La capa echada sobre los hombros se ondulaba bajo un invisible viento mientras que el personaje miraba directamente hacia adelante, perdido en sus pensamientos, como si estuviera creando una nueva comedia. Algo no tan complicado y agotador como una pieza teatral entera, pero sí tal vez como un soneto o una canción. Algo que tuviera versos.

—Precioso, ¿verdad? —dijo la señora Quigley con orgullo—. Puede que sea una copia, realizada en 1743, de la estatua de la abadía de Westminster.

Pero no era exactamente una copia. Tal como había dicho el sacristán, las palabras del pergamino eran distintas:

LIFE'S but a walking SHADOW
a poor PLAYER
That struts and frets his hour
upon the STAGE
And then is heard no more!
Shak$^{'s}$. *Macb*^{t}.

La VIDA no es más que una SOMBRA errante
un pobre PAYASO
Que se pavonea y se agita una hora
en el ESCENARIO
Y al que después jamás se vuelve a escuchar.
Shak$^{'s}$. *Macb*^{t}.

—Según mi sobrina, los actores creen que *Macbeth* es una obra de mal agüero —dijo la señora Quigley—, pero los Pembroke jamás lo creyeron así, estoy segura. Esta cita forma parte de esta casa desde los tiempos de Shakespeare. Él visitó este lugar, ¿saben?

Se me erizaron los pelos de la nuca.

—Pero la estatua data de más de un siglo después de su muerte —comentó secamente sir Henry.

—Sí, en efecto. Sin embargo, antes de que existiera la estatua, esta misma cita adornaba la antigua entrada de la casa.

Sir Henry giró en redondo para contemplar la puerta por la que habíamos entrado.

—No es ésta —dijo la señora Quigley con visible regocijo—. Todo el acceso a la casa se modificó en el siglo diecinueve.

Tras pasar por delante de la estatua y cruzar las puertas que se abrían al solitario pasillo que rodeaba el interior de la casa a modo de claustro, señaló el patio de abajo. Como la Biblioteca Widener, Wilton House era un cubo hueco que rodeaba un patio; habíamos entrado en lo que parecía ser la planta baja, pero ahora nos dimos cuenta de que, en todos los restantes lados de la casa, nos encontrábamos en el segundo piso, como si la casa se hubiera levantado pegada a la ladera de una colina.

Abajo y a la izquierda había una entrada abovedada. En tiempos de Shakespeare, nos dijo la señora Quigley, era una arcada al aire libre que conducía al patio. Los carruajes lo cruzaban para llevar a los caballeros y las damas —y a las ocasionales compañías de actores— hasta la entrada propiamente dicha, y después al interior del patio. Un pequeño y precioso pórtico, tal como dijo ella, con sus gárgolas y todo, justo debajo de donde nosotros nos encontrábamos.

Shakespeare había pasado por debajo de aquel arco, pensé. Había pisado las piedras del patio de abajo, contemplando el cielo... ¿Llovía o hacía buen tiempo? Había comido y bebido hasta saciarse de cerveza o tal vez de vino en algún lugar en el interior de aquellas paredes, había intercambiado secretas miradas con una muchacha de bellos ojos castaños, garabateado una nota, arrancado una flor silvestre, meado en un charco, arrojado unos dados, dormido y tal vez soñado en aquel lugar. Con la implacable mirada de un director, había observado al público que contemplaba su obra, tomando nota de los gestos de impaciencia, las furtivas miradas amorosas, las lágrimas y los jadeos y, lo mejor de todo, las carcajadas. La emoción de la presencia era algo que ni Athenaide, ni los Folger, ni el Consorcio del Globo, con todas sus toneladas y sus barriles y sus paletadas de dinero, jamás podrían recrear. Shakespeare había estado allí.

—La Casa de Shakespeare, solían llamar a este pequeño pórtico —dijo la señora Quigley en tono meditativo—. Hay leyendas familiares según las cuales los Hombres del Rey lo utilizaron como escenario, ¿saben? Pero ahora se le llama generalmente el Pórtico Holbein.

—¿Existe todavía? —en la voz de sir Henry se advertía un tono de ahelante impaciencia.

—Sí, claro. Gracias a la suerte y a la fidelidad, supongo. Lo retiraron cuando se remodeló la casa a principios del siglo diecinueve y sus piedras estuvieron más que a punto de ser dispersadas. Pero un obstinado albañil que se había pasado toda la vida trabajando en la finca se negó a permitir que se perdiera. Piedra a piedra, lo trasladó al jardín y lo reconstruyó. Y allí sigue desde entonces, al fondo del jardín privado del conde. Aunque me temo que la cita se desvaneció sin que quedara ni rastro de ella.

En su afán de no decepcionarnos, regresó al vestíbulo de la entrada y se detuvo delante de un retrato de tamaño natural de un caballero.

—Puesto que es Shakespeare lo que les interesa, también les interesará el cuarto conde. Uno de los Hermanos Incomparables del Primer Infolio. —El conde tenía cabello claro que le llegaba hasta los hombros y miraba con expresión burlona. Sus lujosas prendas de raso de color canela eran un dechado de discreción, aunque lo traicionaba una cierta afición a los encajes—. El más joven de los dos —dijo la señora Quigley—. Philip Herbert. Era el primer conde de Montgomery cuando se pintó este retrato. Se casó con una de las hijas del conde de Oxford.

Vero nihil verius, pensé. Nada es más verdadero que la verdad.

—Más tarde heredó también el título del condado de Pembroke cuando su hermano mayor murió sin hijos, lo cual le convirtió simultáneamente en el cuarto conde de Pembroke y el primer conde de Montgomery. Los dos condados han permanecido unidos desde entonces.

Mientras ella seguía hablando, me volví de nuevo hacia la estatua. Ni el conde ni la casa de Shakespeare me importaban. «Shakespeare señala la verdad», había escrito Ophelia. Por consiguiente, la verdad debía de tenerla directamente delante de mí. Cuatro de las palabras del pergamino estaban labradas en letras mayúsculas. *Life's*, *Shadow*, *Player*, *Stage**. ¿Tendría eso algún significado? El dedo de Shakespeare descansaba levemente sobre la palabra *shadow*... ¿Por qué iba eso a ser mejor que «templos»?

Life's, *Shadow*, *Player*, *Stage*.

Fruncí el entrecejo, contemplando las palabras cinceladas en el pergamino. Después me acerqué un poco más. La ele de *Life's* presentaba unos ligeros restos de oro.

—¿Esta estatua fue policromada alguna vez? —pregunté bruscamente.

La señora Quigley se acercó presurosa.

—No, querida, la estatua no —dijo—. Al menos, no toda. Eso se debe a un mal uso del mármol blanco de Carrara. Pero las palabras estuvieron pintadas en algún momento. Un restaurador las examinó cuidadosamente hace unos cuantos años. Tengo por aquí una reconstrucción por ordenador de lo que él pensaba que debía de ser su aspecto. —Cruzó la estancia, en dirección a un escritorio que había en un rincón del otro lado y rebuscó en un cajón—. Ajá.

Nos congregamos a su alrededor. En la imagen tratada con Photoshop, casi todas las letras eran de color azul. Sin embargo, las letras de las palabras en mayúscula eran de color rojo, sólo que

* Vida, sombra, actor, payaso, escenario. *(N. de la T.)*

cada una de las palabras escritas en rojo: *LIFES'S*, *SHADOW*, *PLAYER* y *STAGE* presentaba una letra destacada en oro.

—L-A-R-E —dije, deletreando la palabra formada con las letras doradas.

—Lo cual se convierte al revés en E-A-R-L —proclamó la señora Quigley, radiante de felicidad—. En honor del conde, naturalmente. La familia siempre fue muy aficionada a los anagramas y los rompecabezas. Especialmente el conde, que mandó colocar la estatua como pieza central de esta estancia. Por desgracia, ésta no era su única afición. —Meneó la cabeza como si hablara de la conducta de un niño travieso de cinco años—. Engendró un hijo en un lecho que no habría tenido que visitar. Cuando la condesa le negó el permiso de bautizar al niño con alguno de los nombres de la familia, mezcló las letras de Pembroke y le dio el apellido Reebkomp al pobre niño. Y, por si fuera poco, le impuso de segundo nombre Retnuh, el apellido de soltera de la madre, que era Hunter, escrito al revés. Por lo menos, el nombre de pila del niño era real, aunque, qué quieren ustedes que les diga, eso de tener que acostumbrarse al nombre de Augustus debió de ser muy duro para un niño. —La expresión de su rostro se ensombreció—. Algunas guías dicen que también se puede leer R-E-A-L, como en español. Pero los condes jamás han aspirado al trono. Y tampoco se dan aires de reyes, por lo menos, no según los criterios de sus...

—Lear —solté de repente—. También se puede deletrear Lear.

—Ah —dijo la señora Quigley. Su silencio golpeó la estancia con un pequeño chasquido—. Pues sí. L-E-A-R. Como *El rey Lear*. Jamás se me había ocurrido pensarlo.

Sir Henry acorraló a la pobre mujer.

—¿Posee el conde un Primer Infolio?

Una expresión apenada se dibujó en su rostro.

—Me temo que no puedo hablar de eso. A causa de los recientes acontecimientos. No obstante, los archiveros tendrán mucho gusto en atenderles si les llaman durante la semana.

—¿Tiene ...? —preguntó sir Henry.

—Señala la palabra «sombra» —me susurró Ben al oído.

Mirando a Shakespeare, comprendí lo que quería decir. Que no tenía mucho sentido en relación con un libro. Pero sí lo tenía en relación con el arte. Tenía sentido en relación con la escultura.

—¿Hay cuadros de Lear en la casa? —pregunté—. ¿O estatuas? ¿Alguna imagen de las obras de Shakespeare?

La señora Quigley meneó la cabeza.

—No creo, aparte de ésta, naturalmente. Déjeme pensar... No. Hay muchas cosas relacionadas con los mitos.... Dédalo e Ícaro, naturalmente, y Leda y el Cisne. Pero los únicos cuadros literarios que se me ocurren ilustran la obra de sir Philip Sidney, no la de Shakespeare.

—¿Qué obras de Sidney? —pregunté

—*La Arcadia.* Un libro que escribió para su hermana durante su estancia aquí. El título completo es *La Arcadia de la condesa de Pembroke*, ¿sabe?

—*La Arcadia* fue una de las fuentes de *El rey Lear* —dije mirando a sir Henry—. La historia del anciano ciego destrozado por su perverso hijo bastardo y rescatado después por su hijo bueno y legítimo.

—La conspiración de Gloucester —murmuró sir Henry.

La señora Quigley nos miró, desconcertada.

—¿Dónde están estos cuadros? —preguntó Ben.

—Hay toda una colección en el Salón del Cubo Solitario, una de las estancias palladianas diseñadas por Inigo Jones. No datan de la época de Shakespeare, pero casi. Ahora que lo pienso, los encargó Philip, el cuarto conde.

Uno de los Incomparables.

—Acompáñenos allí, mi buena Quigley —dijo mayestáticamente sir Henry—. Acompáñenos.

La seguimos por el solitario pasillo y alrededor de la parte interior del patio, pasando por delante de emperadores, dioses y condes labrados en clásico mármol hasta llegar al otro lado de la casa. Desde allí, la señora Quigley nos acompañó a una pequeña estancia abarrotada de pequeños y valiosos cuadros mientras se escuchaba un lejano resonar de instrumentos de viento seguido de unas trémulas carrerillas procedentes de la sección de cuerda de una orquestra. Estaban interpretando *El sueño de una noche de verano* de Mendelssohn.

Apurando el paso mientras atravesábamos unas salas cada vez más impresionantes, llegamos finalmente a una lo bastante inmensa y espléndida como para superar a reyes y satisfacer a emperadores. Bajo la luz intensa, sus pálidas paredes parecían tambalearse a causa del peso de guirnaldas, ramilletes, medallones y seductoras ninfas a cuatro patas, todo cubierto de tanto oro como para vaciar las legendarias minas de Ofir. Numerosos retratos de Pembrokes y otros nobles se arracimaban a nuestro alrededor. Van Dyck había cubierto casi toda la pared del fondo con la pictórica gloria y el presumido orgullo en seda y plata carmesí, terciopelo leonado y el largo y suntuoso cabello de los caballeros.

—El cuarto conde y su progenie —dijo la señora Quigley.

Se oyeron unos aplausos desde el prado. Miré por la ventana y vi un escenario de forma semiesférica situado de cara a nosotros. Más allá del mismo, un numeroso grupo de personas levantó la vista hacia la casa en medio de la oscuridad. Los aplausos dieron paso al silencio.

Cruzando la estancia, la señora Quigley abrió una alta puerta de doble hoja y nos franqueó la entrada a una sala más pequeña. El centro lo ocupaba una mesa puesta para la cena con un servicio de plata de estilo georgiano. El oro de aquella sala parecía volar: estilizadas plumas surcaban las blancas paredes, unas águilas chillaban por encima de las puertas y unos querubines miraban a hurtadillas desde las rollizas alas de unos angélicos infantes. La señora Quigley señaló hacia arriba y, mientras yo levantaba los ojos y veía a Ícaro precipitándose eternamente al vacío desde el cielo y a su padre Dédalo contemplando la escena horrorizado, la paroxística angustia de los instrumentos de viento de *Romeo y Julieta* de Prokofiev penetró a través de las ventanas.

El ritmo de la música se sosegó.

—Fíjese —dijo la señora Quigley, señalando la parte inferior de la ventana—. Nunca he contemplado las pinturas de *la Arcadia* con demasiado detenimiento, pero empiezan aquí. —Abrumada por los tormentos por encima de mi cabeza y la opulencia que se desplegaba ante mis ojos, yo ni siquiera había reparado en ellas: pequeñas pinturas rectangulares dispuestas en unos paneles a la altura de la rodilla en las paredes de la estancia—. Lo siento, pero tendré que pedirles que las miren con una linterna —añadió en tono de disculpa, sosteniendo en su mano una—. Y que eviten dirigir el haz luminoso hacia la ventana. La casa es el telón de fondo del concierto, ¿comprenden?, y ha sido iluminada con mucha discreción.

Ben tomó la linterna y la encendió mientras yo me arrodillaba y me inclinaba hacia delante. En primer plano, dos pastores sacaban a un joven del mar; al fondo del cuadro, un barco en llamas se estaba hundiendo. Miré con más detenimiento. El mástil de la embarcación aparecía inclinado. Sentado a horcajadas en él, otro joven blandía una espada como si, montado en un caballo, se dispusiera a entrar en batalla. Era la escena inicial de *La Arcadia*.

En su afán decorativo, el artista había pintado incluso los rincones de la sala.

Con una hábil combinación de curiosidad y halagos, sir Henry se llevó a la señora Quigley a la sala que habíamos atravesado antes y cerró la puerta a su espalda. Mientras el ocaso daba paso a la noche, recorrí a gatas toda la estancia, inspeccionando a mujeres que se desmayaban sobre voluptuosas sedas doradas mientras hombres protegidos por plateadas armaduras se abalanzaban los unos sobre los otros y cruzaban sus espadas con expresiones de fiereza o de asombro, o ambas cosas a la vez. En medio de todo aquello, Prokofiev se elevaba por encima de los alféizares de las ventanas. De vez en cuando, captaba el murmullo de las voces de sir Henry y de la señora Quigley hablando en la otra sala.

Llegué al final de la primera pared y después de la segunda, pero no vi nada que se pareciera a la historia del rey Lear. A lo mejor, no había un cuadro específico, a fin de cuentas, era un argumento secundario. Doblé la esquina y empecé a examinar la tercera pared.

Poco antes de llegar a la chimenea de mármol, avancé a gatas hasta situarme debajo de la mesa y me detuve. En un oscuro lienzo, un anciano permanecía de pie en un páramo azotado por la tormenta con un angelical joven al lado. Un poco apartado de ellos, otro joven, con la boca torcida en una mueca de crueldad y una fiera expresión en los ojos, los miraba desde la sombra de un árbol.

—Creo que lo he encontrado —dije.

Pero ¿qué iba a hacer yo con aquello?

Shakespeare señala la verdad. En el vestíbulo de la entrada Shakespeare señalaba la palabra «sombra».

Con sumo cuidado, rocé con el dedo la sombra tanteando con delicadeza sus perfiles, pero no percibí nada debajo.

—Hay otra pintura parecida al otro lado de la chimenea —dijo Ben.

Mostraba las mismas figuras, pero las expresiones de sus rostros se habían estirado hasta convertirse prácticamente en caricaturas. El violento fulgor de un relámpago rasgaba la noche y la sombra del árbol era más oscura.

Volví a tocar la sombra con un dedo, pero, una vez más, no percibí nada. Aun así, ejercí presión. No ocurrió nada. Apreté con más fuerza.

Con un leve sonido metálico, una roseta de oro se proyectó hacia afuera por encima de la pintura a modo de tirador. Tiré de ella y el panel con la pintura se inclinó hacia delante, dejando al descubierto un oscuro hueco.

En un pequeño estante del interior cubierto por el polvo de los siglos, descansaba un paquete atado con una frágil y desteñida cinta.

32

Saqué el paquete y lo desenvolví. La envoltura parecía de cuero. Dentro había dos hojas de papel dobladas. Alisé con cuidado la primera; curiosamente, seguía conservando la suavidad inicial. Era una carta fechada en noviembre de 1603 y dirigida «A mi hijo, el hon. sir Philip Herbert, con Su Majestad El Rey en Salisbury».

Estimado hijo:
Rezo para que convenzas al rey de que venga a visitarnos a Wilton y para que lo hagas con la mayor celeridad que puedas. Tenemos con nosotros a Shakespeare, con la promesa de una comedia titulada Como gustéis. *Puesto que al rey le agradan las comedias, nos servirá como hora propicia para presentarle una petición en nombre de sir Walter Raleigh, tal como estoy sumamente deseosa de hacer. Rezo a Dios para que te conserve la salud y nos conceda un pronto y venturoso encuentro.*

TU AMANTE MADRE

M. Pembroke

Disculpa la brevedad de esta hojita, que he escrito con gran premura.

—«Tenemos con nosotros a Shakespeare —La carta perdida de Wilton —dije con un hilillo de voz.

De Mary Sidney Herbert, condesa de Pembroke, a su hijo Philip en los primeros meses del reinado del rey Jacobo, cuando la peste había obligado tanto a la corte como a los actores a alejarse de Londres. Durante mucho tiempo habían corrido rumores acerca de la existencia de aquella carta, pero ningún estudioso la había visto jamás. Aunque sus efectos eran bien conocidos. El pobre sir Walter permaneció encarcelado, pero el rey había acudido a Wilton y los actores habían interpretado *Como gustéis* y más tarde *Noche de reyes*.

Fuera, la música de Prokofiev resonó como un inmenso grito de dolor y de furia. Con trémulas manos, deslicé la siguiente página encima de la otra. Era otra carta, sin fecha y escrita por otra mano. Leí en voz alta:

Al más dulce cisne que jamás surcó el Avon.

Ben Jonson había sido el primero en utilizar la expresión «dulce cisne de Avon» en el Primer Infolio. Estaba sosteniendo en mis manos una carta dirigida a Shakespeare.

La música se perdió en la lejanía.

—Siga —dijo Ben.

Arrastrado durante largo tiempo por una marea de duda y ansiedad, he llegado al fin a la orilla para...

En la estancia de al lado, un estrépito como de muebles chocando contra algo rompió el silencio. Nos quedamos petrificados. Se oyeron pasos agitados que luego se perdieron en la distancia.

—Venga conmigo —dijo Ben, acercándose rápidamente a la puerta por la cual habíamos entrado. Con el arma en la mano, me señaló la pared que tenía al lado. Prestó atención un momento. Mientras sonaban unos aplausos abajo, alargó el brazo y abrió una de las hojas de la puerta, apuntando con el arma a la estancia a oscuras.

—¿Sir Henry?

Nadie contestó. Ben recorrió la estancia con el haz luminoso de la linterna.

Sir Henry yacía acurrucado en el centro de la estancia con el rostro ensangrentado. Cuando el haz de la linterna le iluminó, el actor emitió un gruñido. Aún estaba vivo.

Nos acercamos a él en una décima de segundo. Estaba intentando incorporarse. Lo ayudé a sentarse en una silla, tomé el precioso pañuelo que lucía en el bolsillo superior de la chaqueta y lo apliqué al corte que le cruzaba la mejilla.

Ben se acercó con mucho sigilo a la puerta del extremo más alejado de la estancia, pero no encontró nada. Cuando regresó, se dirigió lacónicamente a sir Henry.

—¿Vio quién se abalanzó sobre usted?

Denegó con la cabeza.

—¿Dónde está la señora Quigley?

Sir Henry tosió.

—La acompañé al vestíbulo de la entrada —dijo respirando afanosamente—. Yo estaba regresando aquí cuando...

—Volvamos a la estancia de la Arcadia —dijo Ben, señalando con la cabeza en aquella dirección.

Me dirigí hacia allá y doble las cartas mientras Ben me seguía, ayudando a sir Henry. A través de la ventana se escuchaban los oscuros y estridentes acordes inciales de la banda sonora de *Enrique V,* la película de Branagh.

—¿Ha encontrado algo? —me preguntó sir Henry con la voz ronca, tomando el pañuelo que yo sostenía en la mano y secándose la sangre del rostro.

—Unas cartas...

—Démelas a mí —me dijo Ben— y cierre la trampilla.

—No podemos...

—¿Cree que es seguro dejarlas aquí?

—No quiero robarlas...

Me quitó los papeles de las manos.

—Muy bien —dijo con aspereza—. Pues yo sí. Y ahora coloque en su sitio el maldito panel y vámonos.

Miré a sir Henry.

—Tiene razón —dijo éste con voz chirriante.

Empujé la roseta y el panel pintado se cerró con un *clic* sin dejar ninguna rendija que permitiera adivinar la existencia de una abertura.

A la derecha había una alta puerta que conducía al claustro. Ben la abrió con cautela. En las ventanas de la pared que daban al claustro se reflejaba un brillo como el hielo, producido por la luz que se derramaba sobre la casa desde el lugar donde se estaba celebrando el concierto, pero el pasillo estaba envuelto en unas profundas sombras. Todo el interior de la casa estaba a oscuras, incluso el vestíbulo de la entrada. ¿Dónde estaba la señora Quigley?

—Aléjese de las ventanas —me dijo Ben tan bajito que apenas le pude oír.

Pegados a las oscuras paredes interiores, apuramos silenciosamente el paso a lo largo del corredor mientras Ben ayudaba a sir Henry.

Cuando ya estábamos muy cerca del vestíbulo de la entrada, una llamada a la enorme puerta nos sobresaltó y nos indujo a permanecer en silencio. La puerta estaba abierta cuando habíamos llegado; no recordaba que la señora Quigley la hubiera cerrado. Delante de ella, bajo la débil luz que se filtraba a través de las ventanas, daba la impresión de que Shakespeare se había encorvado bajo el peso del dolor.

Nadie se presentó para atender la llamada. Ben encendió la linterna e iluminó el vestíbulo, y entonces vi por qué razón Shakespeare parecía encorvado. La señora Quigley estaba arrodillada delante de la estatua y el pañuelo envuelto alrededor del brazo de Shakespeare bajaba hasta su cuello. La mujer mantenía la cabeza extrañamente ladeada y tenía los labios azulados y los ojos desorbitados.

Depositando la linterna en mis manos, Ben corrió a liberarla. Lentamente, iluminándolos con la linterna, me acerqué a ellos.

Volvimos a escuchar la llamada a la puerta, cada vez más fuerte e insistente.

Sujetando a la mujer con un brazo, Ben tiró del pañuelo con la otra mano, pero no consiguió soltarlo. Le pasé la linterna a sir Henry y deshice el nudo; la mujer resbaló en los brazos de Ben. Unas plumitas de color blanco se escaparon volando; alrededor de su cuello alguien había colgado una cadena con un espejito.

—*Han ahorcado a mi pobre Cordelia* —dijo sir Henry en voz baja. La luz tembló sobre la grotesca Pietà que yo tenía delante.

Estábamos contemplando al *Rey Lear* en el momento en que el anciano rey descubre a Cordelia y trata desesperadamente de encontrar el suficiente aliento para empañar un espejo o agitar las barbas de una pluma. Pero no había nada: *No, no, no hay vida.*

Las llamadas a la puerta se reanudaron, pero esta vez cesaron de golpe y después oímos el ruido de una llave en la cerradura.

Ben dejó a la señora Quigley en el suelo y se levantó de un salto.

—Muévanse —nos conminó perentoriamente.

Se echó el brazo de sir Henry alrededor de los hombros y nos empujó de nuevo al claustro mientras se abría la puerta a nuestra espalda.

Recordaba vagamente haber visto una escalera mientras recorríamos la casa siguiendo a la señora Quigley, pero Ben había prestado más atención. Nos acompañó a la escalera justo en el momento en que unas luces se encendían detrás de nosotros y una mujer se ponía a gritar.

Mientras unas pisadas resonaban por el claustro por encima de nuestras cabezas, bajamos precipitadamente un tramo de escalera, doblamos una esquina y volvimos a bajar. Arriba, los gritos se convirtieron en un fuerte gemido y cesaron de repente.

Corrimos hasta la planta baja y entramos en el vestíbulo abovedado que antiguamente había sido la entrada principal del patio. Una puerta cristalera daba acceso al patio; otra, todavía más grande, conducía a los oscuros prados. Una pálida cinta de grava se desviaba hacia el este, un vestigio del camino que antaño había conducido a Shakespeare y su compañía hasta aquella casa.

Tras indicarnos por señas que esperáramos, Ben se acercó sigilosamente a la puerta exterior. Se apoyó contra el muro y yo me quedé paralizada. Unos hombres uniformados pasaron por delante de nosotros y corrieron hacia la fachada principal de la casa. Dos de ellos se detuvieron delante de la puerta. Ben levantó la pistola y contuve la respiración.

La puerta estaba cerrada. Uno de los agentes sacó la porra para romper el cristal; Ben apuntó con la pistola.

—Joder —dijo el otro agente—. Ésta es la casa de un conde. No podemos entrar. Todavía no.

Se marcharon corriendo y lancé un profundo suspiro de alivio.

Cuando sus pisadas ya se habían alejado, Ben alargó la mano y abrió la puerta, indicándonos por señas que saliéramos.

—No corran —dijo secamente mientras salíamos a la noche.

Ben no quería perder el tiempo. Nos dirigimos al sur, pegados a la casa, en dirección contraria a la que había seguido la policía para llegar hasta allí. El camino en el que nos encontrábamos atravesaba un ancho prado y conducía a un riachuelo. Cuando llegamos a la esquina de la casa, vimos el escenario y una multitud, algunas personas estaban sentadas alrededor de unas mesas, otras tumbadas sobre unas mantas en el suelo, y todas miraban hacia la casa.

—Diríjanse hacia donde está la gente —dijo Ben.

Nos encontrábamos a medio camino cuando oímos abrirse y cerrarse una ventana de la casa. Alguien gritó «¡Deténganse!», pero Ben nos dijo «¡Adelante!» Echamos a correr, rodeando el lado más alejado del escenario. Mientras nos mezclábamos con la gente, se apagaron las luces salvo el proyector que iluminaba el escenario. Las últimas palabras que oí de Ben fueron «Tenemos que separarnos». Despúes se oyó la voz de un solitario tenor en la noche. *Non nobis, Domine* (No a nosotros, Señor, no a nosotros, sino a tu nombre da la gloria).

Ben se estaba abriendo paso entre las mesas; lo seguí aproximadamente en la misma dirección, pero por otro camino. Al principio, casi nadie se fijó en nosotros de tan extasiada como estaba la gente con la música. Un coro se elevó acompañando a la primera voz, primero sobre el trasfondo de la sección de cuerda de la orquesta y, a continuación, sobre el de la sección de viento. Después debieron de pensar que formábamos parte en cierto modo del espectáculo. Algunos hasta incluso nos vitorearon. Llegamos a la orilla del riachuelo. Aquel repentino esfuerzo le había costado caro a sir Henry; tenía la cara verdosa y la herida de la mejilla le volvía a sangrar. Una vez más, Ben se echó su brazo alrededor de los hombros y lo ayudó a avanzar chapoteando. Los seguí. El agua estaba fría, pero era poco profunda.

Al llegar a la otra orilla, me volví. Unas oscuras figuras estaban atravesando el prado en dirección al escenario. Una de ellas quedó iluminada por la luz y la reconocí. Sinclair nos había dado alcance.

La música de la sección de viento voló en espiral hacia el cielo, y el público se puso de pie. Algunas personas, estirando el cuello, miraban hacia delante y hacia atrás.

—Corran —dijo Ben, y eché a correr cuesta arriba hacia la seguridad de un oscuro bosque que cubría el alto de la loma.

Justo cuando ya estábamos llegando al borde de los árboles, la música alcanzó su crescendo final. El fragor de un tiroteo resonó en el prado y, a continuación, un profundo retumbo reverberó desde la casa. Tropecé y caí. Ben me ayudó a levantarme mientras un estallido de fuego se elevaba por encima de nuestras cabezas en tonos oro, verde y azul.

Eran fuegos artificiales, no de armas. ¡Fuegos artificiales de verdad! El tradicional remate de un concierto estival bajo las estrellas. Otra rociada de fuego se elevó hacia el cielo, iluminando el espectral palacio de los condes de Pembroke.

Al otro lado del prado, otras figuras se dirigían al río, algunas abriéndose paso entre la gente tal como habíamos hecho nosotros y otras avanzando por el puente del extremo más alejado de la casa. En la distancia, oí el sonido bitonal de las sirenas británicas.

—Kate —me susurró Ben a mi espalda.

Me giré y eché a correr hacia los árboles.

33

El bosque estaba oscuro y las ramas de los árboles se nos engachaban en la ropa mientras subíamos penosamente por la cuesta, tratando de seguirle el paso a Ben. Mis pies chapaleaban en el interior de los zapatos mojados; seguía oyendo en las distancia los silbidos, los chisporroteos y los retumbos de los fuegos artificiales. Un poco más cerca, unos hombres nos perseguían; de vez en cuando uno de ellos lanzaba un grito.

El terreno se niveló y después descendió. Al pie de la colina llegamos a un muro cubierto por una gruesa capa de musgo y liquen. Apurando el paso sin apartarse de él, Ben avanzó hasta encontrar un banco de piedra adosado a la mampostería; por encima de él, un medallón decorativo —en recuerdo de un lebrel muy amado tiempo atrás— ofrecía puntos de apoyo para los dedos de las manos y de los pies. Entre los dos ayudamos a sir Henry a subir y saltar al otro lado y después nos arrojamos dando tumbos tras él y nos agachamos entre la maleza de un sendero del bosque.

Dos vehículos de la policía pasaron a gran velocidad con las sirenas encendidas. Me encontraba de pie cuando oímos un sordo ruido en la distancia.

—Agáchense —dijo Ben.

Nos tiramos al suelo y lo seguimos, arrastrándonos de vuelta al muro y tumbándonos pegados a él bajo la maleza. Por entre los árboles vimos un helicóptero de la policía sobrevolando la zona e iluminando el camino con un potente proyector.

Quietos como conejos paralizados por los faros de los automóviles, permanecimos a la espera. La bestia se acercó, al igual que un coche de la policía. No estuve muy segura, pero me pareció ver en su interior el rostro de Sinclair.

Después desaparecieron. Ben se incorporó lentamente. Avanzó agachado entre la maleza en dirección a la carretera y, una vez allí, se detuvo junto al borde. Con un brusco movimiento de la mano, nos indicó que lo siguiéramos.

Justo al otro lado, había una urbanización más o menos nueva. Cruzando la carretera, doblamos la esquina de una calle que serpeaba entre las casas. Ben caminaba muy rápido, como si supiera adónde iba, doblando una esquina y después otra. Unas luces se encendieron una sola vez en un automóvil que había más adelante.

Era el Bentley de sir Henry. Ben abrió la puerta trasera y los tres subimos atropelladamente al vehículo.

Sin una palabra, Barnes puso en marcha el vehículo. Ben se inclinó hacia delante y le dijo algo en voz baja. Unas cuantas vueltas más y entramos en un estrecho camino que discurría entre setos vivos en un prado iluminado por la luz de la luna. Cuando el sonido de las sirenas se perdió en la distancia, sir Henry se quitó los zapatos y los calcetines mojados y se secó con una toalla que le ofreció Barnes; imité su ejemplo.

—La carta —dijo sir Henry con la voz áspera, apretándose todavía la mejilla con el pañuelo.

Mientras la carretera subía y bajaba las cuestas de aquellas lomas inglesas que daban la vertiginosa sensación de estar situadas en el techo del mundo, Ben sacó las páginas del bolsillo de la chaqueta y las depositó en mis manos.

Al más dulce cisne que jamás surcó el Avon.

A mi lado, sir Henry respiró hondo, pero como no dijo nada seguí adelante.

Arrastrado durante largo tiempo por una marea de duda y ansiedad, he llegado al fin a la orilla para encontrarme enteramente de acuerdo con vos. Una parte de los castillos imaginarios —o, de hecho, tal como vos los llamáis, de los juguetes y comedias— que antaño creó nuestra quimérica bestia no de-

bería hundirse de ninguna manera en las sombras de la devoradora noche.

Sólo excluyo la obra española.

—*Cardenio* —dijo Ben.

Mirándole sorprendida, asentí con la cabeza.

Ya ha encendido suficientes hogueras, por lo cual la condesa, encerrada todavía en la Torre, suplica que se le ahorre la renovación de sus preocupaciones. Puesto que la dama es ahora casi de la familia, me veo obligado a honrar sus deseos, tal como mi hija trata diariamente de recordarme. Asumo el deber de escribir una petición de disculpa a Saint Alban por nuestro silencio.

Como el jabalí ya no puede enojarse, sólo os queda el puerco por engordar. Para la ardua tarea de hormiga de recoger y separar el trigo de las granzas, el señor Ben Jonson podría ser tan bueno como cualquier otro y sin duda mejor que la mayoría, aunque nunca tan excelente como él mismo se considera. Por lo menos, tiene práctica, tras haber trabajado en dicha tarea por cuenta del autor al que venera por encima de todos los demás... y que no es otro que él mismo. Sin embargo, tal como hace la corneja, no cesa de parlotear mientras trabaja, sin pensar en las desafortunadas salidas de tono y los tumultos que brotan de su pico. Si vos podéis encauzar y resistir este coro de un solo hombre, que así sea.

Tal decisión la deposito en vuestras competentes y dulcísimas manos.

—¡El Primer Infolio! —gritó sir Henry—. ¡Habla de la conveniencia de que Jonson se encargue de editar el Primer Infolio!

—Y de excluir *Cardenio* —comenté.

Vuestro siempre amigo y más seguro servidor,

Señalé la firma. En claras letras de gran tamaño y una inicial con florituras y volutas dignas de un rey, destacaba en el centro de la página a tres cuartos del final:

Will.

La sorpresa resonó en el interior del vehículo.

«Al más dulce cisne que jamás surcó el Avon...» ¿De Will? Si la carta se refería al Primer Infolio, no cabía duda que uno de ellos era Shakespeare pero ¿cuál?

—Sólo hay un cisne del Avon —dijo sir Henry al cabo de un rato—. Mientras que Wills los hay a montones. William Herbert, conde de Pembroke, por una parte. El mayor de los Incomparables. El joven dorado de los sonetos, por otra.

—Y William Turner, por otra —dijo Ben, mirándome—. Pero si Shakespeare es el cisne —objetó—, esta carta habría tenido que ir a parar al mismo lugar adonde fueron los restantes papeles de William Shakespeare. ¿Por qué tenía que ir a parar a Wilton?

Las ruedas y engranajes de mi cerebro empezaron a girar muy despacio. El rostro de la mujer muerta se interponía constantemente en mi camino. Los vehículos policíacos se estaban desplegando por todo el condado de Wiltshire y en algún lugar próximo se encontraba el hombre capaz de estrangular a la señora Quigley y cubrirla de plumas.

—Hay otro candidato para el papel del dulce cisne —sugerí con la voz pastosa—. Alguien que daría sentido al hecho de que la carta se encontrara allí: Mary Sidney. La condesa de Pembroke. La madre de los Incomparables.

Sir Henry soltó un bufido, que ignoré, y sujeté el papel que descansaba sobre mi regazo como si se pudiera desvanecer si parpadeaba. Una mujer había muerto por culpa de aquella carta. Por consiguiente, la cosa tenía que tener sentido. Lo tenía que tener.

—A la muerte de su hermano, la condesa había conservado el apellido Sidney y la divisa oficial de los Sidney: una punta de saeta, a veces llamada punta de lanza. Pero había conservado también el emblema privado de Philip: el cisne, que le habían otorgado los perseguidos protestantes de Francia, que adoraban a Philip... —Levanté la vista y descubrí la mirada de sir Henry clavada en mí—. Sidney pronunciado en francés suena un poco como *cygne*.

—«Cisne» en francés —dijo Ben con los ojos iluminados por la emoción.

—Absurdo en francés —replicó sir Henry.

El automóvil aminoró la marcha. Habíamos regresado, dando un amplio rodeo, a la carretera principal de Londres. Entramos en ella y nos dirigimos al este.

—Tal vez —dije—. Pero hay un retrato de la condesa de Pembroke en su vejez, un homenaje a sus logros literarios. Luce una ancha gorguera de encaje, en el que la figura del cisne aparece bordada repetidas veces.

—Ése era el río Nadder, cuyas aguas están ustedes dejando gotear sobre mis asientos de cuero —protestó sir Henry—. No el Avon. El Avon pasa por Stratford, en el condado de Warwickshire.

—«Avon» significa «río» en galés —dije—. Hay muchos Avons en Gran Bretaña. Uno de ellos pasa por Salisbury. Y, en el siglo diecisiete, cuando la hacienda de Wilton era mucho más grande, atravesaba las tierras de los Pembroke. —Meneé la cabeza—. Y si se quieren acabar de sorprender del todo, hasta hay un pueblo llamado Stratford-sub-Castle no lejos de allí. Y está justo a orillas del Avon.

Me cubrí el rostro con las manos.

—Supongo que eso no es todo —dijo Ben.

Denegué con la cabeza.

—La condesa también escribía. Es muy famosa por haber traducido los Salmos en verso al inglés. Pero también escribió piezas teatrales.

Hice una pausa.

—¿Escribía obras de teatro? —preguntó Ben con incredulidad.

—Escribió una. Un drama de gabinete destinado a la lectura privada entre amigos, más que a ser representado en el escenario.

—Levanté los ojos—. Escribió *The Tragedy of Antonie*, la primera versión dramática de la historia de Antonio y Cleopatra en inglés.

—¡Antonio y...! —exclamó Ben, pero sir Henry lo interrumpió:

—¿Está usted insinuando que Mary Sidney era Shakespeare?

—No —contesté con irritación—. No me he convertido de repente en Delia Bacon. Pero creo que tenemos que considerar la posibilidad de que Mary Sidney, condesa de Pembroke, sea «el más dulce cisne» de esta carta. —Lancé un suspiro—. Y creo que tenemos que seguir esta posibilidad hasta sus lógicas conclusiones. La carta habla con toda claridad del Primer Infolio, que fecha en 1623 o antes. Pero si la condesa era el dulce cisne que insistía en que se publicara el Infolio, la carta tuvo que ser escrita antes de finales de septiembre de 1621, año en que ella murió de viruela.

—Dejando a sus hijos la tarea de apadrinar el Primer Infolio —dijo Ben.

—Lo cual nos conduce de nuevo a los Incomparables.

Will y Phil, pensé. William, conde de Pembroke, y su hermano Philip, conde de Montgomery, que se casó con la hija del conde de Oxford y acabó heredando no sólo el condado de Pembroke, sino también la casa de Wilton. El mismo Philip que construyó la estancia en la cual habíamos encontrado la carta, y el mismo Philip que protegía a Shakespeare en el vestíbulo de la entrada de Wilton.

Pero no había protegido a la señora Quigley.

Su hinchado rostro volvió a flotar en mi memoria.

Sir Henry se inclinó sobre la carta con los pelos de las cejas erizados. Apuñaló la página con un dedo.

—El autor de la carta también sabe que Ben Jonson editó su propio volumen de obras completas. Y que el libro se publicó en 1616, el mismo año en que murió Shakespeare. Por consiguiente, es posible que este Will sea el Shakespeare de Stratford —dijo sir Henry— si escribió la carta en el último año de su vida.

Meneé la cabeza.

—No si el «más dulce cisne» es Mary Sidney.

—¿Por qué no?

—Porque no era posible que un dramaturgo plebeyo, por muy famoso que fuera, le escribiera a una condesa una carta tan familiar como ésta en una época en que la clase y las diferencias de clase social se tomaban tan en serio. Los actores y los comediógrafos estaban sólo un peldaño por encima de los alcahuetes y los buhoneros, pero todo en esta carta nos dice que Will, quienquiera que fuera, era un igual del más dulce cisne. Un plebeyo, y especialmente un plebeyo que estaba en deuda con la dama a la cual se dirigía, habría empezado la carta con algo decididamente servil como, por ejemplo: «A la muy honorable y muy bondadosa señora condesa de Pembroke, el más dulce cisne»... —me mordí el labio—. Hasta la firma en el centro de la página es impropia. De un plebeyo que escribiera a una condesa, cabría esperar que se rebajara, empujando su firma hasta abajo, en la esquina inferior derecha de la página. Eso me gusta tan poco como a usted, sir Henry, pero si el más dulce cisne es la condesa de Pembroke, Will no puede ser el William Shakespeare, dramaturgo de Stratford.

—¿Pues quién es entonces? —preguntó.

—¿La quimérica bestia? —apuntó Ben a su vez, dirigiendo la mirada al techo del vehículo.

Volví a estudiar la carta. «Nuestra quimérica bestia —decía—. Los castillos imaginarios —o, de hecho, tal como vos los llamáis, los juguetes y comedias— que antaño creó nuestra quimérica bestia.»

Sir Henry se apartó el pañuelo de la cara.

—¿Pretende insinuar —preguntó en tono sombrío— que Shakespeare no es más que un fruto de cuatrocientos años de imaginación desbordada?

Fruncí el entrecejo. Una quimera podía significar en sentido figurado algo extravagantemente imaginario o fantástico. Pero en la mitología griega era un animal concreto, un monstruo que escupía fuego y estaba formado por varias partes distintas: una cabeza de león, un cuerpo de cabra y una cola de dragón. En la carta había un cisne y en ella se hacía referencia a un jabalí y a un puerco como representación de unas personas. A lo mejor, la quimera era un grupo de personas, una bestia colectiva integrada por varias partes.

—¡Sandeces! —rugió sir Henry.

—Pero eso no significa que la bestia sea Shakespeare... o que Shakespeare sea la bestia.

—La maldita carta se refiere a Shakespeare —bramó sir Henry en tono malhumorado—. Usted misma lo ha dicho.

Meneé la cabeza y traté de explicarlo. La quimera podía hacer referencia a un grupo de protectores que habían solicitado a Shakespeare su intervención en unas comedias que consideraban lo suficientemente buenas como para salvarlas del olvido. Por lo menos, el hecho de pensar en la quimera como una representación de un grupo de varias personas confería sentido al cisne, al jabalí y al puerco. Por no hablar de la diligente hormiga.

—Y si Mary Sidney es el cisne, ¿quiénes son el jabalí y el puerco? —preguntó Ben.

Miré cautelosamente a sir Henry.

—El timbre del conde de Oxford era un jabalí azul.

—Vaya por Dios —dijo sir Henry, reclinándose contra el respaldo del asiento.

Ben no le hizo caso.

—Oxford murió en 1616, por lo que ya no se podía enojar. Me gusta.

—Pero queda el puerco —rezongó sir Henry—. El perverso aborto que hoza la tierra. ¿Exactamente cuál de los cortesanos de Isabel, tan orgullosos como pavos reales, sugiere usted que aceptó cargar con la poco atractiva divisa del jorobado Ricardo III, el primer Ricardito el Tramposo de la historia?*

—Prométame no estallar.

—No pienso prometer tal cosa.

Lancé un suspiro.

—Bacon.

—Sir Francis Bacon —gruñó sir Henry.

A Ben se le escapó una rápida carcajada, que intentó disimular con un carraspeo.

* Alusión a Richard Nixon, llamado Tricky Dick, Ricardito el Tramposo. (*N. de la T.*)

—En realidad, era otro jabalí —expliqué—. Pero los Bacon se anticipaban a muchas de las burlas llamándolo ellos mismos puerco. Sir Francis contaba una historia de su padre, un juez enormemente gordo a quien un prisionero le dijo un día durante un juicio que estaba emparentado con él porque su apellido era Hog, es decir, «puerco». «Tú y yo no podemos ser parientes a no ser que te ahorquen —replicó el anciano juez—. Porque Hog, el puerco, no puede ser Bacon, tocino, hasta que lo ahorcan tal como está mandado.» —No me atreví a mirar a Ben, pues adiviné que estaba reprimiendo las ganas de reír—. Por si sirve de algo, Shakespeare reprodujo la broma.

—En *Las alegres comadres de Windsor* —dijo sir Henry, lanzando un suspiro—, los términos *hanc-hoc* —que suenan como *hang-hog*, es decir, puerco-ahorcado en inglés—, son el equivalente en latín de Bacon, se lo aseguro.

A Ben se le escapó la risa.

Sir Henry lo ignoró.

—¿Y adónde nos lleva esta quimera? Es a Saint Alban a quien Will, quienquiera que sea, escribe la carta.

—Bacon una vez más —dije—. A principios de 1621, el rey Jacobo lo nombró vizconde de Saint Alban.

Ben dejó de reírse.

Sir Henry volvió a inclinarse hacia delante.

—O sea que Bacon es la única persona a la que el cisne todavía no ha ablandado y Will promete escribir al propio Bacon.

Asentí con la cabeza.

—¿Dónde vivía Bacon?

—En una heredad llamada Gorhambury. Justo en las afueras de la ciudad de Saint Alban.

—Barnes —ordenó en voz baja sir Henry—, diríjase a Saint Alban.

—No es tan fácil —observé con impaciencia—. Gorhambury, la mansión que Bacon se construyó como un palacio de placer para la mente, lleva en ruinas desde cincuenta años después de su muerte.

—Algo tiene que quedar —dijo sir Henry.

Tamborileé con los dedos sobre mis rodillas.

—Hay una estatua en la iglesia parroquial de Saint Alban, algo así como la estatua de Shakespeare en Westminster, pero los baconianos llevan los últimos ciento cincuenta años examinándola y estudiándola.

—O sea que no es probable...

Ben tomó la carta.

—Si Will escribe a Saint Alban —dijo—, ¿por qué pedirle al cisne que seduzca al puerco? —Levantó la mirada—. A mí me parece que St. Alban y el puerco son dos personas distintas.

Los tres nos inclinamos sobre la carta. Tenía razón.

—¿Queda algún otro horrible puerco? —preguntó sir Henry.

—No que yo sepa.

—Bueno, pues, ¿adónde vamos? —inquirió Ben.

—A algún lugar donde pueda pensar.

Cinco minutos despues nos apartamos de la autopista y entramos en el aparcamiento de un discreto Days Inn. Mientras Ben y sir Henry se registraban, me quedé en el automóvil con Barnes.

Me saqué el broche y abrí la tapa posterior. Las luces del hotel arrojaban un resplandor anaranjado sobre el retrato. *¿Y ahora qué?*, le pregunté al joven en silencio.

Sosteniendo delante de sí el crucifijo, miraba con expresión risueña y casi insolente: sus ojos parecían brillar de malicia y también de desprecio.

34

Ben me condujo por una puerta posterior del hotel y me acompañó a una habitación con dos camas. Sir Henry se fue a su propia habitación para asearse. Cuando se presentó en nuestra puerta unos cuantos minutos después, ya volvía a ser él mismo, aunque todavía estaba un poco pálido. Yo me encontraba de pie junto a la ventana sosteniendo el broche abierto como si fuera un medallón.

—¿Ya se ha dado por vencida con la carta? —preguntó sir Henry, sentándose en nuestro sillón más cómodo.

—Ambas cosas están relacionadas —dije—, lo sé. Pero no consigo imaginar cómo.

«Mas tu eterno estío no se apagará —decían las letras doradas—. A la mayor gloria de Dios.»

¿Qué tenía aquello que ver con la carta que acabábamos de encontrar? Puede que ambas cosas no estuvieran directamente relacionadas, pero Ophelia había dicho que la pintura y la carta eran caminos distintos que conducían a la misma verdad, así es que debían pertenecer al mismo mundo.

Roz siempre había insistido en que el sentido de algo te lo proporcionaba el contexto. ¿Qué clase de contexto proporcionaba la miniatura a la carta, o ésta a la miniatura?

La miniatura con el crucifijo era indudablemente católica. La carta parecía estar relacionada con el Primer Infolio. ¿Qué podían tener que ver la una con la otra?

—Hay una relación —dije, exasperada—. Pero no soy historiadora de la religión para poder verla.

—Quizá ha llegado el momento de llamar a alguien que sí lo sea —dijo sir Henry.

—No conozco a nadie —dije.

—Pues a mí me parece que le sería útil alguien experto en historia religiosa y en Shakespeare —dijo Ben.

Me estaba observando con interés y creí adivinar por qué. Ambos habíamos visto el título del trabajo de Matthew en el folleto de la Folger. *Shakespeare y los ardores del catolicismo secreto.*

—No le quiero pedir ayuda —dije con vehemencia.

—¿Pedir ayuda a quién? —sir Henry se animó.

—A Matthew —contesté—. Al profesor Matthew Morris.

—Él está deseando ofrecérsela —dijo Ben.

—Ah —dijo sir Henry—, empiezo a comprender. ¿El pobre ha hecho algo más horrible que manifestar interés por usted?

—Me molesta —contesté a modo de inadmisible excusa—. A Roz también le molestaba.

—Algunas veces, querida —dijo sir Henry—, es usted una engreída de primera. —Me ofreció su teléfono—. Si él puede resolver nuestro problema, llámelo.

—Utilice el mío —dijo Ben—. Es mucho más difícil de localizar.

—A Roz no le gustaría... —protesté.

—Menos le gustaría que su asesino se apoderara de su presa —dijo Ben.

Activó el altavoz de su BlackBerry y saqué la tarjeta de Matthew del bolsillo y marqué el número.

Matthew contestó al segundo timbrazo.

—Kate —dijo medio adormilado. Después le oí incorporarse—. ¿Kate? ¿Dónde estás? ¿Estás bien?

—Estoy bien. ¿Qué me puedes decir acerca de la frase *Ad majorem Dei gloriam*?

Se le quebró la voz.

—¿Te has fugado y me llamas para hablarme en latín?

—El latín lo entiendo. A la mayor gloria de Dios. Pero sigo sin comprender lo que significa.

—¿Me vas a decir qué es lo que está pasando?

—Me dijiste que te llamara si necesitaba tu ayuda. Y te estoy llamando.

Hubo un breve silencio.

—Es el lema de los jesuitas.

Iba a decir algo, pero me callé. *Los soldados de Cristo. Devotos y a menudo celosos sacerdotes empeñados en devolver a Inglaterra al redil católico.*

Matthew añadió:

—La pesadilla de los Cecils y de casi todos los restantes consejeros de Isabel y de Jacobo que los estigmatizaron como traidores. Una incómoda etiqueta que ellos soportaron con paciencia de santos. Literalmente. Creo que diez de ellos son en efecto santos tras haber sido ahorcados, arrastrados por caballos y desmembrados en defensa de su fe.

—¡Jesús! —exclamé en un susurro.

—Exactamente —corroboró Matthew—. La Compañía de Jesús.

Encima de la mesa, las llamas de la miniatura parpadeaban y lamían al joven.

—En el contexto de esta frase —proseguí con voz que esperaba que sonara serena—, ¿qué sacarías en claro de estas palabras? —Leí las palabras que se curvaban y entrelazaban entre sí, escritas con una desteñida tinta tirando a marrón—: «Asumo el deber de escribir una petición de disculpa a Saint Alban por nuestro silencio».

—Normalmente, pensaría en Bacon —dijo—. Pero, en conexión con el lema de los jesuitas, tendría que tomar en consideración Valladolid.

—¿España?

—Pues sí, España. —Matthew bostezó y se puso en plan de conferenciante—. Valladolid, la antigua capital de Castilla y León, sede del Real Colegio de los Ingleses de San Albano, fundado en la década de 1580 por el rey de España Felipe II con el fin de educar a ciudadanos ingleses para el sacerdocio católico. Casi todos los sacerdotes elegían la Orden de los Jesuitas y eran devueltos clandestinamente a Inglaterra para predicar a los fieles en secreto. Según el gobierno inglés, también se les enviaba para captar súbditos ingleses e inducirlos a tramar actos de violencia contra sus soberanos protestantes y apoderarse por medio de la fuerza de lo que no podían conseguir por medio de la dulce persuasión. El gobierno inglés consideraba este lugar como un campo de adiestramiento de terroristas religiosos.

—¿Por qué San Albano?

—Su nombre completo es Real Colegio de los Ingleses de San Albano.

Por un instante, nadie se movió. Me acerqué más el teléfono a la oreja y desconecté el altavoz.

—Estoy en deuda contigo, Matthew.

Él guardó silencio.

—Ya sabes lo que quiero.

—Lo sé —dije. «Dame una oportunidad», me había dicho él—. Bien sabe Dios que te lo mereces —añadí antes de colgar.

Le arrojé el teléfono a Ben, que se había incorporado en la cama en la que estaba tumbado y ahora miraba al techo con una expresión de complicidad que a mí me resultaba vagamente irritante.

—¿Usted cree que es eso? —preguntó sir Henry—. ¿Valladolid? A mí me parece muy dudoso.

Me senté junto a la mesa, sintiéndome de repente muy cansada.

—El Real Colegio de los Ingleses tiene otras conexiones con Shakespeare. Dos en concreto. ¿Cuál de ellas prefieren en primer lugar, la verosímil o la inverosímil?

—Voto a favor de que empecemos por lo más insensato y retrocedamos después hasta lo sensato —dijo Ben, cruzando las manos detrás de la cabeza.

—Marlowe, pues —dije pasándome una mano por el cabello demasiado corto para mi gusto—. El ateo chico malo, el astro rock gay de la Inglaterra isabelina. Mimado por los teatros antes de la aparición de Shakespeare.

—Apuñalado en un ojo en el trascurso de una reyerta tabernaria —dijo Ben.

Asentí con la cabeza.

—En 1593, justo cuando Shakespeare estaba empezando a abrirse camino por su cuenta... Sí, el mismo Marlowe. Sólo que puede que el apuñalamiento no fuera a causa de una simple reyerta, pues Marlowe era también espía. Fue enviado a los Países Bajos con la misión, entre otras, de infiltrarse en los grupos de católicos ingleses exiliados y presuntamente culpables de tramar una rebelión... Hay pruebas aceptables de que sus compañeros en aquella taberna también eran espías y de que el antro era un sitio de encuentro de agentes secretos.

—No muy seguro para Marlowe —dijo Ben.

Apoyé los pies encima de la mesa.

—Hay pruebas dudosas de que no murió aquella tarde. De que escapó... o fue enviado al extranjero. A España.

—¡Vamos, por el amor de Dios! —exclamó sir Henry desde su sillón.

Ben se mostraba más cauto.

—¿A Valladolid? —preguntó.

Asentí con la cabeza.

—En 1599 el registro del colegio muestra que un hombre llamado John Matthews o Christopher Morley ingresó en el seminario. Morley es una variante de Marlowe que el dramaturgo utilizaba algunas veces, y John Matthews era un seudónimo sacerdotal frecuente, aunque no demasiado inteligente, sacado de los Evangelios. —Meneé la cabeza—. Quienquiera que fuera, este sacerdote fue ordenado en 1603 y regresó a Inglaterra, donde fue detenido y enviado a prisión. Y lo más curioso es que, en una época en que los prisioneros se tenían que pagar su propia manutención, o morirse de hambre tumbados en un suelo infestado de sabandijas, Robert Cecil, principal ministro de Estado del rey Jacobo, pagaba personalmente la factura de Morley. Lo cual le confiere toda la pinta de un agente del gobierno.

—La manera más sencilla de explicar la identidad del Morley de Valladolid es decir que los dos nombres del personaje eran seudónimos, uno de ellos sacado de los Evangelios y el otro tomado de un muerto, posiblemente porque el sacerdote era un espía inglés.

—La línea recta entre dos puntos —dijo Ben—. Oigamos el... ¿Cómo se lo explicó usted a Athenaide? ¿El tortuoso y enmarañado camino...?

—De un abejorro borracho —intervine, completando la frase—. Hay quienes creen que el motivo de que nadie pueda demostrar que Shakespeare escribió algo antes de 1593 es el de que, antes de 1593, éste escribía bajo su verdadero nombre: Christopher Marlowe.

Soltando una burlona carcajada, sir Henry se levantó de un salto del sillón y empezó a dar vueltas por la estancia.

—Ya le dije que eso era una locura —dijo—. En esta situación, una parte del trato para que él accediera a desaparecer era la condición de que Cecil se encargara de que sus obras se siguieran representando en Londres.

—O sea que «Shakespeare» se va a Valladolid —intervino Ben. Estaba entretenido con su móvil y navegando por Internet mientras hablábamos.

—Exactamente.

—¿Y cuál es la otra conexión? —preguntó sir Henry sin dejar de pasear.

—Cervantes.

Sir Henry se detuvo en seco.

—Puede que Cervantes escribiera las obras de Shakespeare —dijo Ben con expresión muy seria.

Lo miré con severidad.

—Hay gente que así lo cree. Y otros creen que Shakespeare escribió *Don Quijote.*

—Y otros están convencidos de que regresó a la vida en la persona de Einstein y escribió la teoría de la relatividad —replicó sir Henry—. ¿Por qué no atribuirle también *Guerra y paz*, la *Ilíada* y la Biblia, ya que estamos?

—Vamos a quedarnos de momento con Shakespeare como Shakespeare —empecé diciendo.

—¡Qué original! —dijo sir Henry.

—Nos hemos olvidado más o menos de la obra, pero *Cardenio* sigue formando parte de esta historia —añadí—. Y se podría decir que *Cardenio* se gestó en Valladolid. Cuando el rey Felipe III volvió a trasladar toda la corte española de Madrid a Valladolid, Cervantes los acompañó. Y fue en Valladolid, en 1604, cuando preparó la primera parte del *Quijote* para la imprenta y terminó de escribir la segunda parte.

Alisé la carta con la mano. Saint Alban.

—Aquella misma primavera, el nuevo rey Jacobo envió una embajada a España para firmar un tratado de paz. El conde de Nottingham (un Howard) viajó a Valladolid con un séquito de cuatrocientos ingleses, entre ellos, varios jóvenes caballeros muy interesados por todo lo relacionado con el catolicismo y que también aprendieron a interesarse profundamente por todo lo relacionado con España, incluyendo el teatro y la literatura. Y la religión. En algunos sectores se temía que los jesuitas los corrompieran y que los jóvenes regresaran algún día en circunstancias que los ingleses pudieran considerar menos dignas de alabanza.

En la pintura, el muchacho sostenía en alto el crucifijo con expresión desafiante. *Ad Majorem Dei Gloriam.*

—Si el joven dorado se trasladó a Valladolid con la intención de ordenarse como jesuita —proseguí—, bien en aquel momento o bien más adelante, pudo tener ocasión de dar a conocer a Shakespeare el relato de Cardenio de Cervantes. O de dárselo a conocer a uno de sus protectores. Tal vez a los Howard. Eso daría sentido al hecho de que Will escribiera para explicar la razón de que la obra española no figurara en el Infolio.

Ben se incorporó en la cama.

—También podría explicar de qué manera un manuscrito de una obra inglesa había acabado en la frontera entre Arizona y Nuevo México.

Me volví a mirarle.

—En el siglo diecisiete, aquella zona de Estados Unidos era el extremo norte de la Nueva España. Gobernada y explorada por los conquistadores españoles.

—Los cuales iban acompañados por sacerdotes españoles —tercié.

—O, en cualquier caso, por sacerdotes que procedían de España.

—Y puede que uno de ellos fuera inglés —apuntó sir Henry.

Detrás del hombre de cabello dorado, las llamas se arremolinaban. Pensé en las palabras garabateadas en desteñida tinta en el papel de una carta: «Asumo el deber de escribir una petición de disculpa a Saint Alban por nuestro silencio».

Ben levantó la vista de su BlackBerry.

—Rynair tiene dos vuelos diarios directos. De Londres a Valladolid.

Reservamos tres billetes para el vuelo de la mañana siguiente.

35

—He hablado con Su Eminencia el arzobispo de la diócesis de Westminster —anunció sir Henry cuando pasó a buscarnos a nuestra habitación a la mañana siguiente—. El rector de San Albano me recibirá a las once.

—¿Sólo a usted? —pregunté.

—Me parece que a lo mejor olvidé mencionar que viajo con acompañantes —contestó sir Henry—. Confío en que el rector sea un hombre flexible.

En el Aeropuerto de Stansted, al nordeste de Londres, nadie examinó dos veces mi pasaporte a pesar de su creciente colección de arrugas y manchas de agua. Sir Henry fue reconocido pero, tras guiñarle el ojo al guardia, éste se mostró discreto. Nadie más le reconoció. Cruzó el aeropuerto como un anciano cansado y la gente apenas le miró. Los tres nos acomodamos en el llamativo jet amarillo y azul de Rynair y enseguida estuvimos en el aire.

Contemplé por la ventanilla cómo sobrevolábamos los Pirineos y descendíamos a continuación a la parda meseta castellana, surcada a grandes intervalos por serpenteantes ríos. Una vez en tierra, nos apretujamos en un taxi y nos dirigimos a toda prisa a Valladolid. A ambos lados de la carretera se elevaban lomas achatadas cubiertas de tostada hierba y salpicadas de solitarios árboles. Los conquistadores debían de haber contemplado la aridez del norte de México y el suroeste de Estados Unidos con nostalgia. Les debió de parecer que estaban en casa.

La ciudad se nos apareció de repente. Unos cuantos almacenes y edificios de nueva construcción, un puente sobre un lento y tranquilo río y enseguida la vieja Europa nos devoró. Casas con altas ventanas y bonitos balcones sombreaban las calles. La gente ocupaba las mesas de las terrazas de los cafés y paseaba bajo los árboles, o bien entre los tenderetes del mercado y por las plazas con fuentes. Nos acercamos a un largo muro de ladrillo, por encima del cual asomaba una cúpula blanca.

—El Real Colegio de Ingleses —anunció nuestro taxista.

Al descender del taxi, tuve que entornar los ojos bajo el sol español, tan cortante como un puñal. El enorme pórtico de doble hoja de la iglesia estaba firmemente cerrado. Algo más allá había una entrada más pequeña, un poco apartada de la calle. Tocamos el timbre y esperamos.

Nos abrió unos cuantos minutos después el propio rector. Monseñor Michael Armstrong, rector del Real Colegio de San Albano, era un hombre fornido de cabello gris y una larga y fina nariz, como la de un santo bizantino; vestía una sotana negra ajustada con una banda de color rojo. Se presentó con una rígida cortesía que reflejaba toda la acogedora cordialidad del granito.

Tras franquearnos la entrada a un vestíbulo resonante de ecos, nos acompañó rápidamente a través de unos blancos pasillos con baldosas de terracota. Yo esperaba un despacho, pero, en su lugar, entramos en la serena penumbra de una iglesia.

—Los alumnos están de vacaciones y el claustro de profesores ha quedado reducido al mínimo ahora que se acerca el verano —nos dijo el rector—. Aprovechamos que todo está vacío para pintar los despachos y cambiar todas las ventanas. De momento, éste es el mejor lugar para hablar.

Era una pequeña basílica de estilo barroco español. Pintada en tonos rojos y verdes y llena de santos dorados, el altar mayor me recordaba el escenario del Globo. En el centro se encontraba la llamada Virgen Vulnerata que los marineros ingleses habían mutilado en la incursión de Cádiz de 1596 y que los devotos católicos veneraban desde entonces. María, Reina del Cielo. Le faltaba la nariz y los dos brazos. *Lavinia*, pensé de repente, apartando el rostro de aquel semblante cubierto de cicatrices.

—Me han dicho, sir Henry, que anda usted en busca de Shakespeare. —El pronunciado acento del rector correspondía al norte de Inglaterra. Puede que de Yorkshire—. No es usted el primero, me temo. Lo hemos buscado una y otra vez. —Alargó las manos en gesto de impotente consternación mientras su boca se torcía en una severa mueca—. Aquí no lo van a encontrar, ni a Marlowe tampoco. Si lo desean, les puedo mostrar la anotación del ingreso de Marlowe, o de Morley, en el colegio. No hay duda de que se trata de un seudónimo. —Esbozó una fría sonrisa—. En la época de las persecuciones, los nombres de los muertos eran útiles máscaras para proteger a los vivos.

—Pues entonces hemos tenido suerte de no haber venido a buscar a Marlowe —dijo sir Henry—. Es cierto que hemos venido en busca de Shakespeare, pero no abrigamos la esperanza de encontrarlo aquí.

Una leve expresión de asombro se dibujó en los ojos de monseñor Armstrong.

—¿A quién esperaban encontrar?

—A alguien que quizá lo conoció —contestó sir Henry.

—¿Aquí? ¿Creen que Shakespeare puede tener alguna relación con este colegio?

Saqué el broche y abrí la pequeña bisagra de la parte posterior para mostrarle el retrato del joven con el crucifijo.

—Lo buscamos a él.

La severidad de monseñor Armstrog se suavizó.

—Exquisito —dijo en un susurro—. ¿Es un Hilliard?

—Así lo esperamos —contestó sir Henry.

—Es ciertamente un retrato de martirio —djo el rector—. He oído hablar de su existencia, pero jamás había visto ninguno... ¿Cuál era su nombre?

—William —contestó sir Henry con una taimada sonrisa en los labios—. Pero no Shakespeare.

Monseñor Armstrong se rió entre dientes.

—¿Tan transparentes son mis sospechas? Usted no se imagina la de extrañas e insistentes preguntas que nos hacen... ¿Conocen algún apellido?

—No —respondí.

—¿Una fecha?

—No exactamente. Pero debió de venir aquí hacia 1621. Sospechamos que no regresó a Inglaterra.

—La obra de Dios se puede llevar a cabo en muchos lugares.

—Puede que se fuera al Nuevo Mundo. A Nueva España —dijo Ben.

—Eso sería muy insólito en un inglés. —Volvió a contemplar la miniatura—. Especialmente en un jesuita, que es lo que este lema sugiere... De todos modos, el viejo registro del colegio podría ser útil. Vengan conmigo.

Nos acompañó al exterior de la iglesia y atravesamos un laberinto de pasillos embaldosados, pasando por delante de un patio de olivos bañados por el sol. A continuación, nos detuvimos delante de una puerta cerrada. La abrió y vi una librería de color verde claro llena de libros encuadernados en cuero y oro en el interior de la estancia.

De una de las estanterías, el rector sacó un pesado libro de color azul. Una edición impresa, no el original. Al parecer, estaba escrito en latín. El rector pasó las páginas hasta llegar al año 1621 y después deslizó lentamente un grueso dedo por los apuntes. Se detuvo un momento, siguió adelante y retrocedió.

—Es lo que yo pensaba. Sólo hay un hombre que encaja con la descripción. Se llama William Shelton.

Yo conocía aquel nombre.

—Un Shelton tradujo por vez primera *Don Quijote* al inglés —dije.

—Ha hecho usted sus deberes —comentó el rector en tono de aprobación—. Se trataría de Thomas, el hermano de William. Aunque hay una persistente tradición según la cual William llevó a cabo la traducción, pero la hizo pasar como realizada por su hermano para que pudiera publicarse. Porque, como jesuita, William era persona no grata en Inglaterra. Sin embargo, no cabe duda de que fue William el que tuvo fácil acceso al *Quijote.* Y el que hablaba español.

—¿Tenía alguna conexión con los Howard? —preguntó Ben.

—El conde de Northampton lo ayudó a viajar hasta aquí y le concedió su aval. Entonces era necesario, con tantos espías sueltos.

¿Un Howard lo ayudó a viajar hasta aquí?

—¿Y eso es importante?

—Puede que sí. ¿Dejó documentos o cartas?

Monseñor Armstrong meneó la cabeza.

—Me temo que ellos conservaron sus propias cartas. Aquí no tenemos nada. —Me miró con sus penetrantes ojos de lince—. Fíese de nosotros. Si tuviéramos alguna nota de Shakespeare, supongo que lo sabríamos.

—Siempre y cuando la nota fuera claramente suya —repliqué. Seguro que sus corresponsales utilizaban seudónimos tal como lo hacían sus sacerdotes. ¿Adónde fue Shelton?

—Le permitieron liberarse de sus votos jesuíticos en favor de la Orden Franciscana. Y, en 1626, lo enviaron a Nueva España, a Santa Fe, con fray Alonso de Benavides. Desapareció y se cree que fue martirizado por los indios en el transcurso de un viaje al desierto al suroeste de Santa Fe.

El estómago me dio un pequeño vuelco.

—Sin embargo, conservamos un libro que perteneció al padre Shelton —dijo el rector—. Pocas personas lo saben, pero creo que quizá convendría que ustedes lo vieran.

Se dirigió a un alejado rincón, sacó un libro muy alto encuadernado en piel de becerro de color rojo, lo abrió y me lo entregó.

—Las comedias, historias y tragedias del señor William Shakespeare —leí—. Publicado de acuerdo con las Verdaderas Copias Originales.

Debajo de aquellas líneas, la pálida cabeza de huevo de pato de Shakespeare flotaba sobre la bandeja de su gorguera. Estaba sosteniendo en mis manos un Primer Infolio.

—La obra magna jacobina —dijo Ben y soltó un silbido por lo bajo.

El rector alargó la mano y cerró el libro. Lo miré con inquietud. ¿Era sólo eso lo que me permitiría ver?

—Pensé que les interesaría la cubierta —dijo.

Sir Henry y Ben se apretujaron a mi espalda. El cuero se había estampado en oro con la figura de un águila dorada con un niño en sus garras. El libro pareció vibrar súbitamente en mis manos, como si yo hubiera apoyado las palmas en el teclado de un piano.

—¿Conocen el timbre? —preguntó el rector.

—Derby —contesté en un susurro.

—Derby —repitió él—. Se lo envió al padre Shelton el conde de Derby.

—El sexto conde —precisé—. Que también se llamaba William.

En medio del silencio que se produjo, la estancia pareció estirarse y tuve la sensación de que los libros de los estantes se inclinaban hacia delante para escuchar.

—Mi nombre es Will —murmuró Ben.

—William Stanley —especifiqué.

—¿Stanley? —preguntó sir Henry con incredulidad—. ¿Como en...?

—Como en W.S. —dijo Ben.

Hubo una llamada a la puerta y pegué un brinco.

—Adelante —dijo el rector.

Un joven sacerdote asomó la cabeza al interior de la estancia.

—Tiene una llamada telefónica, monseñor.

—Que le den el mensaje.

—Es de Su Eminencia el arzobispo de Westminster.

El rector hizo un ademán que revelaba su hastío y se excusó.

—Todo esto no me gusta —dijo Ben mientras se cerraba la puerta—. Hagan lo que tengan que hacer y vámonos.

Había una vieja fotocopiadora en el rincón. La encendí y cobró vida con un zumbido. Mientras se calentaba, abrí el Infolio.

—¿Stanley? —preguntó sir Henry, iracundo.

—No hay ningún parentesco —dije lacónicamente mientras pasaba las páginas del libro en busca de señales: acotaciones, garabatos, subrayados, rúbricas, cualquier cosa añadida a mano.

—¿Con usted o con Shakespeare? —insistió en preguntar sir Henry—. No tenga reparos en decir que con ambos.

Llegué al final del libro, pero no encontré nada. La única señal de interés era el timbre de Derby en la cubierta.

—Conmigo —contesté, molesta—. No puedo evitar que Derby sea un candidato inesperado a Shakespeare... Usted me lo ha preguntado —añadí mientras sir Henry soltaba una maldición.

Volví a pasar las páginas del libro, esta vez más despacio, explicando la razón de la candidatura de Derby mientras lo hacía. Instruido, atlético y aristocrático, William Stanley, sexto conde de Derby, encajaba perfectamente con el hombre que tendría que haber escrito las obras de Shakespeare. Su padre y su hermano mayor habían financiado famosas compañías de actores, por lo que él había crecido sin duda con el teatro en su casa. Aunque era oficialmente protestante, la base del poder de su familia en Lancashire era un baluarte de la religión católica. Era un músico excelente y un aficionado a la caza y la cetrería. Gastaba el dinero a manos llenas, sabía algo de leyes y había viajado por Europa. Se casó con la hija mayor del conde de Oxford, y después, bajo la influencia de un perverso lugarteniente, estuvo a punto de dejar que los celos destrozaran su joven matrimonio. Había sido protector y discípulo de John Dee, el nigromante histórico que se ocultaba detrás de la figura de Próspero, el gran mago de Shakespeare.

—Y por si fuera poco —terminé—, escribía obras de teatro. Por lo menos, tenemos la declaración de un espía jesuita que así lo dice.

—¿Un espía jesuita? —protestó sir Henry con incredulidad.

—Lo enviaron para evaluar a Derby como candidato a encabezar una rebelión católica. Éste informó de que el conde no serviría de mucho, pues estaba «ocupado en la tarea de escribir comedias para actores corrientes».

—Jesús —dijo Ben—. ¿Tú has leído alguna?

Meneé la cabeza.

—Han desaparecido. La cosa tiene gracia, pues la carta del espía fue interceptada y cuidadosamente conservada en los archivos gubernamentales.

—O sea que la candidatura de Derby es más o menos equiparable a la de Oxford —dijo Ben.

—En cierto sentido, mejor.

—¿A causa de su nombre? —se burló sir Henry—. A uno de cada cinco niños en Inglaterra se le impone el nombre de William.

—Está también la cuestión de la geografía —dije—. Derby se encuentra en la parte de Inglaterra que permite explicar los modismos dialectales de las obras; Oxford, no. Derby también resulta más simpático que Oxford. En cualquier caso, parece ser que nunca señaló a sus amigos como traidores. Y, sobre todo, la duración de su vida coincide. A diferencia de Oxford, vivió durante todo el período en que las obras fueron escritas.

—Si Derby es tan perfecto, ¿por qué rechazarlo como candidato inesperado? —preguntó Ben.

Una vez más, había llegado al final del Infolio sin haber encontrado nada. Exasperada, lo cerré.

—Lo tenía todo a su favor, menos lo único que importa: un nexo evidente con Shakespeare.

—Hasta ahora —dijo Ben.

Contemplé el timbre del águila y el niño estampado en la cubierta del Infolio. Era un nexo, por supuesto. Era una prueba. Pero ¿de qué?

La copiadora emitió un *bip*, señalando que ya estaba lista. Lanzando un suspiro, coloqué el libro boca abajo y pulsé el botón.

La unidad lectora estaba escaneando el libro cuando se abrió la puerta de par en par y el rector entró hecho una furia. Tras cerrar violentamente la puerta, permaneció de pie con las manos cruzadas sobre el pecho como uno de aquellos monjes guerreros de la Edad Media, tan hábiles con la espada como con el crucifijo.

—Ustedes no han sido totalmente sinceros conmigo —dijo el rector, alargando la mano para que le devolviera el libro—. El arzobispo me informa de que hay alguien que se dedica a quemar Infolios en ambos continentes —añadió—. Y a matar para conseguirlos.

Le devolví el Infolio a regañadientes.

—Alguien está provocando incendios y matando —dije en voz baja—. Pero no somos nosotros.

Sus ojos se desviaron hacia la copiadora.

—No. Ustedes se limitan a copiar sin autorización. Lo cual equivale a robar. ¿Qué están buscando?

—A Shakespeare —contesté. Eso por lo menos era verdad.

—¿En este libro?

—Puede ayudarnos —contestó sir Henry.

—Pues entonces habrán descifrado la inscripción, ¿verdad?

Levanté la vista. Ya en la puerta, Ben se detuvo.

—¿Qué inscripción? —pregunté.

¿Qué era lo que me había perdido?

Monseñor Armstrong nos miró.

—Si se la muestro —repuso hastiado—, me informarán acerca de cualquier cosa que puedan averiguar sobre el padre Shelton.

Me di cuenta de que no pedía nada; estaba poniendo un precio.

—Siempre y cuando comprenda lo que vea —contesté tensa.

Por un instante, su mirada se posó en mí; adiviné que estaba valorando la desconfianza en contraposición con la curiosidad. Se dirigió a la mesa, posó el libro y lo abrió. Pasó a la parte interior de la portada y descubrí que en determinado punto se había aplicado una capa protectora sobre el original.

En la página que había debajo se veía un dibujo realizado con una tinta que había virado a marrón. Una criatura monstruosa con un largo cuello y una cabeza de cisne, unas alas de águila desplegadas que se convertían en cabezas de jabalí y unas garras y plumas de la cola de un águila. Una garra apresaba a un niño colocado en un cesto; la otra empuñaba una lanza.

Me senté pesadamente.

—La quimérica bestia —reconoció sir Henry, impresionado.

—El águila, el cisne, el jabalí y el puerco —enumeró Ben— El conde de Derby, Will; lady Pembroke, el más dulce cisne; el conde de Oxford, el jabalí, y Francis Bacon, el cerdo.

—Y uno más —dije serenamente señalando las garras—. La de la derecha con el niño... tienes razón, esta es el águila de Derby. Pero la otra con la lanza... creo que pretende ser un halcón.

—El timbre de Shakespeare —concedió sir Henry—. El halcón con la lanza.

La señorita Bacon tenía razón. Una razón que se sumaba a otra razón... Como si alguien estuviera haciendo girar un calidoscopio, el esquema de lo que creía saber brillaba y se movía; la imagen que estaba empezando a surgir no era la que yo estaba segura de querer ver.

—Todos participaron —dije muy despacio.

—¿En qué? —preguntó el rector.

—En la elaboración de este libro —contestó sir Henry.

Agité la cabeza. ¿Qué era lo que Will había escrito? «Una parte de los castillos imaginarios —los juguetes y las comedias— que creó nuestra quimérica bestia no debería hundirse de ninguna manera en las sombras de la devoradora noche.» ¿Acaso se habían unido para escribir las obras y publicarlas después? ¿O habían hecho algo más?

Debajo de la quimérica bestia, alguien había escrito los versos de un soneto con una bonita caligrafía. Sir Henry los leyó en voz alta:

Que mi nombre se entierre con mi cuerpo,
y ya no viva para avergonzarnos ni a mí ni a ti.
Pues vergüenza me da lo que he creado. Y a ti también debe-
ría avergonzar el hecho de amar aquello que nada vale.

La mano era la misma que había escrito la carta al más dulce cisne y firmaba con el nombre de Will.

Al fondo de la página, garabateada con una escritura menos cuidada, había otra frase: «El mal que hacen los hombres les sobrevive; el mal queda frecuentemente sepultado con sus huesos».

—Julio César —dijo Ben.

—No —dije con impaciencia—. Ophelia. La Ophelia de Jem —expliqué a los confusos rostros que me rodeaban—. No la de Hamlet. Ophelia citó esta misma frase en su carta a la señora Folger.

El profesor Child, había dicho Ophelia, la había advertido en contra de la tentación de guardar silencio. Y ella había cumplido su promesa, invirtiendo los términos de la frase. ¿Cómo lo había expresado? «Le escribo... que el bien que hacemos nos puede sobrevivir mientras que el mal queda sepultado con nuestros huesos.»

Acerca de la cuestión de lo que Shakespeare señalaba, Ophelia Granville había hablado en sentido literal a la secreta manera en que lo hacían las brujas en *Macbeth*. ¿Y si también hubiera hablado en sentido literal a propósito de la sepultura? ¿Qué era lo que había sepultado con sus huesos?

En una repentina iluminación, lo comprendí. No con sus huesos.

La señorita Bacon tenía razón. Una razón que se sumaba a otra razón. Eso significaba dos razones. No una sola. La primera y más importante: Delia Bacon había creído que las obras de Shakespeare las había escrito sir Francis Bacon, al frente de una camarilla secreta. Pero también había creído que la verdad acerca de la identidad del autor estaba sepultada en la tumba de Shakespeare.

Señalé el soneto escrito en el libro de Derby: «Que mi nombre se entierre con mi cuerpo».

—Delia Bacon lo creía —dije—. E intentó demostrarlo.

—¿Que lo intentó? —se erizó sir Henry, que le había estado explicando la historia al rector—. ¿Qué quiere usted decir con eso de que lo «intentó»?

—Obtuvo el permiso para abrir la sepultura de la Trinity Church de Stratford. Montó guardia sola una noche en la iglesia con el propósito de abrirla mediante una palanca, pero después no tuvo el valor de hacerlo. Por lo menos, eso es lo que le escribió a su amigo Nathaniel Hawthorne.

Pero, para entonces, Delia ya se estaba hundiendo rápidamente en la locura. ¿Y si hubiera abierto la sepultura y hubiera encontrado algo? ¿Qué había podido ocurrir con lo que ella sabía?

Si hubiera descubierto algo, se lo habría llevado con ella, con sus cháchara y sus gemidos, al manicomio del bosque de Arden, donde vivía una muchacha llamada Ophelia. La hija del médico de Delia.

¿Qué más había dicho Ophelia? Repasé la nota mentalmente. Que ella y Jem habían pecado contra Dios y contra el hombre, pero que ella «había devuelto todo lo que había podido al lugar que le correspondía».

Me abstuve de mirar a los ojos a Ben y a sir Henry. *El sepulcro de Shakespeare*, estábamos pensando los tres. *Stratford*. Pero ninguno se atrevía a decirlo.

—Tenemos que irnos —dijo sir Henry.

—Creo que es todo lo que deseo saber de momento —dijo el rector en tono súbitamente remilgado.

Tomó el libro y yo me medio levanté, temerosa de que se lo llevara y ninguno de nosotros volviera a verlo. Para mi asombro, el rector se acercó a la copiadora y xerografió la quimérica bestia. Tras recoger la página todavía caliente junto con la copia que yo había hecho de la portada, me entregó ambas cosas.

—Gracias —le dije, sorprendida.

—Si encuentra alguna huella del sacerdote, hágamelo saber.

Asentí con la cabeza. Habíamos cerrado un trato, y yo lo cumpliría.

—Bueno —dijo el rector en tono apremiante—, estoy de acuerdo con sir Henry. Se tienen ustedes que ir.

Nos acompañó rápidamente a la puerta principal mientras su sotana ribeteada de rojo rozaba con un susurro las baldosas del suelo.

—Que Dios les conceda un viaje seguro y días tranquilos —nos dijo cuando salimos de nuevo al esplendoroso sol español y paramos un taxi. Tuve una última visión de su figura recortada en la puerta, sujetando el libro contra su pecho como si fuera un escudo y después el taxi nos condujo sin pérdida de tiempo al aeropuerto.

Contemplé las páginas xerografiadas que descansaban sobre mi regazo. *Que mi nombre se entierre con mi cuerpo.*

Nadie dijo nada. Los tres sabíamos adónde nos dirigíamos y por qué. No parecía probable que resultara ni muy seguro ni muy tranquilo.

36

—¿Hay un Primer Infolio en Stratford? —preguntó Ben cuando el avión despegó de regreso al Reino Unido.

—Un original, no. En Stratford hay más casas que libros. Pero hay por lo menos una excelente copia del Infolio.

—¿Dónde?

—En New Place, la casa que Shakespeare se compró tras haber alcanzado el éxito. O, en cualquier caso, en Nash's House, justo en la puerta de al lado. New Place era la segunda casa de más categoría de la ciudad cuando Shakespeare la compró, pero la derribaron hace mucho tiempo. Ahora es un jardín. Nash's House, en la puerta de al lado, era la casa de su nieta. Allí hay toda una exposición de libros de Shakespeare, con una importante sección dedicada al Primer Infolio.

Ben soltó un taco.

—Pues entonces, en Nash's House habrá fuertes medidas de seguridad. Y probablemente también en la casa natal. Sinclair no querrá correr ningún riesgo.

—Lo único que importa es la iglesia —sentenció sir Henry—. No había vigilancia en la abadía de Westminster.

—Yo no contaría demasiado con que no la hubiera en Stratford —porfió Ben—. Sobre todo, después de lo de Wilton House.

«Quiero atrapar al cabrón hijo de puta que incendió un monumento nacional que estaba bajo mi jurisdicción», había dicho Sinclair. Por lo que yo sabía del inspector, no desistiría de su empeño hasta que encontrara a su presa lo cual estaba muy bien siempre y cuando no hubiera confundido al asesino conmigo.

Y no es que no tuviera motivos para sospechar de mí, pensé con una punzada de amargura, recordando a la señora Quigley muerta en los brazos de Ben. ¿Se habría el asesino cruzado en su camino, o en el de Maxine o en el del doctor Sanderson, si yo no lo hubiera guiado hasta ellos? «Usted no tiene la culpa», había dicho Ben. Mientras contemplaba la sombra del avión proyectándose sobre la tierra, me esforcé por creerlo.

Al norte de los Pirineos, las nubes se habían acumulado como un vellón que flotara mecido por la brisa. Sobre el cielo del Canal se congelaron en una gruesa manta de color gris. Nos hundimos en ellas mientras la rachas de lluvia golpeaban las ventanillas del aparato. Llovía a cántaros cuando tomamos tierra en Londres. Barnes nos esperaba a un lado de la pista e inmediatamente nos dirigimos al oeste, hacia Stratford.

Yo llevaba bastante tiempo sin visitar aquel lugar. Lo único que recordaba eran las casas con gabletes y muros de entramado de madera, apretujadas las unas contra las otras e inclinadas sobre las calles abarrotadas de gente. Eso, y la voz de Roz.

La ciudad había sido próspera en la Edad Media y el Renacimiento, pero con el tiempo se había convertido en un pobre y soñoliento lugar. Cuando el circense maestro de ceremonias de todos los farsantes habidos y por haber P.T. Barnum había manifestado su deseo de comprar la casa natal y llevársela a Nueva York, el horror se apoderó de los británicos y los indujo a proteger su patrimonio. Habría sido un legado precioso para Barnum, pensé.

Roz no estaba de acuerdo. Aborrecía aquel lugar más todavía de lo que aborrecía el Globo. Por lo menos, señalaba misteriosamente, el Globo no afirmaba que el propio Shakespeare había actuado sobre sus reconstruidas tablas. La casa natal, creía ella, también era de mentirijillas, pero infinitamente más hipócrita. No existía la más mínima prueba de que Shakespeare hubiera puesto alguna vez los pies en la casa venerada por millones de personas como su casa natal, un edificio que, en cualquier caso, había sido en buena parte reconstruido en el siglo XIX. Y, sin embargo, los guías mostraban alegremente a un iluso por minuto la mismísima cama en la que en teoría había nacido Shakespeare. La única casa en la que se podía demostrar que había vivido —la New Place, antaño la segunda mejor casa de Stratford— ahora no era más que un agujero en el suelo.

—Un jardín —había protestado yo—. No un agujero.

—Un jardín donde antes estaba su bodega —replicaba Roz—. Unas glicinas enroscándose en su retrete. Una rosas nacidas sobre los restos de su mierda.

Había nacido en algún lugar de Stratford, argüía yo, y más que probablememte en Henley Street, donde constaba que su padre era propietario de varias casas, aunque tenía que reconocer que no sabíamos cuáles. Pero es mucho más fácil adorar una casa en particular que quedarte de pie en una calle y repartir tu admiración por todo un espacio indefinido.

—La religión —decía Roz en tono despectivo—. El opio de las masas.

—Un opio —observaba yo— que te paga el sueldo.

—Si necesitas adorar algo —me decía—, adora sus palabras. Y, si tienes que elegir una iglesia, vete al teatro.

En eso, por lo menos había seguido su consejo.

—Pensándolo bien —había terminado diciendo en tono displicente—, si la presencia significa algo para ti, la iglesia es el único edificio auténticamente shakespeariano de la ciudad. El hombre sigue allí.

El mal que hacen los hombres les sobrevive; el bien queda frecuentemente sepultado con sus huesos. Ophelia se había esforzado en invertir los términos de la frase. Pero ¿de veras lo había conseguido?

Muy pronto lo sabríamos.

El automóvil circulaba muy suavemente, sólo se oía el silbido de las ruedas sobre la calzada resbaladiza a causa de la lluvia y el leve susurro de los limpiaparabrisas. La ciudad surgió de repente en medio de los verdes campos y colinas. Serpeamos por las tortuosas calles y luego cruzamos un puente sobre el Avon y doblamos la esquina para girar a High Street.

Barnes aparcó el coche delante del establecimiento preferido de sir Henry, el Shakespeare Hotel, no muy lejos de la iglesia. El largo edificio de auténtico estilo Tudor construido en blanco yeso y madera oscura, con unos gabletes muy altos y una fachada un poco inclinada hacia delante a causa de la edad, seguía teniendo su gracia, y por dentro era francamente lujoso. Sir Henry pidió una suite y ordenó que la cena se sirviera en la habitación. Después el automóvil rodeó el edificio hasta la parte de atrás y entré discretamente en el hotel.

En cuanto estuve a salvo en la habitación, Ben se fue a echar un vistazo a las medidas de seguridad de la iglesia. Mientras sir Henry dormitaba en un sillón orejero, yo me senté en una de las camas y contemplé las páginas xerografiadas del Infolio de Valladolid.

El timbre de los Derby en la encuadernación demostraba que William Stanley había sido el propietario del Primer Infolio, no que lo había escrito. Eso no lo demostraban ni siquiera las citas de Shakespeare contenidas en su interior. La primera persona del singular en cualquier soneto no resolvía nada, era una máscara que cualquiera se podía poner. La cita demostraba que Derby conocía uno de los sonetos de Shakespeare, amén de un fragmento de *Julio César*.

Eso no lo convertía en Shakespeare.

Pero era un nexo. Tan frágil como un solo filamento de una telaraña, pero también tan fuerte como éste.

La quimérica bestia era otra historia.

El águila, el cisne, el jabalí y el puerco, el halcón que blandía una lanza: colocado al lado de la carta de Will al más dulce cisne, el dibujo del Infolio sugería que todos habían compartido la creación de Shakespeare. Pero ¿cómo?

Existen infinitas modalidades de colaboración. Tal vez, Derby, lady Pembroke, Bacon y Oxford se habían unido en su apoyo al dramaturgo. Tal vez, se habían encargado de que las preocupaciones no agobiaran al señor Shakespeare y de que contara, en palabras de Virginia Woolf, con quinientas libras al año y una habitación propia, aparte de una participación en los beneficios de los Hombres del Rey y en los de su teatro, el Globo. Habría sido un respaldo impresionante.

Pero tal vez la cosa llegaba todavía más lejos. Quizá de vez en cuando uno de ellos sugería una línea argumental o, más significativamente, prestaba un libro... «Echadle un vistazo a esta historia, creo que os gustará.» Quizá recibían a cambio una oportunidad de revisar inicialmente su obra, sugerir una frase aquí y allá o titularla. Quizá cada uno de ellos había apadrinado algún que otro proyecto —Bacon y *Las alegres comadres de Windsor*; lady Pembroke y *Antonio*; Oxford y *Hamlet*; Derby y *La tempestad*—. En el otro extremo del espectro, ¿cabía la posibilidad de que todo lo hubieran escrito los miembros de la bestia, colectiva o individualmente, y de que hubieran utilizado a William Shakespeare como mensajero y máscara?

Se abrió la puerta y entró Ben empapado de lluvia, portando una bolsa deportiva que daba la impresión de contener algo más pesado que unas zapatillas de deporte.

—La ciudad está llena a rebosar de agentes. Obra de Sinclair sin la menor duda. Pero están concentrados sobre todo alrededor de la casa natal y de Nash's House, donde se encuentra la exposición de libros. En la puerta de al lado, parece que New Place o cuenta con jardineros armados, o bien ha contratado los servicios de unos agentes no demasiado secretos. La parte positiva es que lo único que les ha sobrado para la iglesia es un guardia, que está patrullando alrededor del perímetro.

Sir Henry se inclinó hacia delante, súbitamente animado.

—¿Y cómo entramos?

—¿Y cómo nos quedamos dentro el tiempo suficiente para abrir un sepulcro? —pregunté.

—Le pedimos amablemente al sacristán —propuso Ben— que, cuando haga la ronda nocturna a las once de la noche, compruebe las luces y las cerraduras. —Rechazó con impaciencia mi mirada de incredulidad—. Yo le facilitaré la entrada. Usted ocúpese de lo que tenga que hacer una vez estemos allí.

Se presentó un camarero con una bandeja llena de platos y tanto sir Henry como Ben se pusieron a comer con buen apetito el rosbif, los guisantes y el budín de Yorkshire. Yo meneé la cabeza. No podía comer.

Me acerqué a la ventana y la abrí de par en par. Estuve observando cómo salía la gente de los iluminados portales y apuraba el paso bajo la lluvia. Se había iniciado el éxodo nocturno desde los restaurantes a los teatros.

Hacia 1593, Shakespeare había experimentado un súbito florecimiento no sólo de su fertilidad, sino también de su tono, su interés y su sofisticación. En el lapso de seis o siete años, dos y a veces hasta tres obras maestras habían surgido anualmente de su pluma antes de volver a bajar al ritmo de una al año.

Muy probablemente *Ricardo III*, *Romeo y Julieta*, *El sueño de una noche de verano* y *El rey Juan* habían visto la luz dentro del espacio de un año y medio. La mayoría de escritores sería capaz de matar a cambio de tanta calidad y cantidad a lo largo de seis décadas, y ya no digamos de seis años.

La única manera de explicar semejante hazaña era la existencia de un brillante e inaudito florecimiento de talento. Pero ¿y si seis mentes, en lugar de una sola, hubieran alimentado ese florecimiento? ¿Sería posible que esa súbita fecundidad hubiera sido el resultado de la creación de una pequeña academia, de una quíntuple bestia quimérica?

De entre todos sus compañeros, Derby era el que más probabilidades tenía de haber «descubierto» al señor William Shakespeare de Stratford. ¿Cabía la posibilidad de que el hijo del conde norteño y el hijo del guantero de Warwickshire se hubieran conocido en el transcurso de la representación de una obra en Stratford, Coventry o Chester, o incluso en Knowsley Hall o Lathom Park, los palacios norteños de los condes de Derby? El teatro era un territorio muy turbulento en el que solían mezclarse distintas clases sociales. ¿Habrían los dos W.S. hecho en cierto modo buenas migas? ¿Se habrían calibrado el uno al otro y habría cada uno de ellos descubierto que el otro le resultaba divertido o, por lo menos, útil? ¿Habría Shakespeare abandonado Stratford y se habría trasladado a Londres como miembro de los hombres del conde de Derby?

Aquello era una locura. Me estaba convirtiendo en Delia. La señorita Bacon había imaginado que Bacon era Shakespeare, y ahora yo estaba empezando a imaginar que William Stanley era Shakespeare. Delia quería abrir el sepulcro de Shakespeare, y yo pretendía lo mismo aquella misma noche.

Delia tenía razón. Una razón que se sumaba a otra razón.

Delia estaba loca.

Tomé el volumen de Chambers y lo sacudí para sacar todos los papeles que había introducido entre sus páginas. Las cartas revolotearon como las alas de una mariposa muerta y se desparramaron sobre la alfombra. Me arrodillé y rebusqué entre ellas sin apenas darme cuenta de que Ben y sir Henry me estaban mirando desde la mesa.

Tenía pruebas, maldita sea. La ficha de Roz. La carta de Jeremy Granville al profesor Child. La carta de Ophelia a Jem. Su carta de mucho más tarde a Emily Folger. La carta de la condesa de Pembroke a su hijo... «Tenemos con nosotros a Shakespeare.» La carta de Will al «más dulce cisne». La inscripción en el Infolio de Derby. Y finalmente, con mucho lo más hermoso de todo, la miniatura del joven sobre un fondo de llamas, oculta en el interior del broche de Ophelia.

Pero ¿qué sabíamos de verdad?

Shakespeare había escrito una obra basada en el relato de Cardenio de la novela *Don Quijote* de Cervantes, y parece ser que la obra repetía como un eco un espeluznante fragmento de la historia de los Howard. El Globo fue pasto de las llamas y la obra desapareció.

Años más tarde, Will —probablemente Derby— escribió una carta al «más dulce cisne» —que debía de ser la condesa de Pembroke— para decirle que no le desagradaba la idea de un Infolio de obras completas, siempre y cuando se excluyera *Cardenio*, señalando que él se encargaría de explicarle las cosas a alguien del Real Colegio de San Albano de Valladolid. Cualquier otra cosa que Derby pudiera haber enviado a España, no cabe la menor duda de que también envió una preciosa copia del Primer Infolio de Shakespeare, estampado con su timbre, a un tal padre William Shelton, hermano del traductor inglés de Cervantes, cuando no traductor él mismo.

El padre Shelton había dejado el libro en la biblioteca del colegio, se había trasladado a Nueva España y allí había muerto entre los indios en algún lugar al oeste de Santa Fe, nadie sabía dónde.

A no ser que Jem Granville hubiera localizado el lugar.

¿Cómo habría sabido Jem dónde buscar?

Tenía una conexión con Ophelia Fayrer, la cual a su vez tenía una conexión con Delia Bacon, quien creía que el sepulcro de Shakespeare contenía información secreta acerca del poeta.

«El mal que hacen los hombres les sobrevive; el bien queda frecuentemente sepultado con sus huesos.»

Ophelia creía que ella y Jem habían pecado contra Dios y contra el hombre, y había hecho todo lo posible por expiar su pecado, volviendo a dejar las cosas en su sitio.

«Que mi nombre se entierre con mi cuerpo», había escrito Derby.

Eso era lo que Delia creía a propósito del sepulcro de Shakespeare en la iglesia de Stratford: que allí se ocultaba la verdadera identidad del genio al que ella tan obsesivamente adoraba.

¿Sería una locura seguir los pasos de una loca?

37

La noche estaba cayendo con exasperante lentitud. La lluvia se convirtió en una fina bruma. A las diez, el cielo azul cobalto se oscureció hasta adquirir un tono negro tinta desteñido. A las diez y media, le entregué en custodia a Barnes el facsímil del Infolio y el volumen de la Widener de *The Elizabethan Stage* que albergaba en su interior nuestra colección de cartas y, a continuación, Ben, sir Henry y yo abandonamos el hotel a pie. Sir Henry siguió su propio camino. Con la bolsa de deporte, Ben me seguía a diez pasos de distancia.

Las luces delanteras de los automóviles brillaban en la húmeda noche. La gente salía corriendo de los portales para subir a los vehículos que aguardaban. Dos edificios más adelante aspiramos el intenso perfume nocturno de la glicinas del jardín en la esquina donde antaño se levantaba la casa de Shakespeare, la segunda mejor vivienda de la ciudad. Encorvada para protegerme de la lluvia, doblé la esquina a la izquierda y bajé por Chapel Lane, desierta a aquella hora. Si los jardineros armados aún estaban allí, yo no los vi y ellos no prestaron la menor atención a un solitario muchacho moreno.

Al final de la callejuela, llegamos al Swan, la parte victoriana del Royal Shakespeare Theatre donde unos cuantos espectadores seguían demorándose después del espectáculo, a la espera de ver salir fugazmente a los actores. Al girar a la derecha, Ben me dio alcance y ambos echamos a andar por la calle que discurría en paralelo al lento curso del río mientras nuestras pisadas resonaban en la desierta noche. Pasamos por delante del Dirty Duck, a nuestra derecha, con su patio mojado y solitario en aquella noche tan lluviosa y sus clientes apretujados en las minúsculas salitas del *pub*. Dejamos atrás el transbordador de cuerda, el muelle de alquiler de embarcaciones a nuestra izquierda y el parque que se extendía entre la calle y el río.

Las nubes del cielo habían devorado la luna. Tras una curva, vimos más adelante el cementerio y Ben se detuvo. Desde el parque, a nuestra izquierda, sir Henry se nos apareció como surgido de la noche. Ben nos hizo señas de que no nos moviéramos y luego se adelantó y se detuvo delante de un tablero de anuncios como si estuviera leyendo los horarios de los servicios. Un momento después, nos indicó que nos acercáramos.

Al otro lado de la verja, una embaldosada alameda de tilos brutalmente podados conducía a la iglesia encorvada en medio de la oscuridad. Unos faroles parecían flotar en la bruma, bañando el camino con su espectral resplandor. A ambos lados de la alameda, la oscuridad se había condensado. Apenas podía distinguir las lápidas que se inclinaban y miraban de reojo entre la alta hierba.

Nos apartamos de la luz y nos agachamos detrás de un par de lápidas de gran tamaño. Oí unas pisadas sobre las baldosas, un silbido y después unas segundas pisadas más suaves sobre la hierba.

—Buenas noches, George —dijo una voz masculina.

—Ha llovido a cántaros hace un rato, ¿verdad? —replicó alegremente George, subiendo por la alameda de tilos en dirección a la iglesia.

Debía de ser el sacristán.

El guardia avanzó hacia donde estábamos nosotros entre las sepulturas, y su rostro fluctuaba como un fuego fatuo en medio de la oscuridad. Cuando pasó por nuestro escondite, Ben se abalanzó sobre él con el máximo sigilo, y tras inmovilizarlo por el cuello con un brazo, lo arrastró detrás de una lápida. Sin resuello y con los ojos encendidos de rabia y temor, el guardia dio un brusco tirón. Ben aumentó la presión sobre el cuello y el hombre perdió el conocimiento.

Lo dejó en el suelo y estudió atentamente la iglesia. En la entrada, el sacristán se había dado la vuelta con un enorme manojo de llaves tintineando ruidosamente en su puño. Por un instante, se quedó allí, prestando atención con la cabeza ladeada. Después meneó la cabeza y se volvió de nuevo hacia la puerta.

—Átelo —me dijo Ben y, sin volverse a mirar, se deslizó entre las sombras en dirección a la iglesia.

El sacristán abrió la puerta y entró en la iglesia. Ben lo siguió en silencio. Ya no se podía ver nada más. Con la cara muy pálida, sir Henry sacó un trozo de cuerda del interior de la bolsa de deporte y me lo entregó. Me incliné sobre el guardia. Daba la impresión de estar muerto. *¿En qué lío me he metido?*

Ben permaneció dentro del templo cuatro minutos. Medio cargamos y medio arrastramos al guardia hasta el interior de la iglesia y después Ben entornó la puerta a nuestra espalda. Ésta se cerró con un sordo ruido que resonó como si fuera un lejano trueno y, a continuación, Ben encendió una pequeña linterna. El sacristán también yacía inconsciente en el suelo de piedra, atado y amordazado con una habilidad que me dejó impresionada. El manojo de llaves descansaba en el suelo muy cerca de él. En la parte superior de la pared, una lucecita verde brillaba sin parpadear; el hombre había desactivado la alarma antes de sucumbir al ataque de Ben.

Mientras yo buscaba la llave de la puerta, Ben apretó los nudos que yo había hecho alrededor de las muñecas del guardia y lo amordazó.

—Ahora le toca a usted —me dijo, entregándome la linterna.

Apartándome de los dos hombres tendidos el uno al lado del otro en el suelo a ambos lados de la puerta, avancé por la nave. Ben y sir Henry me siguieron. Más allá del haz luminoso de la linterna, la oscuridad era absoluta. El presbiterio en el extremo más alejado de la iglesia resultaba invisible, y también la alta bóveda. El lugar olía a fría piedra y a muerte. Como la mayoría de las iglesias, su planta era de cruz latina y la nave central constituía el brazo más largo. Atravesamos el crucero, la torre y el chapitel de la iglesia, que se elevaba por encima de nosotros, y pasamos por delante de unas capillas situadas a derecha e izquierda. Entramos finalmente en el coro y el presbiterio. La sillería se elevaba con gesto amenazador a ambos lados del coro.

Ben dirigió la linterna hacia arriba. Su haz iluminó unos segundos la vidriera oriental. Por debajo de ella, el oro del altar resplandecía como una visión vagamente recordada del Templo del rey Salomón. Pero el altar no era nuestro objetivo. Dirigí el brazo de Ben hacia la izquierda.

En lo alto de la pared norte, la efigie de Shakespeare se cernía como un espíritu en una sesión de espiritismo, su mano de piedra sujetaba la pluma más como un secretario que como un poeta, y la suave bóveda de su frente parecía más tonsurada por la edad que por la piedad. Durante casi cuatro siglos, su mirada había guardado celosamente sus secretos. El sepulcro, una losa de piedra rectangular se encontraba al otro lado de la adornada barandilla del presbiterio que mantenía a la chusma apartada del altar.

Saltamos por encima de la barandilla y nos congregamos alrededor de la lápida. Tenía grabada una inscripción. Sir Henry la leyó en voz alta y su voz resonó por toda la bóveda.

Buen amigo, por el amor de Jesús no quieras
cavar el polvo que aquí se encierra.
Bendito sea el hombre que respete estas piedras
y sea maldito el que mis huesos mueva.

No estaban a la altura de los versos de *Romeo y Julieta* y *Hamlet*, pero tenían la misma inexplicable fuerza que los estribillos infantiles o los encantamientos. Una bendición, condenada por toda la eternidad a ser una maldición.

¿Había una maldición? Ophelia así lo creía. ¿Qué había dicho? «Pecamos contra Dios y contra el hombre.» En la oscura iglesia, me estremecí.

Nos quitamos los impermeables y los extendimos alrededor de la lápida; de la bolsa de deporte, Ben sacó cinceles y palancas y nos pusimos cuidadosamente manos a la obra. Teníamos que levantar la lápida sin romperla.

Durante un buen rato, sólo oí los golpes del metal sobre la piedra y el silencioso esfuerzo de nuestra respiración. En algún lugar a nuestra espalda, un leve sonido rompió el silencio y me quedé inmóvil. Con la misma certeza que si hubieran cobrado vida los ojos labrados de los santos y demonios que nos rodeaban, alguien nos estaba observando.

Poco a poco me levanté y me volví. La oscuridad era tan espesa como antes.

Una cegadora luz me iluminó el rostro. *Sinclair*, pensé súbitamente aterrorizada.

—Katharine —dijo una voz. No era Sinclair. No eran los guardias. *Athenaide*—. Apártese del sepulcro —dijo.

Vacilé.

—Hazlo —dijo Ben en voz baja.

Me adelanté un poco hacia un lado y me aparté del resplandor de la luz, y entonces comprendí por qué Ben me había ordenado hacerle caso. Athenaide se encontraba delante de la sillería del coro apuntándome con una pistola dotada de un cañón extrañamente largo. Una pistola con silenciador.

—Más.

Me aparté un poco más.

—No tiene lo que usted quiere —dijo sir Henry.

—Quiero a Katharine —dijo Athenaide.

—No —dijo Ben adelantándose.

—Como se mueva otra vez, disparo, señor Pearl.

Ben permaneció inmóvil.

—¿Qué quiere de mí? —pregunté, procurando que no me temblara la voz.

—Librarla de un par de asesinos.

—¿Cómo?

—Piénsalo, Kate —dijo otra voz desde la sillería de la pared norte. *Matthew*—. ¿Quién estaba contigo cada vez que moría alguien? ¿Quién estaba contigo en el Archivo Preston?

—Yo —dijo Ben.

—Exactamente —dijo Matthew con un pausado tono rebosante de odio—. Usted.

Sinclair había insinuado lo mismo y yo lo había descartado sin pensar. Ahora lo volví a descartar.

—No.

Matthew insistió.

—¿Dónde estaba él, Kate, cuando murió el doctor Sanderson? ¿Le fue muy bien, verdad, dejarte sola en la biblioteca?

—Aquella noche también me atacaron a mí —dije tensando la voz—. Ben me salvó la vida.

—¿De veras? ¿No será que te atacó y después acudió en tu ayuda?

Pensé en lo ocurrido en el Capitolio. Había sido una confusa sucesión de golpes y contragolpes, de pisadas que se alejaban y regresaban.

—Piénsalo, Kate —repitió Matthew—. Piensa en todos los asesinatos y todos los ataques que has sufrido.

En la Widener, mi perseguidor había desaparecido y momentos después había aparecido Ben. ¿Y si el perseguidor hubiera sido él? Hubiera podido rodear las estanterías, quitarse la ropa oscura y esconderla entre los libros. Era posible.

Era absurdo.

En Cedar City había abandonado el Archivo antes que yo y se había ido a comprar unos bocadillos. ¿Habría vuelto sobre sus pasos y habría matado a Maxine nada más irme yo? Era posible. Por un pelo. En el Capitolio me había encontrado en la arboleda de magnolios justo a tiempo para ahuyentar a mi agresor. Él mismo había insinuado que el ataque había sido un montaje. «Si su agresor realmente hubiera querido matarla, usted habría muerto antes de que yo me presentara», había dicho. ¿Y si el rescate también hubiera sido un montaje para que yo confiara en él?

No. Me había rescatado.

¿Qué más? Wilton House. En Wilton había estado constantemente a mi lado.

—No hubiera podido matar a la señora Quigley —dije, aferrándome a la cordura.

—Pues, entonces, apuesto mi alma —dijo Athenaide— a que sir Henry sí lo hubiera podido hacer.

Fruncí el entrecejo. ¿Durante cuánto rato había desaparecido sir Henry con la señora Quigley? ¿Diez? ¿Quince? ¿Veinte minutos? Era tiempo suficiente para matarla y volver a la sala de al lado, hacerse un corte en la mejilla y tumbarse en el suelo.

Un par de asesinos, había dicho Athenaide. ¿Estaban Ben y sir Henry conchabados en todo aquello? ¿Sería posible? Una vez más, rebobiné hasta el principio y fui repasando lentamente los acontecimientos. En cada ocasión, el uno o el otro me había sacado de un apuro: me habían facilitado ropa, medio de transporte, dinero. E incluso pasaportes. Ben no se había limitado a protegerme, había quebrantado las leyes de dos países para hacerlo.

Y entre los dos habían podido matar a quienquiera que hubiera muerto.

—¿Por qué? —protesté—. ¿Por qué matar a los demás? ¿Y por qué dejarme viva a mí?

—La necesitan —dijo Athenaide.

Era lo que Ben había dicho de Athenaide: que ella me necesitaba para encontrar la obra. Y después podría prescindir de mí. ¿Le habría atribuido Ben a Athenaide sus propios motivos?

—Pero alguien está intentando impedir que se encuentre la obra, Athenaide. ¿Por qué iba a hacer eso sir Henry?

—Él no está intentando impedirlo —dijo ella—. Está intentando controlar la situación. Sir Henry, supongo, quiere la obra con codicia venenosa. Creo que debió de oír hablar de ella a Roz y, desde entonces, sueña con apoderarse del papel de don Quijote. ¿Qué mejor canto de cisne para una carrera teatral que apoderarse de un destacado personaje tanto de Shakespeare como de Cervantes? Se quería quedar con la obra y, al ver que Roz se negaba a compartirla con él, la mató.

—Bruja calumniadora —escupió sir Henry.

Athenaide no le hizo caso y se centró en mí.

—Pero, con usted, sir Henry necesitaba ayuda. Y la contrató. Tal como le dijo Ben, le pagan por lo que hace. Sólo que es de sir Henry de quien recibe el dinero, y no de Roz.

—Es su sobrino, Athenaide.

Hubo un breve silencio.

—Genial —dijo Matthew—. Sobre todo, teniendo en cuenta que Roz era hija única.

Miré a Ben, esperando que lo negara.

Un pequeño músculo se movió en su mandíbula.

—Necesitaba que confiara en mí.

—Katharine, Benjamin Pearl —explicó Athenaide— es un asesino especialmente adiestrado. Un guerrero, podría decir, si se mereciera el honor que ello lleva aparejado. Le han concedido la Cruz Victoria, que no es precisamente una medalla que la reina concede todos los días, por su heroísmo en una incursión del SAS, el cuerpo de operaciones clandestinas, en Sierra Leona, que salvó la vida a ochenta civiles, pero en la cual la perdieron doce comandos británicos. Sin embargo, desde entonces se ha planteado la cuestión de si él fue el responsable de las muertes más que de la salvación. Hubo de por medio una pequeña fortuna en diamantes. ¿No es cierto, señor Pearl?

A sir Henry se le encendió el rostro de rabia, pero, en cambio, el de Ben se mantuvo tan inexpresivo como el de un reptil. Todo lo que yo sabía de ellos se levantó como un torbellino y se volvió a colocar en su sitio, pero bajo una nueva forma. Juntos habían matado a Roz, a Maxine, al doctor Sanderson y a una amable mujer de Wilton cuyo único «crimen» había sido el de abrirles la puerta. Y me habían utilizado a mí tal como utilizan los cazadores a sus lebreles para olfatear a sus presas.

Vi lo que estaba a punto de ocurrir una décima de segundo antes de que sucediera. Soltando un gruñido, sir Henry se abalanzó sobre Athenaide. En el mismo instante, Ben arrojó su cincel contra Matthew y logró que el arma se le escapara de la mano. Después se me echó encima con una fría mirada de furia en los ojos.

En el centro del presbiterio, la linterna de Athenaide cayó ruidosamente al suelo y se apagó. La oscuridad nos envolvió y logré esquivar a Ben.

—Huye, Kate —me gritó Matthew.

Arrojé mi cincel contra Ben, que se lanzó al suelo. Deslizándome por su lado en la oscuridad, me dirijí de puntillas hacia la nave central del templo.

Oí a mi espalda un forcejeo y después el silbido de dos rápidos disparos con silenciador.

Y todo enmudeció.

¿Contra quién se habían efectuado los disparos?

—¡Kate! —era la voz de Ben resonando en la iglesia.

Me pegué a la sillería del coro.

—Búsquela —ordenó una voz en tono cortante.

¿Acaso Athenaide y Matthew habían resultado muertos? Un profundo aullido me empezó a subir por la garganta, pero me cubrí la boca con la mano para que no se me escapara.

—La única puerta por la que podemos salir es por la que hemos entrado —dijo sir Henry, jadeando levemente.

Si alcanzaban la puerta antes que yo, me dejarían atrapada dentro.

Estaba atravesando de puntillas el crucero cuando percibí un movimiento hacia un lado. Ben y sir Henry se encontraban todavía a mi espalda; no podían ser ellos. ¿Matthew o Athenaide? Ésta estaba justo detrás del cancel de madera labrada de la capilla del lado sur del crucero. Me deslicé junto a ella y me apretó la mano mientras ambas nos agachábamos detrás de los paneles inferiores del cancel. Si Ben y sir Henry nos localizaban, nos tendrían acorraladas. En caso contrario, ambas tendríamos la oportunidad de permanecer escondidas hasta que por la mañana volviera a entrar gente en la iglesia.

Nos quedamos agachadas, aguzando el oído en medio de la oscuridad. *¿Dónde estaba Matthew? ¿Muerto, desangrándose hasta morir en el suelo?* Alguien avanzaba furtivamente en el crucero, continuó hasta la capilla y luego se dirigió a la nave.

Athenaide se levantó, tirando de mí. Sujetándome fuertemente por el codo, me condujo de nuevo al crucero y al presbiterio. Parecía saber adónde iba. Puede que hubiera una salida, detrás del altar mayor. Detrás, o debajo de él. Pensé que en las iglesias a veces habían puertas o trampillas que daban acceso a criptas.

Al fondo de la nave, se encendió una linterna. Unas pisadas avanzaron rápidamente por el pasillo en dirección al presbiterio. Apuramos el paso pero, en lugar de dirigirnos al altar, Athenaide tiró de mí hacia la pared sur de la iglesia. Justo más allá de la sillería del coro había una puerta de arco de medio punto que antaño daba acceso a un osario. Pero el osario hacía tiempo que había sido vaciado y la puerta estaba sellada. Estábamos atrapadas contra la pesada puerta de madera de roble. Intenté soltarme, pero Athenaide no me soltó.

Las pisadas llegaron al crucero. El haz de la linterna recorrió el presbiterio, todavía a tres o cuatro metros de distancia de nosotras. Sin embargo, llegar al altar estaba descartado. Nos pegamos a la pared sur y la puerta se abrió hacia afuera sobre unas bien engrasadas bisagras.

Estábamos en el exterior, en mitad de la noche.

Matthew. Me volví.

Pero Athenaide cerró la puerta a nuestra espalda. Zigzagueamos entre las tumbas en medio de la bruma y luego echamos a correr hacia el este, pasando por delante del otro extremo de la iglesia. Me detuve de golpe cuando el terreno se inclinó hacia abajo. Habíamos llegado a la orilla del río. Pero Athenaide siguió adelante.

A nuestra espalda, se abrió la puerta y la luz de la linterna traspasó la noche.

—¡Kate! —rugió Ben.

Bajé a trompicones detrás de Athenaide. Meciéndose sobre el agua había una embarcación medio escondida entre los carrizos. Subimos a ella y nos tumbamos boca abajo.

Matthew. Procuré no pensar en él, desangrándose en el suelo de la iglesia. La única razón de que estuviera allí había sido su deseo de ayudarme y ahora se estaba muriendo o ya había muerto. Una vez más, el aullido me subió por la garganta, pero lo retuve dentro.

Oímos a Ben avanzando y soltando maldiciones mientras buscaba entre los sepulcros. Al final se retiró y rodeó la iglesia para regresar al otro lado. Pero Athenaide seguía sin hacer el menor ademán de desatar la embarcación.

Unas suaves pisadas se acercaron lentamente a la orilla y se detuvieron al borde de los carrizos. Ambas nos pusimos en guardia y Athenaide levantó un brazo, apuntando a la orilla con su arma, preparada para disparar.

—*Vero* —murmuró una voz.

—*Nihil verius* —contestó Athenaide.

Los carrizos resbalaron y chirriaron y Matthew se deslizó al interior del bote. Su mano me rodeó los hombros y me dio un breve apretón mientras Athenaide soltaba por fin el cabo. Después Matthew tomó los remos y empezó a remar corriente arriba.

Mantenía el bote muy cerca de la orilla, casi invisible bajo los árboles y los carrizos inclinados sobre el agua. El golpeteo de la lluvia disimuló no sólo el rumor de los remos sino también el murmullo del agua provocado por éstos. Más allá del parque, llegamos al transbordador de cuerda. Matthew amarró rápidamente la embarcación y nos deslizamos entre los árboles. Más adelante, un automóvil apareció en la calle. Mientras se situaba al costado, se abrió una puerta. Sin esperar a que el vehículo se detuviera, Athenaide subió al asiento de atrás y la seguí. Matthew se deslizó a mi espalda.

—Coventry —dijo Athenaide, y el conductor asintió con la cabeza.

Miré hacia atrás. Nadie corría detrás de nosotros. No había ningún automóvil. Nada se movía en las desiertas calles.

—El sepulcro —dije en un susurro—. Por eso no nos siguen.

—Probablemente —dijo Athenaide, sacando un termo de café de un compartimiento de la puerta.

—Pero abrirán el sepulcro.

Me removí en el asiento y alargué la mano por delante de Athenaide para sujetar el tirador de la puerta.

Athenaide apoyó una mano en mi rodilla.

—Que lo hagan.

—Usted no lo entiende —dije en tono quejumbroso—. Encontrarán lo que Ophelia dejó. Y, si no es lo que ellos esperan ver, lo destruirán.

—No, no harán tal cosa —dijo ella, rebuscando alrededor de sus pies. Tomó del suelo un pequeño estuche de madera de palisandro taraceada y lo depositó en mi regazo con una sonrisa en los labios—. Nosotros llegamos allí primero.

ENTREACTO

Agosto de 1612

Se había pasado seis largos años aguardando su oportunidad. Ahora, el momento que ella había estado esperando estaba a punto de llegar.

Un poco antes, Enrique, príncipe de Gales, había festejado aquella noche a sus regios progenitores y a toda la corte en una glorieta levantada en una colina de los jardines de Woodstock. Cuando la luz de las estrellas se filtró a través del follaje que servía de techo, el rey y la reina se retiraron y los cortesanos más jóvenes empezaron a bailar en el prado.

Una hilera de damas comenzó a balancearse y a inclinarse, con las gorgueras ondulando como alas de gasa, mientras formaban un círculo alrededor del príncipe. En medio de las damas, un guante cayó al suelo. Era una pieza de sorprendente belleza, de cabritilla marfil claro ribeteada de encaje, de dedos increíblemente largos y delgados y puño bordado con hilo de oro, perlas y rubíes.

En las sombras, junto al cenador, a la mujer morena vestida de verde se le aceleró el pulso al contemplar la escena. De acuerdo con las instrucciones, el hombre que ella había seleccionado cuidadosamente, un recién llegado deseoso de triunfar, se agachó para recoger el trofeo. Le vio reconocer el monograma —una primorosa hache bordada con piedras preciosas— y sostener el guante en el aire. Por un instante, temió que le fallara el valor. A fin de cuentas, el guante pertenecía a Frances Howard, condesa de Essex, y nadie se relacionaba con los Howard a la ligera.

Para precaverse ante semejante posibilidad, la dama se había asegurado de una manera indirecta de que aquel caballero, a pesar de ser tan nuevo en la corte, estuviera al corriente de los rumores que corrían acerca del príncipe y la provocadora condesa de cabello de lino. Había visto por sí mismo con cuánta voracidad la seguían los ojos del príncipe.

El valor del caballero resistió. Recogió el guante, pero no se lo devolvió a la dama. En su lugar, sujetando en la mano el sombrero adornado con un penacho de plumas y manteniendo la vista clavada en el suelo, se lo ofreció al príncipe.

A su alrededor, la música vaciló y las conversaciones chisporrotearon hasta cesar del todo. A pesar de haber estudiado a fondo las normas de etiqueta, el cortesano alzó la vista. El príncipe lo estaba mirando como si le hubiera ofrecido la porquería recogida del suelo de una pocilga. Apartándose de él, los regios ojos se desviaron hacia la condesa. Ésta hincó la rodilla en una pequeña reverencia mientras dos manchas de rubor se encendían en sus mejillas.

—Jamás lo tocaría —dijo el príncipe con frío desprecio—. Otro lo ha alisado.

Acto seguido, dio media vuelta y abandonó la glorieta a grandes zancadas mientras sus amigos apuraban el paso tras él para darle alcance.

—¿Qué habéis hecho? —gimió el cortesano.

—Os está bien empleado —contestó la mujer, alejándose en pos del príncipe.

Le había parecido la venganza perfecta. El tío abuelo y el padre de la condesa habían despojado a su hija de su nombre. A cambio, ahora ella quería arrastrar por el barro el nombre de la condesa y el de ellos dos.

Al final, todo había resultado más fácil de lo que esperaba. Lo único que había tenido que hacer era divulgar la verdad. Frances Howard, condesa de Essex, se había encargado del resto. Casada con un conde al que aborrecía y a la espera de conseguir la anulación, Frances Howard había sido propuesta por su familia para que deleitara al príncipe. Era un ofrecimiento humillante, pues el odiado esposo de Frances era desde hacía mucho tiempo uno de los más íntimos amigos del príncipe. El éxito que ella había alcanzado era un tributo a la pureza de su hermosura y a la fuerza de su encanto. Poco a poco, Essex y el príncipe se fueron distanciando. Sin embargo, mientras otros ojos observaban el creciente ardor del príncipe con progresiva inquietud, la mujer morena se había dedicado a observar a Frances. Y lo que había visto le había sido muy provechoso.

En apariencia, la muchacha había cumplido con su deber. Pero, más discretamente, había estado coqueteando a escondidas con otro, el hombre a quien el mojigato príncipe aborrecía por encima de todos los demás: el joven y apuesto amante de su padre, Robert Carr.

Lenta e inexorablemente, la mujer había ido tejiendo un rastro de huellas que despertaron las sospechas del príncipe. Justo aquella misma mañana había tirado de unos hilos que lo habían llevado, al término de uno de sus paseos matinales, al lugar donde tal vez pudiera contemplar con sus propios ojos el espectáculo de Carr abandonando furtivamente los aposentos de la condesa.

El príncipe se había pasado todo el día de mal humor. Ahora, junto a la glorieta, la mujer escuchó cómo los amigos del príncipe trataban de apartarlo del borde de la locura. El conde de Essex, el despreciado marido de Frances y amigo de la infancia del príncipe, apareció bajo la luz de las antorchas, montando un caballo cuyos arreos tintineaban como campanillas de plata.

—Podéis enojaros todo lo que queráis. Pero no le echéis toda la culpa a Frances. Fue engendrada por una familia de víboras. Habrá estado cumpliendo órdenes.

El príncipe montó en la cabalgadura.

—Cuando sea rey —dijo hecho una furia—, no dejaré vivo ni a uno, para que pueda mear contra una pared.

Espoleando el caballo, se alejó al galope. Los demás se apresuraron a salir en su persecución.

La mujer esperó a que la noche quedara desierta para emerger de las sombras. Pero, en cuanto salió, oyó a alguien a su espalda y giró en redondo. Otro que había estado escuchando en secreto se acercó a la luz de la antorcha. Un hombre de cabello blanco, recortada barba blanca y fríos y brillantes ojos. El conde de Northampton, patriarca del clan de los Howard.

La mujer se quedó petrificada. El hombre se había retirado con el rey y la reina; ella lo había comprobado. ¿Cómo era posible que estuviera allí?

—Mi señora —dijo, acompañándola muerta de miedo al lugar donde los demás estaban danzando—. Quizás os habíais extraviado.

¿Qué había hecho?, se preguntó ella.

Atacar abiertamente al príncipe habría sido un suicidio. Sin embargo, los Howard no podían permitir que la mancha arrojada sobre el honor de su hija quedara sin respuesta. La venganza que se inventaron fue exquisita. Inundarían Londres de historias y canciones acerca de una mujer fiel a su esposo, calumniada y vilipendiada por un príncipe que había sido amigo de su marido. No mencionarían nombres, pero las alusiones estarían muy claras. La pieza central sería una obra escrita por el mejor dramaturgo de Londres: el señor William Shakespeare.

Éste lamentó decirles que no tenía por costumbre aceptar encargos personales.

La familia lo comprendía muy bien, pero, dadas las circunstancias, estaba segura de que podría hacer una excepción.

Tras examinar las circunstancias, el dramaturgo aceptó. Ellos se aseguraron de que así fuera; en su calidad de lord chambelán, el conde de Suffolk estaba en condiciones de cumplir las amenazas contra el teatro. Sin embargo, fue la zanahoria y no el palo lo que indujo al señor Shakespeare a colaborar.

—¿El *Quijote*? —Teophilus, lord Howard de Walden, no lo podía creer—. ¿Y por qué iba a ser Cervantes un cebo tan grande?

El libro se acababa de traducir, dedicado a él, y puesto que era la comidilla de todos los literatos de Londres, él sentía un cierto interés, siendo así que se consideraba a sí mismo propietario en cierto modo de la obra.

—El cebo no es Cervantes —replicó su tío abuelo, subrayando su desprecio por la poca perspicacia de Theo.

—¿Pues quién entonces? —preguntó Theo.

—El traductor —dijo en tono cortante su padre, el conde de Suffolk.

Aquella noche, Theo le arrancó una confesión a un acobardado Thomas Shelton. Thomas no era el autor de la traducción, aunque el halagador prólogo en el que se dedicaba el libro a Theo era suyo. La traducción era obra de su hermano William, pero jamas se habría podido publicar con su nombre. Era una persona no grata, un jesuita que vivía en España, tal como el tío abuelo de Theo sabía muy bien.

—¿Cómo? —preguntó Theo.

—Lord Northampton lo envió allí —contestó Shelton tartamudeando.

Como de costumbre, el tío abuelo de Theo demostró que estaba en lo cierto. En una casa del distrito de Blackfriars de Londres, el señor Shakespeare se entregó en cuerpo y alma a la lectura de la obra maestra de Cervantes.

Poco después, Northampton se enteró finalmente de los devaneos de su sobrina nieta con Robert Carr.

—No es un coqueteo. —Una desolada y llorosa Frances se arrojó a los pies de su tío abuelo y de su padre—. Es una gran pasión.

Sus palabras no impresionaron ni a Northampton ni a Suffolk. Una alianza con el favorito del rey no se podía comparar en modo alguno con el prestigio o la certeza de una alianza con el hijo del rey. Por otra parte, como fuente de riqueza y poder, tampoco se podía despreciar. Al rey le gustaba que sus favoritos se casaran, y lejos de sentirse celoso de sus mujeres, tendía a ser generoso. Pero los beneficios sólo durarían lo que la vida del rey. Una alianza con Carr resultaría ruinosa en cuanto el príncipe ascendiera al trono.

Frances miró a su tío y a su padre y luego abandonó majestuosamente la estancia.

En octubre, mientras maduraban las manzanas y caían las hojas, el príncipe Enrique cayó enfermo a causa de unas fiebres. Dos semanas después, a principios de noviembre, murió. Mientras los rumores de envenenamiento se arremolinaban en el aire otoñal, Northampton clavó en su sobrina nieta una siniestra mirada. En silencio, ella le miró con frialdad.

El camino de la familia estaba muy claro. Muerto el príncipe, decidieron conformarse con Carr y empezaron a ejercer presión con renovado celo con el fin de que se anulara el primer matrimonio de Frances.

Cuando en diciembre la nueva obra del señor Shakespeare titulada *Cardenio* llegó al escritorio de Suffolk, se dieron cuenta de que habían creado un problema.

El título era una extraña coincidencia, pero no se podía permitir. En una obra inicialmente destinada a poner en la picota al príncipe y exonerar a Frances, el nombre de Cardenio sonaba demasiado a Carr. Para agravar las cosas, en la obra Cardenio era el romántico héroe encargado de salvar a la heroína del venal príncipe. Tenía que representar a su primer marido, el conde de Essex, pero ahora nadie veía cómo. Ya estaban corriendo rumores de que Frances había engañado al príncipe con Carr. La obra sólo serviría para avivar las llamas. Y no era simplemente cuestión de cambiarle el nombre. Todo el mundo había leído *Don Quijote.* La historia de Cardenio sería identificada cualquiera que fuera el título que se le pusiera.

El señor Shakespeare recibió la orden de retirar la obra.

Antes de que éste pudiera responder, alguien ya había susurrado a los oídos reales insinuaciones acerca de una obra basada en aquel nuevo libro titulado *Don Quijote.* El rey la pidió expresamente para los festejos que se iban celebrar en ocasión de las nupcias de su hija.

Ni siquiera Suffolk podía revocar una orden directa del rey. En enero, *Cardenio* se representó en la corte. Echando chispas en segundo plano, Suffolk se encargó de que la desdichada obra cayera rápidamente en el olvido. Pero el olvido no duró demasiado. En junio, los Hombres del Rey anunciaron una representación pública de la obra en el Globo. Al señor Shakespeare se le dijo una vez más que retirara la obra.

Por razones que no quiso explicar, el señor Shakespeare se negó a hacerlo.

Una preciosa tarde de junio, la mujer morena tomó la mano de su hija de cinco años, tan morena como una gitanilla, y la ayudó a subir los peldaños que conducían a la galería intermedia del Globo.

—¿De quién es? —había preguntado Will en cierta ocasión—.

—Se llama Rosalind —había contestado la mujer—. Rose para abreviar.

«Un dispendio de espíritu en un desecho de vergüenza», había rezongado él. Unas palabras que a ella todavía la encrespaban.

La niña estaba muy entusiasmada, chupando una naranja y mirando a su alrededor con los ojos muy abiertos mientras las galerías se iban llenando de gente. Jamás había estado en el teatro.

—¿Veremos al señor Shakespeare? —preguntó por enésima vez—. ¿Lo veremos?

—Después —contestó la madre.

Ella misma llevaba mucho tiempo sin visitar el Globo. Había olvidado los penetrantes olores de los cuerpos y los ungüentos, de las confituras y las sabrosas empanadas vendidas por las calles por niños no mucho mayores que su hija. Y los colores: el apagado azul de los guardapolvos de los aprendices abriéndose paso a empujones al lado de los elegantes brillos de las sedas de los nobles y los chillones tonos de las galas de las rameras que paseaban por allí en busca de negocio.

Shakespeare debía de estar en el lugar que más le gustaba, entre los actores, en el camerino situado detrás del escenario. Mirando al público. Mirándola a ella.

Con un toque de trompetas se inició el espectáculo, enviando a la gente a la tierra de España.

Cerca del final del primer acto, alguien le deslizó una nota en la mano. Miró a su alrededor, pero nadie le prestaba la menor atención. Bajó la vista. «Ahora me he convertido en la tumba de mi honor —había escrito alguien—, una oscura mansión para que en ella habite sólo la muerte.» No reconoció las palabras.

Momentos después, uno de los muchachos que tan bien interpretaban los papeles femeninos, salió al escenario representando a una joven violada y desgreñada, pronunciando aquellas palabras con voz quejumbrosa. Fue entonces cuando la mujer sintió la fuerza de unos ojos que la miraban. Miró hacia el lugar donde sabía que a Shakespeare le gustaba atisbar desde detrás del escenario, pero la sensación no procedía de allí. Lentamente, su mirada se sintió atraída por una de las Estancias de los Caballeros a su derecha. Pero todos los rostros estaban contemplando arrobados la obra.

Después alguien cambió de postura y ella vio el blanco cabello y el enjuto rostro de lord Northampton. La mirada del hombre se cruzó con la suya y, esbozando una perversa sonrisa, inclinó la cabeza. A continuación, el aristócrata desvió su mirada hacia la niña.

Ojo por ojo era el principio por el cual se regía su vida. Un sacerdote por un sacerdote. Una hija por una hija.

La mujer asió la mano de su hija.

—Nos vamos.

—Pero, madre... —gritó la chiquilla.

—Nos vamos.

ACTO IV

38

El estuche que Athenaide había depositado en mi regazo era victoriano, de nudosa madera con incrustaciones de nácar y ébano.

—No lo entiendo —dije, perpleja.

—Todo lo que hay bajo el sol está a la venta —contestó ella con más tristeza que orgullo—. Combinaciones de cajas fuertes, llaves de iglesias y hasta agentes de la policía. Anoche nos gastamos bien el dinero.

Dentro del estuche descansaba un librito encuadernado en cuero negro. Un diario. Hice ademán de sacarlo, pero Athenaide apoyó su mano sobre la mía.

—He puesto al día a Matthew en todo lo que he podido. Pero, primero, usted nos tiene que poner al día a los dos acerca de lo que sabe.

Les conté con impaciencia todo lo de la abadía de Westminster, Wilton House y Valladolid, pero aún me mostraba reacia a hablarles del broche que llevaba prendido en la parte interior de la chaqueta. Sin saber muy bien por qué, eludí el tema. Athenaide me estudió con detenimiento. Tuve la sensación de que sabía que yo no había sido totalmente transparente. Aun así, cuando terminé, retiró la mano y asintió con la cabeza.

Tomé el libro y lo abrí. «Mayo de 1881», estaba fechado con la bonita escritura que yo había aprendido a identificar. La de Ophelia Granville.

—Sus memorias —dijo Athenaide mientras yo me inclinaba para leer.

A mi lado, Matthew se removió con impaciencia en el asiento.

—Les puedo describir los primeros diez años en dos minutos. Su madre murió cuando ella era muy joven; su padre dirigía un manicomio privado para mujeres en la pequeña ciudad de Henley-in-

Arden. Sus «huéspedes», tal como llamaba el doctor Fayrer a sus pacientes, ocupaban un ala de una vieja y enorme mansión. Él y su hija compartían la otra.

—Una situación no precisamente ideal para una niña —observó Athenaide—. Por eso la llevaban a la cercana Stratford con toda la frecuencia que su padre podía permitirse, para que jugara con los hijos del vicario.

—Los hijos del reverendo Granville J. Granville —dijo Matthew.

—¿Granville? —pregunté.

—Ella no les tenía demasiada simpatía a las hijas del vicario —dijo Matthew—. Y también había un hijo mayor en Oxford, pero Jeremy era su preferido.

—¿Jem Granville era hijo del vicario de Stratford?

—Eso parece —dijo Athenaide—. Un domingo, cuando Ophelia tenía diez años, el vicario recibió a otra invitada para almorzar en su casa junto con los Fayrer. Era una dama norteamericana de elevada estatura y ojos azules, con el negro cabello salpicado de hebras grises. «Tan excéntrica como los irlandeses —la describió Ophelia—. Como una *selkie* de las Órcadas, los seres mitológicos que se desprenden de su piel de foca para tranformarse en humanos, o los personajes de feria que entran y salen de las casas en las montañas.» En cuanto llegó, se hizo la dueña del salón y subyugó a todos los presentes con sus descripciones del brillante sistema de filosofía práctica que se ocultaba en las obras de Shakespeare. Las más destacadas mentes de la época isabelina lo habían forjado a modo de diversión, decía ella, para configurar a los hombres de tal manera que se convirtieran en receptáculos de conocimientos más elevados, aborrecieran la tiranía y se esforzaran en buscar la libertad.

—Delia Bacon —comenté—. Tenía que ser ella.

—«La dama de Shakespeare», la bautizaron Jem y Ophelia —dijo Matthew.

O sea que Ophelia había conocido personalmente a Delia. Fuera, la lluvia golpeaba los cristales de las ventanillas del automóvil. Habíamos dejado atrás Stratford y ahora circulábamos a toda velocidad, pasando por delante de campos envueltos en las sombras. Athenaide reanudó el hilo de la historia.

—El hombre de Stratford, proclamaba la señorita Bacon, era un timo, una máscara de carnaval que los verdaderos autores se habían puesto para no incurrir en la ira de unos soberanos autócratas. Como si revelara un gran secreto, congregó a su alrededor a los presentes. «El mal que hacen los hombres les sobrevive», murmuró. «El bien queda frecuentemente sepultado con sus huesos.»

—Pero si es la misma cita que vi en el Infolio de Valladolid —dije—. La misma cita que utilizó Ophelia en su carta a la señora Folger.

Pasando las páginas del diario, Athenaide señaló un párrafo:

> *La verdad estaba oculta, murmuró la señorita Bacon, en documentos escondidos en un espacio hueco debajo de la lápida sepulcral de su recipiente elegido: Shakespeare de Stratford. Ella había descubierto ciertas pruebas de ello en las cartas de sir Francis Bacon; sus cartas poéticas, añadía guiñando el ojo. «Que mis nombres sean enterrados con mi cuerpo.»*

Fruncí el entrecejo. Aquella cita también figuraba en el Infolio de Valladolid, pero no pertenecía a Francis Bacon. Era una cita errónea —«nombres» en plural en lugar de «nombre» en singular— y correspondía a Shakespeare, a uno de sus sonetos. Pero es que Delia creía que sir Francis era Shakespeare.

—El vicario autorizó a Delia a abrir la sepultura —explicó Matthew.

Una fría noche de septiembre se dirigió a la iglesia para cumplir su misión, pero no estaba sola. Olfateando una aventura, Jem y Ophelia se levantaron de sus camas y fueron a la iglesia, donde se escondieron entre los bancos antes de que Delia llegara. Y observaron sus movimientos.

Delia apareció en medio de un remolino de gélido viento y hojas caídas. Sosteniendo en alto la linterna en el oscuro presbiterio, leyó en voz alta la maldición que figuraba en la lápida. Después abrió su bolsa de viaje, extendió una alfombra en el suelo delante del sepulcro y se arrodilló. Sacó un cincel de la maleta y lo levantó por encima de su cabeza como si fuera una daga. Escondida entre los bancos, Ophelia se asustó.

Pero no ocurrió nada. Delia se quedó petrificada... «Con una mano sobre el corazón —escribía Ophelia— y la otra blandiendo el cincel como el querubín que guarda la entrada del Paraíso con su flamígera espada.» Permaneció en aquella misma posición hasta que la campana de la iglesia dio las diez. Como si se liberara de un hechizo, bajó el brazo y se levantó. Una salvaje carcajada la traspasó y se perdió en la nada. «"¿Y qué es la verdad?", preguntó Pilato en tono burlón —gritó Delia—, y no se quedó a esperar la respuesta.» Dejó el bolso allí y cruzó la iglesia apurando el paso para huir en mitad de la noche.

—Pero si Delia no abrió el sepulcro —pregunté—, ¿quién lo hizo?

—Los niños —contestó Athenaide.

Ophelia y Jem.

—Utilizando las herramientas de Delia —dijo Matthew, pasando otra página.

Leyó en voz alta:

> *Un soplo de aire viciado se escapó al exterior. No había ningún hueso. No había ninguna efigie labrada. Ninguna caja fuerte con oro o papeles. Ningún fuego de Verdad. Ni siquiera los restos resecos de un gusano o el cadáver de una moscarda. Nada, excepto una capa de espacio vacío y, debajo de él, otra suave losa de piedra. No, una línea, una forma confusamente labrada en la piedra. Mientras Jem mantenía levantada la losa del sepulcro, efectué un calco con el lápiz y el papel que la señorita Bacon había dejado.*

En la página contigua, Ophelia había pegado una hoja suelta de papel cubierta con grafito. Unas delgadas líneas de color blanco trazaban un dibujo que ya había visto en otra ocasión: el largo cuello y la cabeza de un cisne, unas alas de águila que se convertían en cabezas de jabalí, y un bebé en una garra y una lanza en la otra.

—La quimérica bestia —dije.

—Sigue estando allí —dijo Athenaide con un brillo de emoción en los ojos.

—¿Usted la vio?

Matthew asintió con la cabeza.

—No lo pudieron descifrar —dijo—. El preceptor de Jem lo identificó como una quimera, pero jamás había visto ninguna con aquella configuración de las distintas partes. Cuando le dijeron que la habían encontrado en una iglesia, señaló que, a lo mejor, era un signo de Satanás.

Un mes después, cuando Delia ingresó en el manicomio de Henley, Ophelia le mostró el calco. Delia se alteró enormemente y empezó a balancearse hacia delante y hacia atrás. «Y sea maldito el que mis huesos mueva —murmuró una y otra vez—. Sea maldito...» Unas semanas depués se presentó su sobrino y se la llevó a su casa de Estados Unidos.

En su siguiente visita a Stratford, Ophelia le dijo a Jem que temía la maldición y deseaba reintegrar el calco a su lugar correspondiente. Pero él se negó a ayudarla. «Acabarás tan loca como la señorita Bacon», le dijo con frialdad.

—Menudo santurrón —dijo Athenaide—. Probablemente estaba tan asustado como ella.

Fue la última vez que Ophelia lo vio en casi una década. Jem se fue a Oxford y después, gracias a los buenos oficios de unos amigos, se convirtió en preceptor del joven conde de Pembroke.

—En Wilton House —precisé.

El joven conde, prosiguió Matthew, había heredado no hacía mucho el título y la casa de un tío que vivía en el extranjero y había muerto sin transmitir apenas nada acerca de las tradiciones de la familia. Había habido algunas alusiones a la existencia de pistas shakespearianas en la casa, pero eso fue todo.

—¿Encontró Jem las cartas? —pregunté apretando fuertemente en mis manos el diario.

Matthew esbozó una sonrisa.

—Fue la quimérica bestia la que lo indujo a regresar corriendo a Ophelia.

Juntos cotejaron el blasón de la carta del «más dulce cisne» con la figura del calco de Ophelia. Y después Jem lo cotejó con los blasones de distintas personas: el cisne de lady Pembroke, el jabalí de Bacon, el halcón y la espada de Shakespeare y el águila y el niño del conde de Derby. El único que le faltaba era el de Oxford, el segundo jabalí.

La señorita Bacon creía que Shakespeare era una conspiración, le había dicho Jem a Ophelia, y él había acabado por pensar que estaba en lo cierto. Sus razonamientos repetían como un eco los de Delia: «Que mis nombres se entierren donde están mis cuerpos». La prueba, decía en tono apremiante, estaría en las sepulturas. La de Shakespeare estaba marcada por la quimérica bestia, señaló; creía que todas las demás también lo estarían.

Sin embargo, el sepulcro de lady Pembroke hacía tiempo que estaba sellado debajo de alguna grada de la catedral de Salisbury. En cuanto al de Bacon, su monumento funerario estaba en una iglesia parroquial de Saint Alban, pero su sepulcro propiamente dicho había desaparecido hacía mucho tiempo. Y aunque Jem hubiera sabido algo acerca de Oxford, pensé, de nada habría servido. La iglesia donde Oxford había sido enterrado había sido demolida en el siglo XVIII, y el último lugar de descanso del conde se había perdido.

Quedaba la tumba de Derby, en Lancashire.

Una semana después, Ophelia y Jem se fugaron.

La antigua cripta de los condes de Derby estaba en Ormskirk, un pueblo en una baja llanura, de cara al mar y con colinas a su espalda.

«El nombre significa "iglesia del gusano" —había explicado Jem—, la Iglesia del Dragón, en la antigua lengua normanda.» En la vetusta iglesia parroquial de San Pedro y San Pablo, había acompañado a Ophelia a una desierta capilla de un rincón en la que destacaban dos solitarias y ruinosas figuras de mármol de un caballero y su dama. En el centro, una trampa se abría a un empinado tramo de escalera que conducía abajo.

Le pedí silencio a Matthew y leí por mi cuenta:

> *... un olor de huesos y polvo, de fría piedra y de la amargura de los envidiosos y desintegrados muertos. Había unos treinta ataúdes amontonados en estantes contra las paredes. El centro de la cripta estaba lleno de monumentos rematados por efigies de piedra. Algunas eran de damas ataviadas con largos vestidos, pero la mayoría correspondían a hombres con peluca, otros con armadura y tres con jubón y calzones. Uno de ellos sostenía en sus manos un pequeño cofre de piedra. En él aparecía labrada una quimera. Con un golpe de palanca, Jem lo rompió y lo abrió.*

—Tendrá que detenerse aquí —dijo Athenaide mientras yo levantaba los ojos, parpadeando.

Ya no circulábamos entre oscuros campos. A lo lejos vislumbré unos enormes edificios industriales, un brillante resplandor de luces y un largo trecho de asfalto. Oímos un fuerte zumbido y después el vehículo giró y nos acercó al jet de Athenaide.

—¿Adónde vamos? —pregunté.

—A buscar el tesoro de Jem —contestó ella.

A bordo, no esperé a que despegara el aparato, sino que abrí el diario en cuanto me hube abrochado el cinturón.

En el interior de la caja rota de la tumba, Jem y Ophelia habían encontrado una pintura. Un retrato en miniatura de un joven de cabello y barba dorados sobre un fondo de llamas.

El Hilliard. Estaba a punto de mostrarles el broche, pero me detuve, consciente de la mirada de Athenaide. ¿Qué estaba haciendo la miniatura en un estuche en el interior de la sepultura de Derby?

—Había unas cartas —dijo Matthew con inquietud.

Volví a mirar el diario. Dos cartas para ser más exactos. Escritas en latín desde Valladolid. Jem las tradujo rápidamente para Ophelia. La primera era una carta de agradecimiento por un manuscrito y un libro. El libro era espléndido, decía el autor, demasiado espléndido. Se alegraba de haberlo visto, pero no lo podría llevar consigo. No obstante, guardaría siempre el manuscrito. La obra había resultado mejor de lo que él esperaba. Le había hecho reír de buena gana, lo cual le haría mucha falta allí adonde se dirigía.

—*Cardenio* —dijo Athenaide.

—Y el Infolio de Valladolid —dijo Matthew.

Todo encajaba, pensé, tenía que reconocerlo. Pero no era una prueba definitiva. El escritor no había mencionado el título del libro.

La segunda carta también era de Valladolid, pero más tardía, y no del mismo hombre. En una apología extrañamente exultante, informaba de que William Shelton había partido de Santa Fe, en Nueva España, con un grupo de exploración, con el propósito de conducir a las almas a la gloria, pero jamás había regresado. En el transcurso de una escaramuza con los indios, había desaparecido, y se suponía que había sufrido martirio.

Se incluían unos detalles geográficos, decía Ophelia, pero los había olvidado, pues en aquel momento habían regresado los padres de ambos.

Papá bajó hecho una furia por la escalera con los ojos encendidos de cólera, pero al verme su enojo se disipó y permaneció de pie delante de mí como si fuera un anciano. Aunque me había propuesto mil veces mantenerme firme, me aparté de Jem y me acerqué a él. Pasando a grandes zancadas por delante de nosotros, el vicario se detuvo delante de Jem y le abofeteó la mejilla con tal fuerza que éste giró en redondo una vez y se desplomó en la sepultura rota.

Resultó que su boda clandestina no era válida porque Ophelia era menor de edad.

—Se volvieron a casar al día siguiente —dijo Athenaide en tono pausado—, esta vez con ambos progenitores como testigos. Pero Ophelia no obtuvo permiso para vivir con Jem como esposa hasta que éste adquiriera una fortuna suficiente para mantenerla.

—Una tarea no demasiado fácil para el hijo menor de un vicario —comentó Matthew.

—Le dieron a elegir entre la India y Estados Unidos —dijo Athenaide.

—Y eligió Estados Unidos —sentencié.

Athenaide asintió con la cabeza.

—Empezó a buscar el manuscrito que el sacerdote había prometido guardar.

El avión había alcanzado la altitud de vuelo. Tras desabrocharnos los cinturones de los asientos, nos congregamos alrededor de una mesa de conferencias con el libro abierto en medio de nosotros, y seguimos adelante con la historia.

Esta vez la separación duró quince años. Lejos de marchitarse, Ophelia contrató los servicios de un profesor y aprendió español y latín. Cuando a los veintiún años pudo disponer de su dinero, viajó a Valladolid. En el colegio le mostraron lo que tenían —incluido el Infolio— y, a continuación, la enviaron al Archivo General de Indias de Sevilla. Después de una ardua tarea de investigación, encontró un informe de primera mano de un superviviente y, junto con él, un mapa primitivo. Tras haber copiado ambas cosas, regresó a Londres, donde compró un Primer Infolio.

—Una obra magna jacobina —dijo Matthew, haciendo un floreo con la mano.

—¿Tenía un Infolio? —pregunté bruscamente.

—No un original —contestó Athenaide—. Un facsímil. Pero muy bueno. Ophelia escribió su nombre en la página en blanco opuesta a la portada en la que figuraba el retrato de Shakespeare. Debajo había anotado la inscripción que había visto en el Infolio de Valladolid. Tras introducir en el volumen los datos que había descubierto en España, le envió el libro a Jem como tardío regalo de boda.

Perpleja, me froté las sienes mientras Matthew seguía pasando las páginas.

—Quince años de avance rápido —dijo.

Por aquel entonces murió el padre de Ophelia, pero ella se quedó en la vetusta casa de Henley, en el viejo bosque de Arden, aunque sin las locas. Por lo demás, no pareció que ocurriera gran cosa, como si ella se hubiera pinchado el dedo con un huso y se hubiera sumido en un sueño encantado, pensé. Después Jem le escribió para anunciarle que había encontrado lo que buscaba.

Pero no podía traer su hallazgo de vuelta. No de manera inmediata. En su lugar, quería que ella se reuniera con él en Tombstone, en Arizona. Al principio, ella no se lo creyó, pero después descubrió que también había invitado a un profesor de Harvard y que el profesor había dicho que sí.

—Entra en escena el profesor Child —dijo Matthew.

Ophelia hizo su baúl y embarcó rumbo a América. El diario terminaba cuando ella llegaba a Nueva York.

En la página siguiente, Ophelia volvía a empezar. «Para Jem», había garabateado en la parte superior. La tinta era distinta y su escritura más apresurada. La historia también era distinta. Era el resumen de un relato que había encontrado entre los papeles de Delia. Un relato acerca de los Howard.

La historia de Frances Howard, escribía Ophelia, no era un triángulo amoroso. «¡Más bien un dodecaedro!», exclamaba. En concreto, antes de conocer a Robert Carr, pero mucho después de haberse casado con Essex, su familia le había impuesto otro objetivo: el más íntimo amigo de su esposo, el príncipe de Gales.

Durante algún tiempo, el príncipe estuvo tan extasiado que los rumores acerca de una boda real empezaron a correr por la corte cuando apenas se habían iniciado los trámites de la anulación del matrimonio. Pero después Frances conoció a Carr y, sin decírselo a su familia, siguió los dictados de su corazón. Poco después, tras ser advertido de que la dama no era muy reservada en sus afectos, el príncipe la insultó en público.

—La historia del guante —dije en un susurro—. No sabía que la dama era Frances Howard.

Ophelia había descubierto exactamente de qué manera aquel giro de la historia podía guardar relación con *Cardenio.* La obra cuenta la historia de una fiel esposa, a la cual el mejor amigo de su marido —el hijo del gobernador de la región— intenta seducir. Entendida como una alegoría de Frances, Essex y el príncipe, la obra justificaría a Frances y condenaría al príncipe.

Pero después la familia descubrió lo que el príncipe había averiguado: que Frances había estado retozando con Cardenio.

—Carr... Cardenio —repitió Athenaide.

El nombre trastocó la intención que había inducido a los Howard a promover la obra. Tal y como estaban las cosas, ni a un ciego le hubiera podido pasar desapercibido reconocer a Carr en una obra titulada *Cardenio* y, por consiguiente, tampoco al celoso príncipe, dado que Essex aún estaba atado a Frances nominal y legalmente. Lejos de presentarla como una fiel esposa injuriada, la obra la expondría al ridículo como una mujer que había jugado con tres hombres a la vez.

La representación de la obra se tenía que impedir.

Pero no se hizo. Se representó en la corte en enero de 1613 y de nuevo a principios de junio. Esta vez los Hombres del Rey la trasladaron al otro lado del río, a su escenario público. Al Globo.

—Y dos semanas después —observé— el Globo fue pasto de las llamas.

—Dios mío —dijo Matthew al cabo de un rato—. Jamás había relacionado estas dos fechas.

—Pero ¿por qué? —preguntó muy nerviosa Athenaide—. ¿Por qué Shakespeare tuvo que representar *Cardenio* en el Globo? ¿Por qué incurrió en la cólera de los Howard?

—Y, sobre todo, ¿por qué la escribió? —objeté —. No tiene sentido. Lo que dije antes sigue en pie: las alegorías no eran lo suyo. Además, que yo sepa, no tenía ningún motivo para hacerles favores a los Howard.

—Quizá no pretendía halagarlos —observó pausadamente Athenaide.

—Tal vez ocurrió justo lo contrario. Usted ha dicho que Howard fue el que envió a William Shelton a Valladolid para que se convirtiera en sacerdote. Si fuera cierto, cabe la posibilidad de que Shakespeare pretendiera vengarse.

«Mas tu eterno estío no se apagará. Consciente del roce del broche con mi cuerpo desde el interior de mi chaqueta, recordé a sir Henry recitando aquel verso.

—Tenemos que encontrar la obra —conminé a los presentes.

Matthew pasó la página. La tinta era distinta y la fecha también. «Agosto de 1881», se leía en la parte superior.

Mi querido Francis:

Me pidió que terminara mi historia y esta promesa por lo menos la cumpliré.

—¿Francis? —pregunté—. ¿Quién es Francis?

Matthew pasó varias páginas. Aquel verano Ophelia había llegado a Tombstone sólo para descubrir que Jem llevaba un mes desaparecido. Lo único que le había dejado era una breve nota:

Si pudiera, movería montañas para llegar a ti. Quiero que lo sepas. Si estás leyendo esta nota, las montañas habrán demostrado que son más fuertes que yo.

P.D.: Para que no dudes de mí, en mi obra magna he indicado en clave la ubicación ____ 1623, página de la signatura.

—Por eso es tan importante el Primer Infolio —dijo Matthew—. Jem cifró el paradero de su tesoro en su interior.

Me incliné hacia delante.

—Athenaide, ¿los rancheros a quienes usted compró la carta de Ophelia tenían algún libro? ¿Algún libro de la clase que fuera?

Me miró.

—Sí, tenían varios libros.

—¿Había entre ellos un Primer Infolio?

—No era un original. Era uno de los primeros facsímiles.

Sin duda el Infolio que Ophelia le había enviado a Jem. Tenía que serlo.

—¿Y usted lo vio?

—Lo compré.

Pegué un brinco en mi asiento.

—¿Lo tiene en su poder? ¿Lo tiene? ¿Por qué no me lo dijo?

—Le dije que él tenía unos libros —contestó lacónicamente ella—. Pero usted me preguntó por sus papeles y yo le mostré el único papel que tenía. —Entrelazó melindrosamente las manos delante—. Soy coleccionista, Katharine. En estas cuestiones, tiendo a pasarme de precavida. Pero también aprendo de mis equivocaciones. Estamos volando hacia ese libro a la mayor velocidad posible.

—Termina la historia, Kate —dijo Matthew.

Tomé el libro y me puse a pasear por la cabina mientras leía. Ophelia estaba al borde de la histeria y pidió que la llevaran a la casa de Jem, pero nadie la quiso acompañar allí y ni siquiera decirle dónde estaba. Al final, la mujer que regentaba la pensión donde ella se alojaba envió a un hombre para recoger los efectos personales de su marido.

El individuo regresó con los libros. Ophelia se encerró en el salón sosteniendo la página de la signatura del Infolio sobre la llama de una vela cuando, de repente, irrumpió en la estancia una mujer de cabello rubio, acento francés y un escote sólo apropiado para un baile de gala invernal. Exigiendo la devolución de sus propiedades, tomó en sus brazos los libros que había encima de la mesa. Pero Ophelia se negó a entregarle el Infolio, mostrándole su firma en la guarda: Ophelia Fayrer Granville.

—Puede que a usted le diera su apellido —dijo la rubia—, pero su amor me lo dio a mí.

En aquel momento, el mundo de Ophelia se derrumbó. Sin apenas darse cuenta de lo que hacía, abandonó la casa y salió al jardín trasero, deteniéndose bajo una glorieta cubierta por el tupido follaje verde oscuro de un rosal. La época de la floración ya había pasado, pero todavía quedaban unas marchitas florecitas blancas entre las hojas.

«Permítame ofrecerle un poco de compañía femenina», había dicho una voz.

Al principio, pensé que era usted una especie de duende escondido en la rosa. Pero después vi por vez primera la bondad de su rostro bajo la blanca barba. «Que se vaya», dije yo, y usted se inclinó y se retiró.

«Ya se ha ido», dijo usted al volver. No recuerdo qué otra cosa dijo aquella noche en el jardín aparte de que la rosa Lady Banks resiste el calor, el frío y la sed que matan a casi todas las demás rosas. Y, sin embargo, ella florece fielmente todos los años con dulce abandono.

—Francis —dije de repente—. El duende bajo el rosal era Francis Child.

—¿El Child de la Biblioteca Child? —preguntó Matthew.

—Sus dos pasiones en la vida eran las rosas y Shakespeare. —dije—. *«Mi querido Francis»*, lo había llamado Ophelia.

A lo largo de los días siguientes, ambos habían examinado juntos el Infolio de Jem, pero no habían encontrado nada. Al final, sin saber qué otra cosa podían hacer, alquilaron unos caballos y una escolta de cuatro hombres armados y se dirigieron a las colinas para investigar sobre los denuncios de minas de Jem.

—Tiene sentido, ¿no te parece? —dijo Matthew con entusiasmo—. Era probable que Jem hubiera hecho alguna especie de denuncio si hubiera encontrado algo.

Tenía sentido. «He encontrado una cosa —le había escrito Jem al profesor Child—. El oro no siempre reluce.»

Pero Athenaide meneó la cabeza.

—He estado en todos los lugares posibles —dijo—. En todos. Y no hay nada que encontrar. No hay pozos. Ni tumbas. Ni edificios. Nada que indique dónde se podría hallar el tesoro oculto de un sacerdote del siglo diecisiete.

Reanudé la lectura con impaciencia:

Ya recordará usted cómo fueron aquellos días, dulces y calurosos, y aquella última tarde que pasamos en el herboso valle mientras un águila volaba por encima de nuestras cabezas y los hombres se reían y chapoteaban en el agua justo a la vuelta del recodo.

Permítame decirle lo que recuerdo. Tras haber esperado quince años, en el espacio de una tarde, descubrí lo que era amar y ser amada. Sé que no es posible, pero vi rosas blancas cayendo a nuestro alrededor como perfumados copos de nieve.

Al regresar al pueblo aquella noche, les salió al encuentro una partida de rescate más fuertemente armada que su escolta y fueron conducidos al pueblo. La víspera se habían enterado de que el jefe apache Gerónimo se había fugado, abandonando la reserva en mitad de la noche con todos los hombres, las mujeres y los niños de su clan. Otro guerrero que luchaba al norte de Sonora había dejado una ancha franja de Nuevo México en ruinas.

A Ophelia y Francis sólo les quedaba un denuncio por explorar, el de Cleopatra. Pero ahora nadie los quería acompañar a más de un kilómetro y medio del pueblo, y ya no digamos a las montañas. Ni siquiera pudieron alquilar caballos e ir por su cuenta.

—Lástima de un buen caballo —les espetó un hombre.

Su búsqueda había terminado.

Después de una tranquila cena, Ophelia permaneció despierta toda la noche. Antes del amanecer, se levantó y se vistió. Dejó el Infolio en un lugar donde la patrona lo pudiera encontrar, junto con una nota. «Para la mujer del cabello rubio.» Delante de la puerta del dormitorio del profesor, dejó una solitaria rosa seca. Y después se fue.

La historia terminaba bruscamente.

—Pase la página —dijo Athenaide.

Una sola frase flotaba en el blanco vacío:

Habrá una criatura.

Las palabras danzaron y oscilaron delante de mis ojos.

—Jamás se lo dijo —explicó serenamente Athenaide—. Regresó a Inglaterra, adoptó otro nombre y empezó a pronunciar conferencias, tal como había hecho Delia, y ella también alcanzó cierto éxito. Pero nunca regresó a las minas de Jem y jamás se puso en contacto con el profesor. No podía soportar que la miraran tal como ella había mirado a la mujer rubia, dijo, ni resistir la idea de que la mujer del profesor sintiera por él lo que ella había sentido por Jem aquella primera noche.

Levanté los ojos.

—Escribió una última parte —explicó Matthew—, en 1929.

Pasó las páginas hasta el final, donde la escritura volvía a llenar el papel. Leí la última página:

> *... ya hace tiempo que se convirtió en una encantadora mujer. Cuando pregunta por su padre, yo siempre le digo que es la hija de Shakespeare.*
>
> *Por consiguiente, hubiera tenido que adivinar que acabaría en el escenario. Ha actuado en Londres y Nueva York con gran éxito, aunque eso ahora ya pertenece al pasado. A veces me preguntaba si usted la habría visto alguna vez, si su corazón palpitaba en su pecho sin saber por qué.*
>
> *Le impuse el nombre por Shakespeare y por las rosas que tanto amaba su padre: Rosalind.*
>
> *Rosalind Katherine Howard.*

—Pero si éste es el nombre de Roz —dije sintiéndome súbitamente vacía.

—Sí, querida —dijo Athenaide.

Al final de la página, había una sola frase:

> *Los viajes terminan con el encuentro de los amantes; bien lo saben todos los hijos de los sabios.*

Apoyé la cabeza en el hombro de Matthew y lloré.

39

Me desperté todavía acurrucada contra el hombro de Matthew en el sofá; él aún estaba dormido. Al otro lado de la cabina, Athenaide permanecía sentada a la mesa leyendo un libro bajo la suave luz de una lámpara. Me incorporé, procurando no despertar a Matthew.

—Usted conocía a Roz —murmuré.

Una triste sonrisa se dibujó en el rostro de Athenaide. Por un instante, su aspecto fue el de una vieja bruja, con la piel del rostro flácida. Pero sus ojos conservaban el brillo de siempre.

—Sí.

Me levanté del sofá y me acerque a la mesa.

—La Rosalind del libro, la hija de Ophelia. No puede haber sido la Roz que yo conocí.

—No. —Sonrió y cerró el libro. Estaba leyendo el diario de Ophelia—. No sin la ayuda de un manantial de la juventud. Ella fue la abuela de Roz que usted conoció. Nuestra abuela. —Tomó un sorbo de agua y posó el vaso con tanto cuidado que no se oyó el menor tintineo—. Roz era mi prima. Y Ophelia, Ophelia Howard, fue nuestra tatarabuela.

Me senté en la silla que había a su lado.

—Vi una fotografía de usted. Con un sombrero.

Por un instante, su sonrisa se ensanchó.

—Fue un día muy feliz. Cuando mi abuela todavía me tenía en gran consideración. —Cruzó las manos sobre el libro—. Ambas éramos muy parecidas en muchos aspectos. Pero teníamos ideas distintas acerca del mejor camino para alcanzar una buena vida. Ella quería que yo fuera actriz, un sueño que Roz y yo habíamos compartido de niñas. A fin de cuentas, nuestra abuela era una gran figura de la escena. Fue famosa en la década de 1910, pero ahora su nombre prácticamente se ha olvidado. Yo me parecía físicamente a ella. —Lanzó un suspiro—. Roz no. Sin embargo, lo que Roz se negaba a ver era lo que ella tenía y lo que a mí me faltaba: el talento. Yo carezco de la fuerza mental o emocional necesaria para pasearme por las vidas de otros de manera convincente. No soy una vagabunda, una feliz peregrina. Todos los grandes actores lo son, ¿sabe? Yo necesito un hogar. Raíces profundas. —Me miró con ironía—. Y me gusta el dinero. Para bien o para mal, soy una mujer de negocios.

»"La codicia del dinero", lo llamaba Roz. Y otras cosas todavía más crueles. Juntas, puede que hubiéramos conseguido crear a una gran artista. Separadas, fuimos una profesora y una mujer de negocios. Ambas alcanzamos el éxito, pero no el éxito con el que soñábamos en nuestra infancia.

»La vi en la Folger pocos días antes de su muerte. Le regalé aquel sombrero. En recuerdo de los viejos tiempos. Un puente de unión con ellos, esperaba. Pensé que, a lo mejor, lo colocaría en un estante y lo contemplaría. Era nada menos que el último grito de la moda allá por 1953. Pero hubiera tenido que imaginar que ella sería capaz de ponérselo. Tiene sentido, a la manera de Roz, que lo llevara puesto el día de su debut teatral. Aunque sólo fuera un ensayo.

Su debut, pensé, y su mutis final.

—Así es cómo la encontré a usted —dijo Athenaide.

—¿El sombrero?

Se echó a reír.

—No. La conferencia en la Folger. Sabía que Roz iba a presentar un trabajo sobre Delia Bacon y, por consiguiente, yo también me dediqué a leer cosas acerca de Delia. Llevábamos años compitiendo la una con la otra, ¿sabe? Toma y daca. El doctor Sanderson me mostró la carta de Ophelia a Emily Folger justo antes de marcharse para reunirse con usted en el Capitolio. Yo tenía muy fresca en la mente la escena del sepulcro y, casualmente, era la única pista que podía interpretar. Después él aparece muerto y tanto usted como la carta se dan por desaparecidas. Recogí a Matthew, que estaba desesperadamente preocupado por usted, y ambos volamos a

Stratford y esperamos. Nos dio un ataque cuando usted telefoneó y pareció que se había ido a otro sitio.

—Fue cuando decidí abrir el sepulcro. Para asegurarme; con el resultado que usted ya ha visto.

Por un instante, ambas contemplamos el diario que descansaba encima de la mesa.

—Ella la adoraba, ¿sabe? —dijo Athenaide—. La adoraba y la envidiaba en una temeraria mezcla, para la que no estoy muy segura de que ella estuviera preparada. No muchas personas lo estarían. Usted era alguien capaz de llegar adonde ella jamás se había atrevido. Por eso probablemente la indujo a salir de forma precipitada de la torre de marfil.

—¿Usted cree que ella quería que yo acabara en el teatro? —Una amarga carcajada me subió por la garganta—. Me hubiera podido dar consejos profesionales.

Athenaide ladeó la cabeza.

—¿Y usted los hubiera seguido?

Abrí la boca y la volví a cerrar. Hubiera pensado simplemente que quería sabotear mi carrera.

Sonó discretamente un interfono y Athenaide levantó un auricular. Aterrizaríamos en cuestión de una hora. Me envió a uno de los dormitorios para que me refrescara; una mirada al espejo me hizo comprender por qué y soltar un gruñido. «Refrescarse» era la madre de todos los eufemismos. Lo que yo necesitaba era algo más parecido a un cambio de imagen total. Tenía los ojos hinchados y enrojecidos, una magulladura y un arañazo en un pómulo. La lluvia había hecho que el tinte me bajara en oscuras franjas de cebra por el cuello y por la chaqueta, la cual daba la impresión, con todas aquellas rayas, de haber permanecido tres semanas apelotonada en el fondo de un cesto de la colada.

Pero la maleta que sir Henry me había facilitado lo que ahora me parecían años atrás, y que me había acompañado de Londres a Boston y a Utah y de Nuevo México a la Folger en Washington D.C. y de allí a un avión en las afueras de Stratford, descansaba al pie de la cama, y el dormitorio disponía de una ducha debidamente acondicionada. Contemplé la maleta con expresión funesta. Sentirme mejor era el primer minúsculo paso hacia las compensaciones que le pensaba exigir a sir Henry.

En la ducha, observé cómo el tinte oscuro se escapaba por el desagüe. ¿Pretendía Roz, tal como Athenaide había insinuado, alejarme del mundo académico? En caso de que así hubiera sido, había logrado su propósito. Como suele decirse, había construido puentes delante de la persona protegida, en lugar de quemarlos a su espalda.

Mientras huía de Roz y de todo lo que ella tocaba, los puentes se habían hecho realidad delante de mis ojos. Seis meses atrás, sir Henry se había presentado mágicamente como llovido del cielo justo en el momento oportuno para que me ofrecieran un trabajo en el West End y nada menos que en el Globo. Y había habido antes otros momentos parecidos, unos momentos decisivos en una joven carrera que yo había atribuido a la insondable suerte de haber estado en el lugar adecuado en el momento adecuado.

Me había sentido muy orgullosa de abrirme paso por la vida por mi cuenta, pese al asombro que me producía el hecho de que la suerte cayera sobre mi camino como una lluvia de pétalos de rosa. ¿Acaso había estado Roz ayudándome en silencio desde el principio? Jamás lo sabría.

Me puse unos vaqueros, una camiseta negra y unas zapatillas deportivas y me volví a mirar al espejo. Mejor. El cabello seguía siendo corto, pero por lo menos había recuperado su color pelirrojo oscuro. Y mi mejilla aún estaba magullada, pero ahora estaba limpia. Al fondo de mi maleta encontré la cadena que me había comprado en la frontera de Nevada-Arizona. Colgué de ella el broche, me la puse alrededor del cuello y salí.

En la cabina principal, Matthew estaba despierto, bebiendo café. Los tres nos reunimos alrededor de la mesa para repasar lo que sabíamos.

—Todos estaban confabulados —dijo Matthew—. Los condes de Derby y de Oxford, la condesa de Pembroke, sir Francis Bacon y Shakespeare de Stratford.

—Sí —dije, reclinándome contra el respaldo de mi asiento y frotándome los ojos—. Pero ¿cómo?

Jem Granville lo sabía, pensé. Con un poco de suerte, por la mañana encontraríamos el mapa que él había dejado junto a su tesoro, con una equis señalando el lugar. Mirando por la ventanilla, vi varias líneas de luces perdiéndose en la distancia. Luces de pistas de aterrizaje.

Aterrizamos en Lordsburg, Nuevo México, aproximadamente a las tres de la madrugada. Una tormenta eléctrica parpadeaba a lo lejos. Los monzones habían empezado muy pronto. Graciela nos estaba esperando; minutos después nuestro automóvil serpeó entre los toscos edificios de Shakespeare hasta entrar finalmente en el garaje de Athenaide, el antiguo depósito de pólvora excavado en la ladera de la colina. A continuación, apuramos el paso siguiendo a Athenaide por el laberinto de Elsinore.

Una cálida y dorada luz nos envolvió al entrar en el Gran Salón.

—La última vez usted comprendió inmediatamente que esta sala no era Elsinore —me dijo Athenaide—. ¿La reconoce ahora?

Meneé la cabeza.

—Es una reproducción muy fiel del Salón de Banquetes de la torre de homenaje normanda del castillo de Hedingham. El hogar ancestral del conde de Oxford en Essex, al nordeste de Londres. Uno de los más bellos ejemplos que se conservan de arquitectura normanda.

Por un instante, me quedé en el umbral, contemplando, esta vez sí, el hogar del conde de Oxford. El Hedingham de Oxford, dentro del Elsinore de Hamlet, dentro de la ciudad fantasma de Shakespeare. Un perfecto y pequeño nido de edificios para que en él pudiera jugar una multimillonaria oxfordiana.

Y no es que su aspecto fuera impresionante. Después de los excesos barrocos de Wilton House, la sencillez medieval de aquel lugar destacaba aun con más fuerza. Apenas había mobiliario, exceptuando la mesa del centro, unas cuantas sillas y almohadones y las vitrinas adosadas a la pared del fondo.

Graciela nos sirvió una cena fría a base de ensalada de Niza con salmón ahumado, panecillos recién sacados del horno y una botella ligeramente enfriada de un Pinot Noir, que escanció en unas copas de un cristal soplado azul y blanco que parecía auténtico veneciano del siglo XVII.

Athenaide me dio el diario de Ophelia, se acercó al miniteclado de la caja fuerte y tecleó la clave. Cuando el escáner se accionó, colocó un dedo bajo la lente. La caja fuerte se abrió con un *clic* y sacó un libro. Las tapas de cartón se habían combado a causa del calor del desierto, y la cubierta de tela roja estaba deshilachada y desteñida.

Graciela terminó de escanciar el vino y se retiró.

Athenaide depositó el libro encima de la mesa.

—*Vero nihil verius* —dijo—. Nada es más verdadero que la verdad. Cualquiera que ésta sea. —Después empujó el libro hacia mí sobre la mesa—. Ábralo.

40

El Infolio de Jem se abrió fácilmente por la portada. En la página enfrentada a la mirada de reproche de Shakespeare figuraban dos firmas: arriba, *Ophelia Frayer, Granville*, pequeña, pulcra y estudiada, y, debajo, más grande y suelta, *Jem Granville*. Y, debajo de ésta, el soneto del Infolio de Valladolid, transcrito por Ophelia.

—Tiene que ser algo que hay en este ejemplar y sólo en este ejemplar —dijo Matthew—. Jem lo llamaba «mi obra magna jacobina.»

Aparte del poema y las dos firmas, no había nada más escrito en la página. Pero el papel estaba chamuscado y combado. Alguien —¿Ophelia?— debió de haber intentado dejar al descubierto la clave oculta por medio de agua o de alguna otra sustancia líquida, y de aplicación de calor. Puesto que algunas tintas invisibles aparecen cuando se calientan y desaparecen de nuevo cuando se enfrían, Athenaide encendió una vela y tratamos una vez más de calentar la página. Nada.

Pasé las páginas, buscando marcas en otro sitio. El único lugar donde las encontré fue en *Hamlet*, pero parecían más bien anotaciones con vistas a la interpretación teatral de Jem. Por mucho que lo intenté, no conseguí encontrarles ningún otro significado. Caminé alrededor de la mesa con mi copa de vino, pensando. El mensaje cifrado tenía que estar allí. Tenía forzosamente que estar allí.

Abrí el diario y volví a estudiar la frase que Ophelia había copiado de la carta de Jem, exactamente tal y como él la había escrito: «P.S.: Para que no dudes de mí, en mi obra magna he indicado en clave la ubicación ____ 1623, página de la signatura». Me mordí el labio. Algo se nos estaba pasando por alto.

¿Qué?

Habría dado cualquier cosa por poder echar otro vistazo a la carta de Ophelia a Emily Folger. Pero se la había dejado a Barnes, en Stratford, junto con todas las demás. *Maldito sea sir Henry*. Cerré los ojos y traté de recordarla. Ophelia había escrito «obra magna jacobina, c ____ 1623», con la palabra que seguía a aquella ce manchada por un borrón. Me sonaba bien, pero, sin la carta, no podía estar segura.

De repente, posé mi copa en la mesa y me incliné otra vez sobre el diario. En la nota que me había dejado en el reverso de la ficha de Chambers, Roz había escrito «obra magna jacobina, c. ____ 1623», refiriéndose al Primer Infolio, y yo jamás lo había vuelto a pensar. No era una mala suposición, tratándose del tema de Shakespeare, una obra magna jacobina y el año 1623.

Pero era evidente que se había equivocado al suponer que la ce de Ophelia era una abreviación de «circa», es decir, de aproximadamente. Y, si se ponía la palabra *cifrado* donde Jem la había puesto, la frase ya no estaba tan clara.

En la interpretación de Roz, 1623 se refería a la obra magna. Pero, en la de Jem, se habría podido referir a la clave. Y, si la fecha de 1623 se refería a la clave, no tenía por qué referirse al libro, no necesariamente por lo menos. El libro en cuestión no tenía por qué ser el Primer Infolio.

—¿Hay algún código o clave fechado en 1623? —preguntó Matthew, mirando por encima de mi hombro.

—Es el año en que Bacon publicó *De Augmentibus Scientiarum*. La edición latina de *El avance del saber*.

Matthew abrió los ojos, asombrado.

—El código de Bacon —dijo.

—¿Sir Francis Bacon? —preguntó Athenaide en tono cortante.

Asentí con la cabeza. El mismo sir Francis Bacon tan amado por Delia y por otros como el hombre que se ocultaba detrás de la máscara de Shakespeare, el hombre al que yo había identificado como uno de los jabalíes de la quimérica bestia. Su obra *El avance del saber* establecía un sistema para clasificar, estudiar y dominar todo el saber humano. Y en 1623, la edición latina, más larga que la original inglesa, presentaba al mundo toda una sección dedicada a claves y códigos, incluyendo un código inventado por el propio Bacon.

Se me quebró la voz.

—¿Poseía Granville un ejemplar de *El avance del saber*?

—No —contestó Athenaide sin vacilar.

—¿Y alguna otra cosa de Bacon?

—Sólo los *Ensayos*.

Regresó al cajón y sacó otro libro, más delgado. Pasé rápidamente las páginas. El hecho de utilizar el código de Bacon en un libro ya impreso significaba que Jem habría tenido que destacar algunas letras individuales por encima de las demás. Habría tenido que marcar algunas señales en el libro.

Pero los *Ensayos* no contenían ninguna señal.

Rodeé la mesa.

—¿Hay alguna otra cosa del Renacimiento?

—Venga a ver.

Sacando montones de libros del cajón, los llevamos a la mesa y los revisamos todos sistemáticamente. Jem Granville había sido un juerguista y un bribón de marca mayor, pero también había sido un cultivado hombre de su tiempo. Su colección incluía volúmenes de Tennyson y Browning, Dickens y Trollope, Darwin, Mill y Macaulay. Pero ninguna otra cosa del Renacimiento. Y tampoco había ninguna otra marca de ningún tipo, exceptuando la firma en los frontispicios. A diferencia de Roz, no tenía por costumbre hacer anotaciones en sus libros.

Mis esperanzas aumentaron cuando llegamos a la obra *El Renacimiento* de Walter Pater, pero tampoco hubo suerte.

—Tiene que haber algo más —dije decepcionada mientras llegaba a la última página. Me volví hacia Athenaide—. ¿Usted compró todos estos libros?

—Todo lo que la señora Jiménez sabía que había pertenecido a Granville.

¿Y si él no hubiera firmado el libro que buscamos? ¿Y si éste se extravió? ¿O lo regaló? ¿Y si no estuviera bien conservado después de haber sido leído tantas veces o Granville lo hubiera donado para una venta benéfica de alguna iglesia? Podía haber ido a parar a cualquier sitio. Me incliné sobre la mesa.

—Pregúntelo.

—Son las cuatro de la madrugada, Katharine... Las tres en Arizona.

—Son rancheros. Ya se habrán levantado. O casi..

Athenaide sacó su móvil. Tras tomar un buen sorbo de vino, marcó el número. Alguien contestó.

—Sí... no. —A Athenaide se le iluminaron los ojos—. Un momento... —Cubriendo el aparato, dijo—: Un libro. La Biblia de la familia.

La luz empezó a chisporrotear y a hervir por mis venas.

—¿Qué versión?

—No lo sabe. Una versión antigua.

—Pídale que lo mire.

En su rancho de Arizona la señora Jiménez fue a mirar. Apoyada contra la mesa y sin apenas poder respirar, contemplé por encima de la chimenea los ojos ciegos de la Ophelia de Millais.

—La portada —dijo Athenaide— dice lo siguiente: «Publicada en 1611 y comúnmente conocida como la versión del rey Jacobo».

Me agarré al canto de la mesa para no caerme.

—La magna obra jacobina —dijo Matthew con los ojos brillantes a causa de la repentina comprensión.

Lo era; lo tenía que ser. Literalmente, puesto que «jacobina» deriva de Jacobo, la otra variante de Jaime y de Santiago. La Biblia del rey Jacobo, decía un antiguo adagio, era la única obra de arte escrita por un colectivo integrado por varios autores. Una de las primeras cosas que había hecho el rey Jacobo al ascender al trono había sido ordenar a sus obispos que hicieran algo por lo que él consideraba el deplorable estado de la Biblia inglesa. A su juicio, había demasiadas versiones y ninguna de ellas había tenido en cuenta los más recientes conocimientos de las versiones hebrea y griega. Orgulloso de su condición de intelectual y poeta, el rey quería una Biblia fiel al original que, al mismo tiempo, sonara bien al oído y resultara apropiada para su lectura en voz alta desde el púlpito. Una Biblia que pudieran entender todos los estamentos de sus súbditos.

Los obispos habían hecho su trabajo mejor de lo que nadie hubiera podido soñar. A lo largo de tres siglos, la Biblia del rey Jacobo había presidido todas las ceremonias de las iglesias de habla inglesa. Y era en buena parte por este motivo por lo que Shakespeare no había sonado extraño ni en Gran Bretaña ni en sus colonias hasta bien entrado el siglo XX en que otras versiones habían adquirido finalmente carta de naturaleza y las visitas a la iglesia habían empezado a menguar. Hasta entonces, las personas que iban a la iglesia habían estado oyendo todos los domingos el inglés jacobino en las ritualizadas lecturas cuyo vocabulario y cadencias se habían abierto camino y habían arraigado profundamente en los hábitos del lenguaje y el pensamiento de la gente. Frases como «Aunque camine por cañadas oscuras», «Honra a tu padre y a tu madre», «No matarás», «Bendita tú entre las mujeres», «No temáis, os traigo una buena nueva, una gran alegría» no sonaban extrañas ni difíciles, aunque no fueran precisamente como el lenguaje de todos los días. A millones de anglohablantes, Shakespeare les había sonado como la mejor expresión de su lengua de los domingos.

—¿Cuánto se tarda en llegar al rancho de los Jiménez? —pregunté.

—Dos horas —contestó Athenaide—. Y ganamos una si vamos por Arizona.

—Pues dígale que estaremos allí a las cinco.

—No está a la venta —me advirtió Athenaide.

—No hace falta que la compremos. Simplemente tenemos que verla.

Cortó la comunicación. Luego tomó su copa y la levantó en un brindis. *Vero nihil verius.*

Entrechocamos las copas y bebimos. Recogí una pila de libros de la mesa y los devolví al cajón cerrado. Matthew hizo lo mismo.

A mi espalda, oí un acceso de tos y un gorgoteo. Me volví. El rostro de Athenaide estaba congestionado. Abrió la boca dos veces, pero no emitió ningún sonido. La copa se le cayó de la mano y se rompió mientras ella se desplomaba.

Nos plantamos a su lado en un santiamén. Tenía el pulso muy débil, pero aún se percibía. No pude determinar si respiraba o no.

—Llama una ambulancia —le ordené a Matthew mientras me arrodillaba.

—He hecho un curso de técnicas de reanimación —repuso él.

Pero de eso ya me estaba encargando yo.

—¡Corre! —le grité—. Y localiza a Graciela.

Tras una breve vacilación, Matthew tomó el móvil de Athenaide. Justo en aquel momento, se apagaron las luces.

—¿Es usted...? —preguntó Matthew.

—Graciela.

Matthew salió de la estancia.

Empecé a efectuar a ciegas la maniobra de reanimación ejerciendo presión sobre el pecho de Athenaide y le practiqué la respiración boca a boca. Mis ojos se empezaron a adaptar a la oscuridad. Apreté y respiré una vez más. *Respira, maldita sea.*

Me detuve para auscultar los latidos del corazón, tratando al mismo tiempo de tomarle el pulso. No había pulso. Ni respiración. «*No, no, no hay vida*», había dicho sir Henry, mirando a la señora Quigley.

Pero aquello era distinto. Athenaide yacía en el suelo como si estuviera tenazmente dormida, con los fragmentos de cristal blancos y azules a su alrededor y un charco de Pinot en el suelo. Un leve resplandor brillaba en la copa rota.

¿Dónde estaba Matthew? ¿Dónde estaba Graciela? Alguien, cualquiera.

Otra voz afloró a la superficie de mi memoria. *¡La bebida!*, oí gritar a una mujer. *¡La bebida! ¡Oh, mi querido Hamlet! ¡Me han envenenado!* Gertrudis, la madre de Hamlet, las palabras jadeaban bajo un cálido sol estival en el Globo.

Me incorporé, horrorizada. En el interior de Elsinore, la reina yacía sobre el suelo cubierto de juncos con una copa de vino derramada a sus pies.

No. No podía creerlo. Athenaide no. Ahora no.

Me incliné de nuevo sobre ella. *Respira.*

Mientras permanecía junto a ella, oí un débil chirrido y un *clic*. La puerta. Matthew había regresado. Estaba a punto de abrir la boca para decirle algo cuando un súbito presentimiento me hizo refrenarme. Al irse, éste no había cerrado la puerta. Por consiguiente, no era la puerta del vestíbulo la que se había abierto. Y entonces recordé el sonido; la puerta de la chimenea.

Me levanté. Lentamente, rezando para no pisar los trozos de cristal de la copa rota, me deslicé con cautela hacia la parte lateral de la estancia. En algún lugar de allí había otra puerta; había visto utilizarla a Graciela. El haz de luz de una linterna iluminó el centro de la estancia y me pegué contra la pared. Athenaide yacía tumbada boca arriba con los brazos y las piernas extendidos en el suelo y el vestido arrugado y manchado de vino. Algo suave me rozó la mano y me quedé paralizada. Miré a la derecha. Un tapiz. No tenía ningún otro sitio adonde ir; me deslicé detrás de él. En medio de la oscuridad, tenía que confiar en que fuera suficiente.

Unas pisadas se acercaron al centro de la estancia.

La luz de la linterna pasó por encima del tejido del tapiz que tenía delante y desapareció. Por mucho que me esforzara, no podía oír nada. Una hoja atravesó el tapiz justo a la izquierda de mi hombro. Me aparté, pero el cuchillo volvió a traspasar el tejido del tapiz y me arañó el brazo. Me eché hacia atrás y empecé a soltar puntapiés y entonces la barra de cortina que sujetaba el tapiz por arriba cayó, envolviéndonos tanto a mí como a mi agresor. Me agarró a través del brocado. Le di una patada pero unas manos me sujetaron por el cuello, enrollando con más fuerza el tejido a mi alrededor. Empezó a apretar. Agité violentamente las manos y las piernas, sintiendo que me hundía en un diluvio de oscuridad; unos cálidos puntos que semejaban explosiones de lava estallaron y dominaron mi visión. Hice un esfuerzo por conservar la conciencia. No le permitiría que me convirtiera en Lavinia. No se lo permitiría. Mi mano rozó un objeto duro en el suelo. El cuchillo.

Busqué a tientas el mango, lo agarré y descargué un golpe con todas mis fuerza, sintiendo que la hoja se hundía hasta la empuñadura. Pero mi atacante seguía sin soltarme. Volví a descargar un golpe. Se oyó un gruñido gutural y el asesino cayó sobre mí.

Me aparté de él rodando y me libré como pude del tapiz. En el suelo, la luz de la luna formaba un charco como de hielo. El cuchillo que sostenía en mi mano estaba pegajoso a causa de la sangre. Más sangre brotaba a través de la camisa del hombre tendido a mis pies.

Más pisadas a mi espalda. Me giré en redondo, blandiendo el cuchillo.

Era Matthew, todavía con el teléfono en la mano.

—No he podido encontrar... ¡Dios mío!

Retrocedí, sujetando aún el cuchillo.

—Kate, soy yo. No pasa nada.

Me puse a temblar.

Se acercó y me quitó el cuchillo de las manos, estrechándome en sus brazos.

—¿Qué ha ocurrido?

—Intentó matarme —contesté, señalando el cuerpo del suelo.

Matthew se agachó, retiró el tapiz y entonces vi un mechón de cabello gris.

Era sir Henry.

Me eché hacia atrás a trompicones.

Matthew se arrodilló, le tomó el pulso. Levantó los ojos y meneó la cabeza.

—¿Estabas detrás del tapiz?

Asentí con la cabeza.

—Polonio —dijo él.

El consejero del rey a quien Hamlet apuñala detrás de un tapiz.

Apenas le oí. ¡Había matado a un hombre! ¡Había matado a sir Henry!

—¿Y Athenaide? —preguntó Matthew.

Lo miré aterrorizada.

—Gertrudis —musité.

Se levantó y se acercó presuroso a Athenaide. Pero ella también había muerto.

—¡Kate! —Un rugido reverberó por las paredes.

Ambos permanecimos inmóviles. Era Ben.

—¿Dónde demonios está ése? —dijo Matthew en un susurro.

Ben volvió a gritar y fue como si toda la casa soltara un rugido. Estaba en el interior de los túneles ocultos en los muros de la casa, lo que significaba que podía estar en cualquier sitio. Podía surgir de cualquier pared, de cualquier puerta. O bien, podía salir de la chimenea de un momento a otro.

—Ten el teléfono —dije. Tomé el diario de Ophelia que descansaba encima de la mesa y me encaminé hacia la puerta. Matthew me siguió. Corriendo por el pasillo, nos abrimos paso hasta la parte trasera de la casa, tensando los músculos al llegar a cada puerta, a cada sombra que se movía. Llegamos por fin a una cortina que se movía ligeramente y que, desde Elsinore, daba acceso a lo que parecía un salón del Oeste. Matthew se adelantó y la descorrió. No se veía ningún movimiento en el bar.

Crucé la puerta. Fuera había un automóvil con el motor en marcha, pero no se veía a nadie dentro. Lo rodeé para acercarme al lado del piloto y me detuve de nuevo. Graciela yacía en el suelo junto a la puerta del piloto. La habían degollado.

Matthew se me acercó en un santiamén. Sacó el cuerpo de Graciela fuera del vehículo y se sentó al volante. Subí y lo obligué a desplazarse al asiento del copiloto. Cambié de marcha y aceleré tan rápido que las ruedas giraron velozmente sobre la grava mientras nos alejábamos rugiendo a través de la noche. La verja de la cumbre de la colina estaba abierta. La cruzamos como una exhalación.

Después oí las sirenas. Apartándome de la carretera, rodee la colina pasando por delante de un grupo de mezquites y apagué el motor y las luces. No era una protección demasiado buena, pero sí la mejor que se nos ofrecía en aquella campiña abierta. El amanecer ya estaba empezando a aclarar el cielo; si alguien pasara por allí con la intención de echar un buen vistazo, nos vería.

—¿Llamaste a la policía? —preguntó Matthew en voz baja.

—El teléfono lo tenías tú.

Frunció el entrecejo.

—A lo mejor, llamó Graciela antes de...

Su voz se perdió.

Momentos después una ambulancia pasó a toda velocidad por nuestro lado, seguida de la policía y los *sheriffs*. Nadie se detuvo.

Esperé tres minutos. Después, sin encender las luces, regresé otra vez a la carretera. A los cinco minutos ya estábamos circulando por la interestatal en dirección a Arizona.

41

—¿Adónde vamos? —preguntó Matthew.

—A casa de los Jiménez.

—¿Sabes dónde viven?

—Tenemos el teléfono de Athenaide.

Encontró la rellamada y hablé con la señora Jiménez, explicándole tranquilamente que Athenaide se había retrasado, pero que nosotros nos adelantaríamos. Nada de lo que le dije era exactamente mentira, pero tampoco nada era exactamente verdad.

Para la señora Jiménez, fue suficiente.

Nos dio instrucciones.

—¿Me quieres explicar la situación? —preguntó Matthew cuando apagué.

—No sabré nada más hasta que vea esa Biblia.

—Me refería a sir Henry.

Tenía las palmas de las manos sudadas y me pulsaban las sienes, pero meneé la cabeza. Había matado a un hombre. Había matado a sir Henry... Él, o Ben, o ambos habían envenenado de alguna manera a Athenaide y degollado a Graciela, y sir Henry había tratado de matarme a mí. Habíamos encontrado la obra magna, o estábamos a punto de hacerlo.

Yo había matado a sir Henry.

Contemplé la carretera. En el sur de Arizona y de Nuevo México, unas pequeñas cordilleras montañosas se entrecruzaban rodeando unas extensas cuencas convertidas en valles que antaño habían sido mares someros o inmensos lagos. Nos dirigimos hacia el oeste rodeando el extremo norte de las Chiricahuas y después atravesamos el flanco norte de la cordillera de Dos Cabezas. Cuando aquellas montañas empezaron a aplanarse y hundirse en la llanura, la autovía se curvó hacia el sur. En el este, una cinta plateada se encendió junto al borde superior de la cordillera de los Dragoons. Por encima de ella, la noche se estaba transformando poco a poco en una oscura magulladura. Cuando la autopista se dirigió al este rumbo a Tucson, proseguimos nuestro camino hacia el sur, tomando la autopista 80. Cerca de Saint David, adelantamos un tractor y seguimos circulando a toda velocidad.

La carretera empezó a ascender mientras nos dirigíamos a Tombstone. Poco antes de llegar a la ciudad, retrocedimos hacia el nordeste, circulando ruidosamente por un camino de tierra lleno de baches, y regresamos a la zona sur de los Dragoons. El cielo oriental se había encendido con un intenso color rojo sangre. Abajo, las montañas se habían vuelto más negras que la negrura. Eran enormes y pesadas, tenebrosos vestigios de un mundo más antiguo.

Seguimos dando botes por un camino para camiones, y pasamos por delante de un establo ennegrecido por los años, varios corrales con vallas de mezquite entretejido y oxidadas piezas de maquinaria agrícola, viejos camiones y arreos de montar. Bajo una arboleda de álamos, llegamos a una alargada casa de adobe de color rosa con un tejado de láminas de cinc. Adosado a la fachada de la casa, como si a alguien se le hubiera ocurrido la idea con retraso, había un porche encalado que parecía más apropiada de una casa de Iowa. Unos perros ladraron y trataron de morder las ruedas del coche, y unas gallinas cacarearon mientras subíamos por la cuesta. Una rechoncha mujer morena de suave piel aceitunada salió al porche secándose las manos en un trapo de cocina. La siguió un delgado y patizambo individuo con sombrero y pantalones de vaquero que bajó los peldaños del porche con una humeante taza de café en la mano. Portaba un inmenso revólver en una cartuchera que le colgaba del cinturón. Se quitó el sombrero, apartó con él a los perros ordenándoles que se estuvieran quietos y después se presentó a sí mismo y a su mujer como Memo y Nola Jiménez.

La señora Jiménez nos miró con inquietud.

—La Biblia no está a la venta —dijo con la suave cadencia propia de alguien más acostumbrado al español que al inglés.

El señor Jiménez asintió con la cabeza.

—Perteneció a la bisabuela de Nola.

Me incliné hacia adelante.

—Sólo quiero echarle un vistazo.

El ranchero contempló las oscuras montañas. Su cabello gris estaba aplanado alrededor de la coronilla de su cabeza a causa de la presión del sombrero que había llevado toda la vida.

—Hacía más de cien años que nadie se interesaba por el señor Granville. Pero ahora han venido tres como usted en dos semanas. Creo que tenemos derecho a preguntarles qué se llevan entre manos.

—El señor Granville encontró algo.

—Una mina de oro —musitó la señora Jiménez—. Mi bisabuela siempre creyó que había encontrado una.

—No hay ninguna mina de oro —la cortó el señor Jiménez con aspereza —. Allí arriba no. Oro, sí. Pero no el suficiente como para que mereciera la pena extraerlo. Dos o tres grandes grupos se creyeron las viejas historias y lo intentaron. Pero ellos ganaban dinero con metales menos brillantes.

La extracción de oro es un trabajo muy destructor. Exige dinamitar y abrir túneles. Excavar enormes pozos en la tierra. *Por favor*, recé aunque no supe muy bien a qué poder, *por favor, que no lo hayan destruido.* En voz alta dije:

—No se trata de una mina de oro, aunque él pudo haber dado a entender que sí había encontrado una.

Saqué el broche con su cadena y abrí la miniatura. Les conté la historia del padre William Shelton, enviado a esa zona de la Nueva España en 1626, y su desaparición mientras se dirigía al sudoeste de Santa Fe con una compañía de soldados españoles.

El señor Jiménez se frotó la barbilla.

—Santa Fe está muy lejos para ir a caballo. Y mucho más en aquella época, cuando todo era desconocido para los hombres blancos y el territorio estaba lleno de indios, que tenían todas las razones del mundo para odiar a los españoles.

—Jem Granville encontró los restos del grupo de Shelton —dije—. E hizo un denuncio del lugar.

La señora Jiménez miró a su marido y después se volvió a mirarme a mí.

—Tenemos cuatro de sus denuncios aquí mismo en el rancho. Mi bisabuela regentaba un bur... —Manoseó el trapo que llevaba en la mano— una pensión en Tombstone. El señor Granville era uno de sus huéspedes. Un buscador de minas, pero no como los demás. «Era de Inglaterra», decía mi madre, como si eso le otorgara algún lustre especial. Ella sonreía y yo me lo imaginaba con una aureola. Más tarde supe que mi bisabuela era francesa y que consideraba a los demás europeos almas gemelas civilizadas, atrapadas entre los rudos norteamericanos. —Alisó el trapo—. Siempre dijo que su inglés había encontrado una mina. Un día él se fue a las colinas, estas colinas de aquí, y jamás regresó. De eso hace mucho tiempo. Durante las guerras apaches. Por aquel entonces no era insólito que la gente no regresara. Tras su desaparición, mi bisabuela heredó sus cosas. Sobre todo, libros y unos cuantos denuncios de minas. Más tarde, cuando se fueron los indios, se casó de nuevo y se vino a vivir a este rancho. Así entramos en posesión de esta Biblia.

—Por favor, sólo quiero verla —bajé la voz—. Creo que el señor Granville señaló en ella la ubicación en clave del lugar donde encontró al grupo de Shelton.

—¿Por qué quieren saber eso? —preguntó la señora Jiménez.

—Por algo que Shelton llevaba consigo —contestó Matthew—. Oro literario.

Los Jiménez lo miraron con semblante inexpresivo.

—Un libro —expliqué—. Una obra perdida de Shakespeare.

Por un instante, nadie dijo nada. Después habló Matthew:

—Si nosotros estuviéramos en lo cierto, si el libro estuviera en sus tierras, podrían ganar una fortuna. Muchos millones sin duda.

—¿Por un libro? —preguntó el señor Jiménez en tono despectivo.

—Un manuscrito... —empecé diciendo, pero enseguida me detuve—. Sí, por un libro. Pero su valor también lo convierte en un objeto peligroso. Alguien está dispuesto a matar por él. Anoche asesinó a Athenaide.

La señora Jiménez se santiguó. La mano de su marido se acercó a su cinturón y fui incómodamente consciente de su revólver.

—Esto no es lo que usted me ha dicho esta mañana —protestó.

—Le pido disculpas.

—¿Sabe quién es el asesino?

—Se llama Ben Pearl. No creo que sepa dónde estamos, pero tampoco lo juraría.

—Eso no me gusta, Nola —dijo el señor Jiménez—. Que nosotros sepamos, estos dos han matado a la señora Preston. Y todo por un libro. —Meneó la cabeza—. Pero es la historia de tu familia. Tu Biblia.

La señora Jiménez giró sobre sus talones y entró en la casa. El sudor me empezó a bajar por la columna vertebral. ¿Acaso nos estaba dejando a la merced de los caprichos de su marido? Pero momentos después regresó.

—No creo que ustedes sean unos asesinos —dijo—. Y hay muchas cosas que podríamos hacer con un millón de dólares. Llevar un rancho como Dios manda, por de pronto.

Depositó en mis manos una Biblia con la cubierta agrietada y descolorida.

Lanzando un profundo suspiro, la abrí.

«Al principio, creo Dios el cielo y la tierra. Y la tierra estaba vacía y sin forma, y las tinieblas cubrían el rostro del abismo.»

Matthew alargó la mano y abrió el libro por la anteportada.

En la parte superior, alguien había escrito un nombre con una pulcra caligrafía: *Jeremy Arthur Granville*. Debajo, con letras más grandes e inseguras, había otro: ***Marie Dumont Espinosa***. Y debajo de él, con otra tinta y otra caligrafía, figuraba la relación de los nacimientos, bodas y muertes en distintas caligrafías y tintas correspondientes a todo un siglo.

Matthew frunció el entrecejo.

—Si hubo aquí alguna vez alguna clase de código invisible, escribieron encima de él.

Meneando la cabeza, pasé rápidamente las páginas del libro.

—Pero es que Ophelia dijo la página de la signatura —protestó Matthew.

—Estaba citando a Granville. «En mi obra magna jacobina, he indicado en clave la ubicación ____ 1623, la página de la signatura.» Todos interpretamos «P.S.» como *postscriptum*, es decir, posdata. Pero es que en la lengua inglesa también es la abreviación habitual del libro de los Salmos.

Hacia la mitad de la Biblia, llegué a los Salmos y me detuve.

—¿Y tú crees que escribió su nombre en una de sus páginas?

—Granville, no.

Pasé unas cuantas páginas más y alisé la página para mantener el libro abierto.

—Aquí no hay ninguna signatura —dijo Matthew.

Los Jiménez se inclinaron sobre la Biblia para mirar.

Señalé un salmo al final de la página de la izquierda.

—Lee.

Frunciendo el entrecejo, Matthew obedeció.

—Salmo cuarenta y seis —dijo—. *«God is our refuge and strength, a very present help in trouble. Therefore will not we fear, though the earth be removed, and though the mountains be carried into the midst of the sea»...** No lo entiendo.

A espaldas de Matthew, el cielo estaba pasando de rosa a melón y oro.

—Salmo cuarenta y seis —repetí—. Cuenta, hay cuarenta y seis palabras empezando desde arriba.

Frunció el entrecejo.

—Tú empieza a contar.

Deslizó los dedos por la página mientras contaba.

—Una, *God*. Dos, *is*. Tres, *our*... —Su voz se perdió mientras contaba en silencio—. Cuarenta y cuatro, *the*. Cuarenta y cinco, *mountains*. Cuarenta y seis, *shake*.

Alzó la vista.

—Y ahora cuenta cuarenta y seis palabras empezando por abajo.

* Dios es nuestro refugio y nuestra fortaleza, nuestro auxilio en las tribulaciones. Por eso no he de temer aunque tiemble la tierra, aunque se arrastren los montes en medio del mar... (*N. de la T.*)

—Estás de guasa.

—Cuenta.

—Una, *Selah*.

—Esta palabra no. Es una especie de notación musical o de exclamación en hebreo, no forma parte del salmo, en realidad. En cualquier caso, no hay que contarla.

—De acuerdo.

Volvió a empezar.

... cuarenta y cuatro, *sunder*. Cuarenta y cinco, *in*. Cuarenta y seis, *spear*. —Volvió a levantar los ojos—. Shakespeare —murmuró—. La página de la signatura.

Asentí con la cabeza.

—¿Quiere decir que Shakespeare escribió la Biblia? —preguntó la señora Jiménez en tono de incredulidad.

—No —contestó Matthew—, lo que ella está diciendo es que la tradujo. O que participó en la traducción.

—Eso parece, ¿no? —tercié en la conversación—. Se dice que la Biblia del rey Jacobo se terminó en 1610, un año antes de su publicación. Shakespeare nació en 1564. Lo cual significa que tenía cuarenta y seis años en aquel momento.

—De ahí el salmo cuarenta y seis —confirmó Matthew—. ¿Cómo lo has sabido...? Ah, claro, tus investigaciones sobre el Shakespeare oculto.

Esbocé una triste sonrisa.

—Unas investigaciones que Roz me dijo una vez que eran inútiles.

Matthew empezó a protestar, pero el señor Jiménez lo interrumpió.

—Alguien ha garabateado algo en esta página.

En efecto, alguien había destacado algunas letras con tinta negra y las había puesto en negrilla. Parecían unas señales hechas por un lector distraído. Pero Jem Granville no hacía señales en sus libros.

—No son garabatos. Es un código. Señora Jiménez, ¿tiene acceso a Internet?

Se levantó y nos indicó por señas que la siguiéramos. Se acercó a un desordenado escritorio, pinchó en el icono del navegador de Internet y se apartó a un lado para dejarme sentar a mí. Tecleé «Bacon» y «código» en Google y apareció la entrada de Wikipedia sobre el código de Bacon. Con un estupendo artículo de presentación.

El código de Bacon no requiere tinta invisible ni mensajes inventados; se puede introducir en él un mensaje secreto de cualquier texto que uno quiera. Basta elegir dos tipos de fuentes o estilos de letras: a uno se le llama «a» y al otro «b». El código utiliza las dos fuentes en distintas pautas de cinco letras cada una: cinco letras del texto utilizado como base constituyen una sola letra del texto secreto. De tal manera, por ejemplo, que la secuencia «aaaaa» significa *a*. Y la secuencia «aaaab» significa *b*. Lo que importa es la forma en que algo se imprime o escribe, no lo que dice el texto. Por consiguiente, hay que evitar llamar la atención con bobadas como «Tía Mabel se comerá un pollo rojo el jueves cuando vaya a merendar a la playa de Oxford», que dispararían las alarmas de cualquiera que estuviera buscando códigos.

En un trozo de papel, escribí la primera frase del salmo, diviendo las letras en grupos de cinco, en lugar de hacerlo en palabras. *God is our refuge and strength*:

G**od**i**s** / **o**u**rre** / **f**u**g**ea / **n**ds**t**r / **e**ng**th**

Debajo, convertí las letras no marcadas como *a* y las letras repasadas con tinta negra como *b*. Me salió una tontería. Entonces lo invertí, haciendo que las letras en negrilla equivalieran a *a* y que las demás equivalieran a *b*. A partir de ahí resultó bastante fácil descodificar el mensaje utilizando el código que yo había sacado de Internet:

G**od** i**s** = b**aa**b**a** = T

ou**r** **re** = **a**b**aaa** = I

fu**g**e a = **a**b**a**bb = M

nd s**t**r = **a**bb**a**b = O

Matthew y yo ya sabíamos cuál iba a ser la última letra, pero seguimos adelante de todos modos con el ejercicio de descodificación:

eng**th** = **a**bb**aa** = N

—Timón de Atenas —dijo Matthew—. En la página de la signatura de los Salmos. En el código de Bacon de 1623.

«Timón» es una de las obras menos leídas de Shakespeare, llena de negra bilis y amargura, acerca de un hombre que pasa de regalar alegremente todo su dinero para hacer felices a los demás a despreciar a toda la humanidad por su avaricia. Era también el nombre de uno de los denuncios de Granville.

—Uno de nuestros denuncios —puntualizó serenamente la señora Jiménez.

Matthew se echó a reír. Hacia el final de la obra, explicó, el desterrado Timón, que se muere de hambre, cava la tierra en busca de raíces y descubre oro.

«Todo lo que es oro no siempre reluce», había escrito Jem.

—¿Nos pueden llevar al lugar? —les pregunté a los Jiménez.

El marido miró a su esposa. Ambos se comunicaron sin palabras y después el hombre se rascó la barbilla y contempló la salida del sol.

—No está lejos a vuelo de pájaro, pero no es fácil hacerlo sin alas. ¿Saben montar?

A mi lado, Matthew asintió con la cabeza. Se había criado con ponis.

—Bastante bien.

—Una vez Memo llevó a la señora Preston allí arriba —dijo la señora Jiménez—. ¿Se lo dijo ella?

Meneé la cabeza.

—Era más terca que una mula —dijo el ranchero—. Más terca de lo que uno se hubiera podido imaginar a juzgar por su aspecto. Insistía en ver todos los denuncios de Granville. En busca de un pozo de mina, decía, aunque nunca dijo por qué. —Se encogió de hombros—. Tal como ya he dicho, no hay ningún pozo de mina. No parecía que en ninguno de aquellos denuncios se hubiera trabajado jamás. ¿Siguen empeñados en ir?

Asentí con la cabeza.

El señor Jiménez se volvió a encasquetar el sombrero en la cabeza.

—Vámonos, pues —dijo.

42

En el corral ayudamos al señor Jiménez a ensillar tres mulas, mejores que los caballos en terreno montañoso. Además, soportan mejor la sed. Tras subir las mulas a un remolque, nos pusimos en marcha hacia las montañas.

Hicimos descender a las mulas del remolque en un suave prado y les ajustamos las cinchas justo cuando el cielo ya empezaba a clarear. Mientras avanzábamos a la sombra de las montañas, nos envolvió el grisáceo frío que precede al amanecer. Íbamos dejando atrás la plateada hierba y los oscuros mezquitales y serpeamos entre matorrales de delgados y sedientos cactus. Unos muros de piedra de pálido color rosa se elevaban a ambos lados y enseguida empezamos a subir por un angosto cañón cuyo reseco y arenoso lecho estaba salpicado de piedras de gran tamaño. A cosa de un kilómetro y medio más adelante, los muros ya no eran más que unos escarpados despeñaderos interrumpidos aquí y allá por unos salientes cubiertos de maleza.

Al final, el señor Jiménez se detuvo en una ancha y herbosa cuenca cuyo borde superior se estrechaba por el lado oeste a causa de la presencia de una serie de gigantescas rocas.

—Éste es el denuncio Timón —dijo desmontando.

Tal como él había dicho, allí no se veía ninguna señal de trabajos de minería. En las laderas, unas extrañas plantas con unas delgadísimas y espinosas ramas, llamadas del doctor Seussian por su parecido con los dibujos del humorista doctor Seussian, crecían en forma de conos invertidos con la punta clavada en la tierra. A su alrededor, el terreno estaba salpicado de pequeñas pitas de color verde oscuro tan afiladas como lanzas. Ocotillos y magueys.

—No hay nadie en casa —dijo el ranchero—. Aquí arriba no hay más que águilas y pumas desde que expulsaron a los apaches.

Un agudo *yup-yup-yup* resonó en las paredes montañosas por encima de nosotros. Más arriba un ave inmensa se estaba elevando en espiral sobre unas corrientes invisibles. Un águila dorada. El cielo era de un brillante color azul, pero a nuestro alrededor el cañón aún descansaba en el pálido sueño del amanecer. Mientras contemplábamos el espectáculo, la mañana se derramó como oro líquido desde el borde del peñasco.

Más adelante, oí como un revuelo y vi una bandada de pájaros bajando al cañón hacia nosotros en un extraño y sincopado vuelo, Después oí un estridente chillido. Justo por delante de nosotros se desviaron a la izquierda, se volvieron a elevar, se arremolinaron y finalmente bajaron en espiral y se posaron en el suelo.

Me di cuenta de que no eran pájaros. Eran murciélagos, que penetraron en una oquedad del terreno. Desaparecieron como si se los hubiera tragado la tierra.

—Aquí hay cuevas —le comenté al señor Jiménez.

—Exacto. No son pozos de mina —dijo serenamente él—, son cuevas. A veces, cuando cabalgas por allí, los cascos de los caballos resuenan en la tierra.

—¿Athenaide lo sabía?

El ranchero se encogió de hombros.

—Ella preguntaba por pozos de minas.

Me acerqué al lugar donde habían desaparecido los murciélagos. Había una depresión en el terreno bordeada de jóvenes mezquites y otras clase de maleza de tamaño más pequeño. Empujé las plantas hacia atrás y vi un agujero de tamaño no más grande que el de mi cabeza. Respiraba y exhalaba un húmedo olor a musgo con un leve toque picante.

Inclinándose sobre mis hombros, Matthew arrugó la nariz. A su lado, el señor Jiménez se echó el sombrero hacia atrás y se rascó la cabeza.

—Vaya... Tal como ya he dicho, sabía que aquí había unas cuevas, pero jamás había visto una entrada.

Ni yo tampoco. Pero había leído lo bastante como para saber lo que estaba viendo.

—Pues ahora ya la ha visto.

Para alguien que no sea un poco más grande que un ratón con alas —observó Matthew—, no es que sea propiamente una entrada.

—Todavía no.

Asintiendo con la cabeza, el señor Jiménez regresó junto a las mulas y desató de la silla una pala y un par de palancas. Al primer golpe de la azada en la tierra, oímos una especie de furioso silbido, y nuestro acompañante me empujó hacia atrás mientras una serpiente de cascabel mordió la tierra donde antes había pisado yo. Momentos después, la culebra salió del agujero y huyó reptando entre la maleza.

Contemplé la escena con fascinada aversión. *Cleopatra*, pensé. La víspera sir Henry había tratado de convertirme en Polonio; pero yo lo había matado a él. ¿Hasta qué extremo hubiera sido apropiado que, en penitencia, yo hubiera muerto accidentalmente tal como lo había hecho una reina shakespeariana?

—¿Puede haber más serpientes en el sitio de donde ha salido? —preguntó Matthew con inquietud.

El señor Jiménez soltó un escupitajo.

—Lo dudo. No es una buena época del año para que permanezcan ocultas en sus guaridas. Además, la hemos molestado y por eso ha salido. Si hubiera habido otras, habrían hecho lo mismo.

Hubiera tenido que preverlo, pensé. Si mi intención era entrar en aquella cueva, para salir con vida de ella tendría que ser mucho más cautelosa.

El terreno que rodeaba el agujero estaba bastante suelto. Aun así, el trabajo de retirar la roca y la tierra fue muy duro. Fueron necesarias dos horas para ensanchar la abertura lo suficiente para que Matthew pudiera arrastrarse al interior. Más allá se abría una grieta o un conducto de sólida roca. Matthew se abrió paso encorvando la espalda y después volvió a salir culebreando.

—Dentro se ensancha un poco. No mucho. Pero es suficiente para poder entrar. Pero necesitaremos linternas.

Me incliné para mirar. La luz no llegaba muy lejos; más allá, la oscuridad era absoluta. Pero no el silencio. Se oían los chillidos de los murciélagos.

—¿Alguno de ustedes ha explorado cuevas? —preguntó el señor Jiménez.

—Yo —contesté.

Me lanzó una mirada de reprobación.

—¿Seguro que lo quiere hacer?

«La tierra carecía de forma y estaba vacía y las tinieblas cubrían la faz del abismo.» Los primeros veranos que había pasado en casa de tía Helen, había entrado en algunas cuevas siguiendo el ejemplo de unos chicos de un rancho de la zona. No porque en realidad me apeteciera, sino porque ellos me habían desafiado a hacerlo. Lo había hecho el tiempo suficiente para demostrarles que mi temple era igual al suyo, pero después lo había dejado. Había aprendido lo más elemental acerca de las cuevas, pero aun así nunca había sido la primera en entrar, y aquellas cuevas, aunque técnicamente todavía no hubieran sido exploradas, habían sido a lo largo de los últimos cincuenta años el patio de recreo de los temerarios adolescentes de tres condados. No tenía por qué encabezar la marcha al interior de una cueva inexplorada.

Por otra parte, no me podía permitir el lujo de esperar. Ben no se lo permitiría con toda seguridad.

Lentamente, asentí con la cabeza.

—Si entra ella, yo la acompaño —dijo Matthew.

—No tienes por qué hacerlo.

—Estás loca si piensas que vas a entrar tú sola.

Quizá hubiera tenido que protestar un poco más. Pero la primera regla de la exploración de cuevas es nunca ir solo.

El señor Jiménez regresó junto a su mula y esta vez sacó dos viejos cascos maltrechos y llenos de arañazos, de esos que llevan luz incorporada.

—Eran de nuestros chicos —explicó—. Nola pensó que nos podrían ser útiles. Son muy viejos, pero las baterías son nuevas.

—Sólo hay dos —dije.

El ranchero empezó a atar la pala a la silla.

—No voy a ir con ustedes. Para mí no tiene nada de divertido eso de meterse en las profundidades de la tierra. Pero les dejo una radio. Cuando salgan, me llaman y vendré a recogerles.

Me enseñó cómo utilizar la radio emisora y receptora y nosotros encontramos un buen lugar donde dejarla, encajada entre unas rocas. Después montó y se fue, llevándose las tres mulas. Fui consciente de la sensación del sol y el viento en todos los centímetros de mi piel y de mi ropa; tardaría un buen rato en volver a experimentarla. Estudié el horizonte y no vi más que el viento agitando la pálida hierba y, muy por encima de nuestras cabezas, el águila volando en espiral.

—Anda cerca, ¿sabes? —dije en voz baja—. Ben. Va a venir.

«Roz se cambió el nombre —me había murmurado en la biblioteca—. Quizá le tendríamos que cambiar también el suyo.» Por el de Lavinia. A pesar del sol, me estremecí.

Matthew me rodeó los hombros con un brazo en un gesto protector y luego me abrazó.

—Primero tendrá que pasar por encima de mi cadaver antes de tocarte un pelo.

La entrada de la cueva parecía un siniestro agujero desgarrado en el tejido de la mañana. El enamorado de Lavinia había sido asesinado delante de sus ojos y abandonado en un agujero como aquél, en un páramo desierto. «Un oscuro hoyo sediento de sangre», lo había llamado Shakespeare. Y después ella... Aparté de mi mente semejante pensamiento y miré a Matthew con una débil sonrisa en los labios.

—Gracias.

—Por Shakespeare —dijo inclinándose para darme un beso.

Por la verdad, pensé, *sea lo que sea*.

Nos colocamos los cascos y encendimos las luces. Me guardé cuidadosamente el broche con su cadena dentro de la camisa. Y después nos arrastramos hacia la oscuridad.

43

«Las tinieblas cubrían la faz del abismo.»

El túnel era guijarroso y bajaba en una acusada pendiente hacia las entrañas de la tierra. Las paredes se estrechaban a nuestro alrededor de tal manera que teníamos que arrastrarnos sobre el estómago y en algunos lugares el pasadizo era tan estrecho que tenía que contener la respiración para poder pasar por entre la roca. El aire olía a moho y humedad. Arriba, se oían los chillidos de los murciélagos. La luz de mi casco sólo iluminaba una distancia inferior a dos metros; más allá, la oscuridad era un ente palpable y malévolo, cargado con todo el peso de la antigua cólera dormida de las montañas. Avanzamos a rastras durante una o tal vez dos horas, pero probablemente tan sólo recorrimos menos de un kilómetro. Allí el tiempo era irrelevante.

De repente, mis manos resbalaron por una especie de húmedo estiércol mientras un acre olor a amoníaco me traspasaba los pulmones. Ya no había más túnel. Miré hacia arriba.

Y volví a bajar rápidamente la mirada. El techo estaba cubierto de murciélagos apiñados como las abejas de una colmena, mirando hacia abajo con sus brillantes ojos. Cuando vieron las luces de las linternas, se convirtieron en una nube que empezó a dar vueltas y a chillar por encima de nuestras cabezas. Me arrodillé sobre el estiércol, cerré los ojos y me cubrí las orejas hasta que, poco a poco, se fueron calmando y se volvieron a posar en el techo.

Entonces me di cuenta de que el estiércol se movía.

No era estiércol. Era más bien una especie de guano. Estaba vivo y lleno de grillos, ciempiés y arañas, translúcidas y ciegas.

Recorrimos la cueva a gatas, procurando no prestar atención al correteo de los insectos y al zumbido del aire agitado por los murciélagos. No era un espacio muy grande, tendría unos diez metros de longitud; pronto llegamos a otro túnel que se hundía más profundamente en las entrañas de la cueva. Tuvimos que trepar por unas rocas para alcanzar la abertura. Me agaché y me senté apoyada contra la pared de piedra, respirando afanosamente.

—¿Quieres descansar? —me preguntó Matthew.

En la oscuridad, vi al doctor Sanderson, a la señora Quigley y a Athenaide. «Síguelo hasta donde te lleve», murmuró la voz de Roz. Pero yo no podía evocar su rostro. Meneé la cabeza y me volví a levantar.

—Vamos.

El pasadizo era lo suficientemente alto como para permitirnos avanzar agachados, con una mano apoyada en el techo y la cabeza inclinada para iluminar el suelo con las linternas del casco. Aquí el guano era más escaso y no tardó en desaparecer del todo. Tampoco había murciélagos en esta zona de la cueva.

El pasadizo giró hacia un lado. Palpé el espacio vacío con la mano y me detuve. Antes de que pudiera evitarlo, Matthew avanzó por mi lado y, de repente, se tambaleó y resbaló por un saliente rocoso. Alargando la mano, lo agarré por el brazo y ambos caímos hacia atrás en el pasadizo. Por un instante, permanecimos tumbados en el suelo, tratando de recuperar la respiración.

Matthew se incorporó primero.

—No lo vuelvas a hacer —le reñí entre dientes—. Si yo me detengo, tú te detienes.

—De acuerdo.

—Hablo en serio. Si no respetas la cueva, ella te mata rápidamente. O, si tienes muy mala suerte, te mata despacio.

—De acuerdo. Lo siento. Pero ¿has visto eso?

Me incorporé y miré.

Delante de nosotros no había una grieta abriéndose a un abismo insondable sino, menos de un metro más abajo, una suave superficie de barro que se extendía como si fuera de mármol pulido. Al parecer, nos encontrábamos al final de una inmensa sala. No tenía ni idea de cuál podía ser su tamaño... Allí la oscuridad era vacío, no presión. «La tierra carecía de forma y estaba vacía.»

Pero no era cierto. El trecho de pared que alcanzaba a ver estaba cubierto de algo que parecía unas onduladas cortinas de vidrio fundido y que, bajo la luz de la linterna de mi casco, brillaba con reflejos rojos, anaranjados y rosas, amarillos y caléndulas: todos los matices del sol que aquella cámara jamás había visto.

—¡Hola! —gritó Matthew, y el sonido reverberó en mil hendiduras, intensificándose y arremolinándose por todo el espacio abierto de la cueva.

Como respuesta, lo único que pudimos oír fue un chapoteo de agua, también magnificado y repetido, un áspero y apagado ruido, semejante a un martillazo, la acción mediante la cual aquel lugar se había estado construyendo desde mucho antes de que los seres humanos saltaran de los árboles y se desplegaran por toda la sabana africana.

Matthew señaló con el dedo. Un poco más adelante, un rastro de pisadas penetraba en la sala por la izquierda. Alguien había caminado antes por allí.

Con mucho cuidado, me deslicé por el saliente. Me hundí en el barro hasta los tobillos. Todo estaba consoladoramente silencioso. Avancé unos pasos sin apartarme de la pared y me di cuenta de que habíamos entrado en el espacio por la parte posterior de lo que parecía un pequeño vano, una minúscula capilla excavada en la parte lateral de la nave de una catedral. Delante y detrás, unas columnas de húmeda y brillante piedra se elevaban en la oscuridad más allá de lo que alcanzaba la luz de mi linterna.

Cruzando nuestro camino, había otro rastro de pisadas. Nos interesaba el intruso, no el templo, y por consiguiente avancé hacia donde estaban las pisadas. Cualquiera que fuera la altura que hubiera tenido el techo anteriormente, ahora era inconmensurable. Me agaché para examinar las huellas.

Botas. Dos pares... Me incliné un poco más. Dos personas habían entrado en la cueva, pero sólo una había salido. No... el mismo par de botas había entrado dos veces, siguiendo el mismo camino. La misma persona había entrado dos veces. Pero sólo había salido una vez. Por un instante ambos permanecimos en silencio delante del rastro. Después volví a recorrer la cueva con la mirada.

Procuramos no apartarnos del primer rastro. Éste seguía en buena parte la pared principal, rodeando las columnas de piedra. Pero detrás de una de ellas tan grande como una vieja secuoya una sola línea de huellas se desviaba en la oscuridad. Miré una vez a Matthew y seguí adelante.

No tuvimos que ir muy lejos.

Fui yo quien vio primero la calavera. Estaba apoyada contra la parte posterior de la columna. Había jirones de ropa enganchados al esqueleto. Un revólver Colt descansaba a su lado. Pero fue la hebilla del cinturón la que nos permitió identificarlo. «JG.»

Jem Granville.

Era imposible determinar la causa de la muerte. No vimos ningún orificio de bala en el cráneo, ni ninguna flecha clavada en el esqueleto. Tampoco ningún libro. Una rápida revisión de sus bolsillos no nos permitió encontrar papel alguno.

—Maldita sea —rezongó Matthew—. ¿Y ahora qué?

Otro goteo resonó en la cueva.

—Adelante —dije en tono sombrío.

Seguimos el rastro de sus huellas —ahora uno de entrada y otro de salida— hasta el otro lado de la sala. En su extremo más alejado, llegamos a una pendiente de cantos rodados que se elevaba hacia el techo. Unas embarradas huellas de botas conducían hacia arriba. Pisé la pendiente cubierta de guijarros y trepé. Bajo nuestros pies, una roca de gran tamaño se desprendió y ambos nos tumbamos boca abajo mientras una pequeña avalancha de gravilla y fragmentos de roca se deslizaba sobre el barro. Permanecimos inmóviles hasta que cesó el ruido a nuestro alrededor. Había sido una estupidez. Una estupidez descomunal. Sobre todo después del pequeño sermón que yo le había echado a Matthew. Un movimiento de una roca bastaba para que te torcieras un tobillo o te dislocaras una rodilla, y uno de nosotros o los dos nos quedáramos sepultados.

Después del percance, reanudamos la subida muy despacio y casi a gatas, tanteando todas las rocas. Al final, quizás unos dieciocho metros más arriba, llegamos al techo de la cueva. Lo que nos había parecido una sombra resultó ser una abertura. Dos superficies planas de piedra se habían partido en determinado momento, formando un pasadizo en forma de uve con el suelo cubierto de grava.

Unas pisadas sucias de barro nos precedían en la oscuridad. Las seguimos serpeando y doblando esquinas mientras las pisadas se volvían cada vez más pálidas y polvorientas. Nos encontrábamos a medio camino entre el suelo y el techo de una sala más pequeña, la «sacristía» de la «catedral» que teníamos a nuestra espalda. A nuestros pies, un desnivel rocoso se prolongaaba hacia abajo. A la izquierda, las rocas se derramaban sobre un ancho saliente de un metro y medio o dos de altura que se extendía por todo un lado de la sala. Bordeada de columnas, sus paredes estaban recubiertas de la misma ondulante piedra que cubría las paredes de la sala principal, pero aquí la piedra estaba seca y muerta, tan reseca como unas momias o unas alas de mariposas sin vida. A la derecha, el desnivel de la roca se extendía hasta el extremo inferior del suelo de la cueva. Un círculo de rocas manchadas de hollín rodeaba los restos de una antigua hoguera de campamento. A un lado estaban los esqueletos de dos caballos, cuyos cráneos parecían mirarnos de soslayo. ¿Cómo habrían llegado hasta allí? Más allá, la sala terminaba en un montículo de enormes piedras. No parecía que hubiera ninguna otra alternativa; la sala era un callejón sin salida.

Bajé hacia la izquierda en dirección al saliente. Matthew me siguió. La luz de las linternas de nuestros cascos se proyectaba contra unas alargadas y móviles sombras, más allá de las columnas. Detrás de éstas y cerca de la parte posterior del saliente, había varios montículos de piedras. Mientras nos acercábamos a ellos, conté cinco. Una mano más cuidadosa que la naturaleza les había conferido una forma alargada. Y cada uno estaba rematado por las afiladas curvas de un yelmo. El yelmo de los conquistadores españoles.

—Son tumbas —murmuré, y las paredes se apoderaron de mis palabras y las hicieron retumbar a nuestro alrededor.

Al pie de cada montículo descansaba una serie de pertrechos: una espada, una cota de malla, una bolsa de cuero podrida. Matthew cayó de rodillas delante del primer montículo y empezó a examinar cuidadosamente el hallazgo. Yo seguí adelante, contemplando cada una de las tumbas y preguntándome por los soldados que yacían enterrados.

Hallé una sexta tumba oculta detrás de la columna del fondo. El último hombre, pues no había tenido a nadie que lo cubriera con piedras. Tampoco tenía un yelmo que señalara su sepultura. Pero se había tumbado boca arriba con las manos cruzadas sobre el pecho. Vestía un hábito gris con una cogulla echada sobre la cabeza, de tal manera que apenas permitía ver el cráneo que había debajo. Hubiera podido parecer la Muerte, sólo que sus huesudos dedos sujetaban un crucifijo de gran tamaño en lugar de una guadaña.

¿Sería el joven dorado al que habían cantado los sonetos?

Bajo sus pies descansaban unas alforjas.

Me arrodillé y abrí una de las alforjas con trémulos dedos. Dentro había un libro. Lentamente lo saqué y lo abrí.

EL INGENIOSO
HIDALGO DON QVI-
XOTE DE LA MANCHA
Compuesto por Miguel de Cervantes
Saavedra

Escondido en la parte de atrás había un fajo de papeles. Los desdoblé. Estaban escritos con una apretada caligrafía de difícil lectura. Escritura cursiva inglesa. En la parte superior de la primera página figuraba una palabra:

Cardenio

Después del título, la obra estaba escrita en inglés: «Entran el escudero Sancho y Don Quijote».

Con el corazón galopando en mi pecho y la garganta seca, me abrí camino a trompicones hasta una piedra donde sentarme. La obra perdida. No había duda.

La obra empezaba, igual que en Cervantes, con el hallazgo por parte del viejo caballero y de su escudero de una maltrecha maleta en una desolada montaña. En la maleta había un pañuelo lleno de escudos de oro y un librillo ricamente encuadernado.

«Tú quédate con el oro, amigo Sancho —decía don Quijote—. Yo me quedaré con el librillo.»

Era justo lo que Jem Granville había dicho que era: un manuscrito jacobino de *Cardenio*... la obra perdida de Shakespeare.

—Matthew —llamé suavemente—. Mira esto.

No contestó.

Volví la cabeza. No estaba junto a la tumba donde lo había dejado. Me di cuenta de que la de mi linterna era la única luz de la cueva. Me levanté y retrocedí unos pasos.

—¿Matthew?

Pero la cueva estaba desierta. Sentí el cosquilleo de unos ojos que me vigilaban. A mi alrededor, resonando como un eco en las paredes, las columnas y las piedras caídas, oí el silbido de una espada al ser desenvainada.

44

Eché a correr. Al final del saliente, traté de trepar a gatas por la cuesta de rocas hacia la salida, pero sentí que me agarraban una pierna y me arrastraban de nuevo hacia abajo. Se me cayó el casco y éste se alejó rodando hasta detenerse, con la luz inútilmente apuntando hacia la pared. Me revolví dando media vuelta y la alforja alcanzó a mi agresor con un sordo ruido. Oí una brusca aspiración de aire y una maldición y conseguí soltarme. Mi perseguidor se abalanzó sobre mí a mi espalda y tropecé y caí sobre una rodilla. Dando puntapiés a mi espalda con la otra pierna, golpeé algo. Pero él se abalanzó de nuevo sobre mí y esta vez me agarró por la cintura y me arrojó al suelo con tal fuerza que la alforja se me escapó de la mano y se perdió en la oscuridad. Antes de que pudiera moverme, mi atacante se me echó encima y sus manos me rodearon la garganta.

Era Matthew.

—*Entra Lavinia* —dijo— *con la lengua cortada, las manos cortadas y violada.*

Sin podérmelo creer, intenté arañarle el rostro, pero él me agarró por la muñeca y me obligó a apartar la mano. En medio de la oscuridad, vislumbré un brillo metálico y sentí una navaja contra la mejilla, rozándome la piel con la punta, justo por debajo del ojo derecho.

Me quedé callada.

—Eso ya está mejor. —Soltándome la muñeca, bajó la mano y me agarró los vaqueros—. Primero la violación, creo. —Me deslizó la mano por el muslo—. No es el escenario que tenía previsto, pero no importa.

Se oyó un ruido apagado y la navaja cayó ruidosamente al suelo mientras alguien levantaba a Matthew y lo arrojaba a un lado.

Éste pegó un brinco contra su agresor y fue derribado al suelo. Me aparté rodando y me levanté, respirando afanosamente.

Un poco más allá, vi mi casco tristemente abandonado en el suelo, con la linterna arrojando una fantasmagórica luz. Matthew yacía tumbado con los brazos y las piernas separados, al pie de una de las tumbas. Llevaba el casco todavía puesto, pero su luz se había apagado. Ben permanecía de pie por encima de él, apuntándole al pecho con su arma.

—¿Qué está haciendo? —le pregunté con la respiración entrecortada.

—Le echo una mano —repuso él, sin apartar los ojos de Matthew.

—Pero ¿cómo...?

Me cortó.

—Siguiéndole la pista. ¿Está bien?

Me acerqué la mano a la mejilla. Estaba sangrando, pero el corte no parecía grave.

—Sí. Pensé que usted era el... el asesino.

—Me lo imaginé —dijo Ben.

—Pero no lo es.

—No, no lo soy.

—Menuda pareja monosilábica estáis hechos —terció Matthew.

Le miré con rabia, y una sensación de repugnancia me invadió todo el cuerpo. Toda la dulzura que últimamente había estado derramando sobre mí había sido una mentira, toda la dulzura y también la promesa de protegerme—. Durante todo este tiempo... has sido tú, tú y Athenaide.

—*Vero nihil verius* —contestó con una sonrisita de desprecio—. Nada es más verdadero que la verdad.

Fruncí el entrecejo.

—Pero sir Henry...

Soltó una carcajada.

—Qué inesperado, ¿verdad? Probablemente él pensó que tú habías matado al viejo murciélago. A lo mejor, pensó que tú eras yo. ¿Quién sabe? Pero te debo ese trabajo. Un problema menos por el que preocuparme. Lo demás fue casi todo obra mía. En la escalera del Támesis, en tu apartamento...

—¿Fuiste tú? ¿El hombre en las sombras eras tú? En la biblioteca, en el Capitolio...

—Bravo, cariño. Finalmente lo estás empezando a comprender. Aunque no sin una significativa ayuda.

—Te ha superado por lo menos un par de veces ella solita —dijo Ben—. Por consiguiente, yo que tú no presumiría demasiado a no ser que quieras hacer el ridículo.

Matthew lo miró con expresión malhumorada.

—Tú también eres Wesley North, ¿verdad? —le pregunté.

Se rió.

—No te precipites, Katie. Lo de César en el Capitolio fue obra mía, por supuesto. Pero yo no soy tu valioso profesor North. Éste era Roz.

¡Roz!

—North, Wes T. —dijo—. Como *North by Northwest**.

La cabeza me daba vueltas.

—¿Roz era oxfordiana?

—Qué va. Ella lo que quería era el dinero. Y Athenaide se lo estaba ofreciendo a espuertas.

No, pensé. Tal vez Matthew tuviera razón en parte, pero a Roz le hubiera gustado mucho más el doble desafío de la disputa y la simulación.

—Me hubiera conformado con desenmascarar su impostura —dijo Matthew—, pero después descubrí que había encontrado efectivamente algo. Le ofrecí más de una oportunidad de compartirlo conmigo, pero no quiso. Me había pasado años interpretando el papel de fiel seguidor, había sido el hombre en el que ella se apoyó cuando tú te fuiste, pero aun así, cuando necesitó un colega, me rechazó y se fue corriendo a buscarte.

—Tras haberme echado.

* Título original en inglés de la película de Alfred Hitchcock *Con la muerte en los talones*. (*N. de la T.*)

En sus ojos se encendió un destello de malicia.

—¿Poniendo en duda tu erudición? Eso también fue obra mía. Roz jamás pensó que no fueras brillante. «Kate no es una auténtica erudita.» Esta pequeña crítica me la inventé yo. Y después hice correr la voz de que había sido ella quien lo había dicho. Muy fácil en el ambiente académico, en el que tanto abundan los rumores.

Di un paso adelante con los puños apretados.

—¿Por qué?

—Estaba harto de que siempre me mantuviera uno o dos peldaños por debajo de ella. Y lo que menos quería era que me propinara un puntapié y me obligara a bajar un poco más para dejarte sitio a ti. Roz ya llevaba mucho tiempo siendo la máxima autoridad en Shakespeare. Ya era hora de que se fuera y, de esta manera, yo habría sido su sucesor. Yo ya me había ganado mi puesto en Harvard. Pero ella estaba maniobrando para apartarme a un lado y coronarte a ti.

—Tú estás hablando de la fama, Matthew. Pero eso es tan poco transferible como la integridad o el honor. Roz no podía traspasar su fama ni a ti, ni a mí, ni a nadie.

—Puede que no. Pero yo había abierto un espacio en el centro del escenario, ¿verdad? Y nadie está en mejores condiciones que yo para ocuparlo.

—Un punto discutible en este momento —dijo Ben—. ¿Por qué matar a Athenaide, tu socia?

Matthew entornó los ojos.

—Roz no quería compartir su hallazgo. Y descubrí que yo tampoco. —Paseó su mirada por mi rostro y los vaqueros todavía desabrochados y luego se encaró con Ben—. De la misma manera que tú tampoco quieres compartir el tuyo.

Ben apretó con más fuerza la pistola que sostenía en la mano y, sin apartar los ojos de Matthew, me dijo:

—Kate. Recoja lo que ha venido a buscar aquí. Y, si encuentra algo para atar a este indeseable cuando lleguemos arriba, nos vendría muy bien.

Me deslicé por el borde del saliente y salté. La alforja descansaba cerca del círculo de la hoguera. El volumen del *Quijote* había ido a parar un poco más allá, con los papeles esparcidos a su alrededor. Lo recogí todo y examiné el suelo de la cueva para comprobar que no me dejaba nada.

Lo metí todo en la alforja y me volví, preguntándome qué podríamos utilizar a modo de cuerda. En el saliente de arriba, Ben continuaba apuntando a Matthew con su arma.

A sus espaldas vi moverse una sombra. Permanecí inmóvil mientras sir Henry emergía en silencio de la oscuridad.

No era posible. Yo lo había matado.

Pero allí estaba, y algo brillaba en su mano. Una aguja. Una aguja en el extremo de una jeringa.

A Roz la habían matado con una jeringa, con una jeringa llena de potasio.

Levantó la mano y grité.

Ben dio media vuelta, agarró el brazo de sir Henry y la jeringa se le escapó de la mano y cayó al suelo. Al mismo tiempo, Matthew se levantó de un salto para abalanzarse sobre Ben. Éste neutralizó el golpe y la pistola cayó al suelo.

Sir Henry se agachó para recogerla, pero Ben logró alejar el arma de un puntapié. Una vez más, la décima de segundo de atención que le había dedicado a sir Henry le costó un nuevo golpe por parte de Matthew.

Éste volvió a abalanzarse sobre él, pero esta vez Ben se agachó y, cuando se volvió a incorporar, sujetaba una navaja en la mano. Tanto sir Henry como Matthew retrocedieron uno o dos pasos. Pero enseguida volvieron a la carga.

Poco a poco, implacablemente, fueron haciendo recular a Ben. Para defenderse, él les lanzaba navajazos, primero al uno y después al otro. Si Matthew lograba esquivar el arma blanca, sir Henry recibía una patada, o a la inversa. Poco a poco, Ben estaba recuperando el terreno perdido.

Yo no sabía si ir a recoger la pistola. Comprendí lo que Ben estaba haciendo: estaba apartando a Matthew y a sir Henry de la boca de la cueva. Y con cada navajazo desviaba la atención de ambos de mí. También se estaba acercando progresivamente a su pistola, la cual se encontraba en algún lugar a su espalda, en el suelo del saliente. Me pareció que, con unos cuantos pasos más, la tendría a su alcance.

Si me acercaba a recogerla, estropearía los esfuerzos que él estaba haciendo para protegernos a los dos.

Empecé a deslizarme hacia la pendiente rocosa que conducía a la entrada superior de la cueva, procurando mantenerme a la sombra del saliente. Al llegar al pie del corrimiento de rocas, comencé a trepar. Oí un silbido a mi espalda y me volví. Arriba, en el saliente, Matthew había encontrado un largo trozo de madera o metal al pie de una de las tumbas y lo estaba blandiendo como si fuera una estaca. Ben había perdido su ventaja inicial.

Aun así, se abalanzó sobre Matthew y le clavó la navaja. Matthew gritó y le propinó un golpe en el hombro con el arma improvisada. Ben se tambaleó, pero consiguió conservar el equilibrio.

Me volví de nuevo hacia la pendiente. Me encontraba a medio camino de la pedregosa cuesta, cuando tropecé con una piedra suelta, lo que desencadenó un ruidoso deslizamiento de guijarros. Mientras se volvía, sir Henry lanzó un grito y Matthew cruzó de un salto el saliente rocoso y corrió para cortarme el paso hacia la salida.

Seguí trepando. Matthew corrió de nuevo y cayó ruidosamente sobre la pendiente cubierta de grava a escasa distancia por encima de mí.

Oí una especie de zumbido y me agaché. Matthew se tambaleó. La navaja de Ben se había hundido en su hombro. Lanzando un grito de rabia, se arrojó contra una roca.

—¡No! —gritó Ben.

Pero Matthew se apoyó todavía con más fuerza. Por un instante, todos contemplamos el tambaleo de la roca. Después ésta cayó y otras rocas empezaron a deslizarse. De repente, toda la pared rocosa se estaba derrumbando. Ben se lanzó corriendo hacia mí y me empujó al otro lado de la cueva. Desde algún lugar se oyó el grito de un hombre. La tierra se estremeció y rugió y después reinó el silencio en la cueva.

Iluminado por el resplandor de la linterna de un casco, el polvo de los siglos se arremolinaba a nuestro alrededor como una oscura niebla. Levanté la cabeza. A medio camino de la cuesta, Ben permanecía medio enterrado entre las rocas, con una pierna atrapada bajo una losa de granito. Un poco más arriba, Matthew estaba de rodillas, gimiendo. Donde antes se encontraba la hendidura, no se veía ninguna abertura, sólo una empinada y sólida ladera de piedras de gran tamaño.

La salida había desaparecido.

Me levanté y me acerqué a trompicones a Ben, pero sir Henry llegó primero.

—Los planes mejor preparados... —murmuró, mirando a Ben con semblante afligido.

Se había encasquetado mi casco en la cabeza; de allí procedía la luz. Después vi que también se había apoderado de la pistola de Ben. Eché a correr, pero sir Henry levantó el brazo y efectuó un disparo. Matthew se desplomó y quedó tumbado en el suelo. Sir Henry le había disparado al pecho. Pasando junto a Ben, se acercó al cuerpo de Matthew y le disparó en la cabeza.

Ahogué un grito y sir Henry se volvió.

—No le haga daño —le gritó Ben, respirando con dificultad.

—Vuelva atrás —me dijo sir Henry, apuntándome con la pistola que sostenía en la mano.

—Yo le maté —dije—. En casa de Athenaide.

—Vuelva atrás —me repitió.

Retrocedí unos cuantos pasos a trompicones.

—Yo le maté.

Una expresión de pesadumbre le atravesó el rostro.

—Olvida, querida, que soy actor.

—Pero había sangre —dije.

—Casi toda de Graciela —hizo una mueca—, aunque usted también me pinchó una o dos veces. Sin embargo, me temo que lo que usted mató fue uno de los almohadones de Athenaide.

Apuntándome con el arma que sostenía en una mano, empezó a cruzar el corrimiento de rocas.

—No lo entiendo.

—Él es el asesino, Kate —me dijo Ben, rasgando el silencio—. El otro asesino.

Me pareció que la mente me estaba funcionando muy despacio. Los asesinos no eran Matthew y Athenaide, sino Matthew y sir Henry.

—¿O sea que fue usted desde el principio? ¿Usted era el cómplice de Matthew?

—No, él era mi cómplice —dijo sir Henry—. Un tenaz pensador, aunque no demasiado ingenioso. Hacía bien las cosas siguiendo las normas, pero en cuanto alguien lo obligaba a apartarse del guión, tal como hizo usted en el Capitolio, estaba perdido. Mientras que la característica de un gran actor es la capacidad de improvisar. Roz, por ejemplo, me llamó la atención sobre el aniversario del incendio del Globo y yo me aproveché de ello, aunque no incendié el teatro, tal como la gente viene diciendo —dijo en tono enojado—. Me limité a incendiar la sala de exposiciones y los despachos. Y usted me dio la idea de convertir a Roz en el padre de Hamlet aquella tarde en el Globo. La escena con Jason fue encantadora. Y usted tampoco estuvo nada mal en el papel de Hamlet.

—¿Usted mató a Roz?

Su pesadumbre se acentuó.

—Había que pararle los pies. Fue una muerte preciosa. Muy shakespeariana.

—La de Matthew no ha sido shakespeariana.

—Estaba a punto de traicionarme. No se la merecía.

—¿Y las demás? ¿Cuántas muertes más han sido obra suya?

—A cada cual lo suyo. Ophelia y César fueron obra de Matthew.

—¿Cómo se las arregló para conseguir que él le hiciera el trabajo sucio? —le preguntó Ben.

Sir Henry llegó al extremo más alejado del corrimiento de rocas y se detuvo para enjugarse la frente.

—Dinero y fama. Un anzuelo muy fácil. Pero lo que realmente lo indujo a participar fueron los celos. Envidiaba mucho a Roz. —Clavó su mirada en mí—. Y a usted también. Lo más difícil fue mantenerlo centrado en el tema. Tanto en el asesinato como en la erudición, era brillante en los grandes gestos, pero chapucero en los detalles. Una característica de las mentes de segunda categoría, pienso yo. Por otra parte, no le importaba participar en las escenas más complicadas.

Una expresión de desagrado se le dibujó en el rostro.

—Esta cuestión de Lavinia, por ejemplo. —Sin dejar de apuntarme con el arma que sostenía en una mano, con la otra empezó a utilizar su linterna como si fuera una de bolsillo para recorrer con ella el suelo del saliente del otro lado de la cueva—. Se trataba, naturalmente, de matarla a usted y de arreglar después su cadáver. Supongo que, cuando sólo quedaran dos de ustedes, Matthew hubiera podido montar la escena de Lavinia y Basiano en la zanja. Pero, en realidad, ¿para qué molestarse, teniendo a mano una escena mucho más bonita?

La luz se detuvo.

—Bueno. ¿Ve usted mi jeringa?

Asentí con la cabeza.

—Y todos sabemos dónde está la navaja. Supongo que Ben tiene una linterna. Vaya por ella.

—¿Por qué?

—Porque le tendré que pegar un tiro si no lo hace y ninguno de los dos quiere que eso ocurra.

Subí hacia el lugar donde estaba Ben, quien me entregó una pequeña linterna.

—Arrójela aquí —dijo sir Henry, y cuando lo hice, la atrapó y se la guardó en el bolsillo. Volviéndose a mirar a Ben, meneó la cabeza—. Lástima que usted y Matthew no se mataran entre sí antes de que yo llegara. Entonces hubiera podido echarles la culpa de todo a los dos y salvar a Kate. —Me miró—. Usted jamás hubiera tenido que participar en esto, querida. Lo siento. No sabe cuánto. Pero no me queda otro remedio.

»Ya verá la escena que le tengo preparada. Veneno y una espada... nada menos que en una tumba. Una muerte tan hermosa rara vez se le concede a los mortales. Por lo menos, le puedo otorgar esa gracia.

Apagó la linterna. Oí unas pisadas y el ruido de unas piedras resbalando. Y después me quedé sola con Ben en la oscuridad.

45

Atrapado entre las rocas, Ben se movió.

—¿Dónde está sir Henry? —me preguntó

Me agaché.

—No lo sé.

—El corrimiento de piedras ha bloqueado la antigua salida, pero tiene que haber abierto otra. Procure encontrarla.

Un débil rayo de luz traspasó la oscuridad. Procedía de la pequeña linterna que Ben sostenía en la mano.

—¿Y usted cómo...?

—Encuentre la salida —me ordenó con firmeza.

La luz no era lo bastante intensa como para hacer algo más que disipar la oscuridad más inmediata. Con toda la rapidez con que me atreví a hacerlo, avancé hacia el lugar en el que había visto por última vez a sir Henry. Busqué a tientas a mi alrededor, pero no encontré más que roca y más roca. Entonces lo percibí. Un ligero movimiento de aire.

—Hay una corriente— dije.

Sir Henry la debió de haber notado enseguida.

—Siga a sir Henry.

—¿Y dejarlo a usted aquí?

Procurando reprimir el miedo, regresé adonde estaba Ben.

Le oí desplazar el peso del cuerpo.

—¿Tiene todavía el broche? ¿El broche de Ophelia?

—Sí.

—Pues entonces, lo único que tiene que hacer es acercarse a la superficie. Tiene un emisor de radio en su interior.

—¿Cómo?

—Así es cómo he podido seguirla. Coloqué un chip en el broche. La roca impide la transmisión de la señal. Pero si logra acercarse lo suficiente a la superficie, entonces sí recibirán la señal.

—¿Quién recibirá la señal?

Hizo una mueca y volvió a desplazar el peso del cuerpo.

—Le di la clave a Sinclair. La policía debe estar buscándola.

Acaricié el broche colgado de su cadena, sin prestar atención a las lágrimas que estaban rodando en silencio por mis mejillas.

—No lo haga —dijo.

Me agaché a su lado.

—No.

—Kate. Estoy atrapado. Creo que tengo la pierna destrozada y puede que toda la pelvis. No podría arrastrarme por esta cueva y mucho menos caminar, aunque pudiéramos mover todas estas rocas, cosa que no podemos hacer. Si se queda, ambos moriremos. Y también los Jiménez. Y Athenaide.

—Athenaide está muerta.

—Lo estaría si no hubiera recibido asistencia médica a tiempo. Otra vez potasio. Pero esta vez ingerido.

Vi mentalmente la copa.

—Era Gertrudis. La reina envenenada.

—Pero, en su caso, el medio empleado les dio a los auxiliares sanitarios tiempo suficiente para salvarla. Por eso he tardado tanto en localizarla. —Tomó mi mano—. Pero no vivirá mucho tiempo, Kate, si sir Henry se escapa. ¿Es eso lo que quiere?

—No.

Pero tampoco quería adentrarme sola en un laberinto que se había abierto accidentalmente en la oscuridad. ¿Y si me extraviaba? Acabaría en otro callejón sin salida, sola con sir Henry.

—Puede hacerlo, Kate.

La voz de Ben disipó mi pánico y construyó a mi alrededor una muralla de sólidos y lúcidos pensamientos. Arrastrándome y trepando, sólo podría utilizar la linterna de forma intermitente. Si conseguía acercarme a sir Henry, no podría usarla en absoluto sin delatarme y convertirme en un blanco. Pero podía tomar ciertas precauciones, moviéndome por la cueva en la oscuridad.

Crucé la cueva, busqué la jeringa y fui donde estaba Matthew para recuperar la navaja. Después volví junto a Ben.

—Quédese con la navaja —me dijo.

Me la introduje en el cinturón y dejé la jeringa justo al alcance de su mano, aunque ninguno de los dos quiso reconocer lo que eso implicaba.

—¿Por qué me dijo que era el sobrino de Roz? —pregunté.

—Necesitaba que confiara en mí.

Más que ninguna otra, aquella mentira era la que había roto mi confianza.

—Aspiró sincopadamente el aire.

—Ella misma lo sugirió, en realidad. Las otras cosas que dijo Athenaide...

Meneé la cabeza.

—No tiene por qué...

—Sí tengo que hacerlo. —El sudor le perló la frente y su boca se contrajo en una mueca de dolor—. Todo lo que dijo era verdad. La incursión, las muertes, las preguntas... Pero las preguntas eran infundadas, Kate. ¿Me cree?

Se me hizo un nudo en la garganta.

—Lo siento —murmuré.

Los ojos de Ben se ensombrecieron.

—¿Qué es lo que siente?

—Haber pensado que era un asesino.

El alivio se dibujó en su rostro. Trató de sonreír.

—Yo también tuve mis dudas acerca de usted una o dos veces.

—¿De veras?

—Después de la muerte de Maxine. Y de la del doctor Sanderson. Pues claro. Pero lo de la señora Quigley no pudo haberlo hecho usted.

—Yo pensaba que era un asesino y, sin embargo, usted me ha salvado la vida a pesar de todo.

—Todavía no —dijo. Era la misma broma que había utilizado en el Charles. Me pareció que había transcurrido toda una eternidad. Me tocó la mano y deslicé la mía en la suya y se la apreté—.

Si alguien va a tener hoy que salvar vidas, tendrá que ser usted, profesora.

«El mal que hacen los hombres les sobrevive; el bien queda frecuentemente sepultado con sus huesos.» Ophelia había trabajado muy duro para invertir aquel destino. Y, al parecer, yo también lo tendría que hacer. Reprimiendo las lágrimas, apreté su mano una sola vez y retiré rápidamente la mía para atravesar la cueva, pues, de lo contrario, jamás lo podría hacer. No hablé porque no me fiaba de mi voz.

Al otro lado del nuevo deslizamiento de piedras, experimenté una vez más la extraña sensación de movimiento de aire y empecé a ascender. La nueva abertura se ensanchaba cerca del extremo superior de la cuesta y era una hendidura semejante a una grieta entre dos placas de granito.

—Espéreme —dije, introduciéndome a través del hueco.

El pasadizo subía a veces casi en sentido vertical, de tal manera que más parecía una chimenea que un túnel; tuve que buscar a ciegas algún punto de apoyo. Mucho más arriba, oía de vez en cuando una pisada o un gruñido; en deterninado momento, me cayó encima una lluvia de guijarros y me preparé para recibir otra avalancha de rocas. Pero las piedras pasaron ruidosamente de largo y después sólo hubo silencio.

Vislumbré una sola vez la luz de la linterna de sir Henry brillando por encima de mí. Me detuve a descansar unos minutos. No tenía la menor intención de darle alcance simplemente para que me pegara un tiro.

Me empezaron a doler los brazos a causa del esfuerzo de trepar y tenía calambres en las piernas de tanto apoyar el peso del cuerpo contra la pared de roca. En medio de la oscuridad no tenía ni idea de hasta dónde había llegado ni de cuánto me faltaba para el final. Pero el miedo me impulsaba a seguir adelante. No podía resistir pensar en la posibilidad de que la vida de Ben se extinguiera en la oscuridad de abajo.

Mi mente repasaba incesantemente los asesinatos. Sir Henry había matado a Roz en el teatro y después había prendido fuego al edificio y se había apoderado del Primer Infolio.

Pero ¿por qué?

Me estremecí. En las horas y los días transcurridos desde entonces me había parecido tan amable. Tan preocupado.

Olvida, querida, que soy actor.

Después de lo que a mí me parecieron horas, el pasadizo se niveló. Me quedé un buen rato tumbada en el suelo, agradeciendo el simple hecho de tener un suelo debajo del cuerpo. Pero no podía descansar mucho rato. Tenía que alcanzar la superficie. Me incorporé y seguí reptando hacia adelante. No mucho más allá, doblé una curva y me eché hacia atrás, parpadeando.

Luz. Lentamente, miré hacia la vuelta de la curva. Unos veinte metros más adelante quizás. Un cegador rayo de luz de tonos rojizos dorados. Me lo quedé mirando, dejando que mis ojos se acostumbraran. Después avancé de puntillas hacia la luz. Una estrecha grieta daba paso a una pequeña cueva de piedra roja abierta en lo alto de un risco, a juzgar por lo que yo podía ver al otro lado del cañón.

En el borde de la cueva, sir Henry estaba sentado de espaldas a la pared rocosa con las piernas estiradas a lo largo de la abertura. La alforja permanecía abierta a su lado. En una mano sostenía un papel y, en la otra, una pistola. Mantenía la cabeza inclinada contra la pared de la cueva y parecía que estuviera durmiendo. Mi mano apretó la navaja. ¿Podría apuñalarlo? ¿Apoderarme de la pistola? Me tenía que acercar al borde de la cueva para que la señal del emisor pudiera ser captada.

—Me decepciona usted —dijo con su profunda y sedosa voz.

Me eché hacia atrás. Si él decidiera entrar en el pasadizo, no tendría dónde esconderme. Entonces lo tendría que apuñalar.

Agucé el oído.

Pero sir Henry no se movió.

—Muy pocas muertes tienen sentido —dijo en tono meditabundo—. Y, sin embargo, usted recibió el regalo de incalculable valor de una muerte shakespeariana, una de las más grandes muertes shakespearianas, y la ha desperdiciado. La de Julieta, querida. Le ha vuelto la espalda a Julieta.

Seguía sin oír el menor movimiento. Atisbé cautelosamente. Sólo había abierto los ojos.

—Sé que todavía está ahí, querida. Si tiene que ser mundana, podría por lo menos ser útil. —Levantó en alto el papel que sostenía en la mano izquierda—. Una carta. A Will, de Will... «Tú tienes a tu Will, y a Will por añadidura, y a Will en sobreabundancia.» Pero la escritura jacobina es tremenda. No consigo leer una línea de lo que hay en medio.

¡Una carta! No la había visto junto con el manuscrito.

—Yo sí puedo —dije.

Lo que necesitaba era que sir Henry me permitiera acercarme al borde de la cueva, donde la señal del emisor tenía alguna posibilidad de ser captada.

—¿La navaja o la jeringa? —preguntó—. Tiene que haber traído consigo una de las dos cosas. Probablemente la navaja.

Maldita sea.

—En cualquiera de los dos casos, déjela y salga con las manos abiertas.

Enarcó una ceja y alargó la página. Debatiéndome entre la ansiedad y la precaución, me introduje a través de la grieta y deposité la navaja en el suelo donde no resultara visible. El calor caía sobre mí y golpeaba la roca. Después aspiré el metálico olor de la lluvia en el desierto y oí el rugido del agua. Me acerqué al borde del precipicio, apoyándome contra la pared del otro lado de sir Henry, y miré hacia abajo. Allí, a doscientos metros, el arenoso lecho del cañón había desaparecido bajo unas aguas de color blanco que, de una a otra orilla, escupían árboles y restos varios. Nadie podía subir por el cañón. No sería posible hasta que el caudal del río disminuyera, lo cual podría tardar varios días.

Al otro lado del lugar donde nos encontrábamos, el peñasco brillaba con reflejos de color rosado en medio de la luz de finales de verano. Hacia la izquierda y por encima de las montañas, las plateadas cortinas de lluvia se condensaban en un grisáceo sudario. En el borde exterior del sudario, unas nubes de tormenta de las llamadas de yunque se elevaban hasta desaparecer de mi campo visual. Aún no llovía, pero la tormenta se estaba acercando por allí. En el húmedo aire se aspiraba el olor de la lluvia y unas frías ráfagas de espeso viento barrían el interior de la cueva. Los monzones estivales habían empezado muy pronto sobre la cordillera de los Dragoons.

—Empezó a llover a media mañana y aún no ha parado —dijo sir Henry, haciendo señas con la mano de que me acercara—. Como ve, no hubiéramos podido salir por el mismo sitio por donde entramos, aunque Matthew no hubiera tenido la desgraciada ocurrencia de taparlo. La entrada se encuentra inundada de agua y sospecho que la mitad del primer trecho de túnel también lo está. —Dio unas palmadas al suelo de la cueva—. Acérquese, querida. Quiero que me lo lea palabra por palabra. Y, si me parece que se salta algo, le pego un tiro.

Por consiguiente, no tuve más remedio que sentarme al lado de sir Henry, unos cuantos palmos más adentro de la cueva. ¿Captarían la señal del emisor desde allí? En su cadena, el broche me tiraba del cuello.

La carta estaba escrita con la misma apretada escritura que había visto en el Infolio y en la carta de Wilton House. Era del conde de Derby a William Shelton. Mientras la leía a trompicones palabra por palabra, sir Henry no cesaba de acribillarme con preguntas precisas: ¿qué era aquella carta, aquella palabra?

Era una petición de disculpa por el silencio y una explicación.

El único regalo que está en mis manos ofreceros, un relato contado por vos aunque no sea obra vuestra, representado en un escenario. Por unas extrañas vueltas del destino, en otros tiempos nuestro pequeño mundo desapareció a causa del fuego y casi estuvo a punto de morir la niña.

—¿La niña? —rezongó sir Henry.

—La niña atrapada en el incendio del Globo —dije—. En el primer incendio. Debió de sobrevivir.

Una insinuación deslizada por aquí y un hecho comunicado por allá bastaron para que los Howard no tardaran en caer en desgracia y que sólo se pudiera echar la culpa a la hija. Me gustó este intercambio de tribulaciones. Y ahora que todo lo que se pudiera decir al respecto ya pertenece a un lejano pasado y las demás obras compañeras suyas están a punto de entrar en la inmortalidad de la imprenta, la vieja historia levanta su cornuda y sulfúrea cabeza como un dragón largo tiempo dado por muerto, pero que sólo estaba dormido. Sólo esta obra la amenaza, pues, al igual que Leonora, ha encontrado la felicidad en la improbable casa de Cardenio.

Tal vez sonreiréis al leerlo.

«¿De quién? —preguntasteis una vez con enojo—. ¿De quién es hija?»

Entonces pensé que quizás el tiempo lo diría. Pero es ella misma, la rosa de la belleza.

Yo la llamo la hija de Shakespeare, y es suficiente.

Me arrancó la carta de las manos.

—Es suficiente, en efecto —dijo sir Henry.

Alargué la mano hacia la carta, pero él me apuntó a la cabeza con la pistola.

La sangre me pulsaba en las venas, más ruidosamente que el río de abajo. *¿La hija de Shakespeare?* Me humedecí los resecos labios con la lengua.

¿Dónde estaba la ayuda de la que Ben había estado tan seguro? ¿Se me habría caído el chip *del broche en algún profundo lugar de la cueva?*

—Sir Henry —supliqué—. Por favor. Es posible que esta carta nos revele de una vez por todas la verdad acerca de Shakespeare.

—Si no es Shakespeare el autor de las obras, no es una verdad que quiero conocer. No es una verdad que quiero que se conozca.

¿A eso se debían todos los asesinatos? ¿Al deseo de defender a Shakespeare de Stratford? ¿Así entendía él lo que había hecho?

¿Creía haber librado una batalla en la cual él había interpretado el papel de defensor de la fe shakespeariana?

Sir Henry volvió a contemplar la carta que sostenía en la mano.

—Ironía de ironías. Habría dado cualquier cosa por la obra que Granville había encontrado, pero lo que he hallado al final es la carta que tanto me había esforzado por mantener escondida.

Tenía que convencerle de que me permitiera quedarme cerca de la entrada de la cueva. Así pues, procuré ganar tiempo con la única moneda que él apreciaba, Shakespeare.

—Pero usted tiene la obra —le dije—. Guardada en el volumen del *Quijote*. El mismo tipo de escritura, creo. Se la puedo leer, si usted prefiere.

Entornó los ojos.

—«Entran el escudero Sancho y don Quijote» —dije—. Así empezaba, pero no fui más allá.

—Muéstremelo.

Saqué el libro de la bolsa junto con el fajo de papeles que contenía y los desdoblé cuidadosamente.

«Tú quédate con el oro, amigo Sancho. Yo me quedaré con el librillo...»

La codicia iluminó los ojos de sir Henry.

—La obra perdida de Shakespeare —murmuró. Después esbozó una sonrisa—. Lea —me ordenó.

Era la cosa más difícil que jamás había hecho, leer en voz alta aquella historia de amor y traición sin dejar de vigilar a sir Henry, a la espera de un momento en que éste pudiera bajar la guardia. Esperando que yo estuviera lo bastante cerca del cielo abierto, que la policía nos estuviera buscando, que la vida de Ben no se estuviera extinguiendo con excesiva rapidez en la oscuridad.

Terminé el primer acto y empecé el segundo. «Ahora me he convertido en la tumba de mi honor. Una oscura mansión para que en ella sólo habite la muerte.»

Experimenté un titubeo. Súbitamente me di cuenta de que nadie se acercaba. Y aunque alguién estuviera cerca, me encontraba todavía demasiado dentro de la cueva para que me oyera.

Un estrecho saliente se proyectaba hacia afuera desde debajo del peñasco y se aferraba a la roca a lo largo de un buen trecho hasta quedar reducido a nada. Antes de que sir Henry pudiera reaccionar, salté por encima de él y trepé hacia afuera por el saliente, apoyando una mano en la pared rocosa para no perder el equilibrio, mientras con la otra sujetaba la obra y tiraba de la cadena que me rodeaba el cuello.

—Kate —dijo sir Henry, preso de una auténtica angustia—. Vuelva.

Yo seguía tirando de la cadena.

—No hay ninguna razón para poner en peligro la obra o su propia vida de esta manera.

—Pensé que mi vida ya estaba perdida. La obra ha sido sólo para evitar que usted me mate.

—Vuelva y negociaremos —me dijo con voz suplicante—. Usted dirigirá la obra y yo seré su Quijote.

—¿Y usted cree que Ben estará de acuerdo?

Guardó silencio.

—Comprendo. Él es el elemento con el que tengo que llegar a un compromiso. Usted desiste de matarme y yo desisto de salvarlo a él. Y ambos conseguimos la obra.

—Se está muriendo de todos modos, Kate.

Al final, la cadena se rompió y el broche quedó suelto en mi mano. Lo introduje en una pequeña grieta del peñasco. Una parte del saliente se desmoronó, arrojando fragmentos de roca al río de abajo. Me tambaleé y recuperé el equilibrio. A mis pies se abrió una grieta entre el saliente y la roca.

—Kate. Vuelva.

—Deshágase de la pistola.

Vaciló mientras otro fragmento del saliente se desmoronaba. La pistola salió volando y describió una curvada trayectoria hacia las blancas aguas de abajo.

Un profundo gruñido surgió de la roca. Me empecé a echar hacia atrás.

—Salte —gritó sir Henry.

Y salté justo en el momento en que el saliente se desprendía del peñasco y caía con un rugido, arrojando una torre de blanco rocío hacia arriba.

Me quedé tumbada en el suelo del interior de la cueva, sujetando todavía la obra en la mano. Sir Henry dio un paso hacia donde me encontraba.

—No se acerque.

Se detuvo.

—Suelte la alforja y empújela de un puntapié al interior de la cueva.

No quería que se le ocurriera alguna idea acerca de lo que podía hacer con aquella carta todavía no leída que permanecía doblada en su interior. Sir Henry soltó la alforja, pero no le propinó una patada para empujarla al fondo de la cueva. En su lugar, retrocedió hacia la pared del otro lado.

—¿Tiene usted idea de lo que está haciendo?

Dejé la alforja donde él la había soltado, pero me acerqué el libro de *Don Quijote* y doblé la obra de Shakespeare, introduciéndola una vez más entre las últimas páginas del libro de Cervantes.

—¿Qué más da quién fuera Shakespeare? ¿Por qué le tiene tanto miedo a la verdad?

Apoyado contra la pared, resbaló hacia el suelo y se cubrió el rostro con las manos.

—«"¿Qué es la verdad", dijo Pilato en tono burlón, y no se quedó a esperar la respuesta.» La frase de Delia Bacon. —Levantó la cabeza—. No temo la verdad. Kate. Temo los hechos. La tiranía de los hechos mezquinos. La Verdad con uve mayúscula es lo que tiene que prevalecer. No simplemente lo que era sino lo que es. Como narradora de historias, como directora, usted debería saberlo.

Su voz fue adquiriendo más riqueza de matices y se fue volviendo más seductora mientras hablaba.

—A pesar de lo que pueda decir una vieja y mohosa carta, lo que es cierto es que Shakespeare era un hombre corriente, un hombre del pueblo. No un conde o un caballero, una condesa o una reina, y no todo un maldito conjunto de burócratas, por el amor de

Dios. ¿Por qué tantas personas no están dispuestas a reconocer que un muchacho que salió de la nada pudiera no sólo abrirse camino sino también alcanzar la grandeza? A fin de cuentas, yo mismo lo he hecho en menor medida, me he elevado de la nada al grado de caballero de la escena. ¿Por qué no podía Shakespeare de Stratford elevarse a la inmortalidad?

—Lo que importa son sus obras, sir Henry. No su origen.

—Se equivoca, Kate. Como su Abraham Lincoln en su cabaña de troncos, la historia del muchacho de Stratford ilustra una cuestión que es muy importante: el genio puede surgir en cualquier lugar. Cualquiera puede ser grande. Una vez Shakespeare me ayudó a levantarme del arroyo y me he pasado toda la vida glorificándolo a cambio. Puede hacer lo mismo por otros. Eso es lo que siempre he pensado. Es lo que me ha dado mi segunda oportunidad, lo que me ha devuelto al escenario. Para cuando termine con el espectro del padre de Hamlet, con Próspero y Lear y Leontes, el legado de Shakespeare ya estará a salvo para otra generación. Si los coleccionistas de datos insignificantes prescinden de una cantidad suficiente de ellos.

—Está usted confundiendo el legado de Shakespeare con el suyo propio.

Me miró con expresión de reproche.

—Pensaba que usted lo comprendería.

—¿Creía que yo estaría de acuerdo con usted? —Sin soltar el libro que contenía las páginas dobladas de la obra, me levanté de un salto—. ¿Creía que Shakespeare lo estaría? —grité, impulsada por una súbita rabia volcánica—. ¿Cree que él, quienquiera que fuera, agradecería el hecho de que usted hubiera matado en su nombre? —Con la misma rapidez con que se había encendido, mi cólera se transformó en hielo—. Vaya si lo comprendo, sir Henry. Comprendo que es usted un asesino y un cobarde que teme enfrentarse con la verdad.

Se abalanzó contra el libro que yo sostenía en la mano. Me aparté doblando el tronco y él reanudó la persecución. Esta vez me atrapó y me inmovilizó contra la pared de la cueva.

—«La vulgar Kate y la gentil Kate y algunas veces Kate la maldita.»

Susurró estas palabras con una voz inconfundible. Una voz americana. La del perseguidor de la biblioteca.

«Soy actor», había dicho.

Matthew había afirmado ser el hombre de la biblioteca. Pero había mentido. Él había sido preparado sin duda para convertirme en Lavinia, pero la amenaza había sido idea de sir Henry. El guión era obra de él. Lanzando un grito, giré en redondo y lo arrojé contra la pared de la cueva. Me soltó. Recuperó el equilibrio y se volvió a abalanzar sobre mí. Me agaché.

Incapaz de reprimir su ímpetu, sir Henry se golpeó fuertemente contra el suelo de la cueva y resbaló cayendo desde el borde.

Me acerqué corriendo a mirar.

Justo por debajo del borde de la cueva, permanecía agarrado con ambas manos a un saliente rocoso. Un pie había encontrado un estrecho punto de apoyo y el otro lo estaba buscando mientras la roca se iba desmoronando. Introduje un pie en una grieta a modo de sujeción y me incliné hacia afuera. No podía agarrarlo con una mano. Solté el libro y la obra que contenía y lo agarré por la muñeca, primero con una mano y después con la otra. Por un instante, temí ser arrastrada con él hacia el vacío. A juzgar por la mirada de sus ojos, parecía que ésta era su intención.

De pronto, oímos el helicóptero.

—La policía —dije—. Aunque los dos acabemos despeñados, encontrarán la obra. Y la carta.

En aquel momento, algo en él se rindió. Muy despacio y con su ayuda, tiré de él hacia arriba por encima del borde de la cueva hasta lugar seguro.

—Lo siento —dijo entre jadeos—. Lo siento, Kate. Nunca quise hacerle daño. Pero usted no se quitaba de en medio.

—Cállese —le dije fríamente—. Va a ir a la cárcel durante mucho tiempo.

—El moderno rostro de la venganza —dijo él—. Se ha convertido usted en Hamlet, Kate. ¿Es que no lo ve?

Lo dijo con amarga admiración, pero sólo pude pensar en los cuerpos amontonados en el escenario al final de la obra.

—¿Y eso a usted en qué lo convierte?

En la parte superior del cañón, un relámpago desgarró el cielo en un amplio y delgado arco de luz azulada. El trueno resonó en el cañón mientras el río arrastraba los árboles arrancados de cuajo. El rítmico latido de las hélices del helicóptero se intensificó.

Sir Henry se levantó haciendo un esfuerzo. Echando la cabeza hacia atrás, envió su espléndida voz rugiendo por encima del viento:

He oscurecido
el sol meridiano, he conjurado los rebeldes vientos,
y he impulsado una encarnizada guerra entre el verde
mar y la azulada bóveda del cielo.

Delante de mis ojos, sir Henry se convirtió en Próspero, el mago que desencadena tempestades y pone en movimiento las ruedas de la justicia. Lentamente y con gran majestad, levantó el brazo y me señaló.

Los sepulcros cumpliendo mis órdenes
han despertado a sus durmientes, se han abierto
y en libertad los han puesto
gracias a mis poderosas artes.

—Los sepulcros, sir Henry, se han llenado cumpliendo sus órdenes —repliqué—. No se han abierto. Seis de ellos. Siete, si muere Ben.

Una fuerza vital que giraba a su alrededor vaciló y se fue consumiendo. De repente, volvió a ser un anciano cansado y un poco triste. Bajó el brazo.

Pero de esta cruda magia
aquí abjuro...

Al otro lado del cañón apareció el ruidoso helicóptero mientras el rugido de sus hélices resonaba en los peñascos. Cuando el aparato estuvo más cerca, unos chorros de agua y polvo se elevaron desde el suelo de la cueva. De pie en la portezuela abierta, Sinclair y el señor Jiménez estaban señalando algo.

Pasando por mi lado, sir Henry se agachó para recoger la alforja con la carta que quizá habría podido aclarar quién era Shakespeare o quizá no. Puse el libro lejos de su alcance, lo apreté contra mi pecho junto con la obra, pero él no hizo el menor intento de recuperarlo. Arrojándome sus palabras sólo a mí, habló tal como hubiera podido hacerlo un padre descarriado para disculparse ante su hija. No era una interpretación, simplememte una disculpa.

Romperé mi vara,
la sepultaré unos cuantos codos en la tierra,
y a más profundidad de lo que jamás haya llegado una sonda
ahogaré mi libro.

Demasiado tarde me di cuenta de lo que estaba haciendo y corrí como una flecha, pero él ya había alcanzado el borde del peñasco.

—Recuérdeme —dijo.

Despues se inclinó hacia atras y se precipitó como Ícaro cayendo en picado desde el sol, mientras miraba hacia arriba con una extasiada sonrisa en los labios y los brazos extendidos como maltrechas alas.

Abajo vi un pequeño y silencioso chapoteo. El río lo escupió una vez.

Y después desapareció.

ENTREACTO

Julio de 1626

Había pensado que moriría víctima del fuego y la espada o, por lo menos, del fuego y el cuchillo, en presencia de una multitud que lo escarnecía. No solo en medio de la oscuridad.

El hedor de la muerte era tan intenso que cada respiro se le quedaba atascado en la garganta y, sin embargo, lo más terrible era el silencio. Al principio, el cura lo había agradecido. El sargento —un hombre valiente a carta cabal— se había pasado los últimos dos días delirando antes de morir y sus gemidos y aullidos habían sido tan difíciles de soportar como el ruido de sus manos escarbando en las enormes piedras que les impedían la salida. El hombre había arañado las piedras hasta dejarse los dedos reducidos a unos ensangrentados muñones que mostraban los huesos, pero sólo se detuvo cuando todas sus fuerzas se perdieron en la oscuridad. Y eso que el sargento era un hombre muy fuerte.

Quizás el ruido y el silencio, pensó el sacerdote, eran su penitencia por haber contaminado el aire con sus mentiras.

Aunque lo había hecho con buena intención. No mucho después de haberse puesto en camino, habían llegado a un río en crecida al cabo de tres jornadas de lluvia. Si hubieran esperado tres días, el nivel del agua habría bajado —en aquella extraña tierra de repentinos contrastes, las inundaciones desaparecían casi con la misma rapidez con que llegaban—, pero el capitán no era un hombre paciente. Bajo el azote de su lengua, habían cruzado el río aquella tarde, perdiendo tres mulas y todo lo que éstas cargaban sobre sus lomos. El capitán consideró la pérdida de su barril personal de vino como la mayor tragedia y había mandado azotar al mulero. Los hombres lo soportaron tal como soportaban casi todas las crueles estupideces del capitán, con indignada paciencia. Sin embargo, al descubrirse que también se había perdido la Biblia del sacerdote, en sus ojos se encendieron unas llamas de terror.

La mayoría eran ignorantes campesinos y su fervor estaba más cerca de la superstición que de la ilustrada devoción, de lo contrario, él hubiera intentado razonar con ellos y librarlos de sus temores. Así pues, el sacerdote sacó de su alforja el libro de *Don Quijote,* cachigordo y lujosamente encuadernado, y lo hizo pasar por su Biblia personal, señalando que tendría mucho gusto en compartirla con la tropa.

El pánico se disipó. Y, a partir de aquel momento, «leyó» el Evangelio, abriendo, por ejemplo, el libro por las páginas de los capítulos dedicados al combate con los molinos de viento y recitando de memoria la parábola del hijo pródigo. En otros tiempos, una situación tan apurada como aquélla lo hubiera hecho morirse de risa. Pero ahora le parecía que todo aquello pertenecía a otra vida.

Como es natural, los hombres habían visto el fajo de papeles que guardaba en la última parte del libro. Suponían que era un sermón o una colección de oraciones personales, y le habían gastado bromas al respecto. Su gran obra. Su obra maestra. En cierto modo, suponía que tenían razón. Pero ¿qué clase de oración era aquélla?

Ahora me he convertido
en la tumba de mi honor, una oscura mansión
para que en ella habite sólo la muerte.

El sargento lo había mirado severamente más de una vez, pero si sospechaba alguna cosa, se la guardó para sí. A diferencia del capitán, el sargento era un espléndido conductor de hombres.

Siguiendo el curso del río, habían bajado de las montañas a una ancha y parda llanura falsamente parecida a su tierra, para los que eran de Castilla. Unos días después, unos hombres que se habían quedado rezagados se habían tropezado con las dos indias acompañadas de sus hijos. Para cuando el cura descubrió qué era lo que había dentro del círculo del pequeño grupo de hombres que gritaban, los niños ya habían muerto y el estado de las mujeres era todavía peor. Era algo que formaba parte de la vida de los soldados; al principio, se apartó. Pero cinco o seis de los hombres se habían divertido con tal violencia y de manera tan continuada que, al final, el cura se adelantó con su mula para presentar su queja al capitán. Éste volvió sobre sus pasos, desmontó con un floreo y se abrió camino entre los hombres utilizando la parte plana de la hoja de su espada hasta conseguir que los soldados se apartaran. Por un instante, lo contempló todo en silencio. Una de las muchachas se estaba muriendo. Pero él tomó a la otra allí mismo, a la vista de todos. Y, después, la ensartó con su espada.

A continuación, montó en su cabalgadura y regresó al galope al frente de la columna. Ni siquiera se entretuvieron en enterrar los cuerpos.

Aquella noche, mientras se apartaba para rezar a solas por las almas de aquellas mujeres, vio unos ojos que lo vigilaban desde un árbol. El capitán había reprendido a gritos al sacerdote y lo había llamado cobarde e insensato, pero el sargento había duplicado la vigilancia en el campamento.

No sirvió de nada; a la mañana siguiente, encontraron a uno de los hombres a gatas sobre la hierba a veinte metros del campamento con los ojos arrancados y un ensangrentado agujero en el lugar donde antes estaban sus órganos genitales. A partir de aquel momento, todos los hombres que habían tocado a las mujeres fueron siendo martirizados sanguinariamente uno a uno, con métodos cada vez más ingeniosos y sofisticados, como mudos bisontes arrancados de la manada por silenciosos lobos. Simplemente desaparecían y unas horas o unos días después eran encontrados todavía vivos, junto al sendero.

En su agonía, muchos de los hombres querían besar la Sagrada Biblia. El sacerdote se había preguntado si se habría equivocado llevando la broma de la Biblia hasta aquel extremo. Pero había llegado a la conclusión de que cualquier cosa que pudiera ofrecer serenidad en los últimos minutos de sufrimiento y temor estaría más cerca de la gracia que del pecado.

Jamás veían al enemigo, sólo sus esculturas labradas. Los hombres empezaron a hablar de los demonios. Pero el capitán, con la mirada puesta en las ciudades del oro, no parecía darse cuenta de la sangre ni de la intensificación del rastro del miedo. Instaba a los hombres a seguir adelante con la espada y el azote. Tampoco se dio cuenta de que llegó un día en que se convirtió en el último superviviente de entre los hombres que habían tocado a las indias.

Tres días después, el capitán no salió de su tienda por la mañana. Lo encontraron en el suelo con sus intestinos tapizando las paredes de la tienda como si fueran gallardetes. Sus ojos, sus manos y su lengua habían desaparecido. Le habían cortado la garganta y le habían introducido los órganos genitales en la boca. Nadie vio ni oyó nada durante la noche.

Lo enterraron sin señales de duelo. Y después dieron media vuelta para regresar a casa. O, por lo menos, a Presidio, en Santa Fe.

Demasiado tarde. Los indios los atacaron durante la noche. Casi todos los soldados fueron asesinados mientras dormían, pero el sargento reunió a los supervivientes, emprendió una acción defensiva y se retiró con sus hombres a las montañas y después a un cañón. Pese a ello, los siguieron diezmando. Sólo les quedaban ocho hombres y dos caballos cuando llegaron al pequeño y redondo valle. Creyeron que lo podrían defender, sin percatarse de que los indios eran capaces de trepar casi tan bien como las cabras.

Así pues, se refugiaron en la cueva dando gracias a Dios y a la buena suerte por el descubrimiento de aquel oscuro hueco que conducía a una inmensa y lóbrega sala abierta en la roca. Demasiado tarde se dieron cuenta de que su hallazgo no había sido accidental; los habían conducido hasta allí. Pero, para entonces, las rocas ya estaban cayendo. Dos de los hombres habían salido corriendo bajo la lluvia de rocas y habían sido aplastados. Los demás se habían quedado acurrucados dentro hasta que el ruido se había ido apagando. Y entonces empezó la espera en la oscuridad.

Y, a continuación, comenzaron las muertes, hasta que el cura se quedó solo con el sargento. Y después se quedó auténticamente solo. *Una oscura mansión para que en ella sólo habite la muerte.*

Hacía dos días que había dejado de orinar; tenía los labios agrietados y la boca tan seca que el hecho de tragar se había convertido en una tortura.

Pero después ya no volvió a estar solo: unos rostros flotaban en la oscuridad, ondulando suavemente como el cabello de las sirenas. Una mujer morena vestida de verde. Un hombre de mediana edad y ojos perversos... maldad y cínico ingenio, la apacible tristeza que llena los ojos de los que han visto las luces más brillantes del mundo inextricablemente mezcladas con las sombras más oscuras.

El mejor de todos era un rostro que él jamás en su vida había visto. Una muchacha de cabello cobrizo cuya imagen había llevado durante largos años muy cerca de su corazón, oculto en el interior de su enorme crucifijo.

¿Qué hubiera pensado el obispo? Rió, aunque sonó más bien como un vómito. «Un dispendio de espíritu en un desecho de vergüenza», había gritado con rabia en cierta ocasión. Ésas hubieran podido ser las palabras del obispo.

Pero se había equivocado. Lo había comprendido hacía mucho tiempo. El amor nunca era un desecho. *No es amor el amor que muda con la mudanza...*

Ella flotó sonriendo una vez más y él sintió que su corazón revoloteaba y se lanzaba al galope.

—Pero ¿quién es ella? —oyó preguntar a su joven voz.

—Ella es ella misma —contestó otra voz—. La Rosa de la Belleza.

Y el resto fue silencio*.

* Hamlet —al morir envenenado— afronta la muerte con palabras casi idénticas: «Y el resto es silencio». *(N. de la T.)*

ACTO V

46

Cinco meses después de la muerte de Roz, en una fría noche de diciembre, me encontraba de nuevo en el Globo mucho antes de lo que esperaba, ensayando *Hamlet.*

Habían restaurado el teatro hasta devolverle su antiguo esplendor. En junio, su magnificencia sería aún mayor cuando se ofreciera la primera representación de *Cardenio* en más de cuatro siglos, nada menos que el día 29. Y las autoridades correspondientes me habían pedido que dirigiera la obra.

Athenaide había decidido que primero se ofreciera *Hamlet.* Sin embargo, el único tiempo que le quedaba libre a Jason Pierce para interpretar al melancólico príncipe era en diciembre. Yo pensaba que la idea de estrenar una obra en el Globo a mediados de diciembre era absolutamente descabellada, pero Athenaide no estaba de acuerdo.

—Los isabelinos estrenaban obras a lo largo de todo el año —porfiaba—. ¿Por qué no podemos hacerlo nosotros? ¿Hasta qué extremo cree que nos hemos acobardado?

Y, acto seguido, había extendido un cheque respaldando el espectáculo en memoria de Roz. Y resultó que tuvo razón, por lo menos en lo de las entradas. Casi todas se habían vendido, y eso que todavía faltaban diez días para el estreno.

Mientras los actores abandonaban el escenario al término del ensayo, aproveché un valioso momento de soledad en el teatro. En diciembre, el ocaso se produce muy temprano en Londres. Prácticamente a las cinco, según el reloj. La luz del atardecer iluminaba oblicuamente el tejado de paja y me deslumbraba los ojos, por lo que levanté la mano para protegerlos. Según una devota tradición, en tiempos de Shakespeare, en los teatros al aire libre se representaban obras por la tarde hasta casi el anochecer. Contemplando el escenario, ya no estuve tan segura. Tomemos por ejemplo las Columnas de Hércules: bajo el sol del mediodía, mostraban un descarado color escarlata. Bajo cielos grises, se oscurecían hasta presentar los equinos colores zaino y bayo pelirrojo, tan gélidos como la distante arrogancia de los aristócratas o —en caso de que uno fuera irremediablemente cínico— como la de dos marmóreas columnas de bistecs. Sin embargo, era a la hora del ocaso, tanto en invierno como en verano, cuando yo más las admiraba. Cuando tanto las columnas como todo el teatro parecían más auténticamente shakespearianas. O bíblicas. O ambas cosas a la vez: cuando las sombras se condensaban como demonios gruñones y las Columnas de Hércules resplandecían como ríos de sangre veteados de fuego.

Me estremecí y me arrebujé en mi abrigo, recordando.

Sir Henry había sido encontrado una semana después de su muerte. Río abajo, medio escondidos debajo de unas rocas del cañón, descubrieron los restos de la alforja, pero todo su contenido había desaparecido.

Al final, sir Henry había conseguido casi exactamente lo que quería. Había sacado a la luz la obra perdida, pero destruido cualquier prueba que la carta pudiera contener en contra de Shakespeare. Para eso había sacrificado su vida.

Y las vidas de otras seis personas. Maxine, el doctor Sanderson, la señora Quigley, Graciela, Matthew... y Roz.

Athenaide había dedicado *Hamlet* a la memoria de Roz, pero yo había decidido rendirle homenaje con *Cardenio*. Aún no le había perdonado del todo que jugara conmigo. Y menos todavía que hubiera muerto. Acaricié en mi bolsillo una copia del broche de Ophelia que siempre llevaba conmigo como si fuera un talismán. «Déjalo —me había dicho Maxine, refiriéndose a la mezcla de rabia y pesar que me embargaba—. Deja a Roz.»

Lentamente, bajé de la galería al patio y me situé de cara al escenario desierto.

—*Buenas noches, mi dulce príncipe* —dije en voz alta, sin saber del todo a quién o a qué me estaba dirigiendo. Tal vez al mismo escenario—. *Y que las legiones de los ángeles arrullen tu sueño.*

El sonido de unos aplausos traspasó el silencio y me giré hacia el lugar de donde procedían. Alguien estaba apoyado con indiferencia contra la pared, al lado de las puertas, aplaudiendo. Menudo momento de soledad.

La intromisión me resultó exasperante. Una o dos veces por semana, algún turista pensaba que los letreros de «No molestar, ensayo» estaban dirigidos a cualquiera menos a él, y encontraba la manera de superar las barreras de los porteros y los guardias y colarse al interior.

—El ensayo acabó hace rato. Los actores ya se han ido —dije en voz alta.

—Han estado espléndidos —contestó una voz británica que me sonaba conocida. Una voz de chocolate y de bronce—. Pero el aplauso no es para ellos. Es para ti, si me permites que te tutee.

Ben se adelantó.

Me lo quedé mirando como si fuera un fantasma.

—Siento haberme colado tan pronto —dijo—. Pero nunca había visto trabajar a un director y sentía curiosidad. —Se acercó a mí renqueando levemente—. No te apetecería por casualidad una copa, ¿verdad, profesora?

—No tienes remedio —dije sonriendo—. ¿Es que no sabes que hay que llamar primero antes de presentarse a una reunión?

—Cuánto lo siento —replicó sin inmutarse—. He traído una estupenda botella de champán. Muy apropiada para una cita. En realidad, sensacional para una reunión.

Pasó por mi lado y se acercó a los peldaños del escenario. Tras sentarse en el peldaño superior, sacó dos copas del tipo flauta y una botella y empezó a descorcharla.

Me acerqué a él.

—Si me vas a ofrecer champán, puedes calificar este encuentro como te dé la gana.

El corcho de la botella saltó con un sordo chasquido y Ben escanció el pálido licor en las copas.

—¡Salud! —dijo ofreciéndome una copa.

—¿Qué estamos celebrando?

—¿Una reunión? —me preguntó sonriendo.

Asentí y tomé un sorbo.

Era intenso y delicioso.

—¿Cómo estás, Kate?

Parpadeé. *¿Se había pasado cinco meses haciendo rehabilitación y me preguntaba cómo estaba yo?* La verdad es que no sabía ni cómo empezar. Las horas que se sucedieron tras la muerte de sir Henry habían empezado con el zumbido de las palas de un helicóptero y con gritos y luces brillando en la oscuridad hasta que habían conseguido rescatar vivo a Ben de la cueva. Al día siguiente, sacaron el cadáver de Matthew a la superficie.

Después, y con la bendición de los Jiménez, regresé a la cueva con una agente de campo de la Agencia de Peces y Fauna Silvestre de Estados Unidos (muy interesada por los murciélagos mexicanos sin cola), cinco arqueólogos (dos de la Universidad de Arizona y uno de Ciudad de México, otro de Londres y otro de Salamanca; todos ellos interesados por el hallazgo colonial español y el manuscrito jacobino) y un espeleólogo del sistema de parques estatales de Arizona. Los montículos de piedras de la seca cueva eran lo que yo había imaginado: los sepulcros de cinco soldados españoles de la época de la Conquista.

El sexto cadáver no enterrado resultó ser el de un fraile franciscano. Escondida en el interior de su crucifijo se encontró una miniatura de Hilliard, un exquisito retrato de una joven de cabello cobrizo enmarcado por una leyenda en finas letras doradas que parecía emparentarlo con el Hilliard de la Folger: «Mas tu eterno estío no se apagará». No había ninguna otra clave que permitiera averiguar algo más acerca de la identidad del hombre, pero el único sacerdote inglés de quien constaba que se había perdido en aquella zona del mundo era William Shelton.

Introduciéndonos en la cueva a través de la entrada inferior, nos abrimos paso bajo los murciélagos hasta llegar a la caverna viva que había sido la tumba de Jem. Éste llevaba consigo unos papeles que se habían podrido y convertido en un mohoso e ilegible terrón. Parecía una lástima, en medio de la sonora gloria de aquel lugar, lamentar la pérdida de unas cuantas hojas de papel.

Los Jiménez anunciaron el descubrimiento del manuscrito en el transcurso de una rueda de prensa y, de la noche a la mañana, me vi arrastrada al súbito resplandor de la fama. Se armó un alboroto a nuestro alrededor, pero el mundo, o buena parte de él, no tardó en aceptar que el sacerdote era un inglés convertido en sacerdote español llamado William Shelton y que éste custodiaba el volumen del *Quijote* y el manuscrito de la obra largo tiempo perdida de Shakespeare. Y, sin embargo, los diarios de Ophelia seguían estando en el limbo, atrapados en las discretas negociaciones entre Athenaide y la Iglesia anglicana. Las cartas de Wilton House no habían salido a la luz.

Siguiendo el consejo de Athenaide, los Jiménez vendieron el manuscrito de la obra teatral en una subasta a cambio de una suma no revelada que dio lugar a toda suerte de conjeturas (¿una decepción por diez millones de dólares?, ¿una falsificación por la que se habían pagado quinientos millones?). Como de costumbre, la verdad estaba situada en un lugar intermedio. Fue a parar, bajo custodia compartida, a la Biblioteca Británica y a la Folger en un acuerdo que obligó al manuscrito a ir y venir constantemente como la pobre Perséfone entre sus dos nuevos hogares en años alternos.

Los Primeros Infolios robados se encontraron en la biblioteca de sir Henry y se devolvieron al Globo y a Harvard, aunque en la universidad descubrieron la ausencia de una página de *Tito Andrónico*. La página que yo había paseado por ahí en mi bolsillo le devolvió la integridad. En Valladolid, el rector del Real Colegio de San Albano reflexionó acerca de lo que debería hacer con el Infolio que Derby había enviado a William Shelton.

Sin embargo, las emociones estuvieron envueltas en profundas sombras. Las muertes de sir Henry Lee y del profesor Matthew Morris tan inmediatamente después de la de Roz provocaron ondas expansivas en toda la comunidad shakespeariana. La versión oficial, según las explicaciones de Sinclair en el transcurso de una rueda de prensa televisada a todo el mundo, convirtió los clamores en una rugiente tempestad. Sir Henry y Matthew habían participado en cinco asesinatos y, a continuación, sir Henry había matado a Matthew. La muerte de sir Henry, afirmó rotundamente Sinclair, había sido accidental.

Por primera vez que se recordara, Harvard se había quedado sin especialista reputado en Shakespeare; el consiguiente trasiego de currículos sonó como si todos los bosques de Estados Unidos y Gran Bretaña se hubieran puesto repentinamente en marcha. Yo me consideraba afortunada por el hecho de haber colaborado con sir Henry, pero las discretas consultas que llevé a cabo para encontrar el sustituto apropiado para ocupar su vacío en *Hamlet* arrojaban nombres conocidos del teatro de todo el mundo. Al parecer, el papel del espectro estaba considerado universalmente como una audición para el papel de don Quijote.

¿Por dónde tendría que empezar entre tantas cosas?

—Bien —contesté—. Estoy bien, gracias.

Ben me miró sonriendo.

—Simplificas un poco, estoy seguro, pero me alegro de saberlo.

—¿Y tú? ¿Cómo estás?

Por un instante contempló las burbujas que iban subiendo por su copa.

—He descubierto una cosa, Kate.

Reaccioné con retraso. *Las palabras de Roz.*

—No tiene gracia.

—No es mi intención que la tenga. —Levantó los ojos para mirarme—. Quiero que comprendas que es verdad.

Lo miré fijamente. Durante su larga permanencia en el hospital y después durante el período de rehabilitación, se había negado a recibir visitas, aunque habíamos hablado varias veces por teléfono. En cuestión de unos días, los papeles de la Houghton y de Wilton House —las cartas de Jem al profesor Child y de Will al «más dulce cisne»— habían encontrado por separado sus caminos de regreso a casa, sin que nadie hubiera hecho preguntas, por lo menos hasta que yo las hiciera. Lo único que yo sabía, sin embargo, era que, durante el caos que se había producido en Elsinore, Ben le había quitado el volumen de Chambers a sir Henry y lo había escondido, junto con su ilícita colección de cartas, en algún lugar de la casa. No quiso decir cómo se las había arreglado para recuperarlo. No obstante, me preguntó por el broche con su miniatura secreta y puso en ello tanto empeño que acabé por aceptar su sugerencia. Así pues, el broche emprendió también rápidamente su camino de regreso a casa y llegó a la Folger junto con las cartas de Ophelia a la señora Folger.

La última vez que habíamos hablado había sido poco antes de que yo empezara los ensayos seis meses atrás. Lo había vuelto a llamar muy emocionada tras haber descubierto la conexión entre los Howard y el conde de Derby.

Su voz sonaba cansada, pero se animó al oír mis palabras.

—¿Qué clase de conexión?

—La anticuada conexión de siempre. El matrimonio. La hija de Derby se había casado con un primo de Somerset.

—Estás de guasa.

—Otro Robert Carr, en efecto, sólo que éste insistía en utilizar la ortografía escocesa. Kerr, con ka. Ocurrió en 1621, un año antes de que la condesa de Somerset fuera liberada de la Torre. Dos años antes de la publicación del Infolio.

«Ahora es de la familia», decía la carta de Wilton House.

—Eso lo aclara todo, ¿verdad? ¿Establece un nexo entre Derby y las obras?

Discrepé.

—El matrimonio sólo demuestra que él estaba emparentado con los Howard. Ya sabíamos por el Infolio de Valladolid que Derby conocía a William Shelton. Y sabíamos gracias a la carta de Wilton House que mantenía cierta relación con William Shakespeare. Pero nada de todo eso lo convierte en autor de las obras. Pudo haber sido un simple protector.

—¿Qué otra cosa se necesita?

—Algo explícito.

Ben soltó un gruñido.

—¿Y dónde habría que buscar?

—En algún lugar donde nadie más lo hubiera hecho en los últimos cuatrocientos años, para empezar.

—¿Se te ocurre alguna idea?

Lo pensé.

—En los márgenes de la historia. Chismorreos quizá. Pero no acerca de las obras. Eso ya se ha examinado.

—¿Pues chismorreos acerca de qué entonces?

—La Biblia del rey Jacobo tal vez.

Ben lanzó un prolongado suspiro.

—La signatura de los Salmos.

—Podría haber algo acerca de quiénes realizaron las traducciones, sobre todo la del salmo cuarenta y seis.

—¿No lo sabemos? ¿Tú no lo sabes?

—No. Los traductores eran muy discretos a propósito de sus aportaciones individuales. Al parecer, de manera deliberada. Hasta el extremo de quemar sus datos personales. Según sus razonamientos, la Biblia es obra de Dios. No de los hombres. Y por supuesto que no de un solo hombre. No obstante, se podría haber colado alguna referencia y ésta se habría podido conservar.

—Me pongo en ello.

Ben no había recuperado plenamente la movilidad y no sabía leer la escritura jacobina, por lo que no me mostré demasiado entusiasta acerca de sus posibilidades. Sin embargo, si necesitaba algo para no volverse neurótico a causa de la inactividad, me parecía muy bien.

Pero ahora, sentado en el borde del escenario, decía que había descubierto una cosa. Posé mi copa.

—¿Qué has averiguado? —pregunté.

Me entregó una copia xerografiada de una carta. La estudié. Estaba escrita en cursiva isabelina.

Ben sonrió.

—Después de recuperar todo lo que les pertenecía, la Folger se mostró de lo más atenta. Hasta me enseñaron a leer la escritura jacobina.

—¿Aquí está tu descubrimiento?

Meneó la cabeza.

—Una colección privada —dijo sin dar explicaciones concretas—. La carta es de Lancelot Andrews, deán de Westminster y obispo de Chichester, y va dirigida a un amigo. Fue escrita en noviembre de 1607. Un nombre un poco improbable para un obispo, pero es que él tampoco parece un prelado corriente*.

No dijo más y me dispuse a leer la carta. Casi toda se refería al problema católico en Warwickshire. Pero había un párrafo que me llamó la atención sobre Laurence Chaderton, preceptor del Emmanuel College de Cambridge, y sobre la recién terminada versión del Libro de los Salmos de la Biblia del rey Jacobo. Chaderton había sido uno de los pocos clérigos de tendencias puritanas que había colaborado en el proyecto; los Salmos habían sido encomendados a su comité.

Según el obispo, Chaderton había escrito una carta que levantaba ampollas, quejándose de que el rey hubiera pasado la esmerada traducción de los Salmos realizada por su comité a un grupo de poetas. Para que la «pulieran», había protestado Chaderton, hecho una furia, según informaba el obispo, como si el embellecimiento poético fuera algo peor que la masturbación, la sodomía y la brujería en la escala de las abominaciones levíticas. En su respuesta, el obispo había tratado de tranquilizarlo. Los poetas no estarían autorizados a modificar la traducción... pero, en cuanto al ritmo y al sonido, bueno, en su opinión el rey tenía razón. Los salmos tenían que ser cantos, pero sonaban más bien como sermones. Sermones aburridos, había especificado. Al igual que el monarca, el obispo estaba a favor de la exactitud del texto, pero no había ninguna razón para que la exactitud no pudiera ser también agradable al oído.

Sin embargo, Chaderton no se había tranquilizado. Y había lanzado otra acusación: «Ellos han firmado su obra».

Eso, de ser cierto, escribía el obispo, sería una blasfemia, pero él había repasado todo el Libro de los Salmos y no había encontrado ninguna firma en ningún sitio. Chaderton, le decía con un suspiro a su amigo, haría bien preocupándose por los libros que aún queda-

* Lancelot; en castellano, Lanzarote [del Lago], el caballero de la Tabla Redonda que tuvo amores con Ginebra, la esposa del rey Arturo. *(N. de la T.)*

ban por traducir, en lugar de gritar sandeces acerca de los que ya se habían terminado. Si el irascible sujeto no consiguiera ser discreto, el rey se les echaría encima y él mismo se encargaría de mejorar los textos. Por lo menos, con los poetas, el bueno del obispo podría rechazar cualquier cosa que fuera auténticamente horrible.

Por desgracia, a diferencia de Chaderton, el obispo era la quinta esencia de la discreción y no mencionaba ningún nombre.

Una sonrisa iluminó el rostro de Ben cuando finalicé la lectura de la carta.

—¿Tú crees que Shakespeare pudo haber sido uno de esos poetas?

—Pudo serlo. Pero, entonces, ¿quiénes fueron los otros? Nadie ha encontrado jamás ninguna pista de otra firma.

—¿Alguien la ha buscado?

Me eché a reír.

—Probablemente no.

—Pues ¿qué es lo que ocurre?

Me agité levemente.

—Es la fecha lo que me preocupa. La antigua explicación es que los Salmos se terminaron en 1610, cuando Shakespeare tenía cuarenta y seis años, una especie de clave en broma del misterio. Pero el obispo fechó su carta en 1607.

—¿Tiene que ser forzosamente un regalo de cumpleaños para sí mismo?

—No. Pero entonces, ¿por qué el salmo cuarenta y seis? ¿Por qué traducirlo, en definitiva, sin dejar alguna especie de señal para que otros la vieran?

—¿Crees que le importaba realmente que otros supieran que lo había traducido él? A lo mejor, lo hizo para sí mismo, porque se le ocurrió pensar que en un salmo podría camuflar las palabras «Shaking» y «spears»*.

* Otro juego de palabras con los términos del apellido de Shakespeare. «Agitar» y «lanzas», en sentido literal. *(N. de la T.)*

—Tal vez —dije frunciendo el entrecejo—. Un regalo de cumpleaños para sí mismo.

Saltando del escenario, eché a correr hacia la mesa de la galería donde guardaba mis cuadernos de apuntes y regresé con tres páginas dobladas que deposité delante de Ben. Eran del diccionario online *Oxford Dictionary of National Biography*. Las entradas correspondientes a William Stanley, sexto conde de Derby, Mary Sidney Herbert, condesa de Pembroke, y sir Francis Bacon.

—La quimérica bestia —dijo Ben—. O buena parte de ella.

—Regalo de cumpleaños para sí mismos —apunté.

Ben examinó las entradas y levantó los ojos.

—Todos habían nacido en 1561. Lo cual significa que en 1607, cuando se terminaron los Salmos, tenían...

Ben soltó un silbido.

—Todos tenían cuarenta y seis años.

Por un instante bebimos en silencio, sumergiéndonos en las profundidades del universo shakespeariano mientras el cielo de un azul zafiro cada vez más intenso nos hacía experimentar la sensación de estar flotando en un sueño invernal.

—¿Sabes que Derby fue el último miembro de la quimérica bestia que sobrevivió? —dije en tono meditabundo—. Lady Pembroke murió de viruela en 1621, pocas semanas después de que la hija de Derby se casara con el otro Kerr, y Bacon murió de una pulmonía en la primavera de 1626 a raíz de un experimento para conservar la carne, consistente en rellenar un pollo con nieve. Pero Derby sobrevivió a los primeros disparos de la Guerra Civil inglesa.

—¿Muerto en combate? —preguntó Ben.

—No. Estaba envuelto en mantas con sus amados libros en Chester y, además, tenía ochenta y un años. Pero en septiembre de 1642, tras la huida del rey de Londres, los puritanos del Parlamento consiguieron finalmente meter en cintura los teatros que tanto tiempo llevaban aborreciendo y los cerraron de golpe el dos de septiembre. Permanecerían cerrados durante casi veinte años...

—No eran muy amantes de la diversión que digamos los puritanos. Me alegro de que casi todos ellos se marcharon al Nuevo Mundo.

—Muchas gracias, hombre. —Hice una mueca de desagrado—. Derby murió casi exactamente cuatro semanas después, el veintinueve de septiembre.

—¿Como si el Parlamento le hubiera destrozado el corazón?

—Resulta tentador verlo de esta manera, ¿verdad? Pero la historia no funciona así. La cronología no es una cuestión de causa y efecto.

Permanecí sentada con aire ausente mientras deslizaba el dedo por el borde de mi copa.

—¿Y qué vas a hacer con eso?

Meneé la cabeza.

—Athenaide sugirió que Wesley North escribiera un libro más, esta vez acerca de la quimérica bestia. Le dije que lo pensaría.

—Ya me lo comentó. ¿Introducirías todo esto en un libro, a nombre de otra persona?

—Parece lo más apropiado, ¿no crees? —Él se echó a reír y yo meneé la cabeza—. Lo malo es que no aporta mucho más que unas voces oídas en el viento. No son pruebas irrefutables.

—Lo cual no ha impedido hasta ahora que otras personas sigan adelante con el tema.

—Se lo impidió a Ophelia. Y, a partir de entonces, fue feliz.

—¿O sea que te inclinas por seguir el camino de Ophelia más que el de Delia?

Hay una corriente en los negocios de los hombres... La cita preferida de Roz pasó por mi mente con la cadencia de su voz.

—¿Hasta qué extremo conocías a Roz? —pregunté.

—La conocía lo suficiente para saber que te adoraba.

—Le gustaba verse a sí misma interpretando la historia de los sonetos. Siempre fue una poeta.

—Por supuesto. Y tú eras el joven dorado.

Dejé de reírme.

—Suena un poco presuntuoso dicho de esta manera. Pero una vez sir Henry me dijo lo mismo.

Ben me sostuvo la mirada.

—Roz te llamaba su chica dorada. Entre otras cosas.

Me incliné hacia adelante.

—¿Te has preguntado alguna vez si tenía intención de introducirte en su juego de los sonetos?

—Nunca me lo tuve que preguntar. Me ofreció el papel de la dama oscura —contestó con una modesta sonrisa en los labios—. No tenía por qué ser nada de tipo femenino, me aseguró. El papel del aguafiestas. Del intruso. Perfectamente adecuado para un soldado.

Me eché a reír.

—¿Y tú qué dijiste?

Tomó un sorbo de champán.

—Le dije que no era actor y que no seguiría el guión de otra persona.

—Y ella replicó: «¿Ni siquiera el de Shakespeare?»

—¿Te lo contó?

Meneé la cabeza.

—No, es que yo le dije lo mismo una vez, eso fue lo que me contestó.

Ben soltó una carcajada.

—¿Cuál fue tu respuesta?

—Que yo escribiría mi propia historia. Quizá no sería tan brillante, pero sería mía.

—¿Y qué tal te está saliendo?

—Todavía no estoy muy segura. Pero, si no sigo el camino de Shakespeare, seguro que tampoco seguiré ni el de Ophelia ni el de Delia.

Asintió con la cabeza y tomó otro sorbo de champán.

—¿Has pensado alguna vez en una colaboración?

En las comisuras de su boca se dibujó una expresión de picardía. De picardía y esperanza.

—¿Qué clase de historia tienes pensada?

—La historia más antigua de todas —contestó—. Chico encuentra a chica.

—¿Qué tal chica encuentra a chico? —repliqué sonriendo.
Levantó su copa.
Levanté la mía.
—Por una nueva historia —brindé.

NOTA DE LA AUTORA

Una noche de otoño cuando iniciaba mis estudios de posgrado estaba hojeando viejos libros en la sala de la Biblioteca Child, que servía de refugio privado del Departamento de Inglés, oculto en un rincón del último piso de la Bibliotea Widener de Harvard, cuando me tropecé con los cuatro volúmenes de *The Elizabethan Stage*, de E.K. Chambers, publicados en 1923. Los abrí uno a uno. Estaban llenos de información, pero no tenía ni idea de qué hacer con buena parte de ella, como, por ejemplo, la nota según la cual «muchos actores isabelinos eran acróbatas y podían, sin ninguna duda, realizar ejercicios de equilibrio sobre un alambre». Hacia el final del tercer volumen, sin embargo, encontré unas páginas acerca de las obras dramáticas de Shakespeare que terminaban con un breve apartado titulado «Las obras perdidas».

Yo sabía que la mayoría de las obras dramáticas escritas en el Renacimiento inglés no habían sobrevivido y sospechaba —vagamente— que parte de lo que Shakespeare escribió también se tenía que haber perdido. Lo que me sorprendió fue que Chambers supiera algunas cosas acerca de lo que se había perdido. Visualicé dos títulos y, en el caso de *Cardenio*, el esquema de un argumento.

Empecé a fantasear sobre la idea de encontrar una de aquellas obras. ¿Dónde podría alguien desenterrar semejante tesoro? ¿Qué sentiría en el momento del descubrimiento? ¿Y cuál sería el efecto del hallazgo en la configuración de su propia vida, aparte de la adquisición instantánea de fama y riqueza?

Los lugares más obvios donde buscar las obras perdidas de Shakespeare eran las bibliotecas y las mansiones de las familias nobles de la época. Pero estaba claro que, si alguna de esas obras hubiera estado en algún lugar tan previsible, ya se habría encontrado. A la egoísta manera de los ensueños, empecé a preguntarme dónde podría alguien hallar una obra de Shakespeare fuera del Reino Unido y, más concretamente, en algún lugar donde yo tuviera más probabilidades de encontrarla, sobre todo, en Nueva Inglaterra (o, por lo menos, en algún sitio del pasillo nororiental entre Boston y Washington D.C.) o en el suroeste de Estados Unidos. Algunas veces llegué al extremo de rebuscar en las cajas de libros viejos de las tiendas de antigüedades instaladas en establos en pueblos de Nueva Inglaterra que pudiera estar visitando casualmente. Pero nadie había dejado un libro en cuarto* shakespeariano y mucho menos un manuscrito tirado de cualquier manera por allí.

En algún lugar del camino, reconocí en mi fuero interno que jamás iba a encontrar una de las obras perdidas de Shakespeare, y que podría ser más divertido para mí, en cualquier caso, crear una historia relacionada con el tema, pues entonces yo podría ejercer control sobre lo que ocurriera y sobre la persona a quien le ocurriera. Pero después pensé: ¿por qué no centrarme en el otro y todavía más grande misterio shakespeariano? ¿Quién fue Shakespeare?

Tardé más de un década en empezar, pero *Sepultado con sus huesos* es el resultado.

El pasaje de Chambers que lo puso en marcha todo, con alguna que otra pequeña variación, es el pasaje que lee Kate en este libro. Los principales lugares shakespearianos de esta novela son reales, aunque me he tomado alguna libertad para poder conciliarlos con el relato. Las teorías acerca de la identidad de Shakespeare son todas reales, por lo menos, como teorías. Finalmente, muchos de los personajes históricos son fantasías inspiradas en hechos verídicos. En cambio, todos los personajes modernos son imaginarios.

Una entrada en el Stationers' Register (una antigua modalidad inglesa de registro de la propiedad intelectual) identifica a Shakespeare como el coautor de *Cardenio*, junto con John Fletcher, su sucesor como dramaturgo principal de los Hombres del Rey (y co-

* Dicho de un libro, de un folleto, etc.: cuyas hojas corresponden a cuatro por pliego. Se dice también de otros libros cuya altura mide de 23 a 32 centímetros. (*N. de la T.*)

autor de varias otras obras shakespearianas). Decidí «encontrar» *Cardenio* porque, de entre las dos obras perdidas cuyos títulos conocemos, sobre ésta conocemos más detalles, y también porque su fuente, *Don Quijote* de Miguel de Cervantes, nos revela un nebuloso vínculo con el mundo colonial español y, por consiguiente, con el suroeste de Estados Unidos, un lugar que amo y en el que quería que mis personajes jugaran al escondite shakespeariano.

La otra obra —*Trabajos de amor encontrados*— ha desaparecido, pero *Cardenio* afloró de nuevo a la superficie en un manuscrito del siglo XVIII, cuando Lewis Theobald la «modernizó» para el escenario de Londres. Los manuscritos originales, que la mayoría de los estudiosos aceptan como probablemente auténticos, han desaparecido desde entonces, pero la expurgación, titulada *La doble falsedad*, ha sobrevivido. En general, la adaptación es tan terrible como Kate dice que es: está llena de lagunas y entrecruzada de evidentes cicatrices y remiendos estilo Frankenstein. Pero, diseminadas por toda la obra, hay frases que suenan a Shakespeare o a Fletcher y resulta, por lo general, difícil diferenciar al maestro del discípulo, algo muy parecido al problema de distinguir entre las pinceladas de Rembrandt y las «del taller de Rembrandt». *La doble falsedad* es la fuente de las palabras que Kate y otros identifican como de Shakespeare en esta novela.

Las únicas excepciones son la dirección escénica y la única frase acerca de Sancho y don Quijote: asumo la responsabilidad de ambas cosas porque la obra expurgada no registra la menor huella del enloquecido caballero y de su prosaico escudero. Como a Kate, sin embargo, a mí me gusta pensar que Shakespeare los hubiera considerado indispensables para la comedia y la intriga narrativa del relato y, por consiguiente, los hubiera incluido en alguna especie de marco estructural de la historia.

He leído una docta sugerencia de Richard Wilson en *Secret Shakespeare* (Manchester University Press, 2004), según la cual *Cardenio* podría estar relacionado en cierto modo con los Howard y la muerte del príncipe Enrique. Los Howard eran pro españoles, cripto-católicos y famosos por su tortuosa manera de comportarse, especialmente el conde de Northampton y su sobrino el conde de Suffolk. (En aras de la sencillez, me he referido a ambos con estos títulos a lo largo de la novela, aunque ninguno de los dos recibió su título hasta el ascenso al trono del rey Jacobo.) Corrieron efectivamente rumores acerca del vínculo amoroso entre Frances Howard y el príncipe, y parece ser que el «incidente del guante» ocurrió realmente (aunque se ignora el nombre de la dama); la espeluznante historia del envenenamiento por parte de Frances de uno de los amantes de su marido por medio de unas tartaletas de fruta rociadas con veneno figura en numerosos documentos legales, lo mismo que su declaración de culpabilidad de asesinato en la Cámara de los Lores. En cambio, los detalles acerca de la relación de los Howard con Shakespeare y el Globo son fruto de mi imaginación.

Aunque lo más fácil sea decir que William Shakespeare de Stratford fue el autor de las obras que llevan su nombre, hay muchos argumentos, que oscilan entre lo curiosamente intrigante y lo escandaloso, en el sentido de que tal vez no lo fue. El principal problema que comparten todas las teorías en favor de «otro autor» consiste en la conspiración de silencio que todas ellas exigen: si otro autor escribió las obras, nadie se fue jamás de la lengua. En ambientes tan chismosos, difamatorios y profesionalmente ingeniosos como las cortes isabelina y jacobina, no se trata de un obstáculo baladí. Hoy en día existen muchas asociaciones de «anti-stradfordianos», que van desde asociaciones académicas a grupos de culto más afines a la teoría de la conspiración. Muchos se conplacen en desenterrar mensajes cifrados que avalan en teoría a varios otros escritores como el efectivo y deliberadamente enmascarado autor de las obras publicadas bajo el nombre de William Shakespeare. Los dos candidatos que cuentan con un mayor —y más respetable— número de seguidores son el conde de Oxford y Francis Bacon. Entre otros perennes favoritos, figuran Christopher Marlowe; Edmund Spenser; sir Philip Sidney y su hermana Mary Herbert, condesa de Pembroke; la reina Isabel; sir Walter Raleigh; los condes de Southhampton, Derby y Rutland, y un comité secreto integrado por todos los arriba citados, en teoría encabezados por Bacon u Oxford, o por ambos.

Inexplicablemente insensatos son los partidarios de Henry Howard, conde de Sussex (decapitado unos cuarenta y cuatro años antes de la primera representación conocida de una obra de Shakespeare) y los de Daniel Defoe (nacido unos setenta años después de la primera representación). El más reciente candidato a la atención de los estudiosos es el cortesano de segunda fila sir Henry Neville.

Edward de Vere, decimoséptimo conde de Oxford, reina como el actual favorito de los anti-stradfordianos. Todos los anagramas y acertijos oxfordianos que figuran en este libro se han presentado como prueba de que el conde escribió las obras. Tal como señala Athenaide, su apellido familiar —Vere— está relacionado, según una antigua tradición, con el latín *verum*, o «verdadero», y el lema de su familia —*Vero nihil verius* o «Nada es más verdadero que la verdad»— juega con esta relación. Tal como hacen sus partidarios del mundo real, los cuales consideran «sospechosas» o «significativas» las referencias a la verdad en todas las obras de Shakespeare. La palabra *ever* [es decir, «siempre o posible y nunca y jamás»] es otra de las preferidas para justificar que Edward de Vere es Shakespeare. El primer oxfordiano serio fue J. Thomas Looney (pronunciado «Loney», [es decir, «lunático» en inglés]) cuyo libro *«Shakespeare» Identified* se publicó por vez primera en 1920 y convenció, entre otros, a Sigmund Freud.

Sin embargo, Francis Bacon fue el primer autor alternativo que se tomó en consideración; los primeros argumentos en favor de su candidatura los plantearon en la década de 1850 Delia Bacon y otros. Los partidarios de Bacon han examinado cuidadosamnente sus obras y las de otros autores renacentistas con incomparable entusiasmo y han señalado numerosos anagramas, acrósticos, claves numéricas y dobles significados (a menudo sobre la base de *hog* —«cerdo»— y «bacon») que supuestamente señalan a su héroe como el autor de las obras (y, a menudo y por si fuera poco, como hijo de la reina Isabel). Algunas almas desesperadas han recurrido a sesiones de espiritismo y al robo de tumbas. Sin embargo, no todos los partidarios de Bacon se pueden descartar tan fácilmente; entre ellos se han incluido estudiosos, autores, abogados y jueces tanto de Gran Bretaña como de Estados Unidos. La lectura baconiana más agradable de leer es con mucho el ensayo de Mark Twain *¿Ha muerto Shakespeare?*

Con independencia de cualquier otra cosa que haya podido ser, Bacon es ciertamente el más brillante e ingenioso. Consejero principal de la Corona durante algún tiempo, fue también inventor del admirable y complejo código cifrado utilizado en esta novela por Jem Granville. Bacon publicó el código en 1623, el mismo año de la aparición del Primer Infolio.

El gran defensor del sexto conde de Derby fue el eminente historiador literario y profesor francés del Collège de France Abel Lefranc en las primeras décadas del siglo XX. A pesar de las coincidencias del nombre (William), las iniciales (W.S.) y la época, su candidadura ha sido para los anglohablantes más oscura que las de Bacon y Oxford.

El mejor ensayo (e imparcial) de la controversia de la autoría es *Who wrote Shakespeare?* (Thames & Hudson, 1996) de John Michell. Para una defensa más parcial de Shakespeare de Stratford, véase *The Case for Shakespeare* de Scott McCrea (Praeger, 2005).

El Teatro del Globo original fue pasto de las llamas el 29 de junio de 1613 (martes, según el calendario juliano), durante una representación de la obra de Shakespeare *Enrique VIII*, conocida entonces con el título de *All is True* [Todo es verdad]. Por lo que se sabe, fue un accidente causado por las chispas de un cañón que fueron a parar a la techumbre de paja. Los testigos presenciales señalaron que un hombre sufrió quemaduras leves durante el rescate de una criatura atrapada por el fuego; sus calzones envueltos en llamas fueron rociados con cerveza. En efecto, el nuevo Globo fue el primer edificio con techumbre de paja cuya construcción se autorizó en las cercanías de Londres después del Gran Incendio de 1666.

Los numerosos monumentos y teatros dedicados a Shakespeare en Stratrford-upon-Avon son mundialmente conocidos. La Biblioteca Shakespeariana Folger de Capitol Hill en Washington D.C. custodia la más rica colección de obras shakespearianas del mundo.

Wilton House, la casa solariega de los Pembroke, es uno de los pocos edificios supervivientes que Shakespeare visitó con toda certeza. Su presencia allí es documentalmente más segura que su presencia en cualquiera de los edificios de Stratford, exceptuando la iglesia donde está enterrado. La copia de Wilton House del monumento a Shakespeare de Westminster y su alterada inscripción con sus extrañas letras mayúsculas son fieles a la realidad, aunque la pintura que pone de relieve el anagrama es imaginaria. De igual manera, hay toda una serie de pinturas de la *Arcadia* en la sala palladiana conocida como el Salón del Cubo Solitario, aunque las he modificado ligeramente para adaptarlas a mi historia. El compartimiento oculto detrás de una de ellas es totalmente fruto de mi imaginación. La «carta perdida» de la condesa a su hijo, informándole de que «tenemos con nosotros a Shakespeare», fue documentada en el siglo XIX, pero los estudiosos no la han vuelto a ver desde entonces. La carta de Will al «más dulce cisne» es una invención mía.

El Real Colegio de San Albano de Valladolid fue fundado expresamente por el rey de España Felipe II para preparar a jóvenes ingleses para el sacerdocio católico y (según el punto de vista de la reina Isabel) para fomentar la rebelión religiosa en casa. El Real Colegio sigue existiendo y continúa dedicándose a preparar a jóvenes británicos para el sacerdocio. Su maravillosa biblioteca albergó en otros tiempos un Primer Infolio, pero me dijeron que fue vendido a principios del siglo XX. En 1601, ocho años después del asesinato de Christopher Marlowe, constaba que un tal «Christopher Morley», una variante que Marlowe utilizó durante su vida, había estudiado allí. En 1604, Cervantes se encontraba también en la ciudad, terminando *Don Quijote*.

Las minas, ciudades y teatros shakespearianos abundan en todo el oeste de Estados Unidos; varias minas bautizadas con nombres de personajes y obras shakespearianos salpican las Montañas Rocosas de Colorado. (El estudio que llevó a cabo Roz a propósito de este tema es mío y lo hice con vistas a un artículo que escribí para *Smithsonian* titulado «How the Bard Won the West» (agosto de 1998). Cedar City, en el territorio de las rocas rojizas de Utah, es la sede del Festival Shakespeariano de Utah que presume de una moderna reconstrucción del Teatro del Globo isabelino, aunque he añadido el Archivo Preston bajo la forma de la casa natal de Shakespeare en Stratford-upon-Avon. El *Hamlet* de Jem Granville es un eco de una apuesta que tuvo efectivamente lugar en Denver en 1861. Mis artículos periodísticos se han basado en los reportajes del *Rocky Mountain News* acerca de aquella histórica apuesta.

La ciudad fantasma de Shakespeare se encuentra en el oeste de Nuevo México, cerca de Lordsburg, en la frontera de Arizona. He oído contar la historia de Bean Belly Smith por boca de los propietarios de la casa en varias ocasiones. Sin embargo, el palacio de Athenaide al final de la única calle de la ciudad es una invención mía, si bien el castillo «original» que le sirve de modelo —el castillo de Kronborg, en las afueras de Elsinore (o Helsingor), en Dinamarca— es un lugar real, tal como lo es también la Sala de los Banquetes del castillo de Hedingham, antiguo hogar del conde de Oxford. La obsesión oxfordiana por la obra *Hamlet* es auténtica; los oxfordianos leen la obra como una autobiografía secreta de su candidato. Tal como señalan Kate y Athenaide, la obra ofrece más de una extraña similitud con la vida de Oxford.

La estudiosa norteamericana Delia Bacon enloqueció mientras escribía su obra magna de 1857 *The Philosophy of the Plays of Shakespere* [sic] *Unfolded*. La historia de su noche de vigilia delante del sepulcro en la Trinity Church de Stratford está sacada de su propia descripción del acontecimiento, tal como cuenta en una carta suya a su amigo Nathaniel Hawthorne. Parece ser que el vicario de la Trinity Church, Granville J. Granville, autorizó la vigilia; el reverendo Granville tenía varios hijos, pero Jeremy (Jem) es mi aportación a su familia. De igual manera, el doctor George Fayrer fue efectivamente el médico que envió a Delia a su manicomio privado en Henley-in-Arden en 1857, pero su hija Ophelia es un producto de mi imaginación.

Francis J. Child fue profesor de literatura inglesa en Harvard desde 1896 hasta su muerte; su colección de baladas populares inglesas y escocesas sigue siendo una de las más grandes obras de erudición de la literatura inglesa. Era también un excelente estudioso de Shakespeare. Como en la novela, las rosas eran la otra pasión de su vida (y existe, en efecto, una célebre rosa Lady Banks en el jardín posterior de una pensión —convertida ahora en museo— de Tombstone, Arizona, aunque he retrasado unos cuantos años su plantación en aquel lugar). Espero que Child me perdone el haberle inventado una hija del amor.

Los sonetos de Shakespeare se atribuyen calumniosamente o bien a un desconfiado joven de cabello dorado, o bien a una peligrosa dama morena, con los cuales parece ser que el poeta se vio atrapado en una especie de triángulo amoroso. Se han dedicado numerosos estudios a tratar de averiguar quiénes fueron la dama y el joven; ninguno de los dos ha sido convincentemente identificado. En los primeros diecisiete sonetos, Shakespeare le suplica al joven que engendre un hijo. Curiosamente, en su prefacio a *La doble falsedad*, Theobald se refiere a una por otra parte desconocida hija ilegítima de Shakespeare. Puesto que el poeta-narrador arde de celos ante la relación del joven con la dama oscura, parecía natural atribuir esta hija a la dama oscura y no aclarar la paternidad de la criatura, pero esta conexión es exclusivamente mía e infundada, por otra parte.

Nicholas Hilliard fue, con mucho, el mejor pintor de Inglaterra en vida de Shakespeare; y, en cierto modo, fue la réplica de Shakespeare en el ámbito de las bellas artes. Hilliard estaba especializado en retratos en miniatura de exquisito y fotográfico detalle. El Museo de Victoria y Alberto de Londres posee uno de ellos en el que aparece un hermoso joven sobre un fondo de llamas.

Thomas Shelton, un partidario angloirlandés de la familia Howard, fue, de hecho, el primero en traducir *Don Quijote* al inglés; su traducción fue publicada en 1612. Aunque su hermano es imaginario, hubo un significativo número de piadosos católicos ingleses que huyeron al continente para ingresar en seminarios como el Real Colegio de San Albano de Valladolid. Los jesuitas ingleses solían ser enviados de nuevo a Inglaterra para atender en secreto a los católicos de allí.

Las primeras misiones fundadas en Santa Fe y sus alrededores, en un territorio conocido como Nuevo México, fueron franciscanas. Los nativos americanos de todo el suroeste, que entonces era la Nueva España para los europeos, se rebelaron varias veces durante el siglo XVII, provocando matanzas de invasores españoles y, sobre todo, de sacerdotes. Los montes Dragoon de la zona suroriental de Arizona eran una plaza fuerte de los apaches hasta la captura definitiva de Gerónimo en 1886. (El gran jefe apache Cochise yace enterrado todavía en algún lugar secreto de esas montañas.) Aunque me he inventado el cañón y la cueva en la cual Kate encuentra lo que busca enterrado con unos huesos, esta parte del mundo está salpicada de cuevas. Las cercanas (y recientemente descubiertas) Cuevas Kartchner constituyen un espectacular ejemplo de la clase de «palacios resplandecientes como joyas» que las huecas montañas siguen sin duda ocultando todavía.

La «signatura» en la Biblia del rey Jacobo está allí para quien quiera verla. Jamás se ha explicado cómo llegó allí, ni yo he descubierto quién la «encontró». No se sabe exactamente cuándo se terminó la traducción del salmo cuarenta y seis o de todo el conjunto de los Salmos (aunque debió de ser entre 1604 y 1611), ni tampoco se sabe quién trabajó en concreto en dicho salmo. Tanto Lancelot Andrewes, deán de Westminster y más tarde obispo de Chichester, como Laurence Chederton, preceptor del Emmanuel College, Cambridge, eran teólogos que estudiaron la Biblia, mientras que el pro-puritano Chaderton era miembro del Primer Comité de Cambridge al que se asignó la tarea de la traducción de los Salmos. Sin embargo, la carta del obispo sobre Chaderton es de mi propia cosecha.

En cambio, las fechas de nacimiento de Bacon, Derby y la condesa de Pembroke constan en los archivos históricos.

El hecho de transformar un sueño en una novela acaba exigiendo una inmensa cantidad de ayudas y estímulos. Primero y por encima de todo, doy gracias a Brian Tart y Mitch Hoffman. La paciencia y la perspicaz mirada de ambos me ayudaron a esculpir este libro y otorgarle forma. De paso, también consiguieron hacerme reír. Neil Gordon y Erika Imranyi aligeraron el proceso. Noah Lukeman estaba seguro de que éste era el libro que yo tenía que escribir y echó mano de toda su magia para convertirlo en realidad.

Por sus variados conocimientos y energía, quisiera también dar las gracias a Ilana Addis, Michelle Alexander, Kathy Allen, Bill Carrell, Jamie de Courcey, Lionel Faitelson, Dave y Ellen Grounds, el padre Peter Harris, Jessica Harrison, Charlotte Lowe-Bailey, Peggy Marner, Karen Melvin, Kristie Miller, Liz Ogilvy, Nick Saunders, Brian Schuyler, Dan Shapiro, Ronald Spark, Ian Tennent y Heidi Vanderbilt. En el Straw Bale Forum y en el Tucson Literary Club leí las primeras versiones de algunas páginas y, por mi relación con estos dos grupos, estoy en deuda con Bazy Tankersley.

Mi especial gratitud al doctor Javier Burrieza Sánchez, bibliotecario y archivero del Real Colegio de San Albano de Valladolid; a Nigel Bailey, administrdor de la casa, y a Carol Kitching, guía jefe de Wilton House, y a Sarah Weatherall, del Globo de Shakespeare en Londres. El personal de la Biblioteca Folger de Washington D.C. y de la Holy Trinity Church y la Biblioteca del Shakespeare Centre, ambos de Stratford, fue también extremadamente servicial.

Más que ninguna otra persona, Marge Garber ha configurado mi manera de pensar acerca de Shakespeare. Los miembros de la Hyperion Theatre Company de Harvard, 1996-1998, y de la Shakespeare & Company, de Lennox, Massachusetts, me enseñaron lo que sé acerca de Shakespeare en el escenario. David Ira Goldstein y la Arizona Theatre Company me acogieron como frecuente invitada en el mundo del teatro profesional.

Tres personas escucharon, leyeron e hicieron interminables comentarios mientras este libro adquiría forma: Kristen Poole, estudiosa y narradora de cuentos y amiga; mi madre, Melinda Carrell, que fue quien primero me enseñó a amar los libros, y mi marido, Johnny Helenbolt.

Mi deuda con Johnny sigue siendo ilimitada.

SOBRE LA AUTORA

Jennifer Lee Carrel es doctora en literatura inglesa y norteamericana por la Universidad de Harvard y posee otros títulos en literatura inglesa por las universidades de Oxford y Stanford. Ganó tres premios a la excelencia en enseñanza en la Universidad de Harvard, donde enseñó en el programa de Historia y Literatura y dirigió obras de Shakespeare para la Hyperion Theatre Company. Jennifer es la autora de *The Speckled Monster*, un ensayo histórico sobre la lucha contra la viruela a principios del siglo XVIII, calificada por *USA Today* como una obra escrita «con una convincente y casi novelística voz». Ha escrito también toda una serie de artículos para el *Smithsonian Magazine. Sepultado con sus huesos* es su primera novela.